L'Amérique ? C'est beaucoup
mieux depuis le 17 mai 1953.
Joyeux Anniversaire !
Maman et Papa
mai, 2000

C'EST COMMENT
L'AMÉRIQUE ?

DU MÊME AUTEUR
AUX ÉDITIONS BELFOND

Les Cendres d'Angela, 1997

FRANK McCOURT

C'EST COMMENT L'AMÉRIQUE ?

Mémoires

*Traduit de l'américain
par Daniel Bismuth*

belfond
12, avenue d'Italie
75013 Paris

Titre original :
'TIS
publié par Scribner, New York.

Certains des noms de cet ouvrage
ont été modifiés.

Si vous souhaitez recevoir notre catalogue
et être tenu au courant de nos publications,
envoyez vos nom et adresse, en citant ce livre,
aux Éditions Belfond,
12, avenue d'Italie, 75013 Paris.
Et, pour le Canada, à
Havas Services Canada LTEE,
1050, bd René-Lévesque-Est,
Bureau 100,
Montréal, Québec, H2L 2L6.

ISBN 2.7144.3705.2

*Ce livre est dédié à
ma fille, Maggie, pour sa sensibilité chaleureuse, pénétrante,
et à ma femme, Ellen, pour avoir joint son côté au mien.*

Prologue

Voilà ton rêve qui paraît.

C'est ce que disait ma mère lorsque nous étions enfants en Irlande et qu'un de nos rêves se réalisait. Dans celui que je faisais tout le temps, j'entrais en bateau dans le port de New York, subjugué par les gratte-ciel devant moi. Je le racontais à mes frères, et ils m'enviaient de passer ainsi mes nuits en Amérique, jusqu'au jour où ils ont prétendu avoir fait eux aussi ce rêve. Ils savaient que c'était un moyen sûr d'attirer l'attention et, quand je leur ai objecté que j'étais l'aîné, que ce rêve m'appartenait et qu'ils feraient mieux de rester en dehors sous peine de connaître quelques problèmes, ils ont répliqué que je n'avais pas l'exclusivité de ce rêve, tout le monde avait le droit de rêver de l'Amérique dans les confins de la nuit et je n'y pouvais rien. Je leur ai dit que j'avais une manière de les contrer. J'allais les tenir éveillés toute la nuit et ils ne feraient pas de rêve du tout. Michael, qui avait seulement six ans, s'est mis à rire en m'imaginant aller de l'un à l'autre pour tenter d'interrompre leurs rêves des gratte-ciel de New York. Malachy a déclaré que je n'avais aucun pouvoir sur ses rêves car, étant né à Brooklyn, il pouvait rêver de l'Amérique toute la nuit et fort avant dans la journée s'il en avait envie. J'en ai appelé à ma mère. Je lui ai expliqué que ce n'était pas juste, cet envahissement de mes rêves par toute la famille, et elle a dit : Arrah, pour l'amour de Dieu, bois ton thé, file à l'école et cesse de nous tourmenter avec tes rêves. Mon frère Alphie, qui avait seulement deux ans et apprenait les mots, s'est mis à taper sur la table avec une cuillère en chantonnant : Les rêves tout menteurs ! Les rêves tout menteurs ! Tout le monde a éclaté de rire et j'ai compris que je pourrais à tout moment partager mes rêves avec lui, dès lors pourquoi n'en irait-il pas de même avec Michael, avec Malachy ?

1

Lorsque le MS *Irish Oak* quitta le port de Cork au mois d'octobre 1949, nous comptions être à New York en une semaine. Au lieu de ça, après deux jours de mer, on nous annonça que nous faisions route vers Montréal, Canada. Je suis allé dire au second que je n'avais que quarante dollars. L'Irish Shipping paierait-elle mon billet de train de Montréal à New York ? Non, répondit-il, la compagnie n'était pas responsable. Il ajouta que les navires marchands étaient les putains des hautes mers, qu'ils feraient n'importe quoi pour n'importe qui. On pouvait dire d'un navire marchand qu'il était comme la vieille chienne de Murphy, prête à mettre les voiles avec le premier bourlingueur venu.

Deux jours plus tard, l'Irish Shipping se ravisa et nous fit savoir la bonne nouvelle : Cap sur New York City. Mais passèrent deux autres jours, et le capitaine se vit dire : Cap sur Albany.

Le second m'apprit qu'Albany était une ville perchée en amont de l'Hudson, et la capitale de l'État de New York. Selon lui, Albany avait tout le charme de Limerick, ha ha ha, un chouette lieu pour mourir mais pas un endroit où vous auriez envie de vous marier et d'élever des enfants. Il était de Dublin, savait que j'étais de Limerick, et, quand il daubait sur Limerick, je ne savais comment réagir. J'avais d'abord envie de l'anéantir d'une brillante repartie, mais ensuite, quand j'allais me regarder dans le miroir, moi avec mon visage boutonneux, mes yeux infectés, mes dents gâtées, je voyais bien que je ne pourrais jamais tenir tête à quiconque, d'autant moins à un second nanti d'un uniforme et d'un bel avenir de seul maître à bord. Alors je me disais : De toute façon, pourquoi me soucier de ce qu'on raconte sur Limerick ? Je n'ai eu là-bas que du malheur.

Puis se produisait la chose étrange. J'allais m'installer sur une chaise de pont sous le délicieux soleil d'octobre, avec la splendeur bleue de l'Atlantique tout autour de moi, et j'essayais d'imaginer de quoi New

11

York aurait l'air. Je tentais de me représenter la Cinquième Avenue, ou bien Central Park, ou alors Greenwich Village, ces endroits où tout un chacun ressemblait à une vedette de cinéma, bronzage intense, dents d'une blancheur étincelante. Mais Limerick me repoussait dans le passé. Au lieu de me voir montant la Cinquième Avenue d'un pas flâneur, avec le bronzage et les dents, voilà que je me retrouvais dans les ruelles de Limerick, avec les femmes qui bavardaient devant les portes, ramenant leur châle sur leurs épaules, et les enfants au visage barbouillé de confiture qui jouaient, et riaient, et appelaient leur mère. Je voyais les gens à la messe du dimanche matin lorsqu'un chuchotement parcourait l'église, signalant qu'une personne défaillant de faim s'était effondrée sur un banc et allait devoir être transportée au-dehors par les hommes venus du fond de l'église qui s'en iraient dire à chacun : Reculez-vous, reculez-vous, pour l'amour de Jaysus, voyez donc pas qu'elle manque d'air ? Et moi, je voulais être un de ces hommes demandant aux gens de reculer car cela vous autorisait à rester dehors jusqu'à la fin de la messe, après quoi vous pouviez filer au pub, raison pour laquelle vous vous étiez placé en premier lieu au fond avec tous les autres. Les hommes qui ne buvaient pas s'agenouillaient toujours juste devant l'autel pour montrer à quel point ils étaient bons et combien ça leur aurait été égal que les pubs restent fermés jusqu'au jugement dernier. Ils savaient répondre la messe mieux que personne, et ils se signaient et se levaient et s'agenouillaient et disaient leurs prières avec maints soupirs comme s'ils éprouvaient plus que le reste de l'assemblée la douleur de Notre-Seigneur. Certains avaient complètement renoncé à la pinte et c'étaient les pires, toujours à prêcher contre le maléfice de la pinte et à toiser ceux qui étaient encore sous son emprise, comme si eux-mêmes s'acheminaient droit au Ciel. Ils agissaient comme si Dieu en personne tournait Son dos à l'homme qui boit quand chacun savait qu'on entendait rarement un prêtre tonner en chaire contre la pinte ou les hommes qui s'y adonnaient. Les hommes en proie à la soif se tenaient dans le fond, prêts à décamper à l'instant où le prêtre dirait : *Ite, missa est*, vous pouvez partir. Ils étaient dans le fond car ils avaient la bouche sèche et se sentaient trop humbles pour être là-bas tout devant, avec les sobres. J'étais posté près de la porte afin de les entendre murmurer sur la lenteur de la messe. Ils allaient à la messe car c'était un péché mortel de ne pas y aller, encore qu'on aurait pu se demander si ce n'était pas un pire péché de confier plaisamment à votre voisin que si le prêtre ne se magnait pas un peu vous alliez expirer de soif dans les secondes qui suivaient. Quand c'était le père White qui prononçait l'homélie, les hommes du fond piétinaient et gémissaient durant son sermon, le plus lent du monde, tandis qu'il roulait les yeux au ciel et nous déclarait tous damnés à moins que nous ne nous amendions et nous consacrions entièrement à la Vierge Marie. Mon oncle Pa Keating faisait alors rire les hommes sous cape en y allant de son : Je me consacrerais volontiers à la Vierge Marie si elle me tendait une bonne pinte de *porter* bien noire et bien crémeuse. Voilà où j'aurais voulu me trouver, tout grandi, en pantalon d'adulte, à côté de mon oncle Pa Keating et parmi les hommes du fond, avec la grande soif et le rire sous cape.

Installé sur cette chaise de pont, je me voyais en pensée sillonner à vélo Limerick et la campagne environnante durant ma tournée des télégrammes. Je me voyais pédalant tôt le matin sur les routes de campagne, avec la brume qui se levait dans les champs, les vaches qui me lançaient leur drôle de *Meuh !* et les chiens qui s'en prenaient à moi, jusqu'au moment où je les chassais avec des pierres. Passant devant les fermes, j'entendais les bébés pleurer après leur mère et les fermiers ramener à coups de bâton leurs vaches aux champs après la traite.

Et je me mettais à sangloter tout seul sur cette chaise de pont avec la splendeur de l'Atlantique autour de moi, New York droit devant, la ville de mes rêves où j'aurais le bronzage doré, les dents d'une éblouissante blancheur. Je me demandais ce qui, au nom de Dieu, pouvait donc bien clocher chez moi pour que je me prenne à déjà regretter Limerick, ville de grisaille et de misère, l'endroit où j'avais rêvé de fuir pour New York. J'entendais l'avertissement de ma mère : Le diable que tu connais est préférable au diable que tu ne connais pas.

Il devait y avoir quatorze passagers à bord mais, l'un d'eux s'étant désisté, nous devions naviguer avec un nombre de mauvais augure. Lors de notre première soirée en mer, le capitaine se montra au dîner et nous souhaita la bienvenue. Riant, il déclara n'être pas superstitieux quant au nombre de passagers, cependant, puisqu'il se trouvait un prêtre parmi nous, ne serait-il pas excellemment venu que Sa Révérence dise une prière d'interposition entre nous et tout mal éventuel ? Le prêtre était un petit homme replet, né en Irlande, mais depuis si longtemps dans sa paroisse de Los Angeles qu'il n'avait plus le moindre soupçon d'accent irlandais. Lorsqu'il se leva pour dire la prière et se signer, quatre passagers gardèrent leurs mains dans leur giron, et j'en conclus qu'ils étaient protestants car ma mère avait coutume de dire qu'on pouvait repérer les protestants à un kilomètre à leur attitude réservée. Le prêtre demanda à Notre-Seigneur de nous considérer avec amour et pitié ; quoi qu'il arrive sur ces mers tempétueuses, nous étions prêts à être enclos pour toujours en Son Sein Divin. Un vieux protestant voulut prendre la main de sa femme. Celle-ci sourit, secoua la tête dans sa direction, et il sourit à son tour, comme pour dire : Ne t'inquiète pas.

Le prêtre était mon voisin à la table du dîner. Il me chuchota que ces deux vieux protestants étaient fortunés et devaient leur richesse à un élevage de chevaux de course de pure race qu'ils possédaient dans le Kentucky, et que, si j'avais un peu de bon sens, je serais affable avec eux, savait-on jamais.

J'eus envie de demander quelle était la bonne manière d'être affable avec de riches protestants éleveurs de chevaux de course mais n'en fis rien de crainte que le prêtre ne me prenne pour un imbécile. J'entendis les protestants dire que les Irlandais étaient des gens si charmants, et leurs enfants si adorables, qu'on remarquait à peine leur extrême pauvreté. Je me rendis compte que, si jamais j'adressais la parole aux riches protestants, il me faudrait sourire, montrer mes dents bousillées, et c'en serait terminé. Dès l'instant où j'aurais gagné un peu d'argent en Amérique, je devrais me précipiter chez un dentiste pour me faire arranger le sourire. D'après les magazines et les films, on voyait bien comment le sourire ouvrait les portes et faisait rappliquer les filles au pas de course, et, si je n'avais pas le sourire, je pouvais autant m'en retourner à Limerick et me dégoter un boulot de trieur de lettres dans la sombre arrière-salle d'un bureau de poste où ils se moquaient pas mal qu'il vous reste ou non une seule dent dans la bouche.

Avant l'heure du coucher, le steward servit du thé et des biscuits dans le salon. Le prêtre dit : Je prendrai un double scotch, oubliez le thé, Michael, le whisky m'aide à dormir. Il but son whisky, puis chuchota : Avez-vous parlé à ces riches gens du Kentucky ?

Non.

Sacristi ! Qu'est-ce qui ne va pas chez vous ? Ne voulez-vous pas être dans le peloton de tête ?

Si.

Eh bien, pourquoi n'allez-vous pas parler à ces riches gens du Kentucky ? Ils pourraient vous prendre en affection et vous donner une place de garçon d'écurie, quelque chose comme ça, et vous pourriez gravir les échelons plutôt qu'aller à New York, lieu grandement propice au péché, abîme de dépravation où un catholique doit lutter jour et nuit pour garder la foi. Dès lors, pourquoi ne pouvez-vous aller parler à ces bonnes gens du Kentucky et tâcher d'arriver à quelque chose ?

Chaque fois qu'il ramenait sur le tapis les riches gens du Kentucky, c'était en chuchotant, et je ne savais que dire. Si mon frère Malachy s'était trouvé là, il aurait marché droit sur eux, les aurait charmés, et ils l'auraient probablement adopté puis lui auraient laissé leurs millions avec les écuries, les chevaux de course, une vaste demeure et des bonnes pour la tenir propre. Jamais de ma vie je n'avais adressé la parole à des gens riches, si ce n'était : Télégramme, m'dame ! Après

14

quoi je me voyais répondre : Faites donc le tour, empruntez l'entrée des domestiques, c'est ici la grande porte, non mais, par exemple !

Voilà ce que j'avais envie de dire au prêtre mais, à lui non plus, je ne savais comment parler. Ma connaissance des prêtres se résumait à cela : ils disaient la messe et tout le reste en latin, ils entendaient mes péchés en anglais et me pardonnaient en latin de la part de Notre-Seigneur en personne, qui d'ailleurs est Dieu. Ce doit être une chose étrange d'être prêtre et de se réveiller le matin couché là, dans le lit, en sachant que vous avez le pouvoir de pardonner aux gens, ou de ne pas leur pardonner, selon votre humeur. Quand vous savez le latin et que vous pardonnez les péchés, ça vous rend puissant et difficilement abordable car vous connaissez les sombres secrets du monde. Parler à un prêtre est comme parler à Dieu en personne, et si vous dites la chose qu'il ne faut pas vous êtes damné.

Il n'y avait pas une âme sur ce bateau pour m'enseigner comment parler à de riches protestants et à des prêtres exigeants. Mon oncle par alliance, Pa Keating, aurait pu m'expliquer ça, mais il était là-bas à Limerick, où il n'en avait rien à péter de rien. S'il avait été présent, je le savais, il aurait d'emblée refusé d'adresser le moindre mot aux gens riches puis il aurait dit au prêtre de lui baiser son auguste cul irlandais. C'est ainsi que j'aurais aimé être moi-même, mais, quand vos dents et vos yeux sont bousillés, vous ne savez jamais que dire ou que faire de vous-même.

Il y avait un livre dans la bibliothèque du bateau, *Crime et châtiment*, et je me suis dit que ce pouvait être un bon roman policier, même s'il était rempli de noms russes à s'y perdre. J'ai essayé de le lire sur une chaise de pont mais l'histoire m'a fait tout drôle, une histoire à propos d'un étudiant russe, Raskolnikov, qui tue une vieille femme, une usurière, et puis qui tente de se convaincre qu'il a droit à l'argent car elle était inutile au monde et cet argent paierait ses frais d'université de sorte qu'il pourrait devenir un avocat et aller défendre les gens comme lui qui tuent des vieilles femmes pour leur argent. L'histoire m'a fait tout drôle en raison de cette période à Limerick où j'avais eu un boulot consistant à écrire des lettres d'intimidation pour le compte d'une vieille usurière, Mrs Finucane, et, quand celle-ci était morte sur sa chaise, j'avais pris une partie de son argent afin de compléter la somme nécessaire à l'achat de mon billet pour l'Amérique. Je savais que je n'avais pas tué Mrs Finucane mais j'avais pris son argent, ce qui faisait de moi une personne presque aussi mauvaise que Raskolnikov ; si je devais mourir en cet instant, il serait le premier sur qui je tomberais en enfer. Je pouvais sauver mon âme en allant me confesser au prêtre, seulement voilà : même s'il était supposé oublier vos péchés sitôt qu'il vous avait donné l'absolution, il m'aurait eu sous sa coupe, m'aurait adressé d'étranges regards et m'aurait redit d'aller charmer les riches protestants du Kentucky.

Je m'étais endormi en lisant, et un marin, un homme de pont, me réveilla pour me dire : Il y a votre livre qui prend la pluie, monsieur.

Monsieur. J'arrivais d'une ruelle de Limerick et voilà qu'un homme aux cheveux gris m'appelait *monsieur*, alors même qu'il n'était déjà pas censé m'adresser la parole à cause du règlement. C'est ce que le second vint m'expliquer, qu'un simple matelot n'était jamais autorisé à parler aux passagers sauf pour un Bonjour ou un Bonsoir. Il m'apprit que ce marin grisonnant était autrefois officier sur le *Queen Elizabeth*, eh oui, mais il avait été révoqué pour s'être fait surprendre avec une passagère de première classe dans la cabine de celle-ci, et ce à quoi ils étaient occupés était sujet à confession. L'homme se nommait Owen et c'était un original vu sa façon de passer tout son temps à lire en bas, et, quand le navire faisait escale, de se rendre à terre avec un bouquin puis de lire dans un café tandis que le reste de l'équipage s'enivrait à tomber, au point qu'il fallait des taxis pour les ramener. Notre capitaine avait tant de respect pour lui qu'il le faisait monter dans sa cabine et ils prenaient le thé et parlaient du temps où ils servaient ensemble sur un destroyer anglais qui s'était fait torpiller dans l'Atlantique, tous deux ayant réussi à s'accrocher à un canot de sauvetage avant de dériver, gelant et devisant du moment où ils seraient de retour en Irlande et prendraient une chouette pinte et une montagne de bacon et de chou.

Owen m'adressa de nouveau la parole le jour suivant. Bien sûr, il savait qu'il enfreignait le règlement, mais il ne pouvait s'empêcher de parler à quelqu'un du bateau en train de lire *Crime et châtiment*. L'équipage comptait pas mal de grands lecteurs, certes, mais aucun ne s'aventurait au-delà d'Edgar Wallace ou de Zane Grey alors qu'il aurait donné n'importe quoi pour discuter de Dostoïevski. Il voulut savoir si j'avais lu *Les Possédés* ou *Les Frères Karamazov*, et il sembla attristé que je n'en aie jamais entendu parler. Il me dit qu'à l'instant où j'aurais mis le pied à New York, je devrais me précipiter dans une librairie, mettre la main sur les livres de Dostoïevski, et plus jamais je ne me sentirais seul. Il ajouta que peu importait le livre de Dostoïevski qu'on lisait, il vous donnait toujours quelque chose à ruminer, et on ne pouvait trouver meilleure affaire. Ainsi parlait Owen, même si je n'avais aucune idée de ce qu'il voulait dire.

Puis le prêtre apparut sur le pont et Owen s'éloigna. Parliez-vous à cet homme ? fit le prêtre. Je l'ai bien vu. Ma foi, laissez-moi vous dire que ce n'est pas une bonne compagnie. Vous en êtes conscient, non ? Je sais tout de lui. Lui, avec ses cheveux gris, nettoyant les ponts, à son âge. Étrange que vous puissiez parler à des hommes de pont sans moralité aucune tandis que si je vous demande de parler aux riches protestants du Kentucky vous ne trouvez pas une minute.

Nous parlions simplement de Dostoïevski.

Dostoïevski, voyez-vous ça. Voilà qui va beaucoup vous servir à New York. Vous ne verrez pas quantité d'offres d'emploi requérant une connaissance de Dostoïevski. Pas moyen de vous faire parler aux gens riches du Kentucky, non, mais être assis là pendant des heures à débagouler avec des marins, ça oui. Restez au large des vieux marins. Vous savez ce qu'ils valent. Parlez donc à des gens susceptibles d'avoir des bontés à votre égard. Lisez les vies des saints.

Le long de l'Hudson, côté New Jersey, se trouvaient des centaines de bateaux à l'ancre, serrés les uns contre les autres. Owen le marin dit qu'il s'agissait des cargos qui avaient ravitaillé l'Europe durant la guerre et après, et c'était triste de songer qu'ils allaient être remorqués d'un jour à l'autre pour être démembrés dans les chantiers navals. Mais ainsi va le monde, conclut-il, et un bateau ne dure guère plus qu'un râle de putain.

2

Le prêtre me demande si quelqu'un m'attend et quand je lui réponds : Non, personne, il dit que je peux prendre avec lui le train pour New York City. Il aura l'œil sur moi. Le bateau arrive à quai, puis nous nous rendons en taxi à Union Station, la grande gare d'Albany. Là, en attendant le train, nous prenons le café dans de grosses tasses et de la tarte dans de grosses assiettes. C'est la première fois de ma vie que je goûte de la tarte au citron meringuée et je me dis que si c'est tout le temps comme ça qu'ils mangent en Amérique je ne risque pas d'avoir faim, et, comme on dit à Limerick, je vais être bien enveloppé. J'aurai Dostoïevski pour les moments de solitude et la tarte pour les moments d'appétit.

Le train n'est pas comme en Irlande, où vous partagez un compartiment avec cinq personnes. Ce train-là a de longues voitures où il y a des douzaines de gens, et il est bondé au point que certains doivent rester debout. À peine est-on montés que des personnes proposent leur place au prêtre. Il dit : Merci, me désigne le siège à côté de lui, et je sens que les gens qui ont cédé leur place ne sont pas contents que j'en prenne une, car c'est facile de voir que je ne suis personne.

Plus loin dans la voiture, des jeunes gens chantent à tue-tête, rient aux éclats et réclament à grands cris la clef de l'église. Le prêtre dit que ce sont des étudiants rentrant chez eux pour le week-end ; quant à la clef de l'église, c'est le décapsuleur pour la bière. Il ajoute que ce sont sûrement de gentils gosses, mais ils ne devraient pas boire autant et il espère que je ne vais pas tourner ainsi quand j'habiterai New York. Il dit aussi que je devrais me placer sous la protection de la Vierge Marie et lui demander d'intercéder auprès de son Fils pour qu'Il me garde pur, sobre, à l'abri du danger et dans l'impossibilité de nuire à quiconque. Il priera pour moi durant tout le trajet d'ici à Los Angeles puis dira une messe spécialement à mon intention le 8 décembre, jour de l'Immaculée Conception. Je lui demanderais bien pourquoi il a choisi cette fête-là mais je garde le silence, il pourrait recommencer à m'embêter avec les riches protestants du Kentucky.

Il est là à me dire tout ça, mais moi je rêve de ce que ce serait d'être étudiant quelque part en Amérique, dans une université comme celles qu'on voit dans les films, où il y a toujours une flèche d'église blanche sans croix pour montrer que c'est protestant, et des garçons et des filles qui se promènent dans le campus avec de beaux livres sous le bras et échangent des sourires avec des dents pareilles à des flocons de neige.

Nous voilà à la gare, Grand Central, et je ne sais où aller. Ma mère avait dit que je pourrais tâcher de voir un vieil ami, Dan MacAdorey. Le prêtre me montre comment se servir du téléphone mais ça ne répond pas chez Dan. Ma foi, dit le prêtre, je ne puis vous laisser livré à vous-même dans Grand Central. Il indique au chauffeur du taxi que nous allons à l'hôtel New Yorker.

On pose nos bagages dans une chambre où il n'y a qu'un lit. Laissons les bagages, dit le prêtre. Nous allons descendre manger un morceau dans la cafétéria. Aimez-vous les hamburgers ?

Je ne sais pas. Je n'en ai jamais mangé un de ma vie.

Il lève les yeux au ciel puis demande à la serveuse de m'apporter un hamburger avec des frites françaises et de veiller à ce que le burger soit bien cuit car je suis irlandais et nous autres avons la manie de faire tout trop cuire. Ce que les Irlandais font aux légumes est à pleurer de honte. C'est bien simple : si vous arrivez à mettre un nom sur un légume dans un restaurant irlandais, vous avez droit au prix d'ami. La serveuse rit et dit qu'elle comprend. Elle est demi-irlandaise par sa mère, et sa mère est la pire cuisinière au monde. Son mari était italien et il savait vraiment cuisiner mais elle l'a perdu à la guerre.

Gueuh, voilà ce qu'elle a dit. C'est bien *guerre* qu'elle voulait dire, mais elle est comme tous les Américains qui n'aiment pas prononcer le *r* à la fin d'un mot. Ils disent *vois-tu* au lieu de *voiture* et on se demande pourquoi ils ne peuvent pas articuler les mots comme Dieu les a faits.

J'aime bien la tarte au citron meringuée mais je n'aime pas la façon qu'ont les Américains de laisser tomber le *r* à la fin d'un mot.

Nous mangeons nos hamburgers quand le prêtre m'annonce que je vais devoir rester avec lui pour la nuit et que demain nous verrons. C'est étrange de se déshabiller devant un prêtre et je me demande si je ne devrais pas me mettre à genoux et faire semblant de réciter mes prières. Il me dit que je peux prendre une douche si j'en ai envie, et c'est la toute première fois de ma vie que je prends une douche avec plein d'eau très chaude et sans manquer de savon, un pain pour le corps et un flacon pour la tête.

Quand j'ai fini, je me sèche avec l'épaisse serviette posée sur la baignoire et j'enfile mes sous-vêtements avant de retourner dans la chambre. Le prêtre est assis sur le lit, une serviette drapée autour de son ventre gras, et il parle au téléphone. Il repose le combiné et me regarde fixement. Mon Dieu, où avez-vous dégoté ces caleçons ?

Chez Roche, à Limerick.

Si vous suspendez ces caleçons à la fenêtre de cet hôtel, les gens vont rendre les armes. Petit conseil : ne laissez jamais les Américains vous voir dans ces caleçons. Ils vous croiront tout juste débarqué d'Ellis Island. Trouvez-vous des slips. Vous savez ce que sont des slips ?

Non.

Que ça ne vous empêche pas d'en trouver. Un gosse comme vous devrait porter des slips. Vous êtes aux États-Unis d'Amérique maintenant. Bon, fait-il, allez, hop, au lit, et ça m'intrigue car rien n'annonce une prière et c'est la première chose qu'on attendrait d'un prêtre. Il va à la salle de bains mais il n'est pas plus tôt dedans qu'il pointe la tête et me demande si je me suis séché.

Oui.

Ma foi, votre serviette n'a pas été touchée, alors avec quoi vous êtes-vous séché ?

Avec la serviette qui est sur le bord de la baignoire.

Comment ? Mais ce n'est pas une serviette. C'est la descente de bain. C'est là où vous posez les pieds au sortir de la douche.

Je peux me voir dans un miroir au-dessus de la table, tout rouge, à me demander si je devrais dire au prêtre que je suis désolé, ou si je ne ferais pas mieux d'en rester là. Difficile de savoir que faire quand vous commettez une erreur lors de votre première nuit en Amérique, mais je suis sûr qu'en un rien de temps je serai un Amerloque vrai de vrai, qui fera tout comme il faut. Je commanderai tout seul mon hamburger, j'apprendrai à dire frites françaises au lieu de frites tout court, je plaisanterai avec les serveuses, et jamais plus je ne me sécherai avec la descente de bain. Un jour je dirai guerre et voiture sans *r* à la fin, enfin, sauf en cas de retour à Limerick. Si jamais je revenais à Limerick avec un accent américain, ils diraient que je prends des grands airs et que je suis gras du cul, comme tous les Amerloques.

Le prêtre sort de la salle de bains, drapé dans une serviette, se tapotant le visage de ses mains, et une délicieuse odeur de parfum flotte dans l'air. Il dit qu'il n'est rien d'aussi rafraîchissant qu'une lotion après-rasage, et je peux m'en mettre un peu si j'ai envie. C'est juste là, dans la salle de bains. Je ne sais que dire ou que faire. Devrais-je dire : Non, merci, ou devrais-je sortir du lit, aller jusqu'à la salle de bains et m'asperger de lotion après-rasage ? Je n'ai jamais entendu dire de quelqu'un de Limerick qu'il se mettait ça ou autre chose sur le visage après le rasage, mais je suppose qu'en Amérique c'est différent. Je regrette de ne pas avoir cherché de livre qui vous explique que faire lors de votre première nuit à New York dans un hôtel avec un prêtre quand vous êtes exposé à vous ridiculiser à tout bout de champ. Eh bien ? demande-t-il, et je lui réponds : Ah, non, merci. À votre aise, dit-il, et je le devine un tantinet agacé, comme quand je ne suis pas allé parler aux riches protestants du Kentucky. Il lui serait facile de me dire de partir et alors je me retrouverais à la rue avec ma valise marron et nulle part où aller dans New York. Comme je ne veux pas courir ce risque, je lui dis que oui, après tout, je me mettrais volontiers de la lotion après-rasage. Il secoue la tête et me dit d'y aller.

Je me vois dans la glace de la salle de bains en train de me mettre la lotion. Je secoue la tête face à mon reflet en pensant : Si c'est comme ça que ça va être en Amérique, je regrette bien d'avoir quitté l'Irlande. C'est déjà assez difficile d'arriver ici sans qu'en plus il y ait des prêtres qui vous reprochent votre incapacité à taper dans l'œil de riches protestants du Kentucky, votre ignorance quant aux descentes de bain, l'état de vos sous-vêtements et vos hésitations face à la lotion après-rasage.

Quand je ressors de la salle de bains, le prêtre est couché. Bon, au lit maintenant, dit-il. Nous avons une longue journée demain.

Il lève la couverture pour me laisser entrer dans le lit et c'est un choc de voir qu'il ne porte rien. Il dit : Bonne nuit, éteint la lumière et commence à ronfler sans même un *Je vous salue, Marie* ou une prière avant de dormir. J'avais toujours cru que les prêtres passaient des heures à genoux avant de se coucher, mais cet homme doit être dans un très bon état de grâce et sans la moindre crainte de mourir. Est-ce que tous les prêtres sont comme ça, tout nu au lit ? Difficile de s'endormir dans un lit avec un prêtre nu qui ronfle à côté de vous. Et soudain je me demande si le pape en personne va au lit dans cet appareil ou s'il a une bonne sœur qui lui apporte un pyjama aux couleurs papales avec l'écusson assorti. Et comment se sort-il de cette longue robe blanche ? Est-ce qu'il l'enlève par le haut ou est-ce qu'il la laisse choir par terre et s'en dégage d'une enjambée ? Un vieux pape ne serait jamais capable de l'enlever par le haut et il devrait probablement appeler un cardinal passant par là pour se faire donner un coup de main, à moins que le cardinal soit lui-même trop vieux et doive appeler une bonne sœur, à moins que le pape ne porte rien sous la robe blanche ce que le cardinal saurait de toute façon car il n'est pas un cardinal au monde qui ne sache ce que porte le pape étant donné qu'ils veulent tous eux-mêmes être pape et ont hâte que celui-ci meure. Si une bonne sœur est appelée elle doit prendre la robe blanche et descendre dans les profondeurs fumantes de la buanderie du Vatican la donner à laver à d'autres bonnes sœurs et novices qui chantent des cantiques et louent le Seigneur pour le privilège de laver tous les vêtements du pape et du Collège des cardinaux à l'exception des sous-vêtements qui sont lavés dans une autre salle par de vieilles bonnes sœurs aveugles et guère susceptibles de nourrir des pensées pécheresses avec ce qu'elles ont en main et ce que j'ai moi-même en main est ce que je ne devrais pas avoir en présence d'un prêtre dans le lit et pour une fois dans ma vie je résiste au péché et me tourne de mon côté et m'endors.

Le lendemain le prêtre trouve dans le journal une chambre meublée à six dollars la semaine, et il veut savoir si c'est dans mes possibilités jusqu'à ce que je me dégote un boulot. Nous nous rendons à la 68ᵉ Rue Est, et la propriétaire, Mrs Austin, me fait monter l'escalier pour voir la chambre. C'est un bout de couloir masqué par une cloison et une porte, avec une fenêtre donnant sur la rue. Il y a juste la place pour le lit, une table, une petite commode avec un miroir, et, si je déploie les bras, j'arrive à toucher les murs des deux côtés. Mrs Austin dit que c'est une bien belle chambre, et j'ai de la veine qu'elle ne me soit pas passée sous le nez. Elle est suédoise et devine que je suis irlandais. Elle espère que je ne bois pas et, dans le cas contraire, je ne dois, sous aucun prétexte, amener de filles dans cette chambre, que je sois ivre ou à jeun. Pas de filles, pas de nourriture, pas de boissons. Les cafards flairent la nourriture à un kilomètre, et une fois qu'ils sont dans la place vous les avez pour toujours. Bien sûr, dit-elle, vous n'avez jamais vu le moindre cafard en Irlande. Il n'y a pas de nourriture là-bas. Vous autres ne faites que boire. Les cafards crèveraient de faim ou deviendraient ivrognes. Ne dites rien, je le sais. Ma sœur est mariée à un Irlandais, la pire chose qu'elle ait jamais faite. Les Irlandais sont très bien pour les sorties, mais gardez-vous d'en épouser un.

Elle prend les six dollars et me dit qu'il lui en faut six autres comme garantie. Elle me donne un reçu et m'annonce que je peux m'installer aujourd'hui, à n'importe quelle heure, et elle me fait confiance car je suis venu accompagné de ce gentil prêtre, encore qu'elle-même ne soit pas catholique, mais c'est assez que sa sœur en ait épousé un, et irlandais par-dessus le marché, que Dieu lui vienne en aide, car elle en pâtit encore maintenant.

Le prêtre hèle à nouveau un taxi, cette fois pour nous emmener au Biltmore, en face d'où nous sommes sortis de Grand Central. D'après lui, c'est un hôtel réputé, et nous allons présentement au siège du Parti démocrate qui s'y trouve. Si eux ne peuvent dénicher un boulot pour un gosse irlandais, personne ne le peut.

Un homme nous dépasse dans l'entrée et le prêtre chuchote : Savez-vous qui c'est ?

Non.

Bien sûr. Si vous ne faites pas la différence entre une serviette et une descente de bain, comment pourriez-vous savoir qu'il s'agit du grand Boss Flynn, originaire du Bronx, l'homme le plus puissant d'Amérique juste après le président Truman ?

Le grand Boss en question presse le bouton de l'ascenseur et, tout en attendant, il se colle un doigt dans le nez, il regarde ce qu'il a au bout, puis, d'une chiquenaude, il balance la chose sur le tapis. Ma mère appellerait ça chercher la pépite. Voilà comment c'est en Amérique. J'aimerais faire remarquer au prêtre que je suis sûr que De Valera ne se curerait jamais le nez comme ça, et qu'on ne verrait jamais l'évêque de Limerick se mettre au lit en état de nudité. J'aimerais dire au prêtre ce que je pense du monde en général, ce monde où Dieu vous tourmente en vous infligeant des mauvais yeux et des mauvaises dents, mais je me retiens de peur qu'il ne remette ça sur les riches protestants du Kentucky et comment j'ai raté une occasion unique dans la vie.

Le prêtre parle à une femme du Parti démocrate qui est assise derrière un bureau. La femme prend un téléphone et dit : J'ai un môme ici... tout juste débarqué du bateau... Vous avez un brevet d'études secondaires ?... Nan, pas de diplôme... parce que tu t'attendais à quoi ?... Le vieux pays est toujours un pauvre pays... ouais, je te l'enverrai...

Je dois monter voir Mr Carey lundi matin au vingt-deuxième étage, et il me mettra au boulot, ici même, au Biltmore, et ne suis-je pas un môme veinard de débouler dans une place à peine débarqué du bateau ? C'est ce qu'elle dit, et le prêtre lui relance : C'est un sacré pays et les Irlandais doivent tout au Parti démocrate, Maureen, et vous venez juste d'assurer un autre vote pour le parti, à supposer que ce môme vote un jour, ha ha ha.

Le prêtre me dit de retourner à l'hôtel, il viendra me chercher plus tard pour aller dîner. Il affirme que je peux marcher, que les rues filent d'est en ouest, les avenues du nord au sud, et je n'aurai aucun problème. Il suffit de suivre la 42e jusqu'à la Huitième Avenue, puis direction sud jusqu'à ce que j'arrive au New Yorker. Je peux lire un journal ou un livre, ou prendre une douche si je promets de ne pas m'approcher de la descente de bain, ha ha. Si nous avons de la chance, ajoute-t-il, nous rencontrerons peut-être le grand Jack Dempsey en personne. Je lui fais remarquer que j'aimerais plutôt rencontrer Joe Louis si c'était possible, et il me lance : Feriez mieux d'apprendre à coller à vos semblables.

C'est le soir et le serveur de chez Dempsey sourit au prêtre. Jack est pas là, mon peure. Il est au Gardeun occupé avec un poids moyen du New Joïsey.

Gardeun. Joïsey. Mon premier jour à New York, et déjà les gens parlent comme les gangsters des films que je voyais à Limerick.

Le prêtre dit : Mon jeune ami que voici est du vieux pays et il préférerait rencontrer Joe Louis. Il rit et le serveur rit aussi avant de dire : C'est bien de la jactance de blanc-bec, mon peure. Il appeurendera. Donnez-lui six mois dans ce pays, et comment qu'il cavalera dès qu'il verra un moricaud ! Bon, et qu'est-ce que vous aimeriez commander, mon peure ? Un petit quelque chose avant le dîner ?

Je prendrai un double martini dry et, quand je dis dry, c'est sec avec un zeste.

Et le blanc-bec ?

Il prendra un... Que prendrez-vous, au fait ?

Une bière, s'il vous plaît.

On a dix-huit ans, le môme ?

Dix-neuf.

On ne les paraît pas, mais peu importe du moment qu'on est avec le peure. Pas vrai, mon peure ?

Tout à fait. Je l'aurai à l'œil. Il ne connaît pas une âme à New York et je vais l'installer un peu avant de partir.

Le prêtre boit son double martini et en commande un autre avec son steak. Il me dit que je devrais songer à devenir prêtre. Il pourrait me trouver une cure à Los Angeles et je vivrais la vie de Riley avec des veuves à l'agonie qui me laisseraient tout, y compris leurs filles, ha ha, foutrement tassé le martini, excusez le langage. Il mange le plus gros de son steak puis demande au serveur d'apporter deux tartes aux pommes avec crème glacée, et lui-même prendra un double Hennessy pour faire passer. Il mange seulement la crème glacée, boit la moitié du Hennessy et s'endort le menton collé à sa poitrine qui s'élève et retombe.

Le serveur perd son sourire. Bon Dieu, faut qu'il paie sa note ! Où est son foutu larfeuille ? La poche de derrière, le môme ! Donne-le !

Je ne peux pas voler un prêtre.

C'est pas du vol. Il paie sa foutue note, non ? Et puis tu vas avoir besoin d'un taxi pour le ramener.

Il faut deux serveurs pour le fourrer dans un taxi et deux chasseurs du New Yorker pour le traîner à travers l'entrée, le mettre dans l'ascenseur et le balancer sur le lit. Les chasseurs me disent : Un pourliche d'un dollar serait chouette, un dollar chacun, le môme.

Ils partent et je me demande ce que je suis supposé faire avec un prêtre ivre. Je lui ôte ses chaussures comme on fait dans les films quand quelqu'un tombe dans les pommes, mais soudain il se redresse, fonce dans la salle de bains, y reste longtemps malade, puis, quand il ressort, il s'arrache ses habits et les jette par terre : col, chemise, pantalon, sous-vêtements. Il s'effondre à plat dos sur le lit et je peux voir qu'il est dans un état de gaule avec sa main qui se balade sur lui-même. Viens à moi ! fait-il, et je m'empresse de reculer. Ah, non, mon père ! et le voilà qui roule hors du lit, bramant et empestant la bibine et le vomi, et qui essaie de saisir ma main pour la mettre sur lui, mais je recule plus vite encore jusqu'à ce que je franchisse le seuil et me retrouve dans le couloir, et lui planté dans l'embrasure, un petit prêtre grassouillet m'implorant : Ah, reviens, fils, reviens, c'était l'alcool ! Mère de Dieu, que je suis navré !

Mais l'ascenseur s'ouvre et je ne peux dire aux gens respectables qui sont déjà dedans et me regardent que j'ai changé d'avis, que je vais filer retrouver ce prêtre qui, au début, tenait à ce que je sois poli avec de riches protestants du Kentucky en vue de dégoter un boulot de nettoyeur d'écuries et qui maintenant agite sa chose dans ma direction d'une manière qui constitue sûrement un péché mortel. Non que je sois moi-même en état de grâce, oh que non, mais on pourrait s'attendre à ce qu'un prêtre donne le bon exemple et n'exhibe pas tout son saint-frusquin lors de ma deuxième nuit en Amérique. Je dois entrer dans l'ascenseur et faire semblant de ne pas entendre le prêtre qui brame et pleure, nu à la porte de sa chambre.

Il y a un homme devant la grande sortie de l'hôtel, vêtu comme un amiral, qui me lance : Taxi, monsieur ? Je réponds : Non, merci, et il demande : D'où êtes-vous ? Oh, Limerick. Moi-même suis de Roscommon, ici depuis quatre ans.

Je dois demander à l'homme de Roscommon comment aller à la 68e Rue Est et il me dit de marcher vers l'est dans la 34e Rue, qui est large et bien éclairée, jusqu'à ce que j'arrive à la Troisième Avenue, et là je peux prendre le métro aérien ou alors, si je suis quelque peu en forme, je peux continuer à pied jusqu'à ma rue. Bonne chance, ajoute-t-il, collez à vos semblables et prenez garde aux Portoricains, ils ont tous des couteaux sur eux et c'est un fait avéré qu'ils ont le sang chaud. Marchez dans la lumière le long des trottoirs, ou bien ils jailliront d'un renfoncement sombre et vous sauteront dessus.

Le lendemain matin, le prêtre appelle Mrs Austin pour lui dire que je devrais venir chercher ma valise. Entrez, me fait-il, la porte est ouverte. Il est dans son costume noir, assis de l'autre côté du lit de façon à me tourner le dos, et ma valise est tout à côté de la porte. Prenez-la, dit-il. Je vais aller dans une maison de retraite en Virginie durant quelques mois. Je ne veux pas vous regarder et je ne veux plus jamais vous revoir car ce qui s'est passé était horrible et ne serait pas arrivé si vous aviez fait marcher votre jugeote et réussi à partir avec les riches protestants du Kentucky. Adieu.

Comme il est bien difficile de savoir que dire à un prêtre de mauvaise humeur qui vous tourne le dos et vous reproche chaque chose, je ne peux que descendre en ascenseur avec ma valise en me demandant comment un homme comme ça qui pardonne les péchés peut pécher lui-même et puis me faire reproche. Je sais que si j'avais fait une chose pareille, m'enivrer et pousser les gens à balader leurs mains sur moi, je dirais que je l'ai fait. Oui, voilà, je l'ai fait. Et comment peut-il me reprocher d'avoir simplement refusé de parler à de riches protestants du Kentucky ? Peut-être les prêtres sont-ils entraînés pour ? Peut-être est-ce difficile d'écouter les péchés des gens du matin au soir quand il y en a deux ou trois qu'on aimerait commettre soi-même, et alors, quand vous buvez un coup, tous les péchés que vous avez entendus explosent en vous et soudain vous êtes comme tout le monde. Je sais que je ne pourrais jamais être un prêtre à l'écoute perpétuelle de tous ces péchés. Je serais dans un état de gaule constant et l'évêque en aurait marre de m'expédier dans la maison de retraite de Virginie.

3

Lorsque vous êtes irlandais, que vous ne connaissez pas une âme à New York et que vous marchez le long de la Troisième Avenue avec le fracas de ferraille du métro aérien au-dessus, c'est un grand réconfort de découvrir qu'il y a rarement un pâté de maisons sans un bar irlandais : Costello's, Blarney Stone, Blarney Rose, P. J. Clarke's, Breffni, Leitrim House, Sligo House, Shannon's, Ireland's Thirty-Two, All Ireland. J'ai pris ma première pinte à Limerick la veille de mes seize ans et ça m'a rendu malade, mon père a failli détruire la famille et se détruire lui-même à force de boire, mais là je me sens bien seul à New York et je suis attiré par Bing Crosby qui chante *Galway Bay* dans les juke-box et par ces trèfles verts clignotants comme on n'en verrait jamais en Irlande.

Il y a un homme à l'air en rogne derrière l'extrémité du comptoir de chez Costello, en train de dire à un client : Je m'en ficherais pas mal quand bien même vous auriez dix doctorats. J'en sais plus sur Samuel Johnson que vous n'en savez sur votre pogne et, si vous ne vous comportez pas correctement, vous allez vous retrouver sur le trottoir. Je n'en dis pas plus.

Mais, dit le client.

Dehors, fait l'homme en rogne. Dehors. Vous ne serez plus servi dans cet établissement.

Le client enfonce brusquement son chapeau sur sa tête et sort à grandes enjambées. L'homme en rogne se tourne vers moi. Et vous, dit-il, vous avez dix-huit ans ?

Oui, monsieur. J'en ai dix-neuf.

Qu'est-ce que j'en sais ?

J'ai mon passeport, monsieur.

Et que fabrique un Irlandais avec un passeport américain ?

Je suis né ici, monsieur.

Il me permet de prendre deux bières à quinze cents et m'explique

que je ferais mieux de passer mon temps à la bibliothèque au lieu d'écumer les bars comme le reste de notre misérable race. Il me raconte que le Dr Johnson buvait quarante tasses de thé par jour et que son esprit fut lucide jusqu'à la fin. Comme je lui demande qui était le Dr Johnson, il me darde un regard noir, emporte mon verre, puis me dit : Quittez ce bar. Suivez la 42ᵉ vers l'est jusqu'à ce que vous arriviez à la Cinquième. Vous verrez deux grands lions de pierre. Montez les marches entre ces deux lions, prenez-vous une carte de lecteur et ne soyez pas un idiot comme tous ces coureurs de tourbière qui débarquent du bateau et s'abrutissent de gnôle. Lisez votre Johnson, lisez votre Pope et évitez les songe-creux du pays. Je lui demanderais bien son opinion sur Dostoïevski mais voilà qu'il désigne la porte. Ne revenez pas ici tant que vous n'aurez pas lu les *Vies des poètes anglais*. Allez. Ouste.

C'est une chaude journée d'octobre et je n'ai rien d'autre à faire que ce qu'on m'a dit, et quel mal y a-t-il à me balader jusqu'à la Cinquième Avenue où sont les lions ? Les bibliothécaires sont sympathiques. Bien sûr que je peux avoir une carte de lecteur ! Et puis, ça fait tellement plaisir de voir de jeunes immigrants s'inscrire à la bibliothèque ! J'ai le droit d'emprunter quatre livres si je veux, du moment qu'ils reviennent à la date échue. Je demande s'ils ont un livre intitulé *Vies des poètes anglais*, de Samuel Johnson, et ils font : Oh ! là, là ! vous lisez donc Johnson ! Je leur expliquerais bien que je n'ai jamais lu Johnson auparavant mais je n'ai pas envie qu'ils arrêtent de m'admirer. Ils me disent de me sentir libre de me promener un peu, d'aller jeter un coup d'œil à la grande salle de lecture au deuxième étage. Ils n'ont rien de commun avec les bibliothécaires d'Irlande qui veillent au grain et protègent les livres contre les individus dans mon genre.

La vue de la grande salle de lecture, aile nord et aile sud, me fait flageoler. Je ne sais si ce sont les deux bières, ou l'excitation de mon deuxième jour à New York, mais je suis bien près de pleurer quand je regarde les kilomètres de rayons et me rends compte que jamais je ne pourrai lire tous ces livres, dussé-je vivre jusqu'à la fin du siècle. Il y a des tables cirées à n'en plus finir où toutes sortes de gens s'asseyent et lisent aussi longtemps que ça leur plaît, sept jours par semaine, et personne ne vient les embêter à moins qu'ils ne s'endorment et ronflent. Il y a des sections avec des livres anglais, irlandais, américains, littérature, histoire, religion, et ça me donne le frisson de songer que je peux venir ici quand j'ai envie et lire ce que je veux aussi longtemps que ça me plaît du moment que je ne ronfle pas.

Je m'en retourne tranquillement chez Costello avec quatre livres sous le bras. Je veux montrer à l'homme en rogne que j'ai les *Vies des poètes anglais* mais il n'est pas là. Le barman dit que c'était sans doute Mr Tim Costello en personne qui parlait de Johnson, et il n'a pas fini sa phrase que l'homme en rogne sort de la cuisine. Déjà de retour ?

J'ai les *Vies des poètes anglais*, Mr Costello.

Vous avez peut-être les *Vies des poètes anglais* sous l'aisselle, mon jeune ami, mais vous ne les avez pas dans la tête, alors rentrez chez vous et lisez.

C'est jeudi et je n'ai rien à faire jusqu'à lundi, quand je commencerai le boulot. Faute de chaise, je m'installe sur le lit de ma chambre meublée et je lis jusqu'à ce que Mrs Austin frappe à ma porte, à onze heures, en me disant qu'elle n'est pas millionnaire et qu'il est de règle dans la maison d'éteindre les lumières à onze heures afin de limiter sa note d'électricité. J'éteins la lumière et reste couché à écouter New York, les gens en train de parler et de rire, et je me demande si je ferai un jour partie de cette ville qui est là-dehors, à parler et à rire.

On frappe à nouveau et c'est un jeune homme aux cheveux roux et à l'accent irlandais qui me dit s'appeler Tom Clifford, et aimerais-je boire une bière vite fait car il travaille dans un immeuble de l'East Side et doit y être dans une heure. Non, il n'ira pas dans un bar irlandais, il ne veut rien avoir à faire avec les Irlandais, aussi marche-t-on jusqu'au Rhinelander sur la 86ᵉ Rue. Là Tom m'explique qu'il est né en Amérique mais a été emmené à Cork et en est reparti aussi vite que possible en s'engageant dans l'armée américaine pour trois bonnes années en Allemagne où vous pouviez tirer facile dix coups en échange d'une cartouche de cigarettes ou d'une livre de café. Il y a une piste de danse au fond du Rhinelander, et un orchestre, et Tom invite à danser une des filles qui sont attablées. Allez, me dit-il, invite sa copine.

Mais je ne sais pas danser et je ne sais pas inviter une fille. Je n'y connais rien en filles. Comment le pourrais-je après avoir grandi à Limerick ? Tom demande à l'autre fille de danser avec moi et celle-ci me mène sur la piste. Je ne sais que faire. Tom est là à faire des pas et des entrechats, et moi je ne sais pas si je dois aller en avant ou en arrière avec cette fille dans mes bras. Elle me signale que je lui marche sur les chaussures et, quand je lui dis que je suis désolé, elle me fait : Bon, terminé, je n'ai pas envie d'être baladée par un balourd. Elle regagne sa table et je la suis avec le visage en feu. Je me demande si je dois m'asseoir à sa table ou retourner au comptoir jusqu'au moment où elle dit : Vous avez laissé votre bière sur le comptoir. Je suis content d'avoir un prétexte pour la quitter car je ne saurais que dire si je m'asseyais. Je suis sûr qu'elle ne serait pas intéressée si je lui racontais que j'ai passé des heures à lire les *Vies des poètes anglais* de Johnson ou si je lui racontais à quel point j'ai été excité à la bibliothèque de la 42ᵉ Rue. Je vais peut-être devoir trouver à la bibliothèque un livre qui explique comment parler aux filles, à moins que je ne demande à Tom qui danse et rit et n'a pas de problème de causette. Il revient au comptoir et annonce qu'il va se faire porter pâle, ce qui signifie qu'il ne va pas aller travailler. La fille en pince pour lui et dit qu'elle le laissera la raccompagner. Il me chuchote qu'il va peut-être tirer un coup, ce qui signifie qu'il va peut-être aller au lit avec elle. Le seul hic est l'autre fille. Vas-y, dit-il. Demande-lui si tu peux la raccompagner. On va s'asseoir à leur table et tu pourras lui demander.

La bière me fait de l'effet et je me sens plus hardi, ça ne m'intimide pas du tout de m'asseoir à la table des filles et de leur parler de Tim Costello et du Dr Johnson. Tom me file un coup de coude et chuchote : Pour l'amour de Dieu, arrête ton couplet sur Samuel Johnson, demande à la raccompagner. Quand je la regarde, j'en vois deux comme elle et je ne sais pas à laquelle m'adresser mais, si je regarde entre les deux, j'en vois une et c'est à celle-là que je demande.

Me raccompagner ? s'écrie-t-elle. Vous vous fichez de moi, ma parole ! C'est une blague ou quoi ? Je suis secrétaire, secrétaire particulière, et vous n'avez même pas de brevet d'études secondaires. Je veux dire, vous vous êtes regardé dans une glace ces temps-ci ? Elle éclate de rire, mon visage est de nouveau en feu. Tom prend une longue gorgée de bière, et, comprenant ma nullité avec ces filles, je pars puis descends la Troisième Avenue où de furtifs coups d'œil à mon reflet dans les vitrines achèvent bientôt de me décourager.

4

Lundi matin est arrivé et mon chef, Mr Carey, m'apprend que je vais être nettoyeur, un poste très important où je serai en première ligne dans les salons, à épousseter, balayer, vider les cendriers, et c'est important car on juge un hôtel à ses salons. Il déclare que nous avons les meilleurs salons du pays. C'est le Palm Court, connu dans le monde entier. Quiconque est quelqu'un connaît le Palm Court et l'horloge du Biltmore. Sacredieu ! même qu'on en parle dans les livres et les nouvelles, Scott Fitzgerald, des gens comme ça. Les huiles disent : Rendez-vous au Biltmore sous l'horloge, et qu'est-ce qui arrive si elles rappliquent et que l'endroit est couvert de poussière et enseveli sous des immondices ? C'est ça, mon boulot, entretenir la réputation du Biltmore. Je suis là pour nettoyer et je ne dois pas parler aux clients, pas même les regarder. Si eux me parlent, je dois dire : Oui, monsieur ou m'dame, ou : Non, monsieur ou m'dame, et continuer de travailler. Il affirme que je dois être invisible, ce qui le fait marrer. Imaginez ça, eh, vous êtes l'homme invisible nettoyant les salons. Il fait remarquer que c'est une place de choix et que je ne l'aurais jamais décrochée si je n'avais été recommandé par le Parti démocrate à la demande du prêtre de Californie. Il m'informe que le dernier type qui occupait cet emploi s'est fait virer pour avoir parlé à des étudiantes sous l'horloge, mais il était italien, alors à quoi s'attendait-on ? Il m'en avise : Ouvrez l'œil et le bon, n'oubliez pas de prendre une douche chaque jour, c'est qu'on est en Amérique, restez sobre, collez à vos semblables, pas de risque d'erreur avec les Irlandais, mollo avec la bibine, et dans un an je pourrais m'élever au rang de porteur ou d'aide-serveur et faire des pourboires et, qui sait, me hisser encore, devenir serveur, et ne serait-ce pas alors la fin de mes soucis ? Il le dit : Tout est possible en Amérique. Tenez, moi qui vous parle, j'ai quatre costumes.

Le chef des salons s'appelle le maître d'hôtel, et il me dit que je dois balayer uniquement ce qui tombe par terre et que je ne dois pas toucher à quoi que ce soit sur les tables. Si de l'argent tombe par terre, ou un bijou ou quelque chose de ce genre, c'est à lui, le maître d'hôtel en personne, que je dois remettre l'objet, et il décidera ce qu'il faut en faire. Si un cendrier est plein, je dois attendre qu'un aide-serveur ou un serveur me dise de le vider. Il arrive qu'il y ait des choses dans les cendriers dont il faut prendre soin. Une femme peut ôter une boucle d'oreille pour cause d'oreille endolorie puis oublier l'avoir laissée dans le cendrier, et certaines boucles d'oreilles valent des milliers de dollars, non que je puisse savoir quoi que ce soit sur ce sujet à peine débarqué du bateau. C'est le boulot du maître d'hôtel de collecter toutes les boucles d'oreilles et de les rendre aux femmes aux oreilles endolories.

Il y a deux serveurs affairés dans les salons, qui vont et viennent à toute vitesse en se rentrant dedans et en aboyant en grec. Ils m'interpellent : Toi, l'Irlandais, ramène-toi, nettoie, nettoie, vide le foutu cendrier, emporte la poubelle, allez, allez, on y va, t'es bourré ou quoi ? Ils gueulent après moi devant les étudiants qui affluent le jeudi et le vendredi. Cela ne me gênerait pas que des Grecs me gueulent après s'ils ne le faisaient devant des étudiantes bronzées comme les blés. Elles agitent leur chevelure et sourient avec des dents qu'on voit seulement en Amérique, blanches, parfaites, et chacune a des jambes hâlées de vedette de cinéma. Les garçons arborent des coupes en brosse, les mêmes dents, des épaules de footballeur, et ils sont à l'aise avec les filles. Ils parlent, ils rient, et les filles lèvent leurs verres et sourient aux garçons avec des yeux brillants. Ils ont peut-être mon âge mais voilà, je me déplace parmi eux tout honteux de ma livrée et de mes pelle et balayette. J'aimerais être invisible mais c'est impossible lorsque les serveurs me gueulent après en grec, en anglais et dans un mélange des deux, ou qu'un aide-serveur m'accuse d'avoir tripoté un cendrier qui contenait quelque chose.

Il y a des fois où je ne sais que faire ou que dire. Un étudiant avec la coupe en brosse me lance : Cela vous ennuierait de ne pas nettoyer ici juste maintenant ? Je suis en train de parler à la dame. Si la fille me regarde puis détourne les yeux, je sens mon visage s'embraser et je ne sais pourquoi. Il arrive qu'une étudiante me sourie en faisant *Hi !* et que je ne sache que répondre. Mes supérieurs m'ont bien dit que je ne devais pas adresser le moindre mot à la clientèle, et puis, de toute façon, je ne saurais pas comment faire *Hi !* car on ne disait jamais ça à Limerick, et puis, si je le disais quand même, je risquerais de me faire virer de mon nouveau boulot et de me retrouver à la rue sans prêtre pour m'en trouver un autre. J'aimerais pourtant dire : *Hi !* et faire un instant partie de ce monde délicieux, sauf qu'un garçon à la coupe en brosse pourrait s'imaginer que je lorgne sa bonne amie et me dénoncer au maître d'hôtel. Ce soir, à peine rentré, je pourrais m'installer au lit et m'entraîner à sourire et à dire : *Hi !* Si je m'accrochais un peu je serais sûrement capable de maîtriser le *Hi !* mais il faudrait que je le dise sans le sourire car, si je retroussais un tant soit peu mes lèvres, je flanquerais une frousse épouvantable aux filles bronzées qui vont sous l'horloge du Biltmore.

Il y a des jours où les filles se défont de leurs manteaux, et le spectacle qu'elles offrent en pull et corsage constitue une telle matière à pécher que je dois filer m'enfermer dans une cabine des toilettes pour attenter à moi-même, et cela en silence, de crainte d'être découvert par quelqu'un, un aide-serveur portoricain ou un serveur grec, qui foncerait trouver le maître d'hôtel et rapporterait que le nettoyeur des salons s'astique à tout va dans les cabinets.

5

Il y a une affiche à l'extérieur du Playhouse de la 68ᵉ Rue qui dit :
La Semaine Prochaine : *Hamlet* avec Laurence Olivier. J'envisage déjà
de m'octroyer une sortie avec au menu une bouteille de ginger ale et
une tarte au citron meringuée achetée chez le boulanger, comme celle
que j'ai mangée avec le prêtre à Albany, le plus grand délice que j'ai
éprouvé de ma vie. Je regarderai Hamlet à l'écran, occupé à se tourmenter lui-même ainsi que tous les autres, avec en plus le piquant de
la ginger ale et la suavité de la tarte qui s'affronteront délicieusement
dans ma bouche. En attendant d'aller au cinéma, je peux rester le soir
dans ma chambre à lire *Hamlet*, histoire de savoir ce qu'ils se racontent
dans ce vieil anglais. Le seul livre que j'ai apporté d'Irlande est un
volume rassemblant les *Œuvres complètes* de Shakespeare, que j'ai
acheté à la librairie O'Mahony pour treize shillings et six pence, la
moitié de mon salaire quand je travaillais au bureau de poste comme
porteur de télégrammes. La pièce que j'aime le mieux est *Hamlet* à
cause de ce que celui-ci a dû endurer lorsque sa mère s'est mise à la
colle avec le frère de son mari, Claudius, vu la façon dont ma propre
mère à Limerick s'est mise à la colle avec son cousin, Laman Griffin.
J'ai pu comprendre Hamlet rageant contre sa mère comme je l'ai fait
contre la mienne le soir où j'ai pris ma première pinte et suis rentré
ivre à la maison et lui ai donné une gifle. Je regretterai cet acte jusqu'au jour de ma mort, même si ça me dirait encore bien de retourner
un jour à Limerick, de trouver Laman Griffin dans un pub, de lui dire
de venir voir dehors et d'en faire une serpillière jusqu'à ce qu'il
implore grâce. Je sais qu'il est inutile de nourrir de telles pensées
puisque Laman Griffin aura sûrement succombé à la boisson et à la
phtisie au moment de mon retour à Limerick et sera depuis longtemps
en enfer avant que je récite une prière ou allume un cierge pour lui,
bien que Notre-Seigneur ait dit que nous devons pardonner à nos ennemis et tendre l'autre joue. Non, même si Notre-Seigneur revenait sur

terre et m'ordonnait de pardonner à Laman Griffin sous peine d'être jeté à la mer avec une meule autour du cou, chose que je crains le plus au monde, il me faudrait pourtant dire : Désolé, Notre-Seigneur, jamais je ne pourrai pardonner à cet homme ce qu'il a fait à ma mère et à ma famille. Dans une histoire inventée, Hamlet n'allait pas baguenaudant dans Elseneur à pardonner aux gens, alors pourquoi le devrais-je dans la vie réelle ?

La dernière fois que je suis allé au Playhouse de la 68e Rue, le placeur n'a pas voulu me laisser entrer avec une barre de chocolat Hershey à la main. Il a dit que je ne pouvais apporter ni à manger ni à boire et qu'il me faudrait consommer ça dehors. *Consommer*. Il ne pouvait pas dire *manger*, et c'est une des choses qui m'ennuient dans le monde, la façon dont les placeurs, et plus généralement les gens portant livrée ou uniforme, aiment toujours se servir de grands mots. Le Playhouse de la 68e Rue n'a rien à voir avec le Lyric de Limerick, où vous pouviez apporter du poisson-frites ou une bonne portion de pieds de porc plus une bouteille de *stout* si le cœur vous en disait. Le soir où on n'a pas voulu me laisser entrer avec la barre de chocolat, j'ai dû rester planté dehors et la manger à toute vitesse sous le regard noir du placeur qui n'en avait rien à faire que je sois en train de rater les trucs rigolos des Marx Brothers. Maintenant, je dois trimbaler mon imper noir d'Irlande sur le bras afin que l'ouvreur ne repère ni le sachet contenant la tarte au citron meringuée, ni la bouteille de ginger ale fourrée dans une poche.

À l'instant où le film débute, je tente de choper ma tarte mais la boîte crisse et les gens disent : Chut, on essaie de regarder le film. Je sais que ce n'est pas le genre de gens qui vont voir des films de gangsters ou des comédies musicales. Ceux-là sont probablement diplômés de l'université, habitent Park Avenue et connaissent chaque réplique de *Hamlet*. Ils ne disent jamais qu'ils vont au ciné, non, juste qu'ils vont voir un film. Jamais je ne vais pouvoir ouvrir la boîte sans bruit et je salive de faim et je me demande bien que faire jusqu'au moment où un homme assis à côté de moi dit : *Hi !* puis glisse une partie de son imper sur mes genoux et laisse sa main se balader dessous. Je vous dérange ? fait-il, et je ne sais que répondre bien que quelque chose me dise : Prends ta tarte et bouge de là. Excusez-moi, lui dis-je, et je passe devant lui, remonte l'allée et file aux toilettes pour hommes où je vais pouvoir ouvrir à l'aise ma boîte à tarte sans que Park Avenue me fasse : *Chut !* C'est ennuyeux de louper une partie de *Hamlet* mais, là-haut sur l'écran, ils ne faisaient que sauter partout et crier au fantôme.

Bien qu'il n'y ait personne dans les toilettes pour hommes, je n'ai pas envie d'être vu en train d'ouvrir ma boîte et de manger ma tarte, alors je m'assieds sur le siège de la cabine et je boulotte rapidement de façon à pouvoir retourner voir *Hamlet* sans pour autant avoir à m'asseoir à côté de l'homme à la main baladeuse avec l'imper sur ses genoux. La tarte m'assèche la bouche et je me propose de m'envoyer une bonne gorgée de ginger ale quand je me rends compte qu'il faut un genre de clef d'église pour ôter la capsule. Inutile d'aller trouver un placeur, ils sont toujours à aboyer et à dire aux gens qu'ils ne sont pas supposés apporter à manger ou à boire du dehors même s'ils viennent de Park Avenue. Je pose la boîte à tarte par terre et finis par conclure que la seule façon de décapsuler la bouteille de ginger ale est de la placer contre le bord du lavabo et de lui donner un bon coup avec le dos de ma main et quand je le fais le col de la bouteille se brise, la ginger ale me gicle au visage et il y a du sang sur le lavabo à l'endroit où je me suis coupé la main avec la bouteille, et je suis triste de tout ce qui m'arrive, de voir ma tarte là, par terre, noyée de sang et de ginger ale, et je me demande si je vais pouvoir regarder *Hamlet*, avec tous les problèmes qui me tombent dessus, quand un homme grisonnant à l'air désespéré entre en catastrophe, manque me renverser, marche sur ma boîte à tarte et la bousille complètement. Il fonce à l'urinoir et lansquine à n'en plus finir tout en essayant de décoincer son pied de la boîte. Bon Dieu, bon Dieu ! me gueule-t-il. C'est quoi ce bordel ? C'est quoi ce bordel ? Il s'écarte de l'urinoir et lance la jambe, de sorte que la boîte à tarte décolle de son pied et s'écrase contre le mur, faisant perdre à son contenu tout caractère comestible. L'homme redemande quel est ce bordel, et je ne sais que lui répondre car c'est vraiment une longue histoire si on remonte au tout début, à savoir comment j'étais excité une semaine auparavant à l'idée de voir *Hamlet* et comment je n'ai pas mangé de la journée vu que j'avais l'exquis projet de tout faire à la fois, manger ma tarte, boire la ginger ale, voir *Hamlet* et entendre toutes les illustres tirades. Je ne crois pas que l'homme soit d'humeur à écouter ça vu sa façon de sauter d'un pied sur l'autre en m'expliquant que les lavabos ne sont pas un foutu restaurant, que je n'ai foutrement pas à manger ou à boire dans des toilettes publiques et que je ferais mieux de tirer mon cul d'ici. Je lui dis que j'ai eu un accident en voulant ouvrir la bouteille de ginger ale et il crie : Avez-vous jamais entendu parler d'un ouvre-bouteille ou est-ce que vous débarquez à peine du foutu rafiot ? Il sort et, alors que j'enveloppe ma plaie avec du papier toilette, radine le placeur qui dit qu'une personne s'est plainte de mon comportement en cet endroit même. Il est comme l'homme grisonnant avec ses *foutu* et ses *bordel*, et quand j'essaie d'expliquer ce qui est arrivé il vocifère : Tirez votre cul d'ici ! Je lui fais observer que j'ai payé pour voir *Hamlet* et que je suis venu ici pour ne pas déranger tous ces gens de Park

Avenue qui connaissent *Hamlet* par cœur mais il vocifère à nouveau : J'en ai rien à foutre, cassez-vous avant que j'appelle le directeur ou les flics qui s'intéresseront sûrement à ce sang répandu partout !

Puis il désigne mon imper noir drapant le lavabo. Enlevez ce foutu imperméable d'ici ! Qu'est-ce que vous fabriquez avec un imperméable par un jour où il n'y a pas un nuage dans le ciel ? On connaît le coup de l'imperméable et on surveille. On connaît toute la bande aux imperméables. On est au courant de tous vos petits jeux de tantouzes. Vous êtes assis là avec l'air innocent, et l'instant d'après la main se balade sur des mômes innocents. Alors maintenant mon pote, tu prends ton imperméable et tu te tailles d'ici avant que j'appelle les flics, espèce de foutu pervers !

J'emporte la bouteille cassée de ginger ale pour la goutte qui reste, je descends la 68ᵉ Rue et je m'assieds sur le perron de l'immeuble où je loge jusqu'à ce que Mrs Austin crie par la fenêtre du sous-sol qu'il est interdit de manger et boire sur les marches, les cafards vont accourir de partout et les gens vont dire qu'on est une tribu de Portoricains qui se fichent d'où ils mangent, boivent ou dorment.

Il n'y a aucun endroit où s'asseoir le long de la rue sans une logeuse qui épie et guette, et je n'ai plus qu'à errer jusqu'à un parc au bord de l'East River en me demandant pourquoi l'Amérique est dure et compliquée au point que c'est un problème pour moi d'aller voir *Hamlet* avec une tarte au citron meringuée et une bouteille de ginger ale.

6

Le pire à New York, quand je me lève pour aller travailler, c'est d'avoir les yeux infectés au point que je dois écarter mes paupières avec le pouce et l'index. Je suis tenté de gratter cette croûte toute jaune et dure mais, si je le fais, les cils vont partir avec et me laisser les paupières rouges et irritées, pires qu'avant. Je peux toujours me tenir sous la douche et laisser l'eau chaude ruisseler sur mes yeux jusqu'à les sentir tièdes et propres même s'ils sont encore enflammés en dedans. J'essaie de neutraliser l'inflammation avec de l'eau glacée mais cela ne marche jamais. Cela ne fait que m'endolorir les globes oculaires et les choses vont assez mal comme ça sans que je doive aller dans les salons du Biltmore avec des douleurs aux prunelles.

Je pourrais me faire aux paupières endolories s'il ne s'y ajoutait l'irritation, la rougeur et le suintement jaune. Au moins les gens ne me dévisageraient pas comme si j'étais une certaine catégorie de lépreux.

C'est déjà assez honteux comme ça d'arpenter le Palm Court dans la livrée noire de nettoyeur qui signifie aux yeux du monde que je suis juste au-dessus des plongeurs portoricains. Même les porteurs ont une touche d'or sur leur livrée, et les portiers ont carrément l'air d'amiraux de la Flotte. Eddie Gilligan, le délégué syndical, dit que c'est une bonne chose que je sois irlandais, sinon c'est en bas dans la cuisine que je serais, en compagnie des Espingos. C'est pour moi un nouveau mot, *Espingo*, et la façon dont Eddie Gilligan le dit me fait deviner qu'il n'aime pas les Portoricains. Il m'explique que Mr Carey est aux petits soins avec ses compatriotes et c'est pourquoi je suis un nettoyeur en livrée au lieu d'être en tablier là en bas avec les Portos qui chantent et gueulent *Mira mira* à longueur de journée. J'aimerais lui demander quel mal il y a à chanter quand on fait la plonge et à gueuler *Mira mira* quand le cœur vous en dit, mais je me garde de poser des questions de peur de mal faire. Au moins, les Portoricains sont ensemble, là en bas, à chanter et à taper sur des poêles et des casseroles, emportés par leur musique et dansant dans toute la cuisine jusqu'au moment où les chefs leur disent d'arrêter le boucan. Parfois je descends dans la cuisine et ils me donnent des bouts de restes et m'interpellent : Frankie ! Frankie ! Le petit Irlandais ! On va t'apprendre l'hispagnol ! Eddie Gilligan dit que je suis payé deux dollars et cinquante cents de plus par semaine que les plongeurs et que j'ai des possibilités d'avancement qu'eux n'auront jamais car tout ce qu'ils veulent c'est s'abstenir d'apprendre l'anglais et gagner assez d'argent pour retourner à Porto Rico et s'asseoir sous les arbres à siffler de la bière et à faire des familles nombreuses car ils ne sont bons qu'à ça, à picoler et à baiser jusqu'à ce que leurs femmes s'usent et meurent prématurément, et voilà leurs gosses qui courent les rues, prêts à venir à New York faire la plonge et recommencer tout le foutu bazar, et, s'ils n'arrivent pas à trouver des boulots, c'est nous qu'on doit les entretenir, toi et moi, afin qu'ils puissent s'asseoir sur leurs perrons là-haut dans East Harlem à jouer de leurs foutues guitares et à boire leurs bières dans les sacs en papier. C'est ça les Espingos, gamin, et ne va pas l'oublier. Évite cette cuisine parce qu'ils ne regarderaient pas à deux fois avant de pisser dans ton café. Il dit qu'il les a surpris à pisser dans la fontaine à café destinée à un banquet donné en l'honneur des Filles de l'Empire britannique, et pas une seconde les Filles ne se sont doutées qu'elles buvaient de la pisse portoricaine.

Là-dessus Eddie sourit, puis il se marre et s'étouffe avec sa cigarette car, en tant qu'Irlando-Américain, il trouve que les Portos sont quand même chouettes d'avoir fait ça aux Filles de l'Empire britannique. Maintenant ce sont des *Portos*, eh oui, fini les Espingos, car ils ont accompli un geste patriotique auquel les Irlandais auraient dû penser d'abord. L'an prochain lui-même pissera dans les fontaines et il crèvera de rire en regardant les Filles boire du café additionné de pisse irlando-portoricaine. La seule chose qui le chiffonne est que les Filles ne le sauront jamais. Il aimerait grimper au balcon de la salle de bal du dix-neuvième étage et faire une annonce générale : Filles de l'Empire britannique, vous venez juste de boire du café plein de pisse irlando-espingouine, et comment ça fait après ce que vous avez infligé aux Irlandais depuis huit cents ans ? Oh, voilà qui ferait un spectacle, les Filles s'agrippant l'une à l'autre et dégobillant dans toute la salle de bal et les patriotes irlandais dansant la gigue dans leurs tombes. Ce serait quelque chose, dit Eddie, ce serait vraiment quelque chose.

Et le voilà qui ajoute que les Portos ne sont peut-être pas si mauvais que ça. Il n'en voudrait pas pour épouser sa fille, ni dans son voisinage, mais il faut bien reconnaître qu'ils sont doués pour la musique et qu'ils fournissent quelques sacrés bons joueurs de base-ball, oui, il faut bien le reconnaître. Descends dans cette cuisine et tu les trouveras toujours contents comme des gosses. Ils sont comme les Noirs, ils ne prennent rien au sérieux. Pas comme les Irlandais. Nous, on prend tout au sérieux.

Dans les salons, les mauvais jours sont le jeudi et le vendredi, quand les garçons et les filles se retrouvent et s'attablent et boivent et rient, sans rien d'autre en tête que l'université et le flirt, et faire de la voile en été, du ski en hiver, et se marier entre eux pour avoir des enfants qui viendront au Biltmore et feront les mêmes choses. Je sais qu'ils ne me voient même pas dans ma livrée de nettoyeur avec mes pelle et balayette, et j'en suis content car il y a des jours où mes yeux sont si rouges qu'ils paraissent injectés de sang et j'appréhende le moment où une fille va me demander : Excusez-moi, où sont les toilettes ? C'est difficile de pointer votre pelle et de répondre : Là-bas, passé les ascenseurs, tout en gardant votre visage détourné. J'ai tenté le coup avec une fille mais elle est allée trouver le maître d'hôtel pour se plaindre de ma grossièreté et, dorénavant, je dois regarder toutes les personnes qui me posent des questions et, quand elles me toisent, je pique un tel fard que je suis sûr que ma peau égale mes yeux question rougissement. Parfois je pique un fard de pure colère et j'ai envie de gronder contre ces gens qui toisent, mais, si je le faisais, je serais viré sur-le-champ.

Ils ne devraient pas toiser. Ils devraient le savoir, vu comment leurs père et mère dépensent des fortunes pour qu'ils soient éduqués, et à quoi bon toute cette éducation si vous êtes ignorants au point de toiser les gens à peine débarqués du bateau avec leurs yeux rouges ? On pourrait penser que les professeurs d'université seraient debout devant leurs classes à leur expliquer que, si vous allez dans les salons du Biltmore Hotel ou n'importe quels salons, vous ne devez pas toiser les gens aux yeux rouges ni les unijambistes ni quelque autre catégorie de handicapés.

Toujours est-il que les filles toisent, et les garçons sont pires avec leur façon de me regarder, puis de sourire, puis de se donner des coups de coude, puis d'échanger des remarques qui font rire tout le monde tandis que moi j'aimerais leur casser mes pelle et balayette sur la tête jusqu'au moment où giclerait le sang et alors, là, ils me supplieraient d'arrêter et promettraient de ne plus jamais échanger de remarques désobligeantes sur les yeux amochés de quiconque.

Un jour, une étudiante se met à glapir et le maître d'hôtel accourt. La fille commence à pleurer pendant qu'il déplace des choses sur la table devant elle, puis regarde dessous en secouant la tête. Sa voix traverse les salons : McCourt, venez voir ici tout de suite. Avez-vous nettoyé autour de cette table ?

Je crois bien.

Vous croyez bien ? Foutredieu – mille pardons, mademoiselle – vous ne le savez donc pas ?

Je l'ai fait, monsieur.

Avez-vous ôté une serviette en papier ?

J'ai nettoyé. J'ai vidé les cendriers.

La serviette en papier qui était là, l'avez-vous prise ?

Je ne sais pas.

Bon, laissez-moi vous dire quelque chose, McCourt. Cette jeune dame que voilà est la fille du président du Traffic Club, qui loue un immense espace dans cet hôtel, et elle avait une serviette en papier avec le numéro de téléphone d'un garçon de Princeton, et si vous ne trouvez pas ce morceau de papier ça va chauffer pour votre cul – encore pardon, mademoiselle. Bon, maintenant, qu'est donc devenu le contenu de la boîte à ordures que vous avez emportée ?

Il est descendu par le vide-ordures dans les grandes poubelles près de la cuisine.

Très bien. Descendez chercher cette serviette en papier et ne revenez pas sans elle.

La fille qui a perdu la serviette éclate en sanglots et me dit que son père a beaucoup d'influence ici, ajoutant qu'elle ne voudrait pas être à ma place si je ne trouve pas ce morceau de papier. Ses amis me regardent et je sens que mon visage est en feu, y compris les yeux.

Le maître d'hôtel me relance : Allez chercher, McCourt, et revenez au rapport.

Les poubelles près de la cuisine débordent et je ne vois pas comment je vais retrouver un petit morceau de papier perdu dans tous ces déchets, mouture de café, morceaux de pain grillé, arêtes, coquilles d'œuf, peaux de pamplemousse. Je suis à genoux à tâtonner et à trier avec une fourchette que je suis allé prendre à la cuisine où les Portoricains chantent et dansent et tapent sur des casseroles, tant et si bien que je finis par me demander ce que je peux bien fabriquer comme ça à genoux.

Je me lève donc et m'en retourne dans la cuisine sans répondre aux interpellations des Portoricains : Frankie ! Frankie ! Le petit Irlandais ! On va t'apprendre l'hispagnol ! Je trouve une serviette en papier neuve, j'y griffonne un numéro de téléphone inventé, je la souille de café puis monte la donner au maître d'hôtel qui la donne à l'étudiante sous les acclamations de tous ses amis. La fille remercie le maître d'hôtel, lui tend un pourboire, un dollar, pas moins, et mon seul chagrin est que je ne serai pas à côté d'elle quand elle appellera le numéro.

7

Il y a une lettre de ma mère disant que les temps sont durs à la maison. Elle sait que mon salaire n'est pas élevé, et elle m'est reconnaissante des dix dollars hebdomadaires, mais pourrais-je en envoyer quelques autres pour que Michael et Alphie aient des chaussures ? Elle avait un boulot consistant à s'occuper d'un vieil homme, et celui-ci l'a bien déçue avec sa mort inattendue, elle qui pensait qu'il tiendrait jusqu'au nouvel an, ce qui lui aurait garanti quelques shillings pour acheter des chaussures et des provisions en vue du repas de Noël, du jambon ou quelque chose d'un tant soit peu digne. Elle dit que les malades ne devraient pas engager des gens pour s'occuper d'eux et leur donner de faux espoirs de boulot alors qu'ils savent très bien qu'ils sont à l'article de la mort. Maintenant elle n'a plus aucune rentrée d'argent, sauf ce que j'envoie, et il semble que le pauvre Michael va devoir quitter l'école et dégoter un boulot à l'instant où il aura ses quatorze ans, l'an prochain, et c'est une honte et elle aimerait le savoir : Est-ce pour cela que nous avons combattu les Anglais, pour que la moitié des enfants de l'Irlande traînent de par les rues, les champs et les chemins creux avec la plante de leurs pieds en guise de semelle ?

Je lui envoie déjà dix dollars sur les trente-deux que je touche au Biltmore, encore que ça fasse plutôt vingt-six une fois qu'ils ont déduit la sécurité sociale et l'impôt sur le revenu. Après le loyer, il me reste vingt dollars et ma mère en reçoit dix, ce qui m'en laisse dix pour acheter à manger et payer le métro quand il pleut. Le reste du temps, je marche pour économiser les cinq cents. De temps à autre, n'y tenant plus, je vais voir un film au Playhouse de la 68e Rue et j'en sais assez pour passer avec une barre Hershey ou deux bananes, qui sont d'ailleurs ce qu'il y a de moins cher comme nourriture sur terre. Des fois, quand je pèle ma banane, les gens de Park Avenue qui ont l'odorat sensible reniflent, chuchotent entre eux : Est-ce une banane que je sens ? Puis ils menacent de se plaindre à la direction.

Mais je n'en ai plus rien à faire. S'ils vont trouver le placeur et se plaignent, je n'irai pas me planquer dans les toilettes pour hommes le temps de manger ma banane. J'irai voir le Parti démocrate au Biltmore et je leur dirai que je suis un citoyen américain à l'accent irlandais, et pourquoi suis-je tourmenté pour consommation de banane pendant un film avec Gary Cooper ?

L'hiver arrive peut-être en Irlande mais il fait plus froid ici, et les vêtements que j'ai apportés d'Irlande ne valent rien pour un hiver new-yorkais. D'après Eddie Gilligan, si je ne porte que ça dans les rues, je serai mort avant d'avoir vingt ans. Mais, ajoute-t-il, si je ne suis pas trop fier, je peux aller dans le West Side, à ce grand entrepôt de l'Armée du Salut, et dégoter toutes les fringues d'hiver dont j'ai besoin pour quelques dollars. Il me conseille de veiller à prendre des fringues qui me donneront l'air d'un Américain et pas des frusques de cul-terreux qui me donneraient l'air d'un planteur de navets.

Mais je ne peux pas aller à l'Armée du Salut maintenant que j'ai envoyé à ma mère le mandat international de quinze dollars, et je ne peux plus me faire donner des restes par les Portoricains de la cuisine du Biltmore de crainte qu'ils n'attrapent ma maladie des yeux.

Eddie Gilligan dit que ça jase sur mes yeux. Il a été convoqué par le service du personnel en sa qualité de délégué syndical, et ils lui ont dit que je ne devais plus jamais m'approcher de la cuisine des fois que je touche une serviette ou quelque chose comme ça, au risque de rendre à moitié aveugles tous les plongeurs portoricains et les cuisiniers italiens avec ma conjonctivite, à supposer qu'il s'agisse de ça. Si on continue de m'employer, c'est uniquement parce que j'ai été recommandé par les gens du Parti démocrate, qui paient beaucoup pour les grands bureaux qu'ils louent dans l'hôtel. Selon Eddie, Mr Carey est peut-être dur comme chef mais il soutient ses semblables, et il a envoyé paître les gens du service du personnel, non sans les avertir qu'à l'instant où ils essaieront de licencier un môme aux yeux amochés, le Parti démocrate sera informé et c'en sera fini du Biltmore. Ils auront une grève qui mobilisera tout le foutu syndicat des travailleurs de l'hôtellerie. Plus de service des chambres. Pas d'ascenseur. Les gros salauds devront arquer et les femmes de chambre ne mettront plus de papier toilette dans les salles de bains. Imagine un peu : ces gros vieux salauds coincés avec rien pour se torcher le cul et tout ça à cause de tes yeux amochés, le môme !

On défilera, tout le foutu syndicat. On fera fermer chaque hôtel de la ville. Seulement, il faut que je te dise, ils m'ont donné le nom de ce toubib pour les yeux sur Lexington Avenue. Il faut que tu ailles le voir et reviennes dire ce qu'il en est dans une semaine.

Le cabinet du docteur se trouve dans un vieil immeuble, quatre étages à se taper. Des bébés pleurent et une radio résonne :

Garçons et filles ensemble,
Moi avec Mamie O'Rourke,
Nous brillerons à l'amble
Sur les trottoirs de New York.

Le docteur me dit : Entrez, posez-vous sur cette chaise, que se passe-t-il avec vos yeux ? Vous venez pour des lunettes ?

J'ai comme une infection, docteur.

Bon Dieu, ouais, c'est bien une infection. Depuis combien de temps vous avez ça ?

Neuf ans, docteur. J'ai été hospitalisé en ophtalmologie en Irlande à l'âge de onze ans.

Il me tapote les yeux avec un petit bout de bois et les tamponne avec des cotons qui collent aux paupières et me font cligner. Il me dit d'arrêter de cligner, comment je veux qu'il m'examine les yeux si je suis là à cligner comme un malade ? Mais je ne peux m'en empêcher. Plus il tapote et tamponne, plus je cligne, jusqu'à ce qu'il s'énerve au point de balancer par la fenêtre le petit bout de bois avec le coton collé dessus. Jurant, il ouvre un à un les tiroirs de son bureau et les referme bruyamment jusqu'au moment où il trouve une petite bouteille de whisky et un cigare, et le voilà de si bonne humeur qu'il se laisse tomber dans son fauteuil en éclatant de rire.

Encore à cligner, hein ? Dites voir, le môme, ça fait trente-sept ans que j'examine des yeux et je n'ai jamais vu une chose pareille. Vous êtes quoi, mexicain, quelque chose dans ce goût-là ?

Non, je suis irlandais, docteur.

Ils n'ont pas ce que vous avez en Irlande. Et ce n'est pas de la conjonctivite. Je m'y entends en conjonctivite. C'est autre chose et je peux vous dire que vous avez déjà de la veine d'avoir encore des yeux. J'ai vu ce que vous avez chez des types qui revenaient du Pacifique, de Nouvelle-Guinée et d'endroits comme ça. Jamais allé en Nouvelle-Guinée ?

Non, docteur.

Bon, vous allez me faire complètement raser cette tête. Vous avez de ces pellicules infectieuses comme les types de Nouvelle-Guinée, et elles vous tombent dans les yeux. Ces cheveux vont devoir partir et vous aurez à vous frictionner quotidiennement le cuir chevelu avec un savon médicamenteux. Frictionnez-moi ce cuir chevelu jusqu'à ce qu'il vous picote. Briquez-moi ce crâne jusqu'à ce qu'il reluise puis revenez me voir. Ce sera dix dollars, le même.

Le savon médicamenteux coûte deux dollars et le barbier italien de la Troisième Avenue me fait casquer deux autres dollars, pourboire non compris, pour couper mes cheveux et raser ma tête. Il me dit que c'est une honte de tondre une chouette chevelure comme ça, si lui avait la même on devrait le décapiter pour l'avoir, et la plupart de ces toubibs n'y connaissent de toute façon que couic, mais bon, si c'est ce que je veux, qui est-il pour trouver à y redire ?

Il me tend un miroir pour me montrer comme c'est bien chauve derrière aussi, et je me sens défaillir de honte à voir ça, la boule à zéro, les yeux rouges, les boutons, les dents gâtées, et, si quelqu'un me regarde sur Lexington Avenue, je le pousserai sous une voiture car je regrette bien d'être venu en cette Amérique qui menace de me virer à cause de mes yeux et me fait aller chauve dans New York.

Bien sûr, on me toise dans les rues et je veux toiser en retour de façon menaçante mais c'est impossible avec le suintement jaune de mes yeux qui, se mêlant aux fibres de coton, m'aveugle complètement. Je guette les petites rues pour trouver les moins encombrées et remonte ainsi en zigzaguant à travers la ville. La Troisième Avenue constitue somme toute le meilleur itinéraire, avec le fracas du métro aérien au-dessus et les ombres partout et les gens dans les bars qui ont leurs problèmes et s'occupent de leurs affaires sans toiser chaque paire d'yeux amochés qui passe. Les gens au sortir des banques et des boutiques de vêtements toisent toujours mais ceux des bars ruminent devant leurs verres et ne vous prêteraient aucune attention quand bien même vous vous baladeriez sans yeux sur l'avenue.

Bien sûr, Mrs Austin est à lorgner par la fenêtre du sous-sol. Je ne suis pas plus tôt à la porte d'entrée qu'elle grimpe les marches en demandant ce qui est arrivé à ma tête, ai-je eu un accident, étais-je dans un incendie ou quelque chose comme ça ? et je l'enverrais bien promener en lui lançant : Vous trouvez que ça a l'air d'un foutu incendie ? Mais je me borne à lui répondre que mes cheveux ont juste été un peu roussis dans la cuisine de l'hôtel et que le barbier a jugé préférable de les couper aux racines, histoire de faire table rase. Il faut que je sois poli avec Mrs Austin, sinon elle pourrait me dire de plier bagage et de partir, et alors je me retrouverais à la rue un samedi avec une valise marron, une boule à zéro et trois dollars en tout et pour tout. Ma foi, vous êtes jeune, dit-elle avant de redescendre, et je n'ai plus qu'à aller m'allonger sur mon lit à écouter les gens qui parlent et rient dans la rue et à me demander comment je pourrai aller travailler lundi matin avec une bille pareille, même si, ce faisant, j'ai obéi à la consigne de mes supérieurs comme aux ordres du docteur.

Je n'arrête pas d'aller au miroir, choqué de la blancheur de mon crâne et souhaitant pouvoir rester ici jusqu'à ce que les cheveux repoussent, mais j'ai faim. Mrs Austin interdit toute nourriture et toute boisson dans la chambre mais, une fois la nuit tombée, je monte la rue pour acheter l'épais *Sunday Times* qui soustraira le sachet contenant petit pain et pinte de lait à son regard fureteur. Cela fait, il me reste moins de deux dollars pour tenir jusqu'à vendredi, et on n'est que samedi. Si elle m'arrête, je dirai : Pourquoi n'aurais-je pas droit à un petit pain et à une pinte de lait maintenant que le docteur m'a appris de but en blanc que j'avais une maladie de Nouvelle-Guinée et qu'un barbier m'a tondu la tête jusqu'à l'os ? Je m'interroge sur tous ces films où ils agitent la bannière étoilée et, la main sur la poitrine, déclarent au monde que c'est ici le pays de la liberté et la patrie des braves alors que vous savez fort bien que vous n'avez même pas le droit d'aller voir *Hamlet* avec une simple banane, sans parler de votre tarte au citron meringuée et de votre ginger ale, et que vous ne pouvez introduire aucune nourriture ou boisson chez Mrs Austin.

Mais Mrs Austin n'apparaît point. Les logeuses n'apparaissent jamais quand ça vous serait égal.

Je ne peux pas lire le *Times* avant de m'être nettoyé les yeux dans la salle de bains avec de l'eau chaude et du papier toilette, mais c'est délicieux d'être au lit avec le journal et le petit pain et le lait, du moins jusqu'à ce que Mrs Austin appelle du bas des marches pour se plaindre que ses notes d'électricité grimpent au ciel, et aurais-je l'obligeance d'éteindre la lumière, elle n'est pas millionnaire.

Une fois que j'ai tourné le bouton, je me rappelle qu'il est temps d'enduire mon crâne de pommade mais alors je me rends compte que, si je me couche avec ça sur la tête, l'oreiller sera tout taché et Mrs Austin aura encore quelque chose à me reprocher. La seule chose à faire est de m'asseoir bien droit avec la tête appuyée contre le montant du lit en fer sur lequel je pourrais essuyer toute coulure de pommade. Le fer forme des arabesques et des petites fleurs dont les pétales saillants interdisent tout sommeil, et je n'ai d'autre choix que de sortir du lit et de dormir sur le plancher, ce à quoi Mrs Austin ne verra nul inconvénient.

Le lundi matin, il y a un mot sur ma fiche de pointage m'enjoignant de monter sans délai au dix-neuvième étage. Eddie Gilligan dit qu'il n'y a là rien de personnel mais on ne veut plus de moi dans les salons avec les yeux amochés, et maintenant, en plus, la boule à zéro. C'est un fait bien connu que les gens qui perdent subitement leurs cheveux n'en ont plus pour longtemps dans ce monde, et tu peux toujours aller te planter au milieu des salons et clamer que c'est l'œuvre du barbier, les gens veulent croire le pire et ceux du service du personnel sont à dire : Les yeux amochés, la boule à zéro, additionnez les deux et vous obtiendrez de gros problèmes avec la clientèle. Quand les cheveux repousseront et que les yeux se clarifieront, je serai peut-être renvoyé dans les salons, peut-être même comme aide-serveur, et, le cas échéant, je me ferais de si gros pourboires que je serais en mesure d'entretenir sur un grand pied ma famille à Limerick, mais pas pour l'instant, pas avec cette tête-là, ces yeux-là.

8

Eddie Gilligan travaille au dix-neuvième étage avec son frère, Joe. Notre boulot est d'apprêter les salons pour les réceptions et réunions, et la salle de bal pour les noces et banquets, mais Joe n'est pas d'une grande utilité avec ses mains et ses doigts tordus comme des racines. Il se balade avec un balai à long manche dans une main et une cigarette dans l'autre pour paraître occupé, mais il passe le plus clair de son temps dans les toilettes ou à fumer avec Digger Moon, le préposé aux moquettes qui se targue d'être un Indien Blackfoot et de pouvoir poser des moquettes plus vite et mieux que n'importe qui dans les États-Unis d'Amérique, enfin, à moins qu'il n'ait un coup dans le nez, et là, attention, car il se rappelle les souffrances de son peuple. Quand Digger se rappelle les souffrances de son peuple, le seul à qui il peut parler est Joe Gilligan, car Joe souffre lui-même d'arthrite et Digger dit que Joe comprend. Quand vous avez de l'arthrite au point d'avoir peine à vous torcher le cul, vous comprenez toutes sortes de souffrances. Ainsi parle Digger, et quand il n'est pas dans les étages à poser des moquettes ou à en enlever il va s'asseoir en tailleur dans l'atelier en compagnie de Joe, et les deux hommes souffrent ensemble, l'un du passé, l'autre d'arthrite. Personne n'aura l'idée de venir déranger Digger ou Joe car tout le personnel du Biltmore connaît leurs souffrances et ils peuvent passer des journées entières dans l'atelier ou en pause de l'autre côté de la rue, au McAnn's Bar. Mr Carey souffre lui-même de maux d'estomac. Il accomplit sa tournée d'inspection du matin en se ressentant du petit déjeuner que lui a fait sa femme, et son inspection de l'après-midi en pâtissant du déjeuner qu'elle lui a donné à emporter. Il dit à Eddie que son épouse est une belle femme, la seule qu'il ait jamais aimée, mais qui le tue à petit feu, sans compter qu'elle-même n'est pas en si bonne santé, avec ses jambes toutes gonflées de rhumatismes. Eddie dit à Mr Carey que son épouse à lui est elle aussi en mauvaise santé, après quatre fausses couches et maintenant une sorte d'empoisonnement du sang qui préoccupe le docteur. Le matin des préparatifs du banquet annuel de la Société d'histoire américano-irlandaise, Eddie et Mr Carey se tiennent à l'entrée de la salle de bal du dix-neuvième étage. Eddie fume une cigarette et Mr Carey, en proie à ses maux d'estomac, se frotte la bedaine à travers son costume croisé, joliment coupé pour vous faire croire qu'il n'en a pas tant que ça. Eddie lui raconte qu'il n'avait jamais fumé avant d'être blessé à Omaha Beach, mais voilà-t-il pas qu'un quelconque connard, excusez le langage, Mr Carey, est venu lui coller une cigarette dans le bec alors qu'il gisait sur le sable en attendant les infirmiers. Il a tiré une bouffée de cette cigarette et ça lui a procuré un tel soulagement, lui gisant là, sur Omaha Beach, avec ses boyaux pendants, qu'il a continué de fumer depuis, qu'il n'arrive pas à arrêter, qu'il a essayé, Dieu sait, mais pas moyen. Soudain, Digger Moon rapplique avec un immense tapis sur l'épaule et avise Eddie qu'il faut faire quelque chose pour son frère, Joe, que ce pauvre fils de pute souffre plus que sept tribus indiennes, et Digger s'y connaît en souffrance après son temps passé dans l'infanterie de marine à sillonner tout le foutu Pacifique où il a dégusté tout ce que les Japs ont pu lui balancer, malaria, tout. Eddie fait : Ouais, ouais, il sait pour Joe et il est désolé – c'est son frère, après tout –, mais il a ses propres problèmes avec sa femme, les fausses couches, l'empoisonnement du sang et ses boyaux à lui tout esquintés de n'avoir pas été bien remis en place, et il se fait du mouron pour Joe vu sa façon de mélanger l'alcool et tous ces analgésiques. Mr Carey rote, gémit, et Digger lui lance : Vous toujours bouffer merde ? car Digger ne craint pas plus Mr Carey que n'importe qui. Voilà comme c'est quand vous êtes un bon poseur de moquette, vous pouvez dire ce que vous voulez à n'importe qui, et si on vous vire il y aura toujours du boulot au Commodore, au Roosevelt, ou bien même, bon Dieu, ouais, au Waldorf-Astoria, où leur idée fixe est de débaucher Digger. Certains jours, Digger est tellement bouleversé par les souffrances de son peuple qu'il refuse de poser la moindre moquette, puis, voyant que Mr Carey ne le vire pas, il déclare : Cela est juste. Homme blanc peut pas se passer de nous autres Indiens. Homme blanc doit avoir Iroquois à soixante étages en haut de gratte-ciel pour danser le long des poutres en acier. Homme blanc doit avoir Blackfoot pour bien poser moquette. Chaque fois que Digger entend roter Mr Carey, il lui lance d'arrêter de bouffer de la merde et de se taper une bonne bière, car la bière n'a jamais fait de mal à personne et ce sont les sandwichs de Mrs Carey qui sont en train de tuer Mr Carey. Puis Digger enchaîne en lui expliquant une énième fois sa théorie au sujet des femmes, à savoir qu'elles ressemblent aux araignées appelées veuves noires qui tuent les mâles après la baise, tranchent leurs fichues têtes d'un coup de mandibule, rien à foutre des hommes, eh oui, une fois qu'elles ont passé l'âge d'avoir des petits, les hommes leur sont vraiment inutiles à moins qu'ils soient sur le cheval, à l'attaque d'une autre tribu. Eddie fait remarquer qu'on aurait l'air un rien con de monter Madison Avenue en canasson pour attaquer une autre tribu et Digger réplique que c'est exactement ce qu'il veut dire, qu'un homme est placé sur cette terre pour se peindre le visage, monter le cheval, jeter la lance, tuer l'autre tribu, et, quand Eddie lui fait : Ho ! arrête ton baratin de merde, Digger riposte : Ho ! baratin de merde, mon cul ! Qu'est-ce que tu fous, Eddie, à part passer ta vie ici à préparer noces et banquets ? Est-ce une vie pour un homme ? Eddie hausse les épaules, tire sur sa cigarette, et quand Digger fait soudain demi-tour pour s'en aller il chope Mr Carey et Eddie avec l'extrémité du tapis et les envoie valdinguer à cinq mètres dans la salle de bal.

Comme c'est un accident, personne ne moufte, mais, en mon for intérieur, j'admire la façon dont Digger se balade dans le monde sans en avoir rien à péter de rien, comme mon oncle Pa à Limerick, et tout ça parce qu'il n'a pas son pareil pour poser des moquettes. J'aimerais être comme Digger, mais sans les moquettes. Je déteste les moquettes.

Si j'avais l'argent, je m'achèterais une torche électrique et je lirais jusqu'à l'aube. En Amérique, une torche électrique s'appelle une lampe de poche. Un biscuit s'appelle un *cookie*, un petit pain un *roll*. Pour acheter des sucreries, on cherchera en vain une confiserie, il n'y a que des pâtissiers. La viande hachée s'appelle hachis. Les hommes ne portent pas un pantalon mais des pantalons, et il leur arrive même de dire : ma paire de pantalons a une jambe plus courte que l'autre, ce qui est bête. Quand je les entends dire paire de pantalons, j'ai l'impression que ma respiration s'accélère. L'ascenseur est un élévateur et, si vous voulez aller aux toilettes ou aux cabinets, vous devez dire salle de bains, même si vous n'y trouverez pas l'ombre d'une baignoire. Et personne ne meurt en Amérique, non, ils trépassent ou décèdent, et, quand ils meurent, le corps, qu'on appelle la dépouille, est emporté dans un dépôt mortuaire où les gens se contentent de se mettre autour pour le regarder, sans que personne ne chante ou ne raconte une histoire ou ne prenne un verre, et puis on l'escamote dans une bière pour être inhumé. Ils n'aiment pas dire cercueil et ils n'aiment pas dire enterré. Ils n'emploient jamais le mot de tombe. Sépulture sonne mieux.

Si j'avais l'argent, je m'achèterais un chapeau et je sortirais, mais je ne peux pas me promener avec la boule à zéro dans les rues de Manhattan, de peur que les gens croient être en train de regarder une boule de neige perchée sur une paire d'épaules maigrichonnes. Dans une semaine, quand la repousse des cheveux m'aura un peu assombri le crâne, je serai en mesure de ressortir et Mrs Austin n'y pourra rien. C'est ça qui me réjouit tant, rester couché au lit en songeant aux choses qu'on peut faire, sans que personne ne puisse s'en mêler. C'est ce que Mr O'Halloran, le directeur d'école, avait l'habitude de nous dire à Limerick : Votre esprit est la maison qui abrite votre trésor et vous devriez bien le meubler car c'est la seule partie de vous où le monde ne peut s'immiscer.

New York était la ville de mes rêves mais, maintenant que j'y suis, les rêves se sont envolés et ce n'est pas du tout ce à quoi je m'attendais. Jamais je n'aurais cru me retrouver dans des salons d'hôtel à nettoyer après les gens et à récurer des cuvettes de cabinets. Comment pourrais-je écrire à ma mère, ou à quiconque à Limerick, et raconter comment je vis dans ce riche pays avec deux dollars qui doivent me durer une semaine, la boule à zéro, des yeux amochés et une logeuse qui m'empêche de mettre la lumière ? Comment pourrais-je expliquer que je suis obligé de manger chaque jour des bananes, nourriture la moins chère au monde, parce que les gens de l'hôtel refusent de me laisser approcher de la cuisine pour prendre des restes de crainte que les Portoricains n'attrapent mon infection de Nouvelle-Guinée ? Ils ne me croiraient jamais. Ils diraient : Allez, arrête ton char, et ils riraient bien car il n'y a qu'à regarder les films pour voir à quel point les Américains sont aisés, comment ils chipotent avec leur nourriture et en laissent dans leur assiette avant de la repousser. C'est même difficile de plaindre les Américains supposés pauvres dans un film comme *Les Raisins de la colère*, au moment où tout sèche sur pied et qu'ils doivent partir pour la Californie. Au moins sont-ils au sec et au chaud. Mon oncle Pa Keating disait souvent que, si on avait une Californie en Irlande, tout le pays rappliquerait comme un troupeau, mangerait plein d'oranges et passerait toute la journée à se baigner. Vu d'Irlande, il est difficile de croire qu'il y a des gens pauvres en Amérique car on voit revenir les Irlandais, les Amerloqués comme on les appelle, et on peut les repérer à un kilomètre, se tortillant gras du cul le long de O'Connell Street avec des pantalons trop serrés et des couleurs jamais vues en Irlande, des bleus, des roses, des vert clair et, même, des éclats de brun-rouge. Ils font toujours les riches, causent du nez sur leurs réfrigérateurs et leurs voitures, et, s'ils vont dans un pub, ils veulent des boissons américaines dont personne n'a jamais entendu parler, des cocktails si ça ne vous dérange pas, encore que, si vous faites ça dans un pub de Limerick, le serveur vous remettra à votre place et vous rappellera comment vous êtes parti pour l'Amérique avec vos miches à moitié hors du falzar. Et ne va pas prendre de grands airs ici, Mick, je te connaissais du temps où la morve te pendait du nez aux rotules. Sans compter que vous pouvez toujours repérer les vrais Amerloques, avec leurs couleurs claires, leurs gros culs, leur façon de regarder alentour tout sourires et de donner des pennies aux enfants en haillons. Les vrais Amerloques ne prennent pas de grands airs. Ils n'en ont pas besoin puisqu'ils viennent d'un pays où tout le monde a tout.

Si Mrs Austin m'empêche de mettre la lumière, j'ai encore le choix entre rester assis au lit et me coucher, ou bien entre rester dans la chambre et sortir. Je ne vais pas sortir ce soir à cause de ma boule à zéro et ça m'est égal, je peux rester ici et faire de mes pensées un film sur Limerick. C'est la plus grande découverte que j'ai faite à force de rester couché dans la chambre : si je ne peux pas lire à cause de mes yeux, ou si Mrs Austin se plaint de la lumière, je peux dérouler n'importe quel genre de film dans ma tête. S'il est minuit ici, il est cinq heures du matin à Limerick et je peux me représenter ma mère et mes frères endormis avec le chien, Lucky, qui gronde contre le monde, et mon oncle, Ab Sheehan, ronflant à tout va dans son lit, cuvant toutes ses pintes de la veille au soir et ventilant sa pleine ventrée de poisson-frites.

Je peux flotter à travers Limerick et voir les gens parcourir les rues à petits pas pour se rendre à la première messe du dimanche. Je peux aller et venir dans les églises, les boutiques, les pubs, les cimetières, et voir les gens endormis ou gémissant de douleur dans le City Home Hospital. Je trouve magique de retourner en esprit à Limerick, même quand ça fait venir les larmes. C'est dur de passer à travers les ruelles des pauvres et de regarder dans leurs maisons et d'entendre les bébés qui pleurent et les femmes qui peinent pour allumer les feux en prévision du petit déjeuner de thé et de pain. C'est dur de voir les enfants frissonner lorsqu'ils doivent quitter le lit pour l'école ou la messe sans le chauffage qu'on a ici à New York, où les radiateurs chantent à tout va dès six heures du matin. J'aimerais évacuer les ruelles de Limerick, emmener tous les pauvres gens en Amérique, les installer dans des maisons chauffées, leur donner des vêtements et des souliers chauds, les laisser se gaver de porridge et de saucisses. Un jour, je gagnerai des millions et j'emmènerai les pauvres gens en Amérique et les renverrai gras du cul à Limerick où ils se dandineront tout le long de O'Connell Street en couleurs claires.

Je peux faire tout ce dont j'ai envie dans ce lit, absolument tout. Je peux rêver de Limerick ou alors, bien que ce soit un péché, je peux attenter à moi-même, et Mrs Austin n'en saura jamais rien. Personne, jamais, à moins que je n'aille à confesse, et je suis trop damné pour ça.

D'autres soirs, de nouveau chevelu mais encore désargenté, je peux toujours marcher dans Manhattan. Cela me convient tout à fait car les rues sont aussi animées que n'importe quel film passant au Playhouse de la 68e Rue. Il y a toujours un camion de pompiers en train de hurler à un coin de rue, ou une ambulance, ou un véhicule de police. S'ils arrivent tous ensemble dans un seul hurlement, vous savez que c'est pour un incendie et, chaque fois, les gens s'arrêtent afin de repérer où ralentit le camion des pompiers, ce qui vous indique vers quel pâté de maisons vous rendre et où il y a des chances de voir de la fumée et des flammes. Si quelqu'un se trouve à une fenêtre, prêt à sauter, ça rend la chose plus excitante. L'ambulance attendra toutes lumières clignotantes tandis que les flics diront à tout le monde de reculer, car tel est le principal boulot des flics de New York : Dire à tout le monde de reculer. Ils font impression avec leurs revolvers et leurs matraques, mais le véritable héros est le pompier, surtout s'il grimpe la grande échelle pour cueillir un enfant à une fenêtre. Il peut s'agir aussi d'un vieillard en simple chemise de nuit, peut-être avec des béquilles, mais c'est différent quand est sauvée une enfant qui suce son pouce et pose sa tête bouclée sur l'épaule robuste du pompier. C'est alors qu'on acclame à l'unisson et qu'on se regarde en sachant qu'on est tous heureux de la même chose.

Et c'est ce qui nous fait regarder le lendemain dans le *Daily News* pour voir s'il n'y aurait pas une chance qu'on soit sur la photo avec le pompier courageux et l'enfant aux cheveux bouclés.

9

Mrs Austin m'annonce que sa sœur Hannah, qui est mariée à l'Irlandais, vient faire une petite visite pour Noël avant d'aller dans sa maison de Brooklyn, et elle aimerait me rencontrer. Nous prendrons des sandwichs, boirons un petit quelque chose pour Noël, et Hannah en oubliera ses problèmes avec ce fou d'Irlandais. Mrs Austin ne comprend pas que sa sœur veuille passer le réveillon avec quelqu'un comme moi – encore un Irlandais, vous comprenez –, mais Hannah a toujours été assez bizarre, et peut-être aime-t-elle les Irlandais, après tout. Leur mère leur a pourtant bien dit autrefois en Suède – il y a de ça plus de vingt ans, le croiriez-vous ? – d'éviter les Irlandais et les Juifs, d'épouser un des leurs, et elle-même, Mrs Austin, n'est pas gênée de m'apprendre que son mari, Eugene, était moitié suédois moitié hongrois, qu'il n'a jamais bu une goutte de sa vie, encore qu'il aimait faire bonne chère, ce qui a d'ailleurs fini par le tuer. Elle n'est pas non plus gênée de m'apprendre qu'au moment de sa mort il était taillé comme une baraque, que les jours où elle ne préparait pas à manger il faisait une razzia sur le réfrigérateur, et, quand ils ont eu un téléviseur, c'en a vraiment été fini de lui. Il restait assis là à manger et à boire et à s'inquiéter de la situation du monde au point que son cœur s'est tout bonnement arrêté, juste comme ça. Elle le regrette encore, et c'est bien difficile au bout de vingt-trois ans, surtout qu'ils n'ont pas eu de gosses. Sa sœur, Hannah, en a cinq, de gosses, et cela parce que son mari ne la laisse jamais tranquille, deux ou trois verres et voilà qu'il lui saute dessus, en bon Irlandais catholique qu'il est. Eugene n'était pas comme ça, il avait du respect. Bon, ce n'est pas tout ça, mais elle espère bien ma visite après le travail le soir de Noël.

Le jour dit, Mr Carey invite les nettoyeurs de l'hôtel et quatre caméristes à venir dans son bureau prendre un petit verre pour Noël. Il y a une bouteille de whisky irlandais, du Paddy's, et une bouteille de Four Roses, à laquelle Digger Moon refuse de toucher. Il voudrait savoir pourquoi des gens auraient envie de boire de la pisse comme le Four Roses alors qu'ils peuvent avoir la meilleure chose qui soit jamais venue d'Irlande, le whisky. Mr Carey se frotte la panse à travers sa veste croisée et déclare que c'est du pareil au même pour lui, il ne peut rien boire du tout. Cela le tuerait. Mais bon, allez, buvez à un joyeux Noël, et qui sait ce qu'apportera l'année prochaine ?

Joe Gilligan est déjà souriant, ce qui n'est guère étonnant vu ce qu'il a tété toute la journée à la flasque qu'il trimbale dans sa poche arrière, et, entre ça et l'arthrite, il y a comme qui dirait des vents contraires. Tiens, Joe, lui dit Mr Carey, installe-toi donc dans mon fauteuil, mais Joe n'est pas plus tôt assis qu'il laisse échapper un fort gémissement, puis des larmes ruissellent sur ses joues. Mrs Hynes, la camériste en chef, vient à son côté, lui presse la tête contre sa poitrine, la tapote, le berce. Ah, pauvre Joe, pauvre Joe, fait-elle, je me demande bien comment le bon Dieu peut vous tordre ainsi les os après ce que vous avez fait pour l'Amérique pendant la guerre. Digger Moon dit que c'est justement là que Joe a chopé l'arthrite, dans le foutu Pacifique, où se trouve chaque foutue maladie connue des hommes. Rappelle-toi ça, Joe, ce sont les foutus Japs qui t'ont filé cette arthrite comme ils m'ont filé la malaria. Et depuis, Joe, on n'a plus été les mêmes, toi et moi.

Mr Carey lui demande d'y aller doucement, mollo avec le langage, c'est que des dames sont présentes, et Digger répond : D'accord, Mr Carey, je vous respecte pour ça, et puis, bon, c'est Noël, alors qu'est-ce que ça peut foutre ?

Tout à fait, dit Mrs Hynes, c'est Noël et nous devons nous aimer les uns les autres et pardonner à nos ennemis.

Pardonner, mon cul ! fait Digger. Je ne pardonne pas à l'homme blanc et je ne pardonne pas aux Japs. Mais à toi je pardonne, Joe. Tu as plus souffert que dix tribus indiennes avec cette foutue arthrite. Quand il saisit la main de Joe pour la serrer, Joe hurle de douleur et Mr Carey s'exclame : Digger ! Digger ! et Mrs Hynes s'écrie : Pour l'amour de Jésus ! Allez-vous avoir du respect pour l'arthrite de Joe ?

Désolé, m'dame, répond Digger, mais j'ai le plus grand respect pour l'arthrite de Joe. Et, voulant le prouver, il présente un grand verre de Paddy's aux lèvres de Joe.

Eddie Gilligan est debout dans un coin, son verre à la main, et je me demande pourquoi il regarde sans rien dire alors que tout le monde se fait du mouron pour son frère. Je sais qu'il a ses propres problèmes avec l'empoisonnement du sang de sa femme mais je ne parviens pas à comprendre pourquoi il ne se rapproche pas, ne serait-ce qu'un peu, de son frère.

Jerry Kerrisk me chuchote qu'on devrait planter là cette bande de dingues et aller se taper une bière. Je n'aime pas dépenser de l'argent dans les bars vu les difficultés de ma mère, mais c'est Noël, et le whisky que j'ai déjà bu me fait me sentir plus à l'aise avec moi-même et le monde en général, et pourquoi ne pourrais-je pas me faire un peu plaisir ? C'est la toute première fois que je bois du whisky comme un homme et, à présent que je suis dans un bar avec Jerry, je peux parler et ne pas me faire de mouron au sujet de mes yeux ou de quoi que ce soit. À présent, je peux demander à Jerry pourquoi Eddie Gilligan est tellement froid envers son frère.

Rapport aux femmes, répond Jerry. Eddie était fiancé à cette fille quand il a été appelé à l'armée mais, après son départ, elle et Joe sont tombés amoureux et, lorsqu'elle a renvoyé à Eddie la bague de fiançailles, il est devenu dingue et a dit qu'il tuerait Joe à l'instant où il le verrait. Eddie a été envoyé en Europe, Joe dans le Pacifique, et ils étaient occupés à tuer d'autres gens, et puis, pendant qu'ils étaient au loin, la femme de Joe, celle que Eddie était censé épouser, s'est mise à boire, et, maintenant, elle fait de la vie de Joe un enfer. Eddie a déclaré que c'était le châtiment de ce fils de pute pour lui avoir pris sa gonzesse. Lui-même a rencontré à l'armée une chouette fille italienne, une auxiliaire militaire, mais elle a un empoisonnement du sang et on pourrait croire qu'il y a une malédiction sur toute la famille Gilligan.

Jerry dit qu'il pense que les mères irlandaises ont somme toute raison. On devrait se marier avec ses semblables, des Irlandaises catholiques, et s'assurer qu'il ne s'agisse pas d'ivrognesses ou d'Italiennes au sang empoisonné.

Il se marre en disant ça, mais il y a du sérieux dans ses yeux et je me tais car je sais que moi-même je ne veux pas épouser une Irlandaise catholique et passer le reste de ma vie à traîner les gosses à confesse et à la communion, et à dire : Oui, mon père, oh, tout à fait, mon père, chaque fois que je vois un prêtre.

Jerry veut rester dans le bar pour boire d'autres bières et il est contrarié quand je lui dis que je dois aller voir Mrs Austin et sa sœur, Hannah. Pourquoi voudrais-je passer le réveillon avec deux vieilles Suédoises, d'au moins quarante berges, alors que je pourrais m'en donner à cœur joie à l'Ireland's Thirty-Two en compagnie de filles du Mayo et du Kerry ? Pourquoi ?

Il m'est impossible de lui répondre, ne sachant ni où j'ai envie d'aller ni ce que je suis supposé faire. C'est à ça que vous êtes confronté quand vous arrivez en Amérique, une décision après l'autre. À Limerick, je savais ce que j'avais à faire et j'avais des réponses aux questions mais c'est mon premier réveillon à New York et me voilà tiré d'un côté par Jerry Kerrisk, l'Ireland's Thirty-Two, la promesse de rencontrer des filles du Mayo et du Kerry, et de l'autre côté par deux vieilles Suédoises, la première toujours en train de lorgner par la fenêtre au cas où j'introduirais à manger ou à boire, la seconde malheureuse avec son Irlandais de mari, et, comme le dit sa sœur : Allez savoir de quel côté elle va piaffer. De toute façon, si je ne vais pas voir Mrs Austin, il est à craindre qu'elle se fiche en pétard contre moi et me dise de partir, et alors je me retrouverai à la rue le soir de Noël avec ma valise marron et juste quelques dollars de reste après l'envoi d'argent au pays, le règlement du loyer et, maintenant, les bières à tire-larigot dans ce bar. Vu tout ça, je ne peux pas me permettre de passer la nuit à carmer des mousses pour des donzelles d'Irlande et c'est l'argument qui emporte la compréhension de Jerry, l'argument qui dissipe sa contrariété. Il sait que l'argent doit être envoyé au pays. Joyeux Noël ! fait-il, avant d'ajouter, rigolard : Je sais que tu vas passer une folle nuit avec les vieilles donzelles suédoises. Le barman a tendu l'oreille et il dit : Faites attention à vous dans ces sauteries suédoises. Elles vont vous donner de leur breuvage de là-bas, le *glug*, et si vous buvez de ce truc-là vous ne saurez plus si c'est le soir de Noël ou la fête de l'Immaculée Conception. C'est noir, épais, il faut une forte constitution pour supporter un truc pareil, et puis on vous fait manger toutes sortes de poisson avec, poisson cru, poisson en saumure, poisson fumé, toutes sortes de poisson que vous ne donneriez pas à un chat. Les Suédois boivent ce *glug* et ça les rend dingues au point qu'ils se croient redevenus des Vikings.

Jerry dit qu'il ignorait que les Suédois avaient été des Vikings. Il pensait qu'il fallait être danois.

Du tout, fait le barman. Tous ces gens du Nord étaient des Vikings. Dès que vous aperceviez de la glace, vous étiez sûr de voir un Viking.

Jerry trouve ça remarquable, les choses que les gens savent, et le barman dit : Je pourrais vous en raconter une ou deux.

Jerry commande encore deux bières pour la route et je bois la mienne bien que je ne sache pas ce que je vais devenir après mes deux grands whiskies dans le bureau de Mr Carey et les quatre bières ici avec Jerry. Je ne sais comment je vais affronter une soirée *glug*-et-toutes-sortes-de-poisson si le barman voit juste dans sa prophétie.

On monte la Troisième Avenue en chantant *Don't Fence Me In*[1] tandis que les gens nous dépassent et nous croisent à toute vitesse, pris par la frénésie de Noël, sans nous adresser autre chose que des regards durs. Partout il y a des lumières dansantes de Noël mais, plus haut vers Bloomingdale, les lumières dansent trop et je dois me tenir à un pilier du métro aérien et vomir. Jerry pousse sur mon ventre de son

1. Chanson de Cole Porter. *(N.d.T.)*

poing. Fais tout remonter, dit-il, comme ça tu auras plein de place pour le *glug* et, demain, tu seras un homme neuf. Puis il dit *glug glug glug*, et la sonorité du mot le fait se gondoler au point qu'il manque être renversé par une voiture, et un flic nous dit de dégager, qu'on devrait avoir honte, oui, nous, des gosses irlandais qui devraient respecter la fête anniversaire de la naissance du Sauveur, bon sang de bonsoir.

Il y a un *diner* au coin de la 67ᵉ Rue et Jerry dit que je devrais prendre un café pour me remettre d'aplomb avant de voir les Suédoises, c'est lui qui offre. On s'assied au comptoir et il me raconte qu'il ne va pas passer le reste de sa vie à bosser comme un esclave au Biltmore. Il ne va pas finir comme les Gilligan qui ont combattu pour les États-Unis, et qu'ont-ils eu en échange, hein, bordel ? De l'arthrite et des femmes au sang empoisonné et en bisbille avec la bibine, voilà ce qu'ils ont eu. Oh, non, Jerry, lui, il se barre dans les Catskills le jour des morts au champ d'honneur, fin mai, les Alpes irlandaises. Plein de boulot là-haut à servir aux tables, nettoyer, et les pourboires sont bons. Pas mal d'endroits très fréquentés par les Juifs, mais ils ne sont pas trop actifs question pourliche car ils paient tout d'avance et n'ont pas besoin d'avoir des espèces sur eux. Les Irlandais boivent et laissent l'argent sur les tables ou par terre et, une fois que tu as nettoyé, c'est tout à toi. Des fois, ils reviennent en râlant mais tu n'as rien vu. Tu ne sais rien. Tu ne fais que balayer comme on te paie pour le faire. Bien sûr, ils ne te croient pas, te traitent de menteur, disent des choses sur ta mère, mais ils ne peuvent rien faire à part aller voir ailleurs. Il y a quantité de filles là-haut dans les Catskills. Certains endroits donnent des bals en plein air et tu n'as qu'à faire valser ta Mary dans le bois et bientôt, sans t'être rendu compte de rien, te voilà en état de péché mortel. Les filles irlandaises raffolent du truc dès qu'elles ont mis le pied dans les Catskills. Elles ne sont bonnes à rien en ville vu comment elles travaillent toutes dans des endroits huppés, genre Schrafft, avec leurs petites robes noires et leurs petits tabliers blancs, à dire : Ah, oui, m'dame, tout à fait, m'dame, la purée n'est-elle pas un peu grumeleuse, m'dame ? mais amène-les dans les montagnes et elles sont comme des chattes, à monter au mât, à tomber en cloque, et puis, avant qu'ils sachent ce qui les a pris, des douzaines de Sean et de Kevin se retrouvent à traîner leur cul vers l'autel sous les regards noirs des prêtres et les menaces des grands frères des filles.

Je resterais bien toute la nuit au *diner* à écouter Jerry parler des filles irlandaises dans les Catskills mais le tenancier dit que c'est le soir de Noël et qu'il va fermer par égard pour sa clientèle chrétienne bien que lui-même soit grec et que ce ne soit pas vraiment son Noël. Jerry veut savoir comment ça peut ne pas être son Noël puisqu'il n'y a qu'à regarder par la vitre pour voir que si, mais le Grec répond : Nous sommes différents.

C'est suffisant pour Jerry qui n'est pas du genre à disséquer ces choses-là, et c'est ce que j'apprécie chez lui, sa façon de traverser la vie en prenant une autre bière et en rêvant de s'en donner à cœur joie dans les Catskills sans chercher des poux aux Grecs à propos de Noël. J'aimerais bien être comme lui mais il y a toujours une sorte de nuage noir au fond de mon esprit, que ce soit les Suédoises m'attendant avec le *glug*, ou une lettre de ma mère me remerciant pour les quelques dollars, Michael et Alphie vont avoir des chaussures et nous aurons une bien belle oie pour Noël avec l'aide de Dieu et de Sa Sainte Mère. Elle ne mentionne jamais qu'elle-même a besoin de chaussures mais il suffit que j'y pense pour savoir qu'un autre nuage noir va se tapir au fond de mon esprit. J'aimerais qu'il y ait un petit panneau que je puisse faire coulisser pour libérer les nuages mais il n'y en a pas et je vais devoir trouver un autre moyen ou arrêter de collectionner les nuages noirs.

Le Grec dit : Bonne nuit, messieurs, et si vous voulez quelques beignets de ce matin, allez-y, sinon je les jette. Jerry dit qu'il va en prendre un pour le tenir jusqu'à l'Ireland's Thirty-Two où il se prendra une ventrée de corned-beef et de chou et de pommes de terre blanches et farineuses. Le Grec emplit un sachet de beignets et de petits gâteaux en affirmant que j'ai l'air d'avoir bien besoin de manger un morceau. Mais prenez donc.

Jerry me dit bonsoir au coin de la 68ᵉ Rue et j'aimerais bien pouvoir aller avec lui. Toute cette journée m'a donné le tournis et ce n'est pas encore fini avec les Suédoises qui sont là à m'attendre, touillant le *glug* et tranchant le poisson cru. Cette pensée me fait dégobiller de nouveau, là, dans la rue, devant les gens en pleine frénésie de Noël qui passent, émettent des sons de dégoût et m'évitent en disant à leurs petits enfants : Ne regardez pas cet homme dégoûtant. Il est ivre. J'ai envie de leur dire : Je vous en prie, ne montez pas les petits enfants contre moi. J'ai envie de leur dire que ce n'est pas une habitude que j'ai. Il y a des nuages au fond de mon esprit, ma mère a une oie, c'est déjà ça, mais il lui faut des chaussures.

C'est inutile d'essayer de parler à des gens qui portent des paquets et tiennent des enfants par la main, avec leur tête résonnant de chants de Noël, car ils vont retrouver leurs appartements illuminés et ils savent que Dieu est en Son Ciel, et tout va bien dans le monde, comme disait le poète.

Mrs Austin ouvre la porte. Oh, regarde, Hannah, Mr McCourt nous apporte tout un sachet de beignets et de petits gâteaux ! Hannah fait un petit geste de la main du canapé et dit : C'est chouette, on ne sait jamais quand on peut avoir besoin d'un sachet de beignets. J'ai toujours pensé que les Irlandais apportaient une bouteille mais vous êtes différent. Sers à boire au garçon, Stephanie.

Hannah est en train de boire du vin rouge mais Mrs Austin avise un bol sur la table puis, prenant une louche, elle verse dans un verre le machin noir, le *glug*. Mon estomac fait encore des siennes et je dois le maîtriser.

Assis, fait Hannah. Laissez-moi vous dire quelque chose, mon petit Irlandais. J'en ai rien à foutre de votre engeance. Vous êtes peut-être chouette, ma sœur dit que vous êtes chouette, vous apportez de chouettes beignets, mais juste sous la surface vous n'êtes rien que de la merde.

S'il te plaît, Hannah ! fait Mrs Austin.

S'il-te-plaît-Hannah-mon-cul ! Qu'est-ce que vous autres avez jamais fait pour le monde à part boire ? Stephanie, donne-lui du poisson, de la bonne nourriture suédoise. Mick à face de lune. Tu me coupes la chique, petit Mick. Ah, ha, entendez-vous la poésie affleurer ?

Elle caquette à tout va sur sa poésie et je ne sais pas que faire avec mon *glug* dans une main et Mrs Austin qui me presse de prendre une assiette de poisson avec l'autre. Mrs Austin aussi boit le *glug*, et elle s'éloigne de moi pour chanceler vers le bol, puis, de là, vers le canapé où Hannah tend son verre pour se faire resservir du vin. Hannah avale goulûment une gorgée et me darde un regard noir. Elle dit : Une gosse que j'étais quand j'ai épousé ce Mick. Dix-neuf ans. Combien d'années de ça ? Vingt et une, bon Dieu. T'as quoi, Stephanie ? Quarante et quelque chose ? Gâché ma vie avec ce Mick. Et qu'est-ce que vous faites ici ? Qui vous a invité ?

Mrs Austin.

Mrs Austin. Mrs Austin. Articule, espèce de petit chieur de patates. Bois ton *glug* et articule.

Mrs Austin vacille devant moi avec son *glug* glougloutant. Allez, Eugene, on va au pieu.

Oh, je ne suis pas Eugene, Mrs Austin.

Oh.

Elle se détourne, part titubante dans une autre pièce, et Hannah se remet à caqueter : Voyez ? Elle ne sait toujours pas qu'elle est veuve ! Ah, si seulement j'étais une foutue veuve !

Le *glug* que j'ai bu me soulève l'estomac et j'essaie de me ruer dans la rue, mais la porte a trois verrous et voilà que je dégueule dans le vestibule du sous-sol avant d'avoir pu sortir. Hannah se lève malaisément du canapé et m'ordonne de filer dans la cuisine prendre une serpillière, du savon, et de nettoyer cette foutue saleté. Ne savez-vous pas que c'est le soir de Noël, pour l'amour de Dieu, et est-ce une façon de traiter votre gracieuse hôtesse ?

De la cuisine à l'entrée je vais avec une serpillière dégoulinante, épongeant, essorant, rinçant dans l'évier avant de recommencer. Hannah me tapote l'épaule, m'embrasse l'oreille et me dit qu'après tout je ne suis pas un si mauvais Mick, que je dois avoir été bien élevé vu comment je nettoie mes saletés. Elle me dit de me servir de tout, *glug*, poisson, même un de mes beignets, mais je remets la serpillière où je l'ai trouvée et passe devant Hannah avec en tête l'idée bien arrêtée que maintenant que j'ai nettoyé je n'ai plus à l'écouter, elle ou n'importe qui comme elle. Elle me hurle après : Où vas-tu ? Où diable crois-tu aller ? Mais je suis déjà monté à ma chambre, dans mon lit, de sorte que je peux rester allongé ici à écouter les chants de Noël à la radio avec le monde qui tournoie autour de moi et une grande interrogation dans ma tête quant au reste de ma vie en Amérique. Si j'écrivais à n'importe qui de Limerick et racontais mon réveillon à New York, ils diraient que j'ai tout inventé. Ils diraient que New York est un asile de fous.

Le matin, on frappe à ma porte, et c'est Mrs Austin en lunettes noires. Hannah est plus bas dans l'escalier, et elle aussi porte des lunettes noires. Mrs Austin dit qu'elle a appris que j'avais eu un problème dans son appartement mais personne ne peut leur en faire reproche, ni à elle ni à sa sœur, puisqu'elles s'apprêtaient à m'offrir le fin du fin de l'hospitalité suédoise et, si j'ai choisi d'arriver à leur petite fête dans un certain état, elles ne peuvent en être blâmées, et tout cela est bien dommage car elles ne voulaient rien d'autre qu'un soir de Noël authentiquement chrétien. Ainsi, Mr McCourt, je tenais simplement à vous dire que nous n'avons guère apprécié votre conduite. C'est bien ça, Hannah ?

S'élève comme un croassement de Hannah tandis qu'elle tousse et tire une bouffée de cigarette.

Elles redescendent les marches et je rappellerais bien Mrs Austin, des fois qu'elle pourrait me filer un beignet du sachet du Grec étant donné le creux que je me sens après avoir tant vomi hier soir, mais elles ont déjà passé la porte et, de ma fenêtre, je les vois charger des paquets de Noël dans une voiture puis s'en aller.

Je peux rester toute la journée à la fenêtre à regarder les heureuses gens qui se rendent à l'office, comme on dit en Amérique, en tenant leurs enfants par la main, ou alors je peux m'asseoir dans le lit avec *Crime et châtiment* et voir où en est Raskolnikov, mais ça remuerait toutes sortes de sentiments de culpabilité et je n'ai pas la force pour ça, et puis, de toute façon, ce n'est pas une bonne lecture pour le jour de Noël. J'aimerais monter la rue et aller communier à Saint-Vincent-Ferrer mais cela fait des années que je ne suis pas allé à confesse et mon âme est aussi noire que le *glug* de Mrs Austin. Les heureuses gens catholiques qui tiennent leurs enfants par la main vont sûrement à Saint-Vincent et, si je les suis, c'est obligé que j'aie un sentiment de Noël.

C'est délicieux d'aller dans une église comme Saint-Vincent où vous savez que la messe sera exactement comme la messe à Limerick ou n'importe où dans le monde. Vous pouvez aller aux îles Samoa ou à Kaboul, ce sera la même messe et, même si on ne m'a pas laissé être enfant de chœur à Limerick, j'ai encore le latin que mon père m'a appris, et peu importe où je vais je saurai toujours faire les répons au prêtre. Personne ne peut écoper le contenu de ma tête, toutes les fêtes des saints que je sais par cœur, la messe en latin, les chefs-lieux et les produits des trente-deux comtés d'Irlande, une tapée de chansons sur les souffrances de l'Irlande, et le délicieux poème d'Oliver Goldsmith, *Le Village abandonné*. On peut me mettre en prison et jeter la clef mais on ne pourra jamais m'empêcher de me balader en rêve dans Limerick et le long des berges du Shannon ou de songer à Raskolnikov et à ses problèmes.

Les gens qui vont à Saint-Vincent sont comme ceux qui vont voir *Hamlet* au Playhouse de la 68e Rue, et ils connaissent les répons latins comme les autres connaissent la pièce. Ils se partagent les livres de prières et chantent les cantiques à l'unisson et se sourient les uns aux autres car ils savent que Brigid la bonne est là-bas dans la cuisine de Park Avenue à garder un œil sur la dinde. Leurs fils et leurs filles ont tout juste l'air de revenir de l'école et de l'université et ils sourient à d'autres gens des bancs qui semblent eux aussi revenir de l'école et de l'université. Ils peuvent se permettre de sourire car ils ont tous des dents si éblouissantes que, s'ils les faisaient tomber dans la neige, elles seraient perdues pour toujours.

L'église est bondée au point qu'il y a des gens debout dans le fond mais je suis tellement affaibli par la faim et par ce long réveillon whisky-glug-vomissements-divers qu'il me faut m'asseoir. Il y a une place vide au bout d'un banc loin en haut dans l'allée centrale mais je ne m'y suis pas plus tôt faufilé qu'un homme accourt vers moi, tiré à quatre épingles, en pantalon à rayures et queue-de-pie, le visage tout renfrogné, et me chuchote : Vous devez quitter ce banc sur-le-champ. C'est pour les abonnés, allez, allez. Je sens mon visage devenir rouge, ce qui signifie que mes yeux le sont encore plus, et, quand je descends l'allée, je sais que le monde entier est en train de me regarder, moi, celui qui s'est glissé sur le banc d'une heureuse famille avec des enfants tout juste revenus de l'école et de l'université.

Ce n'est même plus la peine d'aller me tenir debout au fond de l'église. Comme ils savent tous et vont être là à me jeter des regards en coin, je peux aussi bien partir et ajouter un autre péché aux centaines qui chargent déjà mon âme, celui, mortel, de n'être pas allé à la messe le jour de Noël. Au moins, Dieu saura que j'ai essayé et ce n'est pas ma faute si je me suis retrouvé sur le banc d'une heureuse famille de Park Avenue.

Je me sens maintenant un tel creux et suis si affamé que j'ai envie de faire une folie et d'aller me taper la cloche au Horn and Hardart Automat mais je n'ai pas envie d'y être vu de peur que les gens aillent croire que je suis comme ceux qui y passent la moitié de la journée devant une tasse de café, avec un vieux journal et sans nulle part où aller. Il y a un Chock Full o' Nuts à quelques rues et c'est là que je prends un bol de soupe aux pois cassés, un fromage aux noix sur pain aux raisins, une tasse de café, un beignet avec du sucre blanc en lisant le *Journal-American* laissé par quelqu'un.

Il est seulement deux heures de l'après-midi et je me demande bien ce que je peux faire quand toutes les bibliothèques sont fermées. Comme les gens qui marchent en tenant les enfants par la main pourraient penser que je n'ai nulle part où aller, je garde la tête haute et je monte une rue et j'en descends une autre aussi vite que si un repas avec dinde m'attendait quelque part. J'aimerais ouvrir une porte n'importe où et entendre des gens dire : Oh ! *Hi*, Frank ! Tu arrives juste à temps ! Les gens marchant ici et là dans les rues de New York trouvent tout ça normal. Ils apportent des présents, en reçoivent, se tapent leur gueuleton de Noël et jamais ne se douteraient que des personnes passent le jour le plus saint de l'année à arpenter les rues. J'aimerais bien être un New-Yorkais ordinaire gavé après mon repas, m'entretenant avec ma famille et, en fond sonore, des chants de Noël à la radio. Ou alors, ça ne m'ennuierait pas d'être de retour à Limerick avec ma mère et mes frères et la bien belle oie mais là je suis dans l'endroit dont j'ai toujours rêvé, New York, et j'en ai marre de toutes ces rues où il n'y a même pas un oiseau à regarder.

Il n'y a rien d'autre à faire qu'à retourner dans la chambre, écouter la radio, lire *Crime et châtiment* et s'endormir en se demandant pourquoi les Russes sont obligés de faire traîner les choses. À New York, on ne verrait jamais un policier se balader avec un Raskolnikov en parlant de tout sauf du meurtre de la vieille femme. Le policier de New York le poisserait, le ferait boucler, et la prochaine étape serait la chaise électrique à Sing Sing, parce que les Américains sont des gens affairés, et qu'un policier n'a pas de temps à perdre en bavardages avec une personne dont il sait déjà qu'elle a commis un meurtre.

On frappe à la porte et c'est Mrs Austin. Mr McCourt, dit-elle, voudriez-vous descendre un instant ?

Je ne sais que répondre. J'aimerais lui dire de me baiser le cul vu comment sa sœur m'a parlé hier soir et comment elle-même m'a parlé ce matin, mais je la suis en bas et voilà qu'elle a préparé comme un buffet sur la table. Elle dit qu'elle a rapporté tout ça de chez sa sœur, qu'elles avaient peur que je n'aie nulle part où aller ou rien à manger par cette belle journée. Elle est désolée de la façon dont elle m'a parlé ce matin et espère que je suis d'humeur à pardonner.

Il y a de la dinde, de la farce, toutes sortes de pommes de terre, blanches et jaunes, avec de la sauce d'airelle pour adoucir l'ensemble, et j'en deviens d'humeur à pardonner. Elle m'aurait bien donné du *glug*, mais sa sœur l'a jeté, et c'est aussi bien comme ça. Il a rendu tout le monde malade.

Quand j'ai fini, elle m'invite à m'asseoir et à regarder sa nouvelle télévision où passe une émission sur Jésus qui respire une telle sainteté que je m'endors dans le fauteuil. À mon réveil, la pendule sur le manteau de sa cheminée indique quatre heures vingt du matin et Mrs Austin est dans l'autre pièce à pousser de petites plaintes, Eugene ! Eugene ! et ça prouve qu'on peut avoir une sœur, et aller chez elle pour le repas de Noël, mais, si vous n'avez pas votre Eugene, vous vous retrouvez aussi seule que n'importe quelle personne assise à l'Automat, et c'est un grand réconfort de savoir que ma mère et mes frères à Limerick ont une oie et, l'année prochaine, quand je serai promu aide-serveur au Biltmore, je leur enverrai l'argent qui leur permettra de flâner dans Limerick en éblouissant le monde avec leurs chaussures neuves.

10

Eddie Gilligan me dit d'aller au vestiaire pour remettre ma tenue de ville car il y a dans le bureau de Mr Carey un prêtre qui m'a rencontré sur le bateau et veut maintenant m'emmener déjeuner. Puis il me lance : Pourquoi tu rougis ? Ce n'est qu'un prêtre et tu vas déjeuner gratuitement.

J'aimerais pouvoir répondre que je n'ai pas envie de déjeuner avec le prêtre mais Eddie et Mr Carey risqueraient de poser des questions. Si un prêtre dit : Venez déjeuner, vous devez y aller, et peu importe ce qui s'est passé dans la chambre d'hôtel même si ce n'était pas ma faute. Jamais je ne pourrais raconter à Eddie ou à Mr Carey comment le prêtre s'en est pris à moi. Jamais ils ne me croiraient. Les gens disent parfois des choses sur les prêtres, qu'ils sont gras, pompeux ou méchants, mais personne ne croirait qu'un prêtre ait voulu attenter à votre personne dans une chambre d'hôtel, surtout pas des gens comme Eddie et Mr Carey, chacun avec sa femme malade, toujours à courir à confesse au cas où elle mourrait dans son sommeil. Ces gens-là ne seraient pas surpris si les prêtres marchaient sur l'eau.

Pourquoi ce prêtre ne peut-il pas retourner à Los Angeles et me laisser tranquille ? Pourquoi m'emmène-t-il déjeuner alors qu'il devrait être ailleurs à visiter des malades et des agonisants ? C'est à ça que servent les prêtres. Cela fait quatre mois qu'il est parti pour cette maison de retraite en Virginie afin d'implorer pardon, et le voilà revenu de ce côté-ci du continent avec rien d'autre en tête que déjeuner.

Eddie vient me voir dans le vestiaire et m'annonce que le prêtre a une autre idée : je dois le retrouver chez McAnn's, de l'autre côté de la rue.

C'est difficile d'entrer dans un restaurant et de s'asseoir face à un prêtre qui s'en est pris à vous dans une chambre d'hôtel quatre mois auparavant. C'est difficile de savoir ce qu'il faut faire quand il vous regarde droit dans les yeux, vous serre la main, vous tient le coude, vous installe sur votre chaise. Il me dit que j'ai bonne mine, que mon visage s'est un peu rempli et que je mange sans doute bien. Que l'Amérique est un sacré pays si vous jouez le jeu et là je pourrais lui expliquer qu'on ne permet plus aux Portoricains de me donner les restes et que j'en ai marre des bananes, mais je n'ai pas envie d'en dire beaucoup des fois qu'il croirait que j'ai oublié l'épisode du New Yorker. Je n'ai aucune dent contre lui. Il n'a frappé personne, n'a affamé personne et a agi sous l'emprise de l'alcool. Ce qu'il a fait n'était pas aussi mauvais que de filer en Angleterre en laissant sa femme et ses enfants crever de faim comme mon père mais son action était tout de même mauvaise car il est prêtre et les prêtres ne sont pas supposés assassiner les gens ou attenter à leur personne en quelque façon.

Et cette action m'incite à me demander s'il y a d'autres prêtres en balade de par le monde qui s'attaquent à des gens dans des chambres d'hôtel.

Il est là à me fixer de ses grands yeux gris, le visage tout reluisant de propreté, avec son costume noir et son col étincelant de blancheur, à m'expliquer qu'il tenait à faire cette unique halte avant de s'en retourner pour toujours à Los Angeles. C'est facile de voir comme il est content d'être en état de grâce après ses quatre mois dans la maison de retraite, et maintenant je trouve difficile de manger un hamburger avec quelqu'un en un tel état de grâce. C'est difficile de savoir que faire de mes yeux quand il me fixe comme si c'était moi qui avais attaqué quelqu'un dans une chambre d'hôtel. J'aimerais être capable de lui retourner son regard mais tout ce que je sais des prêtres se résume à ce que j'ai vu d'eux derrière l'autel, en chaire et dans la pénombre des confessionnaux. Il pense probablement que je me suis livré à toutes sortes de péchés et il a raison, mais au moins je ne suis pas un prêtre et je n'ai jamais importuné des gens comme lui.

Il dit au serveur : Oui, un hamburger fera l'affaire et, non, non, Seigneur non, il ne prendra pas de bière, de l'eau fera l'affaire, aucun liquide contenant de l'alcool ne franchira plus jamais ses lèvres, et il me sourit comme si j'étais censé comprendre de quoi il parle et le serveur y va lui aussi de son sourire comme pour dire : N'est-ce pas là un saint prêtre ?

Il me raconte qu'il est allé se confesser à un évêque en Virginie, et, bien qu'il ait reçu l'absolution et ait consacré quatre mois au labeur et aux prières, il sent que ça n'a pas suffi. Il a laissé sa paroisse et va passer le reste de ses jours avec les pauvres mexicains et noirs de Los Angeles. Il demande la note, me dit qu'il désire ne jamais me revoir, c'est trop douloureux, mais il se souviendra de moi durant ses messes.

66

Il ajoute que je dois prendre garde à la malédiction irlandaise, la boisson, et puis, chaque fois que je serai tenté par le péché, je devrai méditer comme lui sur la pureté de la Vierge Marie, bonne chance, Dieu vous bénisse, allez aux cours du soir, et le voilà dans un taxi pour l'aéroport d'Idlewild.

Il y a des jours où la pluie est si forte que je dois dépenser dix cents pour prendre le métro et j'y vois des gens de mon âge avec des livres et des sacs marqués *Columbia, Fordham, NYU, City College*, et je sais que j'ai envie d'être l'un d'eux, un étudiant.

Je sais que je n'ai pas envie de passer des années au Biltmore, à apprêter des salons pour des banquets et réunions, et je n'ai pas envie d'être le nettoyeur toujours affairé du Palm Court. Je n'ai même pas envie d'être un aide-serveur prenant sa part des pourboires que les serveurs reçoivent des étudiants riches qui boivent leur gin tonic, parlent de Hemingway et se demandent où ils devraient aller dîner et s'ils devraient aller à la sauterie donnée par Vanessa à Sutton Place, qui était si ennuyeuse l'an dernier.

Je n'ai pas envie d'être nettoyeur là où les gens me regardent comme si j'étais de la couleur des murs.

Je vois les étudiants dans le métro et je rêve d'être un jour comme eux, trimbalant mes livres, écoutant les professeurs, recevant mon diplôme avec la toque et la toge, allant à un boulot où je porterais un costume-cravate et transporterais une mallette, rentrerais par le train chaque soir, embrasserais la femme, jouerais avec les gosses, lirais un livre, m'en donnerais avec la femme, m'endormirais pour être frais et dispos le lendemain.

J'aimerais être un de ces étudiants dans le métro, car, d'après les livres qu'ils trimbalent, on se doute que leur tête doit être farcie de toutes sortes de connaissances, qu'ils pourraient s'asseoir avec vous et causer sans fin de Shakespeare et de Samuel Johnson et de Dostoïevski. Si je pouvais aller à l'université, je ferais en sorte de voyager en métro et de laisser les gens voir mes livres afin qu'ils m'admirent et aient envie d'aller eux aussi à l'université. Je tiendrais les livres bien haut, histoire de montrer que je suis en train de lire *Crime et châtiment* de Fiodor Dostoïevski. Ce doit être épatant d'être étudiant avec rien d'autre à faire que d'écouter les professeurs, lire en bibliothèque, s'asseoir sous les arbres du campus et discuter de ce que vous êtes en train d'apprendre. Ce doit être épatant de savoir que vous allez décrocher un diplôme qui va vous faire devancer le reste du monde, que vous allez épouser une fille diplômée et que vous allez passer le reste de votre vie au lit à avoir de chouettes discussions sur les sujets importants.

Mais je me demande bien comment je pourrais décrocher un diplôme universitaire et me hausser dans le monde sans aucun brevet d'études secondaires et deux yeux ressemblant, d'après ce que chacun me dit, à des trous de pisse dans la neige. De vieux Irlandais m'expliquent qu'il n'y a pas de mal à travailler dur. Nombre d'hommes ont frayé leur chemin en Amérique à la sueur de leur front et à la force de leur dos, et c'est une bonne chose d'apprendre quelle est au juste sa position sociale et de ne pas se pousser du col. Ils me racontent que c'est pour quoi Dieu a placé l'orgueil à la première place des sept péchés mortels, pour que des jeunots comme moi ne débarquent pas du bateau avec de grandes idées en tête. Dans ce pays, il y a plein de travail pour quiconque veut gagner honnêtement sa vie de ses deux mains, à la sueur de son front, et sans se pousser du col.

Le Grec du *diner* de la Troisième Avenue m'annonce que son nettoyeur portoricain le quitte, et voudrais-je travailler une heure chaque matin, arriver à six heures, balayer la salle, y passer la serpillière, récurer les cabinets ? En échange de quoi j'aurais un œuf, un petit pain, une tasse de café et deux dollars, et, qui sait, ça pourrait conduire à quelque chose de permanent. Il déclare bien aimer les Irlandais, ils sont comme les Grecs, et cela parce qu'ils sont venus de Grèce il y a très longtemps. C'est ce que lui a raconté un professeur de Hunter College, encore que, le jour où j'ai rapporté ça à Eddie Gilligan de l'hôtel, celui-ci a dit que le Grec et le professeur déconnaient à pleins tubes, que les Irlandais avaient toujours été là sur leur petite île depuis le commencement des temps, et puis, bordel, qu'est-ce que les Grecs en savaient, après tout ? S'ils savaient quoi que ce soit, ils ne seraient pas à faire des courbettes dans leurs gargotes et à baragouiner dans leur charabia que personne ne pige.

Je me moque pas mal de savoir d'où viennent les Irlandais, du moment que le Grec me nourrit chaque matin et me paie deux dollars, ce qui fait dix par semaine, cinq pour ma mère et ses chaussures, et cinq pour moi, de sorte que je peux me dégoter des vêtements convenables et ne plus avoir l'air du clampin à peine débarqué du bateau.

J'ai de la veine d'avoir quelques dollars en plus chaque semaine, surtout maintenant que Tom Clifford vient frapper à ma porte chez Mrs Austin et me fait : Arrachons-nous d'ici ! Il explique qu'il y a une immense piaule aux dimensions d'un appartement à louer au croisement de la Troisième Avenue et de la 86e Rue, au-dessus d'une boutique appelée Harry's Hats, et, si on partageait le loyer, on ne paierait encore que six dollars par semaine, tout ça sans Mrs Austin qui épie nos moindres faits et gestes. Oui, on pourrait faire entrer tout ce qu'on voudrait, nourriture, boisson, filles.

Ouais ! fait Tom. Des filles !

La nouvelle piaule a une pièce de devant et une pièce de derrière, et celle de devant donne sur la Troisième Avenue, ce qui fait qu'on peut regarder le métro aérien passer juste devant nous. On adresse des signes aux passagers et on découvre que ça ne les embête pas de nous répondre le soir sur le trajet de retour à la maison même si très peu le font le matin parce que d'aller au chagrin les met de mauvaise humeur.

Tom travaille de nuit dans un immeuble d'habitation, ce qui laisse la piaule quasiment à mon entière disposition. C'est la toute première fois de ma vie que j'éprouve ce sentiment de liberté, pas de chefs, pas de Mrs Austin à me dire d'éteindre la lumière. Je peux me promener dans le quartier, regarder les magasins, bars et cafés allemands, et tous les bars irlandais de la Troisième Avenue. On donne des bals irlandais au Caravan, au Tuxedo, au Leitrim, au Sligo. Tom ne tient pas à y aller. Il veut rencontrer des filles allemandes parce qu'il a passé trois heureuses années en Allemagne et qu'il parle pas mal allemand. Il dit que les Irlandais peuvent lui baiser le cul et je ne comprends pas ça, chaque fois que j'entends de la musique irlandaise je sens venir les larmes et je voudrais me trouver sur les berges du Shannon à regarder les cygnes. C'est facile pour Tom de causer à des filles allemandes, voire irlandaises quand il est d'humeur, mais ce n'est jamais facile pour moi de parler à aucune car je sais qu'elles regardent mes yeux.

Tom a reçu une meilleure éducation que moi en Irlande, et il pourrait aller à l'université s'il en avait envie. Il dit qu'il préfère gagner de l'argent, que l'Amérique est là pour ça. Il m'explique que je suis bête de me casser le cul à bosser au Biltmore alors que je pourrais chercher un peu et trouver un boulot décemment payé.

Il a raison. Je déteste bosser au Biltmore et devoir nettoyer chaque matin pour le Grec. Quand je récure les cuvettes des cabinets, je me mets en colère contre moi-même car ça me rappelle le temps où je devais vider le pot de chambre du cousin de ma mère, Laman Griffin, pour deux ou trois pence et le prêt de sa bicyclette. Et je me demande pourquoi je suis si méticuleux avec les cuvettes de cabinets, pourquoi je tiens à ce qu'elles soient immaculées, alors que je pourrais leur donner un coup d'éponge et les laisser reposer. Non, il faut absolument que j'emploie plein de détergent et les fasse étinceler comme si les gens allaient venir y prendre leurs repas. Le Grec est ravi, même s'il m'adresse de drôles de regards qui veulent dire : Très bien, mais pourquoi ? Je pourrais lui répondre que ces dix dollars de plus chaque semaine et la bouffe du matin constituent pour moi un cadeau que je n'ai pas envie de perdre. Puis le Grec désire savoir une chose : Qu'est-ce que je fais ici, d'abord ? Je suis un chouette garçon irlandais, je sais l'anglais, je suis intelligent, alors pourquoi donc suis-je à récurer des cuvettes de cabinets et à bosser dans des hôtels alors que je pourrais acquérir de l'instruction ? Si lui savait l'anglais, il serait à l'université à étudier la merveilleuse histoire de la Grèce, et Platon, et Socrate, et tous les grands auteurs grecs. Il ne serait pas à récurer des cuvettes de cabinets. Quiconque sachant l'anglais ne devrait pas être à récurer des cuvettes de cabinets.

11

Tom danse au Tuxedo Ballroom avec Emer, une fille qui est là avec son frère, Liam, et, quand Tom et Liam vont prendre un verre, elle danse avec moi bien que je ne sache pas danser. Je l'aime bien car elle est gentille même quand je lui marche sur les pieds ou lorsqu'elle presse mon bras ou mon dos pour aller dans la bonne direction et éviter d'entrer en collision avec les hommes et les femmes du Kerry, du Cork, du Mayo et autres comtés. Je l'aime bien, elle a le rire facile, même s'il m'arrive d'avoir l'impression qu'elle rit de ma gaucherie. J'ai maintenant vingt ans et jamais de ma vie je n'ai invité une fille à danser, ou à aller voir un film, ou même à prendre une tasse de thé, et maintenant il faut que j'apprenne comment on fait tout ça. Je ne sais même pas comment on parle aux filles car nous n'en avons jamais eu une à la maison, à part ma mère. Je ne sais rien de rien après avoir grandi à Limerick, où j'entendais les prêtres tonner le dimanche contre les bals et les escapades avec les filles.

La musique s'arrête, Tom et Liam sont là-bas au comptoir à rigoler et je ne sais que dire ou que faire avec Emer. Dois-je rester au milieu de la piste et attendre la prochaine danse ou dois-je la mener vers Liam et Tom ? Si je reste ici, il va falloir que je lui parle et je ne sais pas de quoi parler, et si je me mets à la conduire vers Tom et Liam elle va s'imaginer que je n'ai pas envie d'être avec elle et ce serait la pire chose au monde car je veux vraiment être avec elle et ma situation me rend si nerveux que mon cœur crépite comme une mitrailleuse et je peux à peine respirer et j'aimerais que Tom rapplique afin que je puisse aller rigoler avec Liam, encore que je n'ai pas envie que Tom se pointe puisque je veux être avec Emer, mais de toute façon il n'en fait rien, et me voilà coincé là avec la musique qui recommence, un jitterbug ou quelque chose d'approchant, quand les hommes font tourner les filles aux quatre coins de la salle avant de les envoyer en l'air, le genre de danse interdite même en rêve à un ignorant comme moi, à

71

peine capable de placer un pied devant l'autre ; et voilà que maintenant je dois placer mes mains quelque part sur Emer pour cause de jitterbug et je me demande bien où, jusqu'au moment où elle me prend la main et me mène au comptoir où Tom et Liam sont en train de rigoler, avec Liam qui me lance : Encore quelques soirées au Tuxedo et tu seras un vrai Fred Astaire ! Et tous éclatent de rire car ils savent que ça n'arrivera jamais et pendant qu'ils rient je rougis car Emer me regarde d'une façon montrant qu'elle en sait plus que ce que dit Liam, qu'elle sait même pour mon cœur battant qui me laisse le souffle court.

Je ne sais pas quoi faire sans le brevet d'études secondaires. Je me traîne d'un jour à l'autre, sans voir le moyen de m'en sortir, jusqu'à celui où une petite guerre éclate en Corée. Puis j'apprends que, si le conflit prend de l'ampleur, je serai appelé sous les drapeaux. Aucun risque, dit Eddie Gilligan. L'armée va regarder tes yeux chassieux et te renvoyer à ta maman.

Mais les Chinois se jettent dans la guerre et je reçois une lettre du gouvernement qui commence par : *Salutations*. Je dois me présenter à Whitehall Street pour voir si je suis apte à combattre les Chinois et les Coréens. Tom Clifford dit que, si je n'ai pas envie de partir, il faudra que je frotte mes yeux avec du sel pour les rendre rouges, et il faudra aussi que je gémisse quand le docteur les examinera. Eddie Gilligan me conseille de me plaindre de maux de tête et de douleurs, et, s'ils me font lire un tableau, de leur débiter toutes les mauvaises lettres. Il ajoute que je n'ai pas intérêt à déconner. Pourquoi est-ce que je devrais aller me faire cribler le cul par une bande de bridés alors que je pourrais rester ici au Biltmore et m'élever dans la hiérarchie ? Je pourrais suivre des cours du soir, me faire soigner les yeux et les dents, prendre un peu de poids et, dans quelques années, je serais comme Mr Carey, tout fringant dans des costumes croisés.

Je ne puis révéler à Eddie ou à Tom ou à personne de ma connaissance combien j'aimerais tomber à genoux et remercier Mao Tsé-toung d'avoir envoyé ses troupes en Corée et de m'avoir libéré du Biltmore.

Les médecins militaires de Whitehall Street n'ont pas un regard pour mes yeux. Ils me demandent de lire ce tableau sur le mur. C'est bon, disent-ils. Puis ils m'examinent les oreilles. *Bip*. Vous arrivez à entendre ça ? Parfait. Ils m'examinent la bouche. Bon Dieu ! font-ils. Première étape pour vous : le dentiste. Personne n'a jamais été rejeté de cette armée d'hommes à cause de ses dents et c'est tant mieux car la plupart des pékins qui s'amènent ici ont une décharge publique en guise de bouche.

On nous demande de nous aligner dans une salle, et un sergent arrive avec un docteur et nous dit : Très bien, les gars, tombez vos chaussettes et chopez vos quéquettes. Maintenant vous me trayez ça. Et le docteur nous regarde un par un pour voir si par hasard on ne suinterait pas de la queue. Le sergent avise un homme et aboie : Vous ! Quel est votre nom ?

Maldonado, mon sergent.

Aurions-nous la trique, Maldonado ?

Ah, non, mon sergent. Je... J'ai... Je... J'ai...

On est excité, Maldonado ?

Je jetterais bien un coup d'œil à Maldonado mais il suffit qu'on regarde ailleurs que droit devant pour que le sergent nous aboie dessus et demande : Qu'est-ce que vous êtes en train de regarder, bordel ? Qui est-ce qui vous a dit de regarder, bande de foutues tapettes ? Et d'ajouter : Tournez-vous, penchez-vous, écartez-les, je parle des miches. Puis le docteur s'installe sur une chaise, et nous devons reculer, le cul béant, pour inspection.

On se met en file devant le bureau d'un psychiatre. Il me demande si j'aime les filles et, rougissant de la sottise de cette question, je réponds : Oui, monsieur.

Alors pourquoi est-ce que vous rougissez ?

Je ne sais pas, monsieur.

Mais vous préférez les filles aux garçons ?

Oui, monsieur.

C'est bon, filez.

On est envoyés à Camp Kilmer, New Jersey, pour l'orientation et l'endoctrinement, les uniformes et l'équipement, et des coupes de cheveux qui nous laissent chauves. On s'entend dire qu'on est de pauvres merdes, des zéros, la pire levée de recrues et de conscrits qui soit jamais entrée dans ce camp, une honte pour l'Oncle Sam, des brochettes pour baïonnettes chinoises, rien que de la chair à canon, et n'allez pas oublier ça une seconde, espèces de ramassis de cancres, de tire-au-flanc et de tire-au-cul ! On nous dit de nous redresser, tête haute, menton rentré, torse bombé, épaules en arrière, faites-moi disparaître ce ventre, bon Dieu ! mon gars, on est à l'armée ici, pas dans un foutu salon de beauté, ah, les filles, quelle jolie démarche, qu'est-ce que vous faites samedi soir ?

Je suis envoyé à Fort Dix, New Jersey, pour seize semaines de classes dans l'infanterie, et on nous le redit chaque jour et plusieurs fois par jour : Vous êtes des zéros ! Eun ! deueux ! Eun ! deueux ! Eun ! deueux ! Holà soldat ! on rentre dans le rang, bon Dieu ! ça me tue de vous appeler soldat, foutu furoncle au fion de l'armée, rentrez dans le rang ou un caporal va vous botter votre gros cul ! Eunn ! deusse ! Eunn ! deusse ! allez, allez, chantez-moi ça, et en cadence :

J'ai une souris à Jersey City
Elle a des gyrophares sur les nibards.
Et on chante, au pas de cadence,
Et on chante, au pas de cadence,
Une deux trois quatre
Une deux trois quatre.

C'est votre fusil, vous m'entendez, votre fusil, pas votre foutu flingue, appelez ça un flingue et je vous le fourre dans le fion ; votre fusil, soldat, votre arme, compris ? C'est votre fusil, votre M1, votre arme, votre bonne amie pour le reste de votre vie à l'armée. C'est avec quoi vous dormez. C'est ce qui se met entre vous et les foutus bridés et les foutus Chinetoques. Compris ? Vous tenez cette foutue arme comme vous tenez une femme, non, plus serrée qu'une femme. Faites-la tomber et votre cul est mal barré. Faites tomber cette arme et vous êtes bon pour le foutu bloc. Un fusil qui tombe est un fusil qui peut partir, exploser le fion de quelqu'un. Cela arrive, les filles, et là, là vous êtes mort, vous êtes putain de mort.

Les hommes qui nous instruisent et nous entraînent sont eux-mêmes des conscrits et des recrues, avec quelques mois d'avance sur nous. On les appelle les cadres instructeurs, et nous devons leur donner du caporal même s'ils sont simples soldats comme nous. Ils nous gueulent dessus comme s'ils nous détestaient, et si jamais vous répondez vous êtes dans le pétrin. Ils nous disent : Ton cul est mal barré, soldat. On tient tes couilles et on est prêts à tordre.

Dans mon bataillon se trouvent des hommes dont les pères et des frères ont fait la Seconde Guerre mondiale, et ils savent tout de l'armée. Ils disent que vous ne pouvez pas faire un bon soldat tant que l'armée ne vous a pas cassé et reconstruit. Vous déboulez dans cette armée d'hommes avec vos petites idées sur tout, en ne vous prenant pas pour de la merde, mais l'armée est là depuis un sacré bout de temps, depuis cet enculé de Jules César, et elle sait comment s'y prendre avec les recrues merdeuses qui la ramènent. Même si vous déboulez sabre au clair, l'armée vous extirpera cet état d'esprit. Sabre au clair ou réfractaire, c'est tout de la merde pour l'armée, car l'armée vous dira ce que vous devez penser, l'armée vous dira ce que vous devez éprouver, l'armée vous dira ce que vous devez faire, l'armée vous dira quand est-ce que vous devez chier, pisser, péter, presser vos foutus boutons et, si ça ne vous plaît pas, eh bien, écrivez donc à votre représentant au Congrès, allez-y, et, quand on viendra à l'apprendre, on vous bottera votre petit cul blanc d'un foutu bout à l'autre de Fort

Dix jusqu'à ce que vous appeliez votre maman, votre sœur, votre bonne amie et la pute du coin de la rue.

Avant l'extinction des feux, je m'étends sur mon pieu et j'écoute les parlotes sur les filles, les familles, la cuisine de Maman, ce que Papa a fait à la guerre, les bals de lycéens où tout le monde tirait son coup, ce qu'on va faire quand on sera sorti de cette foutue armée, la hâte qu'on a de se taper Debbie ou Sue ou Cathy et comment qu'on va niquer à n'en plus pouvoir, putain, mec, je ne porterai pas mes foutues fringues pendant un mois, je plongerai dans ce foutu pieu avec ma gonzesse, la gonzesse de mon frère, n'importe quelle gonzesse, et je ne remonterai pas pour prendre de l'air, et, quand je serai libéré, je me dégoterai un boulot, je monterai une affaire, j'irai crécher là-bas à Long Island, je rentrerai chaque soir et dirai à la bourgeoise : Baisse ta culotte, mignonne, je suis paré, faire des gosses, ouais.

Très bien, les gars, fermez vos pauvres gueules, extinction des feux, pas un foutu bruit ou je vous colle en CC plus vite qu'un pet de pute.

Et le caporal n'est pas plus tôt parti que ça recommence, la parlote, oh, ce premier week-end de perme après cinq semaines de classes, en pleine ville, en plein dans Debbie, dans Sue, dans Cathy, dans n'importe laquelle.

J'aimerais pouvoir dire quelque chose du genre : Je vais aller passer mon premier week-end de perme à New York pour tirer un coup. J'aimerais pouvoir dire quelque chose qui les fasse tous sourire, ou leur fasse juste hocher la tête, ça montrerait que je suis des leurs. Mais je sais que si j'ouvre la bouche il y en a qui diront : Ouais, écoutez-moi un peu l'Irlandais qui parle gonzesses, ou alors l'un d'eux, Thompson, se mettra à chanter *Quand sourient les yeux de l'Irlande*, et ils riront tous puisqu'ils ont vu mes yeux.

En un sens ça m'est égal car je peux rester étendu là sur le pieu, tout propre et détendu après la douche du soir, fatigué d'avoir passé encore une journée à marcher au pas et à courir avec le sac à dos de trente kilos qui, selon les caporaux, est plus lourd que ceux portés dans la Légion étrangère française, après des jours et des jours d'entraînement au maniement des armes, les démonter, les remonter, s'exercer au tir, ramper sous des fils barbelés avec des mitrailleuses crépitant au-dessus de ma tête, grimper des cordes, des arbres, des murs, charger des sacs baïonnette au canon en hurlant : Putain de bridé ! comme me le disent les caporaux, me battre en plein bois contre des hommes d'autres compagnies portant des casques bleus pour montrer qu'ils sont l'ennemi, gravir des collines au pas de course avec un canon de mitrailleuse de calibre cinquante sur l'épaule, avancer à quatre pattes dans la boue, nager avec le sac à dos de trente kilos, dormir toute la nuit en plein bois avec le sac à dos en guise d'oreiller et des moustiques faisant bombance aux frais de ma tronche.

Quand on n'est pas sur le terrain, on est dans de grandes salles à écouter des cours sur la dangerosité et la sournoiserie des Coréens, ceux du Nord, et des Chinois, qui sont encore pires. Tout le monde sait les salopards sournois que sont les Chinetoques, et, s'il y en a un qui est chinois dans ce bataillon, eh bien qu'il se démerde, mais c'est comme ça, mon père était allemand, les gars, et il a eu son lot d'emmerdements durant la Seconde Guerre mondiale quand la choucroute s'appelait le chou de la liberté, c'était comme ça. On est en guerre, les gars, et à vous regarder, les spécimens que vous êtes, mon cœur se serre quand je songe à l'avenir de l'Amérique.

Il y a des films sur la glorieuse armée qu'est celle des États-Unis, qui a combattu les Anglais, les Français, les Indiens, les Mexicains, les Espagnols, les Allemands, les Japs, et maintenant les foutus bridés et Chinetoques, et jamais une guerre de perdue, jamais. Rappelez-vous ça, les gars, jamais une foutue guerre de perdue.

Il y a des films sur les armes, la stratégie et la syphilis. Celui sur la syphilis s'appelle *La Balle d'argent* et montre des hommes qui perdent la voix et agonisent et disent au monde combien ils regrettent, combien ils ont été bêtes de fréquenter des femmes infectées à l'étranger, et maintenant leur pénis se détache, et ils ne peuvent rien y faire si ce n'est demander pardon à Dieu et le pardon de leur famille au pays, Maman et Papa sirotant de la limonade sur le perron, Sœurette riant aux éclats sur une balançoire du jardin poussée par Chuck, le quart arrière de l'université.

Les hommes de mon bataillon se couchent sur leurs pieux et causent de *La Balle d'argent*. Thompson dit que c'était un putain de film stupide, il faudrait être un vrai con pour se faire plomber comme ça, et pourquoi qu'on a des capotes, d'abord, hein ? Hé, Di Angelo, tu es allé à l'université ?

Di Angelo dit qu'on doit être prudent.

Qu'est-ce que t'en sais, foutu Macaroni bouffeur de spaghettis ? lance Thompson.

Redis ça, Thompson, fait Di Angelo, et je te demanderai de venir faire un tour dehors.

Ouais, ouais, se marre Thompson.

Vas-y, Thompson, redis ça.

Nan, t'as sûrement une lame quelque part. Vous autres Macaronis en avez tous.

Pas de lame, Thompson, rien que moi.

J'te fais pas confiance, Di Angelo.

Pas de lame, Thompson.

Ouais.

Tout le bataillon fait silence et je me demande pourquoi des gens comme Thompson doivent parler aux autres sur ce ton-là. Cela montre que vous êtes toujours autre chose dans ce pays. Vous ne pouvez pas être un Américain tout court.

Il y a un vieux caporal de carrière, Dunphy, qui s'occupe des armes, distribution et réparation, et traîne toujours une odeur de whisky. Chacun sait qu'il aurait dû être éjecté de l'armée depuis longtemps, mais l'adjudant Tole l'a sous son aile. Tole est un immense Noir avec une telle bedaine qu'il faut deux cartouchières pour en faire le tour. Il est si gros qu'il ne peut aller nulle part sans une jeep et il est tout le temps à vociférer qu'il ne peut supporter notre vue, qu'on est les empotés les plus flemmards qu'il a jamais eu l'infortune de voir. Il nous le dit, à nous et à tout le régiment, que si certains font des misères au caporal Dunphy il leur cassera l'échine à mains nues, que le caporal tuait des Fritz à Monte Cassino alors qu'on commençait à peine à se branler.

Le caporal me voit un soir en train de faire aller un écouvillon dans le canon de mon fusil. Il m'arrache le fusil et me dit de le suivre dans les latrines. Il le démonte et plonge le canon dans de l'eau chaude savonneuse et je commence à lui dire que tous les caporaux de l'encadrement nous ont bien prévenus : Jamais d'eau sur votre arme, utilisez de l'huile de lin, car l'eau provoque la rouille et ensuite votre arme se grippe, s'enraye, vous reste dans les mains, et comment diable allez-vous vous défendre contre un million de Chinetoques grouillant au sommet d'une montagne ?

Le caporal répond que ce sont des conneries ; il sèche le canon avec un chiffon à l'extrémité de l'écouvillon et colle son œil à la gueule du canon pour mirer le reflet de son ongle de pouce à l'autre bout. Il me tend le canon et je suis ébloui par la brillance interne et je ne sais que lui dire. Je ne sais pourquoi il m'aide comme ça et ne trouve à lui dire que : Merci, mon caporal. Il déclare que je suis un chouette gosse et, non content de ça, il va me laisser lire son livre préféré.

Il s'agit de *La Jeunesse adulte de Studs Lonigan* [1] de James T. Farrell, un livre de poche abîmé. Le caporal m'avise que je dois veiller sur ce livre comme sur ma vie, qu'il le lit sans cesse, que James T. Farrell est le plus grand écrivain qu'il y ait jamais eu aux États-Unis, un écrivain qui nous comprend, le gosse, toi comme moi, pas comme ces bleubites d'auteurs à la gomme qu'ils ont en Nouvelle-Angleterre. Il

---

1. Paru en 1934. *(N.d.T.)*

77

dit que je peux garder le livre jusqu'à la fin des classes et qu'après je devrais m'en dégoter un exemplaire.

Le lendemain, il y a inspection du colonel et on est consignés dans les quartiers après le rata pour nettoyer et frotter et briquer. Avant l'extinction des feux, on doit se tenir à côté de nos pieux pour une inspection approfondie de l'adjudant Tole et de deux sergents de carrière qui fourrent leur nez partout. S'ils trouvent quoi que ce soit qui cloche, on doit se farcir cinquante pompes avec Tole qui pose son pied sur notre dos en fredonnant : *Doucement, doux chariot, qui vient me ramener à la maison.*

Le colonel ne vérifie pas chaque fusil mais, quand il reluque dans mon canon, il fait un pas en arrière, me dévisage, dit à l'adjudant Tole : Voilà un fusil diablement propre, adjudant, puis me demande : Qui est le vice-président des États-Unis, soldat ?

Alben Barkley, mon colonel.

Bien. Nommez la ville sur laquelle fut lâchée la seconde bombe atomique.

Nagasaki, mon colonel.

C'est bon, adjudant, nous tenons notre homme. Et c'est ce que j'appelle un fusil diablement propre, soldat.

Après la formation, un caporal m'avise que je vais être l'ordonnance du colonel le lendemain, toute la journée, voyager dans sa voiture avec le chauffeur, lui ouvrir la portière, saluer, fermer la portière, attendre, saluer, rouvrir la portière, saluer, refermer la portière.

Et si je fais une bonne ordonnance de colonel et que je ne déconne pas, j'aurai trois jours de permission la semaine prochaine, de vendredi soir à lundi soir, et je pourrai aller à New York tirer un coup. Le caporal déclare qu'il n'y a pas un homme dans tout Fort Dix qui ne paierait cinquante dollars pour être l'ordonnance du colonel et du diable s'ils savent pourquoi j'ai décroché ça rien que pour avoir eu un canon de fusil nickel. Où diable ai-je appris à nettoyer un fusil comme ça ?

Le lendemain matin, le colonel a deux longues réunions et je n'ai rien à faire à part m'asseoir à côté de son chauffeur, le caporal Wade Hansen, et l'écouter se plaindre de la façon dont le Vatican étend son hégémonie sur le monde, et si jamais il y a un président catholique dans ce pays il émigrera en Finlande où on sait tenir les catholiques à leur place. Il est du Maine, congrégationaliste et fier de l'être, et il ne se frotte pas aux religions étrangères. Sa cousine germaine a épousé un catholique et elle a dû quitter l'État pour Boston, ville infestée de catholiques qui tous lèguent leur argent au pape et à ces cardinaux qui aiment les petits garçons.

C'est une journée courte avec le colonel car il s'enivre au déjeuner et dit qu'il n'aura plus besoin de nous. Hansen le ramène à ses quartiers puis me dit de sortir de la voiture, il ne veut pas de faces de raie dans sa bagnole. Il est caporal et je ne sais que lui répondre mais il pourrait être simple soldat que je ne saurais pas non plus quoi dire car c'est dur de comprendre les gens quand ils parlent comme ça.

Il est seulement deux heures et je suis libre jusqu'au rata, à cinq plombes, de sorte que je peux aller au PX lire des revues, écouter Tony Bennett au juke-box chantant *Grâce à toi il y a une chanson dans mon cœur*, rêver de ma perme de trois jours, de voir Emer, la fille de New York, et comment nous irons dîner et au cinéma et peut-être à un bal irlandais où elle devra m'enseigner les pas et c'est un rêve délicieux car le week-end de ma perme de trois jours tombe pile pour mon anniversaire, et j'aurai vingt et un ans.

12

Le vendredi où doit commencer ma perme de trois jours, je me trouve faire la queue devant la salle des ordonnances avec des hommes attendant les permes de week-end ordinaires. Un caporal de l'encadrement, Sneed, dont personne n'arrive à prononcer le vrai nom polonais, me lance : Hé, soldat, ramasse-moi ce mégot.

Oh, c'est que je ne fume pas, mon caporal.

Je t'ai pas demandé si tu fumais, fumier. Ramasse-moi ce mégot.

Howie Abramowitz me file un coup de coude et murmure : Joue pas au con. Ramasse le putain de mégot.

Sneed se tient les mains sur les hanches. Eh bien ?

Je n'ai pas jeté ce mégot, mon caporal. Je ne fume pas.

C'est bon, soldat, viens avec moi.

Je le suis dans la salle des ordonnances et il saisit ma perme. Maintenant on va à ton quartier et tu vas te mettre en treillis.

Mais, mon caporal, j'ai une permission de trois jours. En tant qu'ordonnance du colonel.

Je n'en aurais rien à foutre même si t'avais torché le cul du colonel. Enfile ton treillis, plus vite que ça, et va chercher ta pelle-bêche.

C'est mon anniversaire, mon caporal.

Au pas de gymnastique, soldat, ou je te colle au putain de bloc.

Il me fait passer devant les hommes qui attendent en file. Il agite ma perme devant eux et leur dit de faire au revoir au papelard ; et les hommes rigolent et agitent la main car il n'y a rien d'autre à faire et ils ne veulent pas s'attirer d'ennuis. Seul Howie Abramowitz secoue la tête, comme pour dire qu'il est désolé de ce qui arrive.

Sneed me fait traverser le champ de manœuvres, entrer dans les bois et pénétrer dans une clairière. C'est bon, connard, tu vas creuser.

Creuser ?

Ouais, creuse-moi un chouette trou, un mètre de profondeur,

soixante centimètres de large, et, plus vite tu iras, mieux ça vaudra pour toi.

Cela doit vouloir dire que plus vite j'aurai fini, plus vite je pourrai récupérer ma perme et partir. Ou s'agit-il d'autre chose ? Chacun dans la compagnie sait que Sneed est aigri car c'était une grande vedette du football à Bucknell University et il voulait jouer avec les Eagles de Philadelphie sauf que les Eagles n'ont pas voulu de lui et maintenant il fait creuser des trous aux gens. C'est injuste. Je sais que des hommes ont été contraints de creuser un trou pour y enfouir leur perme, puis à creuser de nouveau pour les déterrer, et je me demande bien pourquoi je devrais faire ça. Je n'arrête pas de me dire que ça me serait égal si c'était une perme de week-end ordinaire, mais il s'agit d'une perme de trois jours, c'est mon anniversaire, alors pourquoi dois-je faire ça ? Mais je n'y peux rien. Autant creuser aussi rapidement que possible, enfouir la perme et creuser de nouveau.

Et, tout en creusant, je rêve de ce que j'aimerais vraiment faire : balader ma petite pelle autour de la tête de Sneed puis le frapper jusqu'à ce que sa tronche soit écorchée et ensanglantée, et ça ne me dérangerait pas du tout de creuser un trou pour son gros corps gras de footballeur. Voilà ce que j'aimerais faire.

Il me tend la perme pour que je l'enfouisse et, quand j'ai fini de la recouvrir, il me dit d'aplanir la terre avec ma pelle-bêche. Fais ça bien, dit-il.

Je ne sais pas pourquoi il veut que je fasse ça bien alors que je vais déterrer le papier dans un instant, mais le voilà qui me dit : Demi-tour, en avant 'arche, et il me ramène par où on est venus, devant la salle des ordonnances où la file des hommes attendant les permes a disparu, et je me demande s'il est assez satisfait de sa journée pour entrer prendre une perme de remplacement, mais non, il me fait aller droit au mess et avise le sergent présent que je suis un candidat à la CC, que j'ai besoin d'une petite leçon d'obéissance aux ordres. Ils rigolent un bon coup, puis le sergent dit qu'ils devraient prendre un verre ensemble un de ces jours et causer des Eagles de Philadelphie, n'est-ce pas là une foutue équipe ? Le sergent appelle un autre homme, Henderson, pour qu'il me montre ma besogne, la pire besogne qu'on puisse se taper dans un mess, poêles et casseroles.

Henderson me dit d'astiquer ces salopes jusqu'à ce qu'elles reluisent car ici l'inspection est constante et la moindre tache de graisse sur quelque ustensile me vaudra une autre heure de CC et, à ce tarif-là, je pourrais être encore ici quand les bridés et les Chinetoques auront depuis longtemps retrouvé leurs familles.

C'est l'heure du repas du soir, et les poêles et casseroles forment de hautes piles autour des éviers. Des poubelles alignées contre le mur derrière moi grouillent de ces mouches voraces du New Jersey. Des moustiques bourdonnants arrivent par les fenêtres ouvertes et font un festin de ma personne. Il y a partout de la vapeur et de la fumée venant des brûleurs et des fours à gaz et des jets d'eau brûlante et, en un rien de temps, je suis imprégné d'humidité et de graisse. Caporaux et sergents approchent, passent leurs doigts sur les poêles et casseroles, me disent de les refaire, et je sais que c'est à cause de Sneed qui est là dans le mess à raconter des histoires de football et à leur expliquer qu'ils peuvent aller faire un peu mumuse avec le conscrit affecté aux poêles et casseroles.

Lorsque ça se calme dans le mess et que le boulot ralentit, le sergent m'avise que je suis libre pour la nuit mais que je dois me représenter ici demain matin, samedi, six heures, et, quand il dit six, c'est six. Je lui répondrais bien que je suis supposé avoir une permission de trois jours en tant qu'ordonnance du colonel, que demain est mon anniversaire, qu'il y a une fille qui m'attend à New York, mais je sais maintenant qu'il vaut mieux ne pas moufter car chaque fois que j'ouvre la bouche les choses empirent. Je sais ce qu'on dit à l'armée : Ne leur sers rien d'autre que ton nom, ton grade et ton matricule.

Emer pleure au téléphone : Oh, Frank, où es-tu donc ?

Je suis au PX.

C'est quoi, le PX ?

Post Exchange. C'est là où nous achetons les trucs et passons les appels.

Et pourquoi n'es-tu pas là ? On a un petit gâteau et tout ce qu'il faut.

Je suis en CC, corvée de cuisine, poêles, casseroles, ce soir, demain, dimanche peut-être.

C'est quoi, ça ? De quoi tu parles ? Est-ce que tu vas bien ?

Je suis crevé d'avoir creusé un trou et nettoyé poêles et casseroles.

Et pourquoi as-tu fait ça ?

Je n'ai pas ramassé un mégot.

Pourquoi est-ce que tu n'as pas ramassé un mégot ?

Parce que je ne fume pas. Tu sais que je ne fume pas.

Mais pourquoi est-ce que tu aurais dû ramasser un mégot ?

Parce qu'un putain de caporal, excuse-moi, un caporal de l'encadrement, qui s'est fait éconduire par les Eagles de Philadelphie, m'a dit de ramasser le mégot et je lui ai répondu que je ne fumais pas, et c'est pour ça que je suis là alors que je devrais être avec toi pour mon putain, excuse-moi, d'anniversaire.

Frank, je sais que c'est ton anniversaire. As-tu bu ?

Non, je n'ai pas bu. Comment aurais-je pu boire et creuser un trou et me trouver en CC, et tout ça en même temps ?

Mais pourquoi est-ce que tu as creusé un trou ?

Parce qu'ils m'ont fait enterrer ma foutue perme.

Oh, Frank. Quand est-ce que je te verrai ?

Je ne sais pas. Jamais, peut-être. Ils disent que chaque tache de graisse que je laisse sur une casserole me vaut une autre heure de CC et il se pourrait que je reste ici jusqu'à ma libération à nettoyer poêles et casseroles.

Ma mère demande si tu ne pourrais pas voir un prêtre ou quelqu'un comme ça, un aumônier.

Je n'ai pas envie de voir un prêtre. Ils sont pires que les caporaux avec leur façon de...

Leur façon de quoi ?

Oh, rien.

Ah là là, Frank.

Ah là là, Emer.

Le repas du samedi consiste en viandes froides et salade de pommes de terre, et les cuistots y vont mollo sur les poêles et les casseroles. À six heures, le sergent m'avise que j'ai fini, et je n'ai pas à me présenter le dimanche matin. Il ne devrait pas le dire, mais ce Sneed est une foutue tête de nœud de Polak que personne n'aime et on voit bien pourquoi les Eagles de Philadelphie n'ont pas voulu de lui. Le sergent ajoute qu'il est désolé mais il ne pouvait rien faire quant à ma mise en CC vu que j'avais désobéi à un ordre direct. Ouais, il savait que j'avais fait ordonnance pour le colonel et tout et tout mais ici c'est l'armée et la meilleure ligne de conduite pour un appelé comme moi est de la boucler. Ne leur sers rien d'autre que ton nom, ton grade et ton matricule. Fais ce qu'on te dit, ferme-la, surtout avec l'accent prononcé que tu as, et, si tu fais ça, tu auras encore toutes tes couilles quand tu reverras ta bonne amie.

Merci, mon sergent.

C'est bon, le môme.

La caserne est déserte, à l'exception des hommes dans la salle des ordonnances et des hommes consignés dans les quartiers.

Di Angelo est couché sur son pieu, consigné au quartier à cause du langage qu'il a tenu après qu'ils ont montré un film sur le niveau de pauvreté générale en Chine. Il a déclaré que Mao Tsé-toung et les communistes allaient sauver la Chine, et le lieutenant commentant le film a dit que le communisme était néfaste, athée, antiaméricain, et Di Angelo a dit que le capitalisme était néfaste, athée et antiaméricain et que, de toute façon, il ne donnait pas deux cents pour les mots se finissant par *isme* car les gens mettant partout des *ismes* causent tous les problèmes du monde et on peut remarquer qu'il n'y a pas de *isme* à démocratie. Le lieutenant a dit qu'il dépassait les bornes et Di Angelo a dit que c'était un pays libre, et ça lui a valu d'être consigné au quartier et privé de perme de week-end pour trois semaines.

Il est sur son pieu à lire *La Jeunesse adulte de Studs Lonigan* que m'a prêté le caporal Dunphy, et, dès qu'il me voit, il dit qu'il a pris le bouquin en haut de mon casier, et qui c'est donc, pour l'amour de Dieu, qui m'a plongé dans une fosse à graisse ? Il dit qu'il s'est retrouvé en CC comme ça un week-end, et Dunphy lui a expliqué comment dégraisser les treillis. Maintenant, ce que je devrais faire, c'est d'aller prendre une douche brûlante avec mon treillis, aussi brûlante que je pourrai le supporter, puis ôter la graisse avec une brosse de chiendent et un pain de ce savon au phénol qu'ils utilisent pour nettoyer les cabinets.

Je suis sous la douche à frotter quand Dunphy montre sa tête et demande ce que je fabrique. Une fois que je lui ai expliqué, il dit que lui aussi faisait ça, sauf qu'il y allait avec son fusil et faisait tout à la fois. Du temps où il était jeunot à l'armée il avait les treillis et le fusil les plus propres de son bataillon et, s'il n'y avait pas eu la foutue gnôle, il serait sergent-major à l'heure qu'il est et prêt pour la retraite. Parlant de gnôle, il s'en va prendre une bière au PX, et si ça me disait de venir, enfin, après être sorti de mon treillis savonneux, bien sûr.

Je proposerais bien à Di Angelo de venir aussi mais il est consigné au quartier pour éloge des communistes chinois. Tout en enfilant mon uniforme ordinaire, je lui explique à quel point je suis reconnaissant à Mao Tsé-toung d'avoir attaqué la Corée et de m'avoir libéré du Palm Court du Biltmore, et il dit que je ferais bien de prendre garde à ce que je raconte sous peine de finir comme lui, consigné au quartier.

Dunphy appelle de l'autre bout du dortoir : Arrive, gamin, arrive, je vais étouffer si je ne siffle pas une bière. D'un côté j'aimerais mieux rester et parler avec Di Angelo, il émane de lui une telle noblesse, mais Dunphy m'a aidé à devenir l'ordonnance du colonel, pour tout le bien que ça m'a valu, et il a peut-être besoin de compagnie. Si j'étais caporal de carrière, je ne traînerais pas mes guêtres dans la base un samedi soir, mais je sais qu'il y a des gens comme Dunphy qui boivent et n'ont personne, nul foyer où aller. Maintenant il écluse de la bière si vite que je n'arriverais jamais à le suivre. Je serais malade si j'essayais. Il boit, fume et pointe sans cesse le majeur de sa main droite vers le ciel. Il m'explique qu'on a la belle vie à l'armée, surtout en temps de paix. Vous ne vous sentez jamais seul à moins que vous soyez un genre de connard comme Sneed, le foutu footballeur, et, si vous vous mariez et avez des gosses, l'armée prendra tout en charge. Vous avez juste à entretenir votre forme en vue de combattre. Ouais,

ouais, il sait que lui-même n'entretient pas sa forme, mais il trimbale tellement d'éclats de Fritz dans sa carcasse qu'il pourrait être vendu à un ferrailleur, et la bibine est le seul plaisir qu'il a. Il avait une femme, deux gosses, toutes envolées. L'Indiana, c'est là qu'elle est allée avec les gosses, de retour chez Papa et Maman, et qui donc a envie d'aller dans l'Indiana ? Il sort des photos de son portefeuille, la femme, les deux filles, et me les montre. Je m'apprête à lui dire qu'elles sont mignonnes mais il se met à pleurer si fort que ça déclenche une quinte de toux et que je dois lui taper dans le dos pour l'empêcher de suffoquer. C'est bon, dit-il, c'est bon. Nom de Dieu ! ça me prend chaque fois que je les regarde. Regarde ce que j'ai perdu, gamin. J'aurais pu les avoir en train de m'attendre dans une petite maison près de Fort Dix. Je pourrais être à la baraque avec Monica préparant le dîner, moi avec les pieds en l'air, piquant un petit roupillon dans mon uniforme de sergent-major. C'est bon, gamin, allons-y. Tirons-nous d'ici et voyons si je peux rattraper ma connerie et partir pour l'Indiana.

À mi-chemin du quartier il se ravise, retourne boire d'autres bières, et j'en déduis qu'il n'ira jamais en Indiana. Il est comme mon père, et une fois dans mon pieu je me demande si mon père s'est rappelé le vingt et unième anniversaire de son fils aîné, s'il m'a porté un toast dans un pub de Coventry.

J'en doute. Mon père est comme Dunphy, qui ne verra jamais l'Indiana.

13

C'est une surprise, dimanche matin, quand Di Angelo me demande si j'aimerais aller à la messe avec lui, une surprise car on pourrait penser que les gens qui chantent les louanges des communistes chinois ne mettraient jamais le pied dans une église, une chapelle ou une synagogue. Sur le chemin de la chapelle de la base, il explique son sentiment, à savoir que c'est l'Église qui lui appartient, et non lui qui appartient à l'Église, et il n'est pas d'accord avec cette façon qu'a l'Église de se comporter comme une grande entreprise, se déclarant propriétaire de Dieu et en droit de Le débiter par petits bouts aussi longtemps que les gens feront ce que Rome leur dit de faire. Lui-même pèche chaque semaine en recevant la communion sans avoir au préalable confessé ses péchés à un prêtre. Il dit que ses péchés ne regardent personne d'autre que lui et Dieu, et c'est à ce Dernier qu'il se confesse chaque samedi soir, avant de s'endormir.

Il parle de Dieu comme si Celui-ci était dans la pièce à côté en train de boire une pinte et de fumer une cigarette. Je sais que si je retournais à Limerick en parlant comme ça on m'assommerait et on me jetterait dans le premier train pour Dublin.

On est peut-être dans une base militaire, avec des baraquements tout autour de nous, mais à l'intérieur de la chapelle c'est cent pour cent américain. Il y a des officiers avec épouse et enfants, et ils ont l'air propret de qui prend des douches, fait usage de shampooing et se trouve dans un état de grâce constant. Ils ont l'air de gens du Maine ou de Californie, petites villes, église le dimanche, puis gigot d'agneau, petits pois, purée, tarte aux pommes, thé glacé, Papa sommeillant avec l'épais journal du dimanche tombé par terre, les gosses lisant des bandes dessinées, Maman dans la cuisine faisant la vaisselle et fredonnant : *Oh, quel beau matin.* Ils ont l'air de gens qui se brossent les dents après chaque repas et hissent le drapeau le 4 Juillet. Ils sont peut-être catholiques mais je ne pense pas qu'ils seraient à l'aise dans des églises irlandaises ou italiennes, où il pourrait y avoir de vieilles personnes marmotteuses et enchifrenées, un relent de whisky ou de vin dans l'air, des remugles de corps non touchés par le savon et l'eau depuis des semaines.

J'aimerais faire partie d'une famille américaine, me couler auprès de la fille blonde aux yeux bleus d'un officier et lui chuchoter que je ne suis pas ce que j'ai l'air d'être. J'ai peut-être des boutons, des dents gâtées et des yeux comme des avertisseurs d'incendie mais, en dessous, je suis exactement comme eux, une âme bien proprette rêvant d'une maison en banlieue avec une pelouse soignée où notre enfant, le petit Frank, pousse son tricycle, et tout ce que je veux c'est lire le journal du dimanche comme un vrai papa américain et peut-être que je laverais et astiquerais notre épatante Buick flambant neuve avant que nous montions voir les pépé et mémé de Maman et nous balancer dans leur véranda avec des verres de thé glacé.

Le prêtre marmonne à n'en pas finir derrière l'autel et, comme je murmure les répons latins, Di Angelo me donne un coup de coude et veut savoir si je me sens bien, si je me ressens de ma soirée bières avec Dunphy. J'aimerais être comme Di Angelo, me faire mon opinion sur chaque chose, n'en avoir rien à péter de rien comme mon oncle Pa Keating là-bas à Limerick. Je sais que Di Angelo rirait si je lui racontais que je baigne tellement dans le péché que j'ai peur d'aller à confesse de crainte de me voir dire que je suis allé si loin que seul un évêque ou un cardinal pourrait me donner l'absolution. Il rirait si je lui racontais que certains soirs j'ai peur de m'endormir au cas où je mourrais et irais en enfer. Comment l'enfer pourrait-il être inventé par un Dieu qui est dans la pièce à côté, avec une bière et une cigarette ?

C'est à ces moments-là que les nuages noirs voltigent dans ma tête comme des chauves-souris, et j'aimerais pouvoir ouvrir une fenêtre et les libérer.

Maintenant le prêtre demande des volontaires pour aller prendre les corbeilles au fond de la chapelle et faire la quête. Di Angelo me file une petite poussée et nous voilà dans l'allée à faire des génuflexions et à passer les corbeilles le long des bancs. Les officiers et les sous-officiers avec famille tendent toujours leur contribution à leurs enfants pour qu'ils la lâchent dans la corbeille et ça fait sourire tout le monde, le petit est si fier et les parents sont si fiers du petit. Les épouses des officiers et celles des sous-officiers échangent des sourires comme pour dire : Nous ne faisons qu'un sous le toit de l'Église catholique, même s'il est bien compris qu'une fois dehors elles se savent différentes.

La corbeille passe de banc en banc jusqu'au moment où elle est interceptée par un sergent qui va compter l'argent et le transmettre à l'aumônier. Di Angelo me chuchote qu'il connaît ce sergent et qu'au comptage de l'argent c'est deux tiers pour toi et un tiers pour moi.

Je dis à Di Angelo que je n'irai plus à la messe. À quoi bon quand je suis dans un tel état de péché pour impureté et tout le reste ? Je ne peux pas me trouver dans la chapelle avec toutes ces proprettes familles américaines et leur état de grâce. Je vais attendre d'avoir le courage d'aller à confesse et de communier et, si je continue de commettre des péchés mortels en n'allant pas à la messe, ce ne sera pas grave puisque, de toute façon, je suis damné. Un seul péché mortel vous enverra en enfer aussi aisément que dix péchés mortels.

Di Angelo me sort que je ne raconte que des conneries. Il dit que je devrais aller à la messe si j'ai envie, que les prêtres ne détiennent pas l'Église.

Je ne peux pas penser comme Di Angelo, pas encore. J'ai peur des prêtres, des bonnes sœurs, des évêques, des cardinaux et du pape. J'ai peur de Dieu.

Lundi matin je dois me présenter à l'adjudant Tole dans son bureau de la compagnie B. Il est assis dans un fauteuil et sue tellement que son uniforme kaki est tout sombre. J'ai envie de m'enquérir du livre sur la table à côté de lui, *Le Sous-Sol*, de Dostoïevski, et j'aimerais lui parler de Raskolnikov, mais vous devez faire attention à ce que vous dites aux adjudants et à l'armée en général. Dites ce qu'il ne faut pas et vous revoilà aux poêles et casseroles.

Il me dit : Repos, et désire savoir pourquoi j'ai désobéi à un ordre direct, et pour qui diable me prends-je pour défier un sous-officier quand bien même il s'agirait d'un cadre instructeur, hein ?

Je ne sais que répondre car il sait tout et j'ai peur qu'en ouvrant la bouche je ne me fasse expédier demain en Corée. Il dit que le caporal Sneed, ou quel que soit son foutu nom de Polak, avait tout à fait le droit de me réprimander, mais il est allé trop loin, surtout si l'on considère qu'il s'agissait d'une permission de trois jours pour l'ordonnance du colonel. J'ai droit à cette permission et, si j'en veux toujours, il arrangera ça pour le week-end à venir.

Merci, mon adjudant.

C'est bon. Rompez.

Mon adjudant ?

Ouais ?

J'ai lu *Crime et châtiment*.

Ah ouais ? Ma foi, j'aurais pu me douter que vous n'êtes pas aussi bête que vous en avez l'air. Rompez.

Pendant notre quatorzième semaine de classes courent des rumeurs comme quoi nous allons être expédiés en Europe. La quinzième semaine, les rumeurs disent que nous allons en Corée. La seizième semaine, on nous annonce qu'on va bel et bien en Europe.

14

Nous sommes expédiés à Hambourg et, de là, à Sonthofen, un dépôt de ravitaillement en Bavière. Mon bataillon de Fort Dix est démembré et dispersé dans toutes les bases d'Europe. J'ai l'espoir qu'ils m'envoient en Angleterre afin de pouvoir aller facilement en Irlande. Au lieu de ça, ils m'envoient dans une caserne de Lenggries, petit village bavarois, où on me verse à l'entraînement des chiens, aux brigades canines. J'explique au capitaine que je n'aime pas les chiens, qu'ils m'ont mis les chevilles en lambeaux quand je portais des télégrammes à Limerick, mais le capitaine dit : Qui vous a demandé votre avis ? Il m'adresse à un caporal occupé à couper de grosses tranches de viande rouge bien saignante, qui me dit : Arrêtez de geindre, remplissez de bidoche cette foutue assiette en fer-blanc, entrez dans cette cage et nourrissez votre animal. Posez l'assiette puis écartez immédiatement votre main, des fois que votre animal croirait que c'est son dîner.

Je dois rester dans la cage et regarder manger mon chien. Le caporal parle de familiarisation. Il ajoute : Cet animal sera votre femme le temps que vous serez dans cette base, enfin, pas exactement votre femme, parce que ce n'est pas une chienne, voyez ce que je veux dire. Votre fusil M1 et votre animal seront toute votre famille.

Mon chien est un berger allemand noir et je ne l'aime pas. Son nom est Ivan, et il n'est pas comme les autres chiens, les bergers et les dobermans, qui hurlent sur tout ce qui bouge. Une fois qu'il a fini de manger, il me regarde, se lèche les babines et recule, toutes dents dehors. De l'extérieur de la cage, le caporal me lance que c'est un sacré foutu chien que j'ai là, qui ne hurle pas, ne fait pas beaucoup de chambard, le genre de chien dont on a besoin au combat, où un simple aboiement vous fera tuer. Penchez-vous lentement, ramassez l'assiette, dites à votre chien que c'est un bon chien, le bon Ivan, le chouette Ivan, allez, à demain matin, mon chou, reculez gentiment et sans histoire, fermez la grille, baissez ce loquet, écartez votre main. Il me dit que je m'en suis bien sorti. Il voit bien qu'Ivan et moi sommes cul et chemise.

Chaque matin à huit heures, je me présente avec une section de maîtres-chiens venus de toute l'Europe. On défile en cercle avec le caporal au milieu qui gueule – Allez ! Eunn ! deusse ! Eunn ! deusse ! Eunn ! deusse ! Fixe ! – et, quand on tire sur les laisses des chiens, on est contents de les voir gronder derrière des muselières.

Pendant six semaines, on défile et on court avec les chiens. On grimpe les montagnes derrière Lenggries et on cavale le long des rivières. On les nourrit et on les soigne jusqu'à ce qu'on soit prêts à leur ôter les muselières. On nous dit que ce sera le grand jour, comme une remise de diplômes ou un mariage.

Puis le capitaine de compagnie me convoque. Son aide de camp, le caporal George Shemanski, rentre au pays pour une permission de trois mois, et ils m'envoient à l'école d'aides de camp pour six semaines afin que je puisse le remplacer. Rompez.

Je n'ai pas envie d'aller à l'école d'aides de camp. Je veux rester avec Ivan. Six semaines ensemble et on est potes. Quand il me reçoit avec un grondement, je sais bien que c'est juste sa façon de dire qu'il m'adore, encore qu'il ait pas mal de dents au cas où je lui déplairais. J'adore Ivan et je suis prêt à lui ôter sa muselière. Personne d'autre ne peut lui ôter sa muselière sans y perdre une main. Je veux l'emmener en manœuvres avec la VIIᵉ armée à Stuttgart, et une fois là-bas je creuserai un trou dans la neige et on sera bien au chaud, tout tranquilles. Je voudrais voir comment ce serait de le lâcher sur un soldat faisant semblant d'être un Russe, puis de regarder Ivan déchirer en lambeaux son vêtement protecteur avant de lui dire de venir au pied. Ou, mieux encore, si j'agite un Russe postiche devant lui, le regarder se jeter à l'entrejambe et non pas à la gorge. Ils ne peuvent pas m'envoyer à l'école d'aides de camp pendant six semaines et laisser quelqu'un d'autre dresser Ivan. Chacun sait que c'est un homme pour chaque chien, un chien pour chaque homme, et ça prend des mois pour former un nouveau dresseur.

Je ne vois pas pourquoi c'est moi qu'ils choisissent pour l'école d'aides de camp alors que je ne suis jamais allé au lycée et que la base regorge de diplômés d'études secondaires. J'en viens à me demander si l'école d'aides de camp ne serait pas une punition pour n'être jamais allé au lycée.

Ma tête s'emplit de nuages noirs et j'aimerais la cogner contre le mur. Je n'ai qu'un mot à l'esprit, *saloperie*, et c'est un mot que je hais car il signifie la haine. J'aimerais tuer le capitaine de compagnie, et maintenant voilà son sous-lieutenant qui m'aboie après parce que je suis passé devant lui sans saluer.

Venez par ici, soldat. Que fait-on quand on voit un officier ?

On le salue, mon lieutenant.

Et ?

Je suis désolé, mon lieutenant. Je ne vous avais pas vu.

Vous ne m'aviez pas vu ? Vous ne m'aviez pas vu ? Vous iriez en Corée et prétendriez n'avoir pas vu les bridés envahir la colline ? C'est bien ça, soldat ?

Je ne sais que répondre à ce lieutenant qui a mon âge et essaie de se faire pousser une triste moustache rouquine. J'ai envie de lui dire qu'ils m'envoient à l'école d'aides de camp, et n'est-ce pas une punition suffisante pour n'avoir pas salué mille sous-lieutenants ? J'ai envie de lui parler de mes six semaines avec Ivan et de mes problèmes là-bas à Fort Dix, quand j'ai dû enterrer ma perme, mais les nuages noirs s'amoncellent et je sais que je ferais bien de m'écraser, de me rappeler : Ne leur sers rien d'autre que ton nom, ton grade, ton matricule. Je sais qu'il vaudrait mieux m'écraser mais j'aimerais quand même dire à ce sous-lieutenant d'aller se faire mettre, de me baiser le cul avec sa minable moustache rouquine.

Il m'ordonne de me présenter à lui en treillis à vingt et une heures tapantes. J'y vais et il me fait arracher des herbes dans le terrain de manœuvres tandis que d'autres maîtres-chiens passent devant moi, en route pour prendre une bière à Lenggries.

Quand j'en ai fini, je vais voir Ivan dans sa cage et lui ôte sa muselière. Je m'assieds par terre, lui parle, et s'il me boulotte je n'aurai pas à aller à l'école d'aides de camp. Mais il gronde juste un peu, me lèche le visage, et je suis content qu'il n'y ait personne pour voir comment je me sens.

L'école d'aides de camp est dans la caserne de Lenggries. On est assis à des bureaux pendant que les instructeurs vont et viennent. On nous explique que l'aide de camp est le simple soldat le plus important dans un bataillon. Les officiers se font tuer ou muter, de même les sous-officiers, mais un bataillon sans aide de camp est voué à sa perte. L'aide de camp est le seul au combat qui sait quand le bataillon est en sous-nombre, qui est mort, qui est blessé, qui a disparu, c'est lui qui prend la relève quand le munitionnaire s'est fait éclater sa putain de tête. L'aide de camp, les hommes, est celui qui achemine vos lettres quand le courrier se chope une balle dans le fion, celui qui vous maintient en contact avec vos gens au pays.

Après avoir appris combien nous sommes importants, nous apprenons à taper à la machine. Nous devons taper un modèle de rapport des effectifs présents chaque jour avec cinq copies au carbone et, à la moindre erreur, une petite frappe de trop, une mauvaise addition, une double frappe, tout le machin doit être retapé.

Pas de grattages, sacré bon Dieu. C'est l'armée des États-Unis et on ne tolère pas les grattages. Tolérez des grattages dans un rapport et c'est la porte ouverte au laisser-aller sur tout le front. Parce que ici on est en train de contenir les foutus rouges, les hommes. Pouvons pas avoir de laisser-aller. La perfection, les hommes, la perfection. Et maintenant à la frappe, sacré bon Dieu.

Les crépitements et le cliquetis de trente machines à écrire font résonner la salle comme une zone de combat, avec les exclamations des soldats dactylos qui se trompent de touche, doivent arracher le rapport du cylindre, le déchirer, puis tout recommencer. On se tape le front, on agite des poings rageurs vers le ciel, on dit aux instructeurs qu'on avait presque fini, et ne pourrait-on, de grâce, ne pourrait-on gratter cet unique foutu petit signe ?

Pas de grattages, soldat, et surveillez votre langage. J'ai la photo de ma mère dans ma poche.

À la fin du cours, je reçois un certificat avec mention très bien. Le capitaine distribuant les certificats dit qu'il est fier de nous et qu'ils sont fiers de nous en haut lieu, jusqu'au commandant suprême en Europe, le généralissime Dwight D. Eisenhower en personne. Le capitaine est fier de dire que seuls neuf hommes se sont fait étendre et que les vingt et un d'entre nous qui ont passé la rampe feront l'orgueil des nôtres au pays. Après la remise de nos certificats, il nous donne des biscuits au chocolat faits par sa femme et ses deux petites filles, et nous avons l'autorisation de manger nos gâteaux ici et maintenant, car c'est là une occasion particulière. Des hommes maugréent et marmonnent derrière moi, comme quoi ces biscuits ont un goût de crotte de chat, mais le capitaine sourit et va se lancer dans un autre discours quand un commandant vient lui chuchoter quelque chose qu'on me résumera plus tard ainsi : Fermez-la, vous avez bu, et ce doit être vrai, le capitaine a le genre de visage qui ne s'est jamais détourné d'une bouteille de whisky.

Si Shemanski ne s'était pas fait accorder une permission de longue durée, je serais encore dans les chenils avec Ivan, ou dans un *Bierstube* de Lenggries avec les autres maîtres-chiens. Maintenant je dois passer une semaine dans la salle des ordonnances, à le regarder taper à son bureau des rapports et des lettres, et me dire que je devrais le remercier

de m'avoir fait échapper aux chiens et de me laisser une bonne occupa-
tion, qui pourra d'ailleurs m'être utile dans la vie civile. Il dit que je
devrais être content d'avoir appris la dactylographie, qu'un de ces jours
je pourrais bien écrire un autre *Autant en emporte le vent*, ha ha ha.

La veille au soir de son départ, il y a fête dans un bar à bière de
Lenggries. C'est vendredi et j'ai une perme pour le week-end. Shemanski doit retourner cette nuit à la caserne car sa permission ne prend
pas effet avant demain, et, une fois qu'il est parti, sa bonne amie, Ruth,
me demande où je vais passer mon week-end de perme. Elle me dit
de venir prendre une bière chez elle, Shemanski n'y sera pas, et la
porte n'est pas plus tôt fermée qu'on est au lit à s'ébattre comme des
fous. Oh, Mac, fait-elle, oh, Mac, tu es si jeune. Elle-même est âgée,
trente et un ans, mais on ne le croirait jamais vu comment elle s'obstine
à me priver de tout sommeil, et, si elle est tout le temps comme ça
avec Shemanski, pas étonnant qu'il ait besoin d'une longue permission
aux États-Unis. Puis, à l'aube, on frappe à la porte d'en bas, elle jette
un coup d'œil par la fenêtre et laisse échapper un piaillement : Oh,
mein Gott, Shemanski ! Pars, pars, pars ! Je me lève d'un bond, m'habille aussi vite que possible, mais un problème survient quand je
chausse mes bottes puis essaie d'enfiler mon pantalon par-dessus,
m'emmêlant irrémédiablement les pinceaux, et Ruth est là à siffler et
à chuinter : Par la fenêtre, oh, che t'en prie, oh, che t'en prie ! Je ne
peux pas filer par la grande porte avec Shemanski planté devant à
cogner comme un sourd, il me tuerait à coup sûr, aussi je choisis la
fenêtre, atterrissant dans un mètre de neige qui me sauve la vie, et je
sais que Ruth est là-haut à fermer la fenêtre et à tirer le rideau afin
que Shemanski ne me voie pas arracher mes bottes, renfiler mon pantalon dans un froid tel que ma queue prend la taille d'un bouton, remettre
les bottes, tout cela avec de la neige à mi-ventre, dans mon pantalon,
plein mes bottes.

Reste maintenant à m'éloigner discrètement de la maison de Ruth
puis à filer à Lenggries pour boire un café brûlant et me sécher mais
il n'y a encore rien d'ouvert et je m'en retourne à la caserne avec une
seule question en tête : Dieu a-t-il envoyé Shemanski sur cette terre
pour m'anéantir ?

Maintenant que je suis aide de camp, je suis installé au bureau de
Shemanski et le point noir de la journée consiste à taper chaque matin
le rapport des effectifs présents. Assis derrière l'autre bureau, l'adjudant Burdick boit du café et m'explique à quel point ce rapport est
important, qu'ils l'attendent là-bas au QG afin de pouvoir le joindre
aux rapports de l'autre compagnie et expédier le tout à Stuttgart, à

Francfort, à Eisenhower, puis à Washington, de façon que le président Truman en personne connaisse la force des États-Unis en Europe en cas d'attaque soudaine de ces foutus Russes qui n'hésiteraient pas si nous devions manquer d'un homme, d'un seul, McCourt. Ils attendent, McCourt, alors finissez-en avec ce rapport.

De savoir que le monde attend mon rapport me rend si nerveux que je fais des fautes de frappe et dois tout recommencer. Chaque fois je m'exclame : Merde ! puis j'arrache le rapport du cylindre. Les sourcils de l'adjudant Burdick se dressent jusqu'à la naissance des cheveux. Il boit son café, consulte sa montre, perd tout contrôle de ses sourcils, et mon désarroi est tel que j'ai peur de piquer une crise et de fondre en sanglots. Burdick prend les appels du QG et dit que le colonel attend, et le général, et le chef d'état-major, et le président. On envoie un messager chercher le rapport. Comme il se plante près de mon bureau pour attendre, ça rend les choses pires qu'elles sont déjà et j'aimerais être de retour au Biltmore, à récurer des cuvettes de cabinets. Une fois le rapport fini sans erreur, il l'emporte et l'adjudant Burdick s'essuie le front avec un mouchoir vert. Il me dit d'oublier les autres besognes, que je vais rester à ce bureau toute la journée et pratiquer, pratiquer, pratiquer, jusqu'à ce que j'expédie recta ces foutus rapports. Ils vont jaser là-haut au QG et se demander quel genre de connard il est pour avoir pris un aide même pas fichu de taper un rapport. Tous les autres aides torchent ce genre de rapport en dix minutes, et il ne voudrait pas que la compagnie C soit la risée de la caserne.

Ainsi donc, McCourt, ne comptez vous rendre nulle part avant de savoir taper des rapports parfaits. À la frappe !

Jour et nuit, il m'instruit, me tend différentes versions, sans cesser de me dire : Vous m'en remercierez.

Et c'est vrai. En quelques jours, j'arrive à taper les rapports si vite qu'ils envoient un lieutenant du QG pour voir s'il ne s'agirait pas de versions fictives dactylographiées la veille au soir. Non, non, fait l'adjudant Burdick, je l'ai bien en main, et le lieutenant me regarde et lui dit : Nous avons là l'étoffe d'un caporal, adjudant.

L'adjudant dit : Oui, mon lieutenant, et, quand il sourit, ses sourcils sont guillerets.

Shemanski revenu, je m'attends à être réaffecté auprès d'Ivan mais le capitaine m'annonce que je reste comme préposé à l'approvisionnement. Je serai responsable des draps, couvertures, oreillers et préservatifs que je distribuerai aux maîtres-chiens de l'ensemble du commandement européen, non sans m'assurer que chaque article soit retourné quand ils partent, enfin, sauf les préservatifs, ha ha ha.

Comment dire au capitaine que je n'ai pas envie de faire l'approvisionneur au sous-sol où je devrai réquisitionner chaque article en parlant à l'envers – blanches, d'oreiller, taies, ou bien pong-ping, balles –, compter les choses et établir des listes alors que je n'ai qu'un souhait : retrouver Ivan et les maîtres-chiens et boire de la bière et courir le jupon à Lenggries, Bad Tölz et Munich.

Mon capitaine, y aurait-il une chance que je sois réaffecté aux chiens ?

Non, McCourt. Vous êtes un foutu bon commis. Rompez.

Mais, mon capitaine...

Rompez, soldat.

Tant de nuages noirs voltigent dans ma tête que j'ai peine à trouver la sortie de son bureau. Aussi, quand Shemanski me lance, rigolard : Il t'a mis la hampe, hein ? Il veut pas que tu retrouves ton toutou ? Je lui conseille d'aller se faire mettre, et me voilà ramené de force dans le bureau du capitaine pour réprimande et il me dit que, la chose dût-elle se reproduire, je serai traduit en cour martiale, ce qui fera ressembler mon dossier militaire au casier judiciaire d'Al Capone. Le capitaine m'annonce sèchement que je suis désormais un soldat de première classe et, si je me conduis bien, et tiens des comptes rigoureux et maîtrise la circulation des préservatifs, je pourrais me hausser au grade de caporal en six mois, et maintenant décampez, soldat.

Une semaine plus tard, j'ai encore des ennuis, et c'est à cause de ma mère. À mon arrivée à Lenggries, je suis allé dans les bureaux du QG remplir une demande d'allocation pour ma mère. L'armée retiendrait la moitié de ma solde, donnerait l'équivalent et lui enverrait un chèque chaque mois.

Maintenant me voilà à Bad Tölz en train de prendre une bière, et Davis, le préposé aux allocations, est dans la même salle que moi, bourré au schnaps, et, lorsqu'il me sort : Hé ! McCourt, con que ta mère soit dans la merde jusqu'au cou ! les sombres nuages dans ma tête se font si aveuglants que je balance mon formidable de bière et me jette sur lui avec la ferme intention de l'étrangler quand me saisissent deux sergents qui me remettent aux MP.

Je suis bouclé pour la nuit à Bad Tölz, puis, le matin venu, on m'amène devant un capitaine. Il désire savoir pourquoi j'agresse des caporaux qui boivent leur bière et s'occupent de leurs propres affaires, j'évoque l'insulte faite à ma mère, et il demande : Qui est le préposé aux allocations ?

Le caporal Davis, mon capitaine.

Et vous, McCourt, d'où êtes-vous ?

De New York, mon capitaine.

Non, non. Je veux dire, d'où êtes-vous vraiment ?

D'Irlande, mon capitaine.

Bon Dieu. Je le savais. Vous portez la carte sur le visage. Quel coin ?

Limerick, mon capitaine.

Ah ouais ? Mes parents sont du Kerry et du Sligo. Jolie contrée, mais pauvre, n'est-ce pas ?

Oui, mon capitaine.

C'est bon, faites venir Davis.

Davis entre et le capitaine se tourne vers l'homme à côté de lui, qui prend des notes. Jackson, c'est officieux. Ainsi, Davis, vous avez dit en public quelque chose sur la mère de cet homme, nous sommes bien d'accord ?

Je... J'ai seulement...

Avez-vous divulgué des informations de nature confidentielle sur les difficultés pécuniaires de la dame en question ?

Ma foi... mon capitaine...

Davis, vous êtes une tête de nœud et je pourrais vous envoyer en petite cour martiale mais je vais juste dire que vous aviez quelques bières dans le nez et que votre langue a fourché.

Merci, mon capitaine.

Et si jamais j'entends dire que vous vous êtes de nouveau livré à des commentaires de cette sorte, je vous ficherai un cactus dans le cul. Rompez.

Une fois Davis parti, le capitaine dit : Les Irlandais, McCourt. Nous devons nous tenir les coudes. N'est-ce pas ?

Oui, mon capitaine.

Davis est dans le couloir, main tendue. Désolé pour ça, McCourt. J'aurais pas dû. Ma mère aussi touche l'allocation, et elle est irlandaise. Enfin, ses parents l'étaient, ce qui fait que je le suis à moitié.

C'est la toute première fois de ma vie que quelqu'un me présente des excuses et je ne peux que marmonner, rougir, serrer la main de Davis, car je ne sais que dire. Et je ne sais que dire aux gens qui sourient et me racontent que leurs père et mère et grands-parents sont irlandais. Un jour ils sont à insulter votre mère, le lendemain ils sont à se vanter que leur mère est irlandaise. Pourquoi donc, à l'instant où j'ouvre la bouche, le monde entier me dit-il qu'il est irlandais et qu'on devrait tous aller prendre un verre ? Ce n'est pas assez d'être américain. Il vous faut toujours être autre chose, irlando-américain, germano-américain, et on pourrait se demander comment ils s'en sortiraient si quelqu'un n'avait pas inventé le trait d'union.

15

Lorsqu'ils m'ont affecté à l'approvisionnement, le capitaine ne m'a pas informé que deux fois par mois, le mardi, je devais emballer la literie de la compagnie et l'emporter par camion à la blanchisserie militaire située dans les environs de Munich. Moi, je veux bien, car c'est à un jour de route de la caserne et, dans le camion, je peux m'installer sur les ballots et discuter de la vie civile avec deux autres préposés à l'approvisionnement, Rappaport et Weber. Avant de quitter la caserne, nous faisons halte au PX prendre notre ration mensuelle d'une livre de café et d'une cartouche de cigarettes que nous allons vendre aux Allemands. Rappaport se met en tête de prendre une réserve de Kotex pour reposer ses épaules osseuses du poids du fusil qu'il porte quand il est de faction. Weber trouve ça cocasse, il nous dit qu'il a trois sœurs, mais qu'il soit damné s'il doit jamais s'avancer vers un préposé à la vente et demander un paquet de Kotex. Rappaport y va d'un petit sourire et dit : Si tu as des sœurs, Weber, elles en sont encore à l'âge du chiffon.

Personne ne sait pourquoi nous avons droit à une livre de café mais les autres préposés à l'approvisionnement me disent que je suis un foutu veinard de ne pas fumer. Eux aimeraient ne pas fumer afin de pouvoir vendre les cigarettes à des filles allemandes en échange de rapports sexuels. Weber de la compagnie B dit qu'une cartouche t'obtiendra de la chatte en veux-tu en voilà, et ça l'excite tellement qu'il fait une brûlure de cigarette à un ballot de draps de la compagnie A, et Rappaport, préposé de cette compagnie, dont c'est le premier voyage comme moi, lui conseille de faire gaffe sous peine de se prendre une branlée. Ah ouais ? fait Weber, mais le camion s'arrête et Buck le chauffeur dit : Tout le monde descend, car nous sommes arrivés à un petit bar à bière clandestin et, si nous avons du pot, il y aura quelques filles dans l'arrière-salle prêtes à tout pour deux ou trois paquets de nos cartouches. Les autres préposés offrent de m'acheter mes cigarettes, à bas prix quand même, mais Buck me lance : Ne sois pas un foutu crétin, Mac, tu es un gosse, il faut que tu tires ton coup toi aussi, sinon tu vas devenir bizarre dans la tête.

Buck a des cheveux gris et des médailles de la Seconde Guerre mondiale. Chacun sait qu'il s'est distingué au champ d'honneur, mais ensuite il s'est mis à boire et à perdre les pédales plus souvent qu'à son tour, puis il a été rétrogradé jusqu'à redevenir simple troufion. C'est ce qu'on raconte sur Buck, encore que je sois en train de piger qu'à l'armée il ne faut rien prendre pour argent comptant. Buck me rappelle le caporal Dunphy de Fort Dix. C'étaient des hommes fougueux, ils ont payé de leur personne durant la guerre, ils ne savent que faire d'eux-mêmes en temps de paix, ils ne peuvent être envoyés en Corée vu leur ivrognerie, et l'armée est l'unique foyer qu'ils auront jusqu'à leur mort.

Buck parle allemand et il semble connaître tout le monde et les moindres petits bars à bière clandestins sur la route de Lenggries à Munich. Toujours est-il que l'arrière-salle est vide de filles, et, entendant Weber râler, Buck lui lance : Allez, va te faire mettre, Weber. Pourquoi tu ne vas pas derrière cet arbre pour te branler ? Weber répond qu'il n'a pas besoin d'aller derrière un arbre. C'est un pays libre, et il peut se branler où il veut. Très bien, lui dit Buck, très bien, j'en ai rien à battre. Sors ton machin et agite-le au milieu de la route, pour ce que j'en ai à faire.

Buck nous dit de remonter dans le camion et on continue vers Munich sans plus s'arrêter aux petits bars à bière clandestins.

Les sergents ne devraient pas vous dire d'emporter la lessive dans un endroit pareil sans vous dire de quel endroit il s'agit. Ils ne devraient surtout pas faire ça à Rappaport, qui est juif, et ils ne devraient pas attendre qu'il sorte la tête du camion et se mette à hurler : Oh, bon Dieu ! en voyant le nom de cet endroit sur le portail, Dachau.

Que peut-il faire à part bondir du camion lorsque Buck ralentit à la vue des MP au portail, bondir du camion et courir sur la route de Munich en hurlant comme un homme pris de folie ? Maintenant Buck doit déplacer le camion et on regarde deux MP pourchasser Rappaport, s'emparer de lui, le pousser dans la jeep et le ramener. Je suis peiné pour lui, la façon dont il est devenu livide, la façon dont il frissonne comme quelqu'un qu'on aurait laissé longtemps dans le froid. Il ne cesse de dire : J'suis désolé, j'suis désolé, j'peux pas, j'peux pas, et les MP sont gentils avec lui. L'un va téléphoner de la guérite puis revient dire à Rappaport : C'est bon, soldat, vous n'avez pas besoin d'aller à l'intérieur. Vous pouvez rester ici avec un lieutenant et attendre que votre lessive soit faite. Vos camarades peuvent s'occuper de vos ballots.

Tandis que nous déchargeons les camions, je me pose des questions sur les Allemands qui sont là à nous aider. Se trouvaient-ils dans cet endroit durant les mauvais jours et que savent-ils ? Les soldats qui déchargent les autres camions échangent des blagues, rigolent, se tapent dessus avec des ballots, mais les Allemands bossent sans un sourire et je devine qu'ils ont de sombres souvenirs dans la tête. S'ils habitaient Dachau ou Munich, ils ont dû savoir des choses sur cet endroit, et j'aimerais savoir à quoi ils pensent en venant ici chaque jour.

Puis Buck vient me dire qu'il ne peut leur parler car ils ne sont pas du tout allemands. Il s'agit de réfugiés, de personnes déplacées, des Hongrois, des Yougoslaves, des Tchèques, des Roumains. Ils vivent en camp dans toute l'Allemagne en attendant que quelqu'un décide de leur sort.

Une fois le déchargement fini, Buck dit que c'est l'heure de déjeuner et il se dirige vers l'entrée du mess. Weber fait pareil. Pour ma part, je ne puis aller déjeuner avant de faire un tour à l'intérieur pour regarder cet endroit dont j'ai eu des aperçus par les journaux et les films d'actualités depuis mon adolescence à Limerick. Il y a des plaques avec des inscriptions en hébreu et en allemand, et je me demande si elles signalent des charniers.

Il y a des fours aux portes ouvertes et je sais ce qu'il s'est passé dedans. J'ai vu les photos dans des magazines et des livres, mais les photos sont une chose tandis que là ce sont les fours, et je pourrais les toucher si je voulais. Je ne sais pas si je veux les toucher, mais si je m'en allais et ne revenais jamais apporter la lessive dans cet endroit je risquerais de me dire : Tu aurais pu toucher les fours à Dachau et tu ne l'as pas fait et que diras-tu à tes enfants et petits-enfants ? Je pourrais ne rien dire mais quel bien cela me fera-t-il quand je serai seul, à me dire : Pourquoi n'as-tu pas touché les fours à Dachau ?

Aussi je passe devant les plaques et je touche les fours et je me demande s'il serait décent de réciter une prière catholique en présence des morts juifs. Si j'étais tué par les Anglais, cela m'ennuierait-il que les coreligionnaires de Rappaport touchent ma pierre tombale et prient en hébreu ? Non, ça ne m'ennuierait pas, pas après que les prêtres nous ont dit que toutes les prières désintéressées et non égoïstes atteignent les oreilles de Dieu.

Cependant je ne puis dire les trois *Je vous salue, Marie* coutumiers puisque Jésus y est mentionné et qu'Il n'a été aucunement secourable aux Juifs ces derniers temps. Je ne sais s'il est décent de dire le *Notre Père* en touchant la porte d'un four mais ça semble assez inoffensif et je le dis en espérant que les morts juifs comprendront mon ignorance.

Weber m'appelle du seuil du mess : McCourt ! McCourt ! Ils vont fermer ! Si tu veux déjeuner, ramène ton cul ici !

Je prends mon plateau avec le bol de goulasch hongrois et le pain, et vais m'installer à la table près de la fenêtre où Buck et Weber sont assis, mais quand je regarde dehors il y a les fours et je ne suis plus tellement d'humeur pour le goulasch hongrois et c'est bien la première fois de ma vie que je repousse de la nourriture. Si les gens de Limerick pouvaient me voir maintenant, en train de repousser la nourriture, ils diraient que je suis devenu complètement fou, mais comment peut-on être assis là à manger du goulasch hongrois sous le regard fixe de fours béants et en pensant aux gens qui y furent brûlés, surtout les bébés ? Chaque fois que les journaux montrent des photos de mères et de bébés mourant ensemble, ils montrent comment le bébé repose sur le sein de la mère dans le cercueil et les voilà ensemble pour l'éternité et il y a là un certain réconfort. Mais ils ne montrent jamais ça dans les photos de Dachau ou des autres camps. Parce que, là, les photos montreraient des bébés jetés de côté comme des chiens, et, à supposer qu'ils aient été enterrés, vous pourriez voir que c'était loin du sein de leur mère et seuls pour l'éternité, et je sais, assis ici, que, si jamais quelqu'un me propose du goulasch hongrois dans la vie civile, je penserai aux fours de Dachau et dirai : Non, merci.

Je demande à Buck s'il y a des charniers sous les plaques, et il répond que point n'est besoin de charniers quand on brûle tout le monde, et c'est ce qu'ils ont fait à Dachau, les fils de pute.

Eh, Buck, je ne savais pas que tu étais juif, fait Weber.

Je le suis pas, connard. T'as besoin d'être juif pour être humain ?

Buck dit que Rappaport a sans doute faim et qu'on devrait lui apporter un sandwich, mais Weber dit que c'est la chose la plus ridicule qu'il ait jamais entendue. C'était du goulasch au déjeuner, et comment tu vas faire un sandwich avec ça ? Buck réplique qu'on peut faire un sandwich avec n'importe quoi, et, si Weber n'était pas si stupide, il parviendrait à comprendre. Weber lui fait le doigt en disant : Ta mère, et Buck doit être retenu par le sergent de service qui nous dit de partir tous, le mess est fermé, à moins que nous ne voulions nous attarder et passer un peu la serpillière.

Buck monte s'installer dans la cabine du camion, et Weber et moi faisons un somme à l'arrière jusqu'à ce que la lessive soit prête et que nous puissions recharger. Rappaport est assis près du portail à lire *La Bannière étoilée*. J'ai envie de lui parler des fours et des choses moches qu'il y a dans cet endroit mais il est encore livide, l'air transi.

Nous sommes à mi-chemin de Lenggries quand Buck quitte la route principale et suit un chemin étroit vers une sorte de campement, mêlant bicoques, appentis et tentes dépenaillées, avec des petits enfants courant nu-pieds en ce printemps froid et des adultes assis par terre autour de feux. Buck saute de la cabine en nous disant d'apporter notre café et nos cigarettes, et Rappaport veut savoir pourquoi donc.

Pour tirer un coup, le môme, pour tirer un coup ! Elles ne font pas ça gratuit !

Allez, allez, fait Weber, ce sont juste des personnes déplacées.

Les réfugiés accourent, hommes et femmes, mais je n'ai d'yeux que pour les jeunes filles. Elles sourient, tirent sur les boîtes de café et les cartouches de cigarettes, et Buck gueule : Tenez bon, ne les laissez pas prendre votre camelote ! Weber disparaît dans une bicoque avec une vieille femme d'environ trente-cinq ans et je cherche Rappaport des yeux. Il est encore dans le camion, le regard perdu dans le vague, blême. Buck fait signe à une des filles et me dit : C'est bon, voilà ta dulcinée, Mac. Donne-lui les cigarettes, garde le café et gare à ton portefeuille.

La fille porte une robe à fleurs roses en haillons et a si peu de chair sur les os que c'est dur de dire son âge. Elle me prend par la main, m'entraîne dans une cahute, et c'est facile pour elle d'être nue vu qu'il n'y a rien sous la robe. Elle s'étend sur des chiffons en tas par terre et j'ai tellement envie d'elle que je baisse mon pantalon sur mes jambes jusqu'à ce qu'il ne puisse plus descendre à cause des bottes. Son corps est froid mais elle est brûlante en dedans, et je suis si excité que j'ai terminé en un instant. Elle roule sur le côté puis va dans un coin s'accroupir au-dessus d'un seau et ça me fait penser à Limerick, du temps où on avait un seau dans le coin. Elle se lève du seau, renfile sa robe et tend la main.

Cigarettes ?

Je ne sais pas ce que je suis supposé lui donner. Dois-je lui donner toute la cartouche pour cette excitation d'un seul instant ou dois-je lui donner un paquet de vingt ?

Elle le redit : Cigarettes, et il suffit que je regarde le seau dans le coin pour lui donner toute la cartouche.

Mais elle n'est pas satisfaite. Café ?

Je lui réponds : Non, non, pas café, mais elle se colle à moi, m'ouvre la braguette, et j'ai une telle gaule que nous voilà repartis sur les chiffons, à la différence que l'abondance de cigarettes et de café lui donne le sourire, et de voir ses dents me fait comprendre pourquoi elle ne sourit guère.

Buck remonte dans la cabine du camion sans adresser un mot à Rappaport et je me tais car je crois avoir honte de ce que j'ai fait. J'essaie de me dire que je n'ai pas honte, que j'ai payé pour ce que j'ai eu, et n'ai-je pas même donné le café à la fille ? Je ne vois pas pourquoi je dois avoir honte en présence de Rappaport. Je crois que c'est parce qu'il a eu du respect pour les réfugiés et qu'il a refusé de profiter d'eux mais, s'il s'agit de ça, pourquoi ne leur a-t-il pas montré son respect et sa peine en leur faisant don de ses cigarettes et de son café ?

Weber se moque pas mal de Rappaport. Il part sur la bonne tranche de cul que c'était et à combien peu ça lui est revenu. Il a donné seulement cinq paquets à la femme, il lui reste son café et il a de quoi tirer des coups à Lenggries pendant une semaine.

Rappaport lui dit qu'il est débile et ils échangent des insultes jusqu'au moment où Rappaport se jette sur lui et les voilà saignant du nez sur toute la lessive jusqu'au moment où Buck stoppe le camion et leur dit d'arrêter ce cirque et ma seule inquiétude est pour le sang qui pourrait se trouver sur la lessive de la compagnie C.

16

Le lendemain de la corvée de lessive à Dachau, mon cou enfle et le docteur me dit qu'il faut faire mon paquetage, qu'il m'envoie à Munich, que j'ai les oreillons. Il veut savoir si j'ai approché des enfants car c'est de là que viennent les oreillons, des enfants, et, quand un homme se les chope, ce peut être la fin de sa lignée.

Voyez ce que je veux dire, soldat ?

Non, docteur.

Cela veut dire que vous-même n'aurez peut-être jamais d'enfants.

Je suis mis dans une jeep avec un chauffeur, le caporal John Calhoun, qui me dit que les oreillons constituent un châtiment de Dieu pour avoir forniqué avec des femmes allemandes et que je devrais y voir un signe. Il arrête la jeep, et, quand il me dit de m'agenouiller à côté de lui sur le bord de la route pour implorer le pardon divin avant qu'il soit trop tard, je dois obéir à cause de ses deux galons. Il a de l'écume aux commissures de sa bouche et, pour avoir grandi à Limerick, je sais que c'est un signe certain de dinguerie, et si je ne tombe pas à genoux à côté de John Calhoun il pourrait devenir violent au nom de Dieu. Il dresse les bras au ciel et loue Dieu de m'avoir fait le don des oreillons juste à temps pour m'amender et sauver mon âme et il aimerait que Dieu continue de m'envoyer de gentils pense-bêtes de ma conduite coupable, varicelle, rages de dents, rougeole, sévères migraines et pneumonie si nécessaire. Il sait que ce n'est pas fortuit qu'il ait été choisi pour me conduire à Munich avec mes oreillons. Il sait que la guerre de Corée a été déclenchée pour qu'il puisse être appelé sous les drapeaux puis envoyé en Allemagne afin de sauver mon âme et celle de tous les autres fornicateurs. Il remercie Dieu du privilège et promet de veiller sur l'âme du première classe McCourt dans le pavillon des oreillons de l'hôpital militaire de Munich aussi longtemps que le Seigneur le désire. Il dit au Seigneur qu'il est bien content d'être sauvé, qu'il est joyeux, ô combien joyeux, oui, vraiment, et il pousse une chanson sur un rassemblement près de la rivière et martèle le volant et conduit si vite que je me demande si je ne vais pas mourir dans un fossé avant d'être guéri des oreillons.

Il me mène dans l'entrée de l'hôpital, chante ses hymnes, annonce à la cantonade que je suis sauvé, que le Seigneur a baillé signe, ouais, en vérité, que je suis prêt à venir à résipiscence. Loué soit Dieu. Il dit au toubib en charge des admissions, un sergent, qu'on doit me donner une Bible et du temps pour prier et le sergent lui dit d'aller vite fait au diable. Le caporal Calhoun le bénit pour ça, le bénit du fond de son cœur, promet de prier pour le sergent qui est clairement du côté du Malin, l'avise qu'il est égaré, mais, s'il tombait incontinent à genoux et acceptait le Seigneur Jésus, il connaîtrait la paix qui dépasse tout entendement. Ce disant, il écume tant de la bouche que son menton devient de neige.

Le sergent contourne son bureau et pousse Calhoun dans le vestibule, jusqu'à la sortie, et Calhoun lui dit : Repentez-vous, mon sergent, repentez-vous. Faisons halte, frère, et prions pour cet Irlandais touché par le Seigneur, touché des oreillons. Oh, allons près la rivière nous assembler.

Il est encore à plaider et à prier quand le sergent le propulse dans la nuit munichoise.

Un infirmier allemand me dit que son nom est Hans et il m'emmène dans une salle de six lits où on me donne un pyjama d'hôpital et deux pleines poches de glace. Quand il me dit : Zeussi est pour fotre cou et zeussi est pour fos couilles, quatre hommes alités lui font aussitôt écho : Zeussi est pour fotre cou et zeussi est pour fos couilles. Il sourit et place une poche de glace sur mon cou, l'autre sur mon bas-ventre. Les hommes lui lancent des poches pour avoir plus de glace et lui disent : Hans, tu es si bon attrapeur que tu pourrais jouer au base-ball.

Un homme dans un lit d'angle geint et n'envoie pas sa poche de glace. Hans va le voir. Foulez-fous de la glace ?

Non, je ne veux pas de glace. À quoi bon ?

Oh, Dimino.

Oh-Dimino-mon-cul. Foutus Fritz. Regardez ce que vous m'avez fait. M'avez filé les foutus oreillons. Je n'aurai jamais de gosses.

Oh, fous aurez des gosses, Dimino.

Qu'est-ce que t'en sais ? Ma femme va croire que je suis une tante.

Oh, Dimino, fous êtes pas tante, dit Hans. Puis, se tournant vers les autres hommes : Dimino est tante ?

Ouais, ouais, c'est une tante, t'es une tante, Dimino, et Dimino se tourne vers le mur, en sanglots.

Hans lui touche l'épaule. Ils foulaient pas dire ça, Dimino.

Et les hommes de psalmodier : On foulait le dire, on foulait le dire. T'es une tante, Dimino. On a les couilles enflées et tu as les couilles enflées mais tu es une tante pleurnicheuse.

Et ils continuent de psalmodier jusqu'à ce que Hans tapote à nouveau l'épaule de Dimino, lui tende des poches de glace et lui dise : Foilà, Dimino, gardez fos couilles au frais et fous aurez beaucoup d'enfants.

J'en aurai, Hans ? J'en aurai ?

Oh, oui, Dimino.

Merci, Hans. Tu es un chouette Fritz.

Merzi, Dimino.

Hans, toi tante ?

Si tu veux, Dimino.

C'est pour ça que tu aimes mettre des poches de glace sur nos couilles ?

Non, Dimino, c'est mon boulot.

Ça m'est égal que tu sois une tante, Hans.

Merzi, Dimino.

Je t'en prie, Hans.

Un autre infirmier pousse un chariot à livres dans la salle et je me goinfre de lecture. Maintenant je peux finir le livre que j'avais commencé en venant d'Irlande sur le bateau, *Crime et châtiment* de Dostoïevski. Je préférerais lire F. Scott Fitzgerald ou P. G. Wodehouse, mais Dostoïevski m'obsède avec son histoire de Raskolnikov et de la vieille femme. Ce livre me fait tout le temps me sentir coupable d'avoir volé l'argent à Mrs Finucane de Limerick quand elle est morte sur la chaise, et je me demande si je ne devrais pas voir un aumônier de l'armée et confesser mon crime atroce.

Non. Je pourrais me confesser dans la pénombre d'un confessionnal ordinaire, mais ce me serait impossible ici, à la lumière du jour, tout enflé par les oreillons, avec un paravent autour du lit et face au regard du prêtre. Jamais je ne pourrais lui expliquer que Mrs Finucane envisageait de laisser son argent à des prêtres afin qu'ils disent des messes pour son âme, et que j'ai volé une partie de cet argent. Jamais je ne pourrais lui raconter les péchés que j'ai commis avec la fille dans le camp de réfugiés. Il suffit d'ailleurs que je pense à elle pour avoir une gaule telle que je dois attenter à moi-même sous les couvertures et me voilà avec un péché de plus. Si jamais je me confessais maintenant à un prêtre, je serais complètement excommunié, de sorte que mon seul espoir est d'être renversé par un camion ou frappé par quelque chose tombant d'une grande hauteur, ce qui me donnera une seconde pour dire un parfait acte de contrition avant de mourir, et aucun prêtre ne sera nécessaire.

Parfois je pense que je serais le meilleur catholique du monde si seulement ils se passaient de prêtres et me laissaient parler à Dieu, là, dans le lit.

17

Après l'hôpital, il arrive deux bonnes choses. Je suis promu caporal grâce à la frappe efficace dont je fais preuve quand je livre des rapports d'approvisionnement, et la récompense est une permission de quinze jours en Irlande si j'en ai envie. Ma mère m'a écrit il y a quelques semaines pour dire la chance qu'elle a eue d'obtenir un de ces nouveaux logements sociaux, une maison, là-haut à Janesboro, et combien c'est délicieux d'avoir quelques livres pour acheter de nouveaux meubles. Elle aura une salle de bains avec baignoire, lavabo, water-closet, eau chaude et froide. Elle aura une cuisine avec fourneau à gaz et évier, plus un petit salon avec une cheminée où elle pourra s'asseoir et se chauffer les tibias et lire le journal ou un chouette roman sentimental. Elle aura un jardin devant pour les petites fleurs et les plantes, un jardin derrière pour toutes sortes de légumes, et elle ne se reconnaîtra plus dans tout ce luxe.

Pendant le trajet en train jusqu'à Francfort, je rêve de la nouvelle maison et du bien-être que ça apporte à ma mère et mes frères, Michael et Alphie. On pourrait croire qu'après les jours de misère à Limerick je n'aurais même pas envie de retourner en Irlande, mais, lorsque l'avion approche de la côte et que les ombres des nuages bougent à travers champs et que tout se fait vert et mystérieux, je ne peux m'empêcher de pleurer. Les gens me regardent et c'est une bonne chose qu'ils ne me demandent pas pourquoi je pleure. Je serais incapable de leur répondre. Je serais incapable de décrire le sentiment pour l'Irlande qui me monte au cœur parce qu'il n'y a pas de mots pour ça et que je ne me serais jamais douté que je me sentirais ainsi. C'est étrange de penser qu'il n'y a pas de mots pour ce que je ressens, à moins qu'ils soient dans Shakespeare ou dans Samuel Johnson ou dans Dostoïevski et que je ne les aie pas remarqués.

Ma mère m'attend à la gare, tout sourire avec ses nouvelles dents blanches, toute fringante dans une robe neuve de couleur vive et des souliers noirs vernis. Mon frère Alphie est avec elle. Il va sur ses douze ans et porte un costume gris qui a dû être l'habit de sa confirmation l'an dernier. On voit qu'il est fier de moi, surtout de mes galons de caporal, au point qu'il tient à porter mon barda. Il essaie mais c'est trop lourd et je ne peux pas le laisser le traîner par terre à cause du coucou et de la porcelaine de Dresde que j'ai apportés à ma mère.

Moi-même je me sens fier de savoir que les gens me regardent dans mon uniforme de l'armée américaine. Ce n'est pas tous les jours qu'on voit un caporal américain descendre du train en gare de Limerick, et j'ai hâte de marcher dans les rues car je sais que les filles vont se mettre à chuchoter : Qui est-ce ? N'est-il pas magnifique ? Elles croiront probablement que j'ai combattu à mains nues les Chinois en Corée, que me voilà de retour pour récupérer après la grave blessure que je suis trop brave pour montrer.

Nous quittons la gare, marchons dans la rue, et je me rends compte que nous ne prenons pas la bonne direction. On devrait aller vers Janesboro et la nouvelle maison, mais non, au lieu de ça, on traverse People's Park comme on l'a fait la première fois, lors de notre arrivée d'Amérique, et je demande pourquoi on se dirige vers la maison de Grand-mère, dans Little Barrington Street. Ma foi, répond ma mère, c'est qu'il n'y a encore ni électricité ni gaz dans la nouvelle maison.

Pourquoi non ?

Ma foi, je ne m'en suis pas occupée.

Pourquoi tu ne t'en es pas occupée ?

Ah, ça, si je le savais...

Voilà qui me met en fureur. On pourrait croire qu'elle serait contente d'être sortie de ce taudis de Little Barrington Street et d'aller là-haut dans sa nouvelle maison planter des fleurs et faire le thé dans sa nouvelle cuisine qui donne sur le jardin. On pourrait croire qu'il lui tarde d'avoir les nouveaux lits aux draps propres, sans la moindre puce, et une salle de bains. Mais non, il faut qu'elle s'accroche au taudis, et du diable si je comprends pourquoi. Elle explique que c'est difficile de déménager et de laisser son frère, mon oncle Pat, qu'il ne se porte pas bien et clopine plus que jamais. Il colporte encore des journaux dans tout Limerick mais, que Dieu lui vienne en aide, il est un peu impotent, et ne nous a-t-il pas hébergés dans cette maison quand nous traversions une mauvaise passe ? Je lui dis que je m'en fiche, qu'il est hors de question que je remette un pied dans cette maison de la ruelle. Je vais aller ici, au National Hotel, jusqu'à ce qu'elle ait l'électricité et le gaz, là-haut, à Janesboro. Je hisse mon barda sur mon épaule et n'ai pas plus tôt fait quelques pas qu'elle me poursuit en pleurnichant : Oh, Frank, Frank, une nuit, une dernière nuit dans la maison de ma mère, ce n'est tout de même pas ça qui va te tuer, une nuit, une seule.

Je m'arrête, me tourne et lui lance d'un ton cinglant : Je ne veux pas passer une seule nuit dans la maison de ta mère. Pourquoi diable t'ai-je envoyé l'allocation si tu veux vivre dans une porcherie ?

Elle pleure, me tend les bras, et Alphie a les yeux écarquillés, mais moi je m'en fiche. Je prends une chambre au National Hotel, je balance mon barda sur le lit et me demande quelle est cette mère que j'ai là, stupide au point de vouloir rester dans un taudis une minute de plus que nécessaire. Je m'assieds sur le lit dans mon uniforme de l'armée américaine, avec mes nouveaux galons de caporal, et me demande si je dois rester ici à trépigner ou bien faire une promenade dans les rues pour que le monde puisse m'admirer. Je vais à la fenêtre et regarde l'horloge de Tait, l'église des Dominicains, puis, au-delà, le cinéma Lyric, devant lequel de tout jeunes garçons attendent à l'entrée du poulailler où j'avais l'habitude d'aller pour deux pence. Les garçons sont déguenillés, avec l'air bagarreur, et, si je restais assez longtemps à la fenêtre, j'imagine que je pourrais revoir mes jours à Limerick. Il y a seulement dix ans, quand j'en avais douze, j'étais tombé amoureux de Hedy Lamarr là-haut sur l'écran avec Charles Boyer, tous deux à Alger et Charles disant : *Venez avec moi à la Casbah.* Je suis allé disant ça partout pendant des semaines jusqu'à ce que ma mère me supplie d'arrêter. Elle-même adorait Charles Boyer et préférait quand c'était lui qui le disait. Elle adorait aussi James Mason. Chaque femme de la ruelle adorait James Mason, ah, comme il était beau et dangereux ! Toutes convenaient que c'était le côté dangereux qu'elles adoraient. Il est certain qu'un homme point dangereux n'en est pas vraiment un. Melda Lyons racontait à toutes les femmes dans la boutique de Kathleen O'Connell qu'elle était folle de James Mason, et toutes riaient quand elle disait : De Dieu, si je le rencontrais, que je te l'aurais nu comme un œuf en une seconde ! Cela faisait rire ma mère plus fort que n'importe qui dans la boutique de Kathleen O'Connell, et je me demande si elle ne serait pas là-bas en ce moment à raconter à Melda et aux autres femmes que son fils Frank est descendu du train et n'a pas voulu venir à la maison pour une nuit, et les femmes rentreront peut-être chez elles en disant : Frankie McCourt est de retour dans son uniforme américain et le voilà maintenant trop grand seigneur pour sa pauvre mère là en bas dans la ruelle, encore qu'on aurait dû avoir la puce à l'oreille vu qu'il a toujours eu le drôle de genre comme son père.

Cela ne me tuerait pas d'aller faire un tour dans la maison de ma grand-mère une toute dernière fois. Je suis sûr que mes frères Michael et Alphie se vantent devant tout le monde de mon retour, et ils vont être tristes si je ne balade pas mes galons de caporal dans la ruelle.

À l'instant où je descends les marches du National Hotel, les garçons devant le Lyric m'interpellent à travers Pery Square : Hé, le soldat yankee, youhou, t'aurais pas un chouine gomme ? T'aurais pas un shilling en trop dans ta poche ou un sucre orge dans ta poche ?

Ils disent *sucre orge* comme les Américains et ça les fait tant marrer qu'ils se tiennent les uns aux autres ainsi qu'au mur.

Il y a un garçon planté à l'écart, les mains dans les poches, et je vois qu'il est tondu jusqu'à l'os, avec deux yeux rouges et chassieux dans un visage plein de boutons. J'ai du mal à me dire que je devais bien avoir cette allure-là il y a dix ans, et, quand il me lance de l'autre côté de la place : Hé, le soldat yankee, tourne-toi qu'on puisse tous voir ton gros cul, j'ai envie d'aller lui botter le truc maigrichon que lui-même a en guise de cul. On pourrait penser qu'il aurait du respect pour l'uniforme qui a sauvé le monde, même si je ne suis qu'un préposé à l'approvisionnement qui rêve de retrouver son chien. On pourrait croire que le Chassieux remarquerait mes galons de caporal et aurait un peu de respect, mais non, c'est comme ça quand vous grandissez dans une ruelle. Vous devez faire comme si vous n'en avez rien à péter de rien même quand vous en avez à péter de quelque chose.

N'empêche, j'aimerais traverser la place pour secouer le Chassieux et lui expliquer qu'il est le portrait craché de moi quand j'avais son âge, sauf que je n'étais pas planté là devant le Lyric à tourmenter des Amerloques à propos de leur gros cul. J'essaie de me convaincre que ce n'était en effet pas du tout mon genre, jusqu'au moment où une autre partie de mon esprit me souffle que je n'étais guère différent du Chassieux, que j'étais tout aussi capable que lui de tourmenter des Amerloques ou des Anglais ou quiconque en costume ou avec un stylo dans sa poche de devant en balade sur un vélo neuf, que j'étais tout aussi capable de balancer une pierre à travers la vitre d'une maison respectable et de m'enfuir, hilare un instant et en fureur la minute d'après.

Tout ce que je peux faire maintenant est de m'éloigner en rasant le mur afin que le Chassieux et les autres garçons ne voient pas mon cul et n'en tirent pas argument.

Je n'ai que confusion et nuages noirs dans la tête jusqu'à ce que surgisse l'autre idée. Retourne vers les garçons comme un GI dans les films et donne-leur la petite monnaie de ta poche. Ce n'est pas ça qui va te tuer.

Ils me voient venir et on les dirait sur le point de s'enfuir bien qu'aucun ne veuille être un lâche et se cavaler le premier. Quand je commence à distribuer la monnaie, ils ne trouvent à dire que : Ouah, de Dieu ! et leur changement de regard sur moi me rend heureux. Le Chassieux prend sa part, attend en silence que je me sois éloigné, puis me crie : Hé, m'sieur, sûr que vous n'avez pas de cul, mais alors pas du tout !

Et ça me rend plus heureux que quoi que ce soit.

À l'instant où je quitte Barrington Street et descends la colline jusqu'à la ruelle, j'entends les gens s'exclamer : Oh, bon Dieu ! voilà Frankie McCourt dans son uniforme américain ! Kathleen O'Connell est sur le seuil de sa boutique, hilare, à me tendre un carré de caramel de marque Cleeves. Pardi, n'as-tu pas toujours aimé ça, Frankie, même si ça a bousillé les dents de tout Limerick ? Sa nièce est là aussi, celle qui a perdu un œil quand la lame du couteau qu'elle utilisait pour ouvrir un sac de pommes de terre a glissé et s'est plantée dans sa tête. Elle aussi éclate de rire à propos du caramel Cleeves et je me demande comment on peut encore rire avec un œil en moins.

Kathleen appelle la petite femme grassouillette au coin de la ruelle : Il est là, Mrs Patterson ! Une vraie vedette de cinéma qu'on dirait ! Mrs Patterson prend mon visage dans ses mains et me dit : Je suis contente pour ta malheureuse mère, Frankie. Quelle vie terrible elle a eue !

Et il y a Mrs Murphy, dont le mari a disparu en mer pendant la guerre, qui vit maintenant dans le péché avec Mr White sans que les gens des ruelles soient choqués le moins du monde, et qui, souriante, me dit : C'est vrai que tu as l'air d'une vedette de cinéma, Frankie, et comment vont tes pauvres yeux ? Mais, dis-moi, ils ont l'air superbe !

Toute la ruelle se tient sur les pas de porte, à me dire que j'ai l'air superbe. Même Mrs Purcell, qui est aveugle, m'assure que j'ai l'air superbe. Mais je devine qu'elle dirait la même chose si elle pouvait voir et, quand je m'approche, elle tend les bras et me dit : Viens donc ici, Frankie McCourt, et serre-moi en souvenir des jours où on écoutait ensemble Shakespeare et Sean O'Casey à la TSF.

Puis, m'ayant entouré de ses bras, elle s'exclame : Ah, Dieu du ciel, il n'y a rien à quoi s'accrocher sur toi ! On ne te nourrit donc pas dans l'armée américaine ? Enfin, quoi qu'il en soit, tu sens superbe. Ils sentent toujours superbe, les Amerloques.

C'est difficile pour moi de regarder Mrs Purcell, dont les délicates paupières tressaillent à peine au-dessus des yeux enfoncés, et de me rappeler les soirs où elle me laissait m'asseoir dans sa cuisine pour écouter à la TSF les pièces de théâtre et les histoires, et la façon dont elle me donnait un mug de thé et une grosse tartine de confiture comme si de rien n'était. C'est difficile car les gens de la ruelle sont tous aux anges sur leur pas de porte et j'ai honte d'avoir faussé compagnie à ma mère et d'être allé bouder sur le lit dans le National Hotel.

Comment a-t-elle expliqué aux voisins qu'elle est allée m'attendre à la gare et que j'ai refusé de venir à la maison ? J'aimerais franchir les quelques pas me séparant de ma mère debout devant sa porte, lui dire aussitôt à quel point je suis désolé, mais je ne puis me décider à parler de crainte que les larmes me viennent et qu'elle lance : Oh, tu as la vessie bien près de l'œil.

Je sais qu'elle le dirait pour faire rire et s'empêcher de pleurer, afin qu'on ne soit pas intimidés et honteux de nos larmes. Et maintenant elle ne peut dire que ce que dirait toute mère de Limerick : Tu dois être affamé. Une bonne tasse de thé te dirait-y ?

Mon oncle Pat est assis dans la cuisine et, quand il lève son visage vers moi, ça me rend malade de voir la rougeur de ses yeux et le suintement jaune. Cela me fait penser au petit chassieux devant le Lyric. Cela me fait penser à moi-même.

Oncle Pat est le frère de ma mère et tout Limerick l'appelle Ab Sheehan. Certains le nomment l'Abbé et nul ne sait pourquoi. Bel uraforme que t'as là, Frankie, dit-il. Où qu'il est ton canon ? Il éclate de rire et découvre les chicots jaunes encore collés à ses gencives. Ses cheveux sont noirs et gris, tout compacts et gras sur sa tête faute d'être lavés, et il y a de la crasse dans les plis de son visage. Ses vêtements sont eux aussi luisants de graisse faute d'être lavés, et je me demande comment ma mère peut vivre avec lui sans veiller à sa propreté quand soudain me revient son obstination à ne pas se laver et à porter les mêmes vêtements jour et nuit jusqu'à ce qu'ils partent en lambeaux. Un jour ma mère n'a pas pu trouver le savon et, quand elle lui a demandé s'il l'avait vu, il a répondu : Me reproche point le savon. J'ai point vu le savon. Me suis pas lavé d'une semaine. Et il a dit ça comme si chacun devait l'admirer. J'aimerais le faire déshabiller dans l'arrière-cour et l'arroser d'eau chaude jusqu'à ce que la crasse quitte les plis de son visage et que le pus s'en aille de ses yeux.

Maman fait le thé et c'est bon de voir qu'elle a maintenant des tasses et des soucoupes convenables, pas comme autrefois quand on buvait dans des pots à confiture. L'Abbé refuse les nouvelles tasses. Je veux mon mug à moué, dit-il. Ma mère lui remontre que ce mug est une honte avec toute la saleté dans les fêlures où pourraient être tapies toutes sortes de maladies. Il s'en fiche. Il dit : C'était le mug de ma mère et elle me l'a laissé, et ce n'est pas la peine de discuter avec lui quand on sait qu'il est tombé sur la tête durant sa petite enfance. Il se lève pour clopiner jusqu'aux cabinets de l'arrière-cour et Maman profite de son absence pour expliquer qu'elle a tout essayé pour faire qu'il quitte la maison et habite quelque temps avec elle. Eh bien, non, il ne partira pas. Il ne va pas quitter la maison de sa mère, ni le mug qu'elle lui a donné il y a longtemps, ni la statuette de l'Enfant de

Prague et le grand tableau du Sacré Cœur de Jésus là-haut dans la chambre à coucher. Oh, non, il ne va pas laisser tout ça. Quoi qu'il en soit. Maman doit s'occuper de Michael et d'Alphie, Alphie encore à l'école et le pauvre Michael faisant la plonge là-bas au restaurant du Savoy, que Dieu lui vienne en aide.

On finit notre thé et je descends O'Connell Street avec Alphie afin que chacun puisse me voir et m'admirer. On tombe sur Michael qui remonte la rue de retour du boulot, et mon cœur se serre quand je l'aperçois, avec les cheveux noirs qui lui tombent sur les yeux, et son corps, un sac d'os avec des vêtements aussi graisseux que ceux de l'Abbé à force de faire la plonge toute la journée. Il y va de son sourire timide et dit : Bon Dieu, tu as vraiment une bonne dégaine, Frankie. Je lui retourne son sourire et reste sans savoir que dire car j'ai honte de son allure, et si ma mère était là je l'engueulerais et lui demanderais pourquoi Michael doit avoir une allure pareille. Pourquoi ne peut-elle lui dégoter des vêtements convenables, pourquoi le Savoy ne peut-il lui fournir au moins un tablier pour le protéger de la graisse ? Pourquoi a-t-il dû quitter l'école à quatorze ans pour faire le plongeur ? S'il était d'Ennis Road ou de North Circular Road, il serait maintenant à l'école en train de jouer au rugby et il irait à Kilkee pour les vacances. Je me demande à quoi bon être revenu à Limerick où les enfants sont encore à courir pieds nus et à regarder le monde à travers des yeux chassieux, où mon frère Michael doit faire la plonge et où ma mère prend son temps pour emménager dans un logement décent. Ce n'est pas ainsi que je voyais les choses et j'en suis si triste que j'aimerais être de retour en Allemagne, en train de boire une bière à Lenggries.

Un jour ou l'autre, oui, je les sortirai d'ici, ma mère, Michael, Alphie, et les ferai venir à New York où Malachy travaille déjà et s'apprête à s'engager dans l'armée de l'air pour ne pas être envoyé en Corée. Je ne veux pas que Alphie quitte l'école à quatorze ans comme nous autres. Au moins est-il chez les Frères chrétiens, et non dans une école publique comme Leamy's, celle où nous sommes allés. Un jour il pourra aller à l'école secondaire, de sorte qu'il saura le latin et autres choses importantes. Pour le moment, il a tout de même des vêtements, des chaussures, à manger, et il n'a pas à avoir honte de lui-même. On voit qu'il est bien étoffé, au contraire de Michael, le sac d'os.

Nous faisons demi-tour pour remonter O'Connell Street et je sais que les passants m'admirent dans mon uniforme de GI jusqu'au moment où il y en a un qui s'écrie : Jésus, c'est-y toi, Frankie McCourt ? et le monde entier sait que je ne suis pas un vrai GI américain, que je suis simplement quelqu'un des ruelles écartées de Limerick, tout fringant dans l'uniforme américain, avec les galons de caporal.

Ma mère descend la rue tout sourire. La nouvelle maison aura l'électricité et le gaz demain, et on peut y emménager. Tante Aggie a fait dire qu'elle avait eu vent de mon arrivée et elle veut que nous venions prendre le thé. Elle nous attend présentement.

Tante Aggie est elle aussi tout sourire. Ce n'est pas comme autrefois, quand son visage n'exprimait rien d'autre que l'aigreur de ne pas avoir d'enfants à elle, mais, aigreur ou non, c'est grâce à elle si j'ai eu des vêtements convenables pour mon premier boulot. Je la crois impressionnée par mon uniforme et mes galons de caporal vu comment elle ne cesse de me demander si je ne voudrais pas un peu plus de thé, du jambon à nouveau, et, allez, encore du fromage. Elle n'est pas aussi généreuse avec Michael et Alphie, et on voit que c'est à ma mère de veiller à ce qu'ils soient suffisamment servis. Ils sont trop timides pour demander du rab, à moins qu'ils aient peur. Ils savent qu'elle a un caractère emporté du fait de ne pas avoir eu d'enfants à elle.

Son mari, Oncle Pa Keating, ne vient pas à table un seul instant. Il est là-bas, près du fourneau à charbon, avec un mug de thé, et ne fait que fumer cigarette sur cigarette et tousser jusqu'à en défaillir, se crispant et s'esclaffant : Ces foutues sèches finiront par avoir ma peau !

Tu devrais y renoncer, Pa, dit ma mère, et il répond : Et si je le faisais, Angela, qu'est-ce que je ferais de moi-même ? Rester assis là avec mon thé, les yeux fixés sur le feu ?

Elles te tueront, Pa, réplique-t-elle.

Eh bien, si elles le font, Angela, je n'en aurai rien à péter.

C'est le côté d'Oncle Pa que j'ai toujours adoré, sa façon de n'en avoir rien à péter de rien. Si je pouvais être comme lui, je serais libre, encore que je ne voudrais pas de ses poumons vu comment ils ont été bousillés par les gaz allemands pendant la Grande Guerre, puis par les années de boulot dans l'usine à gaz de Limerick, puis, maintenant, par les sèches au coin du feu. Je suis triste qu'il soit assis là à se tuer alors qu'il est le seul homme à avoir jamais dit la vérité. C'est lui qui m'a dit de ne pas me faire piéger en passant l'examen des Postes puisque je pouvais mettre de l'argent de côté et partir pour l'Amérique. On n'imaginerait jamais Oncle Pa disant un mensonge. Il en mourrait plus vite que du gaz ou des sèches.

Il est encore tout noir d'avoir pelleté du coke et de la houille à l'usine à gaz et il n'a pas de chair sur les os. Lorsque, de son coin du feu, il lève la tête, le blanc de ses yeux apparaît éblouissant autour du bleu. On voit bien, quand il nous regarde, qu'il porte une tendresse particulière à mon frère Michael. J'aimerais qu'il ait cette tendresse pour moi mais il ne l'a pas et c'est assez de savoir qu'il m'a payé ma première pinte il y a longtemps et m'a dit la vérité. J'aimerais lui dire ce que j'éprouve à son égard. Non, j'ai peur que quelqu'un ne se mette à rire.

Après le thé chez Tante Aggie, je songe à retourner dans ma chambre du National Hotel, mais j'appréhende que ma mère ait encore la lueur de peine dans les yeux. À présent je vais devoir me pager dans le lit de ma grand-mère avec Michael et Alphie, et je sais que les puces vont me rendre fou. Depuis que j'ai quitté Limerick, il n'y a pas eu une seule puce dans ma vie, mais, maintenant que je suis un GI avec un peu de chair sur les os, je vais me faire dévorer vivant.

Non, dit Maman. Il y a une poudre appelée DDT qui tue tout, et elle en a pulvérisé dans toute la maison. Je lui dis que c'est ce qu'on nous a déversé de petits avions à Fort Dix afin que nous soit épargné le tourment des moustiques.

N'empêche que c'est bondé dans le pieu avec Michael et Alphie. L'Abbé est dans son lit de l'autre côté de la pièce, à grogner et à manger du poisson-frites dans un papier journal comme il l'a toujours fait. Il m'est impossible de dormir en l'entendant et en songeant aux jours où je léchais la graisse du journal ayant emballé son poisson-frites. Me voilà donc dans le vieux lit, avec mon uniforme posé sur le dos d'une chaise, sans qu'il n'y ait rien de neuf à Limerick à part le DDT qui éloigne les puces. C'est un réconfort de penser aux enfants qui peuvent dorénavant dormir avec le DDT en ignorant le tourment des puces.

Le lendemain, ma mère essaie pour la dernière fois de persuader Oncle Pat, son frère, d'emménager avec nous là-haut à Janesboro. Nenni, nenni, dit-il. C'est d'être tombé sur la tête qui le fait parler comme ça. Il ne partira pas. Il va rester ici, et quand nous serons tous partis il ira dans le grand lit, le lit de sa mère où nous tous avons dormi pendant des années. Il a toujours voulu ce lit, et maintenant il va l'avoir et il prendra chaque matin son thé dans le mug de sa mère.

Ma mère le regarde, revoilà les larmes, et j'en perds patience, j'exige qu'elle rassemble ses affaires et parte d'ici. Si l'Abbé tient à être aussi stupide et obstiné, eh bien, qu'il le soit. Tu ne sais pas ce que c'est d'avoir un frère comme ça, dit-elle. Tu as de la chance que tous tes frères soient entiers.

Entiers ? Que veut-elle dire ?

De la chance d'avoir des frères sensés, en bonne santé, et qui ne sont jamais tombés sur leur tête.

Elle pleure à nouveau et demande à l'Abbé s'il voudrait une bonne tasse de thé, et il répond : Nenni.

Ne voudrait-il pas venir dans la nouvelle maison et prendre un bon bain bien chaud dans la nouvelle baignoire ?

Nenni.

Oh, Pat, oh, Pat, oh, Pat.

Elle est tellement en larmes qu'elle doit s'asseoir tandis que lui se borne à la dévisager de ses yeux suintants. Il la dévisage sans mot dire jusqu'au moment où il tend la main vers le mug de sa mère et lâche : J'aurai le mug de ma mère à moué et le lit de ma mère à moué que tu m'as empêché d'avoir toutes ces années.

Alphie va auprès de Maman et lui demande si nous pouvons partir pour notre nouvelle maison. Il a seulement onze ans et il est excité. Michael est déjà au Savoy à faire la plonge, et quand il aura fini il pourra venir à la nouvelle maison où il aura l'eau courante, chaude et froide, et pourra prendre le premier bain de sa vie.

Maman se sèche les yeux et se lève. Es-tu sûr, Pat, de ne pas vouloir venir ? Tu peux emporter le mug si tu veux mais on ne peut pas emporter le lit.

Nenni.

Et c'en est fini. C'est la maison où j'ai grandi, dit-elle. Quand je suis partie pour l'Amérique, je ne me suis même pas retournée en montant la ruelle. Maintenant, c'est tout différent. J'ai quarante-quatre ans, et c'est tout différent.

Elle enfile son manteau, reste à regarder son frère, et j'en ai tellement marre de ses gémissements que j'ai envie de la tirer hors de la maison. Arrive, dis-je à Alphie, et on franchit le seuil de sorte qu'elle doit nous suivre. Chaque fois qu'elle est chagrinée, elle a le visage qui blémit, le nez qui pointe, et c'est bien ce qui se passe maintenant. Elle ne veut pas me parler, me traite comme si j'avais mal agi en envoyant l'allocation afin qu'elle puisse avoir un train de vie un tant soit peu décent. Je ne veux pas lui parler non plus car c'est difficile d'éprouver de la compassion pour quelqu'un, fût-ce votre mère, qui veut rester dans un taudis avec un frère qu'une chute sur la tête a laissé simplet.

Elle garde cette attitude durant tout le trajet en bus jusqu'à Janesboro. Puis, à la porte de la nouvelle maison, elle se met à fouiller son sac. Oh, mon Dieu ! fait-elle, j'ai dû laisser la clef là-bas, ce qui montre qu'elle ne voulait déjà pas quitter sa vieille maison. C'est ce que le caporal Dunphy m'a appris un jour à Fort Dix. Sa femme avait cette habitude d'oublier les clefs et, quand vous avez cette habitude, cela signifie que vous ne voulez pas rentrer à la maison. Cela signifie que vous appréhendez votre propre porte. Maintenant il faut que j'aille frapper à celle d'à côté pour voir si on me laissera faire le tour au cas où il y aurait une fenêtre ouverte par laquelle je pourrais entrer.

Ça me met de si mauvaise humeur que c'est tout juste si j'apprécie la nouvelle maison. Pour elle, c'est différent. Elle n'a pas plus tôt fait un pas dans l'entrée que la pâleur déserte son visage, que son nez perd sa pointe. La maison est déjà meublée, au moins a-t-elle fait ça, et la voilà qui dit ce que dirait toute mère de Limerick : Ma foi, on pourrait autant prendre une bonne tasse de thé. Elle fait penser au capitaine Boyle qui engueule Junon dans *Junon et le paon*[1] : *Tay, tay, tay,* un homme mourrait que vous essaieriez de lui faire avaler une tasse de *tay*.

_____

1. Pièce de théâtre de Sean O'Casey publiée en 1925. *(N.d.T.)*

18

Pendant toute mon enfance à Limerick, j'ai regardé les gens aller aux bals du Cruise Hotel ou du Stella Ballroom. Maintenant je peux y aller moi-même et, avec mon uniforme américain et mes galons de caporal, je n'ai pas à être le moins du monde timide avec les filles. Si elles me demandent si je suis allé en Corée et si j'ai été blessé, je leur adresserai un petit sourire et ferai celui qui n'a pas envie d'en parler. Je pourrais claudiquer un peu et ça me ferait une excuse acceptable pour ne pas danser comme il faut, ce dont j'ai d'ailleurs toujours été incapable. Il y aura peut-être au moins une chouette fille sensible à ma blessure, qui m'emmènera à une table prendre un verre de limonade ou de *stout*.

Bud Clancy est là-haut sur scène, avec son orchestre, et il me reconnaît à l'instant où j'entre. Il me fait signe de monter le voir. Comment vas-tu, Frankie ? De retour des guerres, ha ha ha. Voudrais-tu qu'on joue un morceau particulier ?

Je lui demande *American Patrol* et il parle dans le microphone : Mesdames et messieurs, voilà l'un des nôtres de retour des guerres, Frankie McCourt ! Et je suis radieux de voir que chacun me regarde. Ils ne regardent pas longtemps car, une fois que commence *American Patrol*, ils se mettent à tournoyer et à virevolter sur la piste. Je reste près de la scène en me demandant comment ils peuvent danser ainsi et faire comme si un caporal américain ne se trouvait pas parmi eux. Jamais je n'aurais cru être ignoré pareillement, et voilà que je dois inviter une fille à danser pour sauver la face. Les filles sont assises en rang d'oignons le long des murs, elles boivent de la limonade, elles papotent, et, quand je leur propose de danser, elles secouent la tête et répondent : Non merci. Il n'y en a qu'une pour dire oui, et, quand elle se lève, je remarque qu'elle boite, ce qui me plonge dans un fort embarras : ne devrais-je pas remettre ma claudication à plus tard de peur qu'elle n'imagine que je me moque d'elle ? Comme je ne peux la laisser plantée là toute la soirée, je la conduis sur la piste et remarque que chacun me regarde : sa boiterie est tellement prononcée qu'elle en perd presque l'équilibre chaque fois qu'elle prend appui sur sa jambe droite qui est plus courte que la gauche. C'est difficile de savoir que faire quand vous dansez avec une personne affligée d'une boiterie avancée. Je vois maintenant combien je serais ridicule d'adopter ma fausse claudication de guerre. Tout le monde rirait de nous, moi allant d'un côté, elle de l'autre. Qui pis est, je ne sais que lui dire. Je sais que, si on a le mot qu'il faut, on peut sauver n'importe quelle situation, mais j'ai peur de prononcer la moindre parole. Devrais-je dire : Désolé pour votre boiterie, ou bien : Comment avez-vous eu ça ? De toute manière, elle ne me laisse pas en placer une, car elle me lance d'entrée : Est-ce que vous allez bader comme ça toute la soirée ? et je ne peux que la mener au milieu de la piste tandis que l'orchestre de Bud Clancy joue *Chattanooga Choo Choo, Won't You Hurry Me Home*. Je me demande pourquoi Bud doit jouer des morceaux rapides quand des filles boiteuses comme ça sont à peine capables de mettre un pied devant l'autre. Pourquoi donc ne joue-t-il pas *Moonlight Serenade* ou *Sentimental Journey*, afin que je puisse mettre à profit les quelques pas qu'Emer m'a appris à New York ? Maintenant la fille me demande si je crois que c'est une marche funèbre, et je note son accent plat, caractéristique des quartiers pauvres de Limerick. Allez, l'Amerloque, balance un peu, fait-elle avant de reculer d'un pas et de tournoyer sur sa bonne jambe aussi vite qu'une toupie. Un autre couple se cogne à nous, qui la félicite : Épatant, Madeline, épatant ! Vous êtes au sommet de votre forme ce soir, Madeline ! Meilleure que Ginger Rogers en personne !

Le long du mur, des filles se marrent. Mon visage est en feu et je prie Dieu que Bud Clancy joue *Three O'Clock in the Morning* pour que je puisse ramener Madeline à sa chaise et renoncer pour toujours à la danse, mais non, Bud entame un morceau lent, *The Sunny Side of the Street*, et Madeline se presse contre moi, le nez collé à ma poitrine, et me fait traverser la piste à la va-comme-je-te-pousse, clopin-clopant, jusqu'au moment où elle se détache de moi et me dit que si c'est comme ça que dansent les Amerloques, eh bien, à dater de ce soir, elle dansera avec les hommes de Limerick, qui savent y faire, eux, et merci beaucoup, non, vraiment.

Les filles le long du mur se marrent de plus belle. Même les hommes qui ne trouvent personne pour danser avec eux et passent leur temps à boire des pintes rigolent aussi, et je sais que je ferais bien de partir car aucune ne dansera avec moi après le spectacle que j'ai donné. J'éprouve un tel sentiment de désespoir et de honte que je voudrais

119

qu'ils aient honte à leur tour, et le seul moyen d'arriver à ça est d'adopter la claudication dans l'espoir de les faire croire à une blessure de guerre, mais, me voyant sautiller vers la porte, les filles poussent des cris stridents et sont prises d'un tel fou rire que je dévale l'escalier et me retrouve dans la rue si honteux que j'ai envie de me jeter dans le Shannon.

Le lendemain, Maman me dit avoir appris que je suis allé au bal hier soir, que j'ai dansé avec Madeline Burke de Mungret Street, et tout le monde dit : N'était-ce pas fort bon de la part de Frankie McCourt de danser avec Madeline vu comment elle est, que Dieu nous vienne en aide, et lui dans son uniforme et tout le tralala.

Peu importe. Je ne sortirai plus dans mon uniforme. Je porterai des vêtements civils et personne ne sera à lorgner si je suis gras du cul. Si je vais à un bal, je me tiendrai au comptoir et boirai des pintes avec les hommes qui font ceux qui s'en fichent quand les filles disent non.

Il me reste dix jours de permission et j'aimerais que ce soit dix minutes afin de vite retourner à Lenggries et d'avoir tout ce que je veux en échange d'une livre de café et d'une cartouche de cigarettes. Maman dit qu'elle me trouve bien morose, mais je ne puis expliquer les sentiments étranges que j'éprouve pour Limerick après tous les mauvais moments de mon enfance et après m'être couvert de honte au bal. Je me fiche de savoir si j'ai été bon pour Madeline Burke et sa boiterie. Ce n'était pas pour ça que j'étais revenu à Limerick. Jamais plus je ne danserai avec une personne sans d'abord m'assurer qu'elle a les jambes de même longueur. Ce devrait être aisé si je les observe quand elles vont aux toilettes. À tout prendre, il est plus commode de se trouver avec Buck et Rappaport, et même Weber, en train d'emporter la lessive à Dachau.

Mais je ne peux rien raconter de tout ça à ma mère. C'est difficile de raconter quoi que ce soit à quiconque, surtout quand on a un peu roulé sa bosse. Vous vous êtes fait à un grand foyer d'énergie comme New York, où on peut être mort dans son lit depuis des jours avec une étrange odeur venant de sa chambre avant que quelqu'un se pose des questions. Puis vous êtes appelé sous les drapeaux et vous devez vous faire à des hommes venus de l'Amérique entière, de tous les genres et de toutes les couleurs. Une fois en Allemagne, vous regardez les gens dans la rue et dans les bars à bière. À eux aussi vous devez vous faire. Ils semblent ordinaires, encore que vous aimeriez vous pencher vers la tablée voisine et lancer : Quelqu'un ici a-t-il tué des Juifs ? Bien sûr, on nous a dit pendant les séances d'orientation militaire de garder nos bouches cousues et de traiter les Allemands comme des alliés dans la guerre contre le communisme athée, mais vous aimeriez tout de même demander par pure curiosité ou pour voir leur tête.

Pour ce qui est de rouler sa bosse, il n'est pire endroit que Limerick. J'aimerais bien me balader et être admiré pour mon uniforme et mes galons de caporal, et je suppose que je le serais si je n'avais grandi ici, mais je suis connu de trop de gens à cause du temps que j'ai passé à porter des télégrammes, à travailler pour Easons, et maintenant je ne récolte que des : Ah, Jaysus, Frankie McCourt, c'est-y toi ? As-tu pas fière allure ? Comment vont tes pauvres yeux et comment va ta malheureuse mère ? T'as jamais paru mieux, Frankie.

Je pourrais porter un uniforme de général mais, pour eux, je ne suis que Frankie McCourt, le petit télégraphiste à l'œil chassieux, à la malheureuse mère qui souffre.

Le meilleur à Limerick consiste à me promener avec Alphie et Michael, bien que Michael soit généralement occupé avec une fille qui est folle de lui. Toutes les filles sont folles de lui avec ses cheveux noirs, ses yeux bleus et son sourire timide.

Oh, Mikey John, disent-elles, n'est-il pas magnifique ?

Si elles disent ça devant lui, il rougit et elles ne l'en aiment que plus. Ma mère dit que c'est un sacré danseur, elle l'a entendu dire, et personne ne chante mieux que lui : *Quand avril déroule ses giboulées, elles s'en viennent de votre côté.* Un jour il prenait son repas quand la radio a annoncé la mort d'Al Jolson, et il s'est levé de table, en larmes, et n'a plus retouché à son repas. C'est gravissime quand un garçon ne retouche pas à son repas et ça a prouvé combien Michael adorait Al Jolson.

Avec tout son talent, je sais que Michael devrait aller en Amérique et il ira car j'y veillerai.

Il y a des jours où je marche seul dans les rues, en civil. J'ai la sensation, à visiter tous les endroits où nous avons vécu, d'être dans un tunnel à travers le passé, au bout duquel, je le sais, je serai content de ressortir. Me voilà devant Leamy's School, où me fut donnée l'éducation que j'ai maintenant, bonne ou mauvaise. À côté se trouve la Société de Saint-Vincent-de-Paul, où ma mère allait pour nous éviter de mourir de faim. Je vais par les rues, d'église en église, et les souvenirs sont partout. Il y a des voix, des chœurs, des hymnes, des prêtres sermonnant ou murmurant durant confesse. Je peux regarder les portes de chaque rue de Limerick et me dire que j'ai glissé des télégrammes sous chacune.

Je rencontre des maîtres de Leamy's National School, et ils me disent que j'étais un bon garçon même s'ils oublient comment ils me corrigeaient avec la baguette et la canne lorsque je n'arrivais pas à me souvenir des bonnes réponses pour le catéchisme ou des dates et des noms émaillant la longue et triste histoire de l'Irlande. Mr Scanlon m'explique que c'est inutile d'être en Amérique, à moins que je n'y fasse fortune, et Mr O'Halloran, le directeur, arrête sa voiture pour me demander comment se passe ma vie en Amérique et me remettre en mémoire ce que disaient les Grecs, qu'il n'est point de voie royale vers la connaissance. Il serait fort surpris, dit-il, que je tourne le dos aux livres pour me joindre aux boutiquiers du monde, pour farfouiller dans le panier de crabes. Il sourit de son sourire rooseveltien et repart.

Je croise des prêtres de notre église, Saint-Joseph, et d'autres églises où j'ai pu aller à confesse ou porter des télégrammes, mais ils m'ignorent. Il faut être riche pour obtenir le hochement de tête d'un prêtre, à moins qu'il s'agisse d'un franciscain.

Il n'empêche, je vais m'asseoir dans des églises silencieuses pour regarder les autels, les chaires, les confessionnaux. J'aimerais savoir à combien de messes j'ai assisté, combien de sermons m'ont flanqué la frousse de ma vie, combien de prêtres ont été choqués par mes péchés avant que je renonce une bonne fois à me confesser. Je sais que je suis damné, étant ce que je suis, encore que je me confesserais volontiers à un prêtre bienveillant si j'arrivais à en trouver un. Il m'arrive d'avoir envie d'être protestant ou juif car ils ne savent pas ce qu'ils font. Quand vous appartenez à la vraie Foi, il n'y a pas d'excuses et vous êtes piégé.

Il y a une lettre de la sœur de mon père, Tante Emily, disant que ma grand-mère espère que je pourrai faire un voyage dans le Nord pour les voir avant de repartir en Allemagne. Mon père habite chez eux, il travaille comme ouvrier agricole dans les environs de Toome, et lui aussi aimerait me voir après toutes ces années.

Cela ne m'ennuie pas de faire le voyage dans le Nord pour voir ma grand-mère, mais je me demande ce que je vais dire à mon père. Maintenant que j'ai vingt-deux ans, je sais, pour m'être promené dans Munich et Limerick et avoir regardé certains enfants dans les rues, que je ne pourrais jamais être le père qui les a abandonnés. Il nous a laissés quand j'avais dix ans pour aller travailler en Angleterre et nous envoyer de l'argent, mais, comme disait ma mère, il a préféré le biberon aux bébés. Maman me conseille d'aller dans le Nord car ma grand-mère est fragile et ne tiendra peut-être pas jusqu'à mon prochain séjour au pays. Elle dit qu'il y a des choses qu'on peut faire seulement une fois et que c'est aussi bien de les faire cette fois-là.

C'est surprenant qu'elle parle ainsi de ma grand-mère après l'accueil froid auquel elle a eu droit en arrivant d'Amérique avec mon père et quatre enfants en bas âge, mais il est deux choses au monde qu'elle déteste : tenir rancune et devoir de l'argent.

Si je vais dans le Nord par le train, je devrai porter mon uniforme pour l'admiration que je suis sûr de m'attirer, mais je sais que si j'ouvre le bec avec mon accent de Limerick les gens se détourneront ou plongeront leur tête dans des livres et des journaux. Je pourrais prendre un accent américain mais j'ai déjà tenté le coup avec ma mère et elle s'est mise à rire comme une folle. D'après elle, on aurait dit Edward G. Robinson parlant sous l'eau.

Si on m'adresse la parole, je peux me contenter de hocher la tête, ou de la secouer, ou de prendre un air de secrète tristesse venant d'une sévère blessure de guerre.

Tout cela est inutile. Les Irlandais sont tellement habitués aux soldats américains qui vont et viennent depuis la fin de la guerre que je pourrais aussi bien être invisible dans mon coin de compartiment du train pour Dublin puis Belfast. Aucune curiosité, personne ne demandant : Revenez-vous de Corée ? Ces Chinois ne sont-ils pas terribles ? et je n'ai même plus envie d'adopter la claudication. Une claudication est comme un mensonge, vous devez vous en souvenir pour le faire durer.

Ma grand-mère fait : *Och*, n'as-tu l'air superbe dans ton uniforme ? et Tante Emily fait : *Och*, te voilà un homme maintenant.

Mon père fait : *Och*, te voilà. Comment se porte ta mère ?

Superbement.

Et ton frère Malachy, et ton frère Michael, et ton petiot de frère, quel est son prénom, déjà ?

Alphie.

Och, aye, Alphie. Comment va ton petiot de frère, Alphie ?

Ils se portent tous superbement.

Il laisse échapper un petit : *Och*, puis, dans un soupir : C'est superbe.

Puis il désire savoir si je trinque, et ma grand-mère dit : Allons, Malachy, assez parlé comme ça.

Och, je voulais juste le mettre en garde au sujet de la mauvaise compagnie qu'on trouve dans les pubs.

C'est mon père qui nous a laissés quand j'avais dix ans pour dépenser dans les pubs de Coventry chaque penny qu'il gagnait, avec des bombes allemandes pleuvant tout autour de lui, sa famille près de mourir de faim à Limerick, et le voilà qui prend l'air d'un qui serait sous l'emprise de la grâce sanctifiante et je ne peux que me dire qu'il devait y avoir du vrai dans l'histoire qu'on racontait sur lui, qu'il était tombé sur la tête, ou dans l'autre histoire, qu'il avait eu une sorte de méningite.

Ce pourrait être une excuse pour la boisson, d'être tombé sur la tête ou d'avoir eu la méningite. Les bombes allemandes ne pourraient être une excuse car il y avait d'autres hommes de Limerick qui envoyaient de l'argent au pays de Coventry, pluie de bombes ou non. Il y a même eu des hommes qui ont rencontré des Anglaises et ont pourtant continué d'envoyer de l'argent au pays quoique cet argent se soit bientôt tari car les Anglaises sont connues pour ne pas apprécier que leur Irlandais entretienne sa famille au pays alors qu'elles-mêmes ont trois ou quatre morveux anglais qui courent partout en exigeant leur saucisse-purée. À la fin de la guerre, nombreux furent les Irlandais pris dans une telle panade, écartelés entre leur famille d'Irlande et celle d'Angleterre, qu'ils n'eurent d'autre choix que de sauter dans un bateau pour le Canada ou l'Australie, et plus de nouvelles, bonnes nouvelles.

Ce n'est pas mon père qui aurait fait ça. S'il a eu sept enfants de ma mère, c'est uniquement parce qu'elle était là dans le lit, accomplissant son devoir conjugal. Les Anglaises ne sont jamais aussi accommodantes. Elles ne souffriraient jamais qu'un Irlandais enhardi par deux ou trois pintes leur saute dessus et ça veut dire qu'il n'y a pas de petits bâtards McCourt courant les rues de Coventry.

Je ne sais que lui dire avec son petit sourire et son *Och, aye* car j'ignore si je parle à un homme sain d'esprit ou à celui tombé sur la tête ou à celui avec la méningite. Comment puis-je lui parler quand il se lève, enfonce ses mains dans ses poches de pantalon et arpente la maison d'un pas martial en sifflant *Lily Marlene* ? Tante Emily chuchote qu'il n'a pas bu un verre depuis belle lurette, et que c'est un rude combat pour lui. J'ai envie de répliquer que c'était un plus grand combat pour ma mère de nous garder tous en vie, mais je sais qu'il bénéficie de la compassion de sa famille au complet, et puis, de toute façon, à quoi bon revenir sur le passé ? Puis elle m'explique combien il a souffert des agissements honteux de ma mère avec son cousin, comment l'histoire a cheminé jusqu'au Nord, comme quoi ils vivaient maritalement, et puis, quand mon père a eu vent de la chose à Coventry, avec les bombes qui pleuvaient tout autour de lui, il en est devenu fou au point d'écumer les pubs jour et nuit et entre les deux. Les hommes revenant de Coventry racontaient comment mon père courait dans les rues pendant les raids aériens, dressant les bras vers la Luftwaffe et l'implorant d'en lâcher une sur sa pauvre tête tourmentée.

Ma grand-mère hoche la tête, bien d'accord avec Tante Emily, *Och, aye*. J'ai envie de leur rappeler que mon père buvait bien avant les mauvais jours à Limerick, qu'on devait le traquer dans les bars de tout Brooklyn. J'ai envie de leur dire que, si seulement il avait envoyé de l'argent, on aurait pu rester dans notre propre maison au lieu d'être expulsés et de devoir emménager chez le cousin de Maman.

Mais ma grand-mère est fragile et je dois me maîtriser. Mon visage est agité de contractions, de sombres nuages emplissent ma tête, et je ne peux que me lever et leur dire que mon père a bu tout au long des années, qu'il a bu quand les bébés sont nés, qu'il a bu quand les bébés sont morts, et qu'il a bu parce qu'il buvait.

Ma grand-mère fait : *Och*, Francis, puis elle secoue la tête comme pour désapprouver mes paroles, comme pour défendre mon père, et ça déclenche en moi une telle fureur que je ne sais plus du tout où j'en suis jusqu'au moment où je traîne mon barda au bas des marches et me retrouve sur la route de Toome avec Tante Emily qui m'appelle par-dessus la haie : Francis, oh Francis, reviens, ta grand-mère veut te parler, mais je continue de marcher bien que je brûle de rebrousser chemin, me disant que, aussi mauvais que soit mon père, j'aimerais du moins le connaître, que ma grand-mère a seulement fait ce qu'aurait fait toute mère, défendre son fils qui est tombé sur la tête ou a eu la méningite, et il se pourrait que je rebrousse chemin mais une voiture s'arrête et un homme propose de me déposer à la gare routière de Toome et, une fois que je suis dans la voiture, il n'est point de retour.

Je ne suis pas d'humeur à faire la causette mais je dois être poli envers l'homme, même quand il dit que les McCourt de Moneyglass sont une famille respectable, bien que catholique.

Bien que catholique.

J'aimerais dire à l'homme d'arrêter la voiture et de me laisser descendre avec mon barda mais, si je fais ça, je ne serai qu'à mi-chemin de Toome et je serai tenté de retourner à pied à la maison de ma grand-mère.

Je ne puis rebrousser chemin. Le passé ne passera pas dans cette famille, et puis on reparlerait sûrement de ma mère et de son grand péché, et ensuite on aurait une engueulade, et je me retrouverais à traîner mon barda sur la route de Toome.

L'homme me dépose et, tout en le remerciant, je me demande s'il défile le 12 juillet en battant du tambour avec les autres protestants, mais il a un visage gentil et je n'arrive pas à l'imaginer battant du tambour pour quoi que ce soit.

Tout le long du trajet en car pour Belfast, et dans le train de Belfast à Dublin, je brûle de retourner chez la grand-mère que je ne reverrai peut-être jamais plus, et de voir si je peux passer outre les petits sourires de mon père, et les *Och, aye*, mais, une fois que je suis dans le train pour Limerick, il n'est point de retour. Ma tête est encombrée d'images de mon père, de ma tante Emily, de ma grand-mère, et de la tristesse de leurs existences dans la ferme aux sept arpents inutiles. Et puis il y a ma mère à Limerick, quarante-quatre ans et sept enfants, dont trois morts, et qui ne veut, selon ses termes, qu'un peu de paix, d'aise et de confort. Il y a la tristesse de l'existence du caporal Dunphy à Fort Dix, et la tristesse de celle de Buck à Lenggries, tous deux ayant trouvé un foyer dans l'armée car ils ne sauraient que faire du monde extérieur, et je crains qu'à continuer de dévider ce genre de pensées les larmes ne viennent et je vais me couvrir de honte dans ce compartiment avec cinq voyageurs me lorgnant dans mon uniforme et chuchotant : Jaysus, quel est cet Amerloque qui sanglote dans son coin ? Ma mère dirait : Tu as la vessie bien près de l'œil, mais les voyageurs pourraient dire : Est-ce un échantillon de qui combat les Chinois à mains nues là-bas en Corée ?

Même s'il n'y avait pas une autre âme dans le compartiment, je devrais me maîtriser car le moindre soupçon de larme et le sel qui s'y trouve rendent mes yeux plus rouges qu'ils le sont déjà et je n'ai pas envie de descendre du train et de me balader dans les rues de Limerick avec des yeux comme deux trous de pisse dans la neige.

Ma mère ouvre la porte et s'agrippe la poitrine. Mère de Dieu, j'ai cru à une apparition ! Que fais-tu si tôt de retour ? Car enfin, n'es-tu pas parti seulement hier matin ? Envolé un jour, revenu le lendemain ?

Je ne peux lui dire que je suis de retour à cause des mauvaises choses qu'ils racontaient dans le Nord, sur elle et son horrible péché. Je ne peux lui dire qu'ils ont quasiment canonisé mon père pour ses souffrances à propos du même péché. Je ne peux lui dire car je ne veux pas être tourmenté par le passé ni écartelé entre le Nord et le Sud, Toome et Limerick.

Je dois mentir, lui raconter que mon père boit, et elle en a de nouveau le visage qui blémit et le nez qui pointe. Je lui demande pourquoi elle fait tant l'étonnée. N'est-ce pas ainsi qu'il a toujours été ?

Elle dit avoir eu l'espoir qu'il ait renoncé à la boisson afin que nous ayons un père à qui parler, fût-il dans le Nord. Elle aimerait que Michael et Alphie voient ce père qu'ils connaissent à peine, et elle ne voudrait pas qu'ils le voient dans sa frénésie. Quand il était sobre, c'était le meilleur mari du monde, le meilleur père. Il avait toujours une chanson ou une histoire ou un commentaire sur la situation du monde qui la faisait rire. Puis tout fut anéanti par la boisson. Vinrent les démons, que Dieu nous aide, et les enfants furent mieux sans lui. Elle-même est désormais mieux toute seule avec les deux ou trois livres qui rentrent, et la paix, l'aise et le confort qui vont avec, et la meilleure chose maintenant serait une bonne tasse de thé car je dois être affamé après mon expédition dans le Nord.

Tout ce que je peux faire des jours qui me restent à Limerick est de me balader encore, sachant que je vais devoir frayer mon chemin en

Amérique et que je ne serai pas de retour avant longtemps. Je m'agenouille dans l'église Saint-Joseph, près du confessionnal qui a entendu ma première confession. Je m'approche du balustre de l'autel pour regarder l'endroit où l'évêque, tapotant ma joue lors de la confirmation, a fait de moi un soldat de la vraie Église. De là je monte à Roden Lane où nous avons habité des années et me demande comment des familles peuvent encore y vivre, en partageant les seuls cabinets de la ruelle. La maison des Downes n'est plus qu'une carcasse, ce qui veut dire qu'il y a d'autres endroits où aller à part les taudis. Mr Downes a fait venir toute sa famille en Angleterre et voilà ce qu'il résulte de travailler sans boire le salaire qui doit aller à la femme et aux enfants. Je pourrais souhaiter avoir eu un père comme Mr Downes mais il n'en a pas été ainsi et rien ne sert de se plaindre.

19

Pendant les mois qui restent à tirer à Lenggries, il n'y a rien à faire la plus grande partie de la journée, à part tenir le magasin et lire les livres de la bibliothèque de la base.

Finis, les voyages à Dachau pour la lessive. Rappaport a raconté à quelqu'un notre visite au camp de réfugiés, l'histoire est remontée au capitaine et nous avons été convoqués et réprimandés pour conduite incompatible avec l'éthique militaire puis consignés pour deux semaines dans les quartiers. Rappaport dit qu'il est désolé. Il ne voulait pas qu'un crétin vende la mèche, mais le spectacle des femmes du camp lui a fait une horrible impression. Il me dit que je ne devrais pas fréquenter des types comme Weber. Buck est bien, mais Weber est tombé d'un arbre. Rappaport dit que je ne devrais penser qu'à acquérir de l'instruction, que, si j'étais juif, c'est tout ce que j'aurais en tête. Comment saurait-il que j'ai regardé les étudiants d'université à New York en rêvant d'être comme eux ? Il m'apprend qu'après ma libération mon statut de GI ayant participé à la guerre de Corée me vaudra une bourse de l'armée, ce qui me permettra d'aller à l'université. Mais à quoi bon, lui dis-je, puisque je n'ai même pas le brevet d'études secondaires ? À cela, Rappaport répond que je ne devrais pas penser à la raison pour laquelle je ne peux pas faire quelque chose. Je devrais penser à la raison pour laquelle je *peux* faire *cette* chose.

Ainsi parle Rappaport et je suppose que c'est ainsi quand vous êtes juif.

Je lui dis que je ne peux pas retourner à New York et faire des études secondaires si je dois gagner ma vie.

Le soir, répond Rappaport.

Et combien ça me prendra de temps pour avoir un brevet d'études secondaires de cette façon ?

Quelques années.

Je ne peux pas faire ça. Passer des années à travailler le jour et suivre des cours le soir. Je serais mort au bout d'un mois.

Qu'est-ce que tu vas faire d'autre, alors ?

Je ne sais pas.

Alors ? fait Rappaport.

Mes yeux sont rouges, suintants, et l'adjudant Burdick me met en maladie. Le médecin militaire veut savoir quel a été mon dernier traitement et, quand je lui parle du docteur de New York qui a diagnostiqué une maladie de Nouvelle-Guinée, il dit : C'est ça, c'est ce que vous avez, soldat, allez vous faire raser la tête et représentez-vous dans deux semaines. Ce n'est pas si embêtant de se faire raser la boule à l'armée vu le port obligatoire du calot ou du casque sauf que, si vous allez dans un *Bierstube*, les filles de Lenggries pourraient bien s'écrier : Oh, l'Irlandais a la chtouille ! et si vous tentez d'expliquer que ce n'est pas la chtouille, elles vous tapotent la joue et vous disent de venir les voir quand vous voulez, chtouille ou pas chtouille. Deux semaines plus tard, mes yeux ne connaissent aucune amélioration et le médecin dit que je dois retourner à l'hôpital militaire de Munich, en observation. Il n'est pas désolé d'avoir commis une grande erreur, de m'avoir fait raser la tête, cela ne l'ennuie pas qu'il ne s'agisse aucunement de pellicules ou de quoi que ce soit venant de Nouvelle-Guinée. Il déclare que les temps sont très durs, les Russes se massant comme ils le font sur la frontière, nos troupes doivent être en bonne santé, et il ne va pas prendre le risque que cette maladie oculaire de Nouvelle-Guinée se propage dans tout le commandement européen.

Ils me renvoient à nouveau en jeep ; cette fois, le chauffeur est un caporal cubain, Vinnie Gandia, qui est asthmatique et joue de la batterie dans la vie civile. Il a eu du mal à entrer dans l'armée, mais la musique marchait mollement, et il lui fallait un moyen d'envoyer de l'argent à sa famille à Cuba. Ils allaient le réformer durant les classes à cause de ses épaules si osseuses qu'il ne pouvait porter un fusil et moins encore un canon de mitrailleuse de calibre cinquante, quand la photo d'une serviette Kotex sur une boîte lui a fait voir la lumière. Bon Dieu. C'était ça. Il a glissé des Kotex sous sa chemise pour rembourrer ses épaules et s'est trouvé fin prêt à recevoir tout ce que l'armée pouvait lui balancer. Après m'être rappelé que Rappaport a fait la même chose, je me demande si Kotex sait combien ils ont aidé les combattants d'Amérique. Durant tout le trajet jusqu'à Munich, Vinnie dirige le volant avec ses coudes, de sorte qu'il peut taper de ses baguettes sur chaque surface dure. Il souffle des bribes de chansons, *Monsieur Comment-vous-appelez-ça-déjà, qu'est-ce vous faites ce soir*, et *bap bap da do bap do do di do bap* pour aller avec le rythme, et le voilà tellement excité que l'asthme le prend et il suffoque si fort qu'il doit arrêter la jeep et actionner son inhalateur. Il pose son front sur le volant et, quand il lève les yeux, il y a des larmes sur ses joues, causées par ses efforts pour respirer. Il me dit que je devrais être content d'avoir seulement des yeux infectés. Il aimerait mieux avoir les yeux infectés que de l'asthme. Il pourrait encore jouer de la batterie sans devoir s'arrêter pour prendre son foutu inhalateur. Des yeux infectés n'ont jamais arrêté un batteur. Cela lui serait égal de devenir aveugle, du moment qu'il pourrait jouer de la batterie. À quoi bon vivre si vous ne pouvez pas jouer de votre foutue batterie ? Les gens n'apprécient pas de ne pas avoir d'asthme. Ils sont là à gémir et à maudire la vie, et que je te respire à longueur de journée, que je te respire bien, normalement, comme si ça allait de soi. Donnez-leur rien qu'un jour d'asthme, et ils passeront le reste de leur vie à remercier Dieu pour chaque souffle expulsé de leurs poumons, rien qu'un jour. Il va devoir inventer une sorte de gadget à mettre sur la tête afin de pouvoir respirer tout en jouant, un genre de casque peut-être, et vous voilà à respirer comme un bébé au grand air et à cogner à tout va sur ces fûts, merde, mon gars, ce serait le paradis. Gene Krupa, Buddy Rich, ils n'ont pas d'asthme, ces enfoirés de veinards. Il dit que, si j'y vois encore à ma sortie de l'armée, il m'emmènera dans des clubs de la 52e Rue, la plus chouette rue au monde. Et si je n'y vois pas, eh bien, il m'emmènera quand même. Merde, tu n'as pas besoin d'y voir pour entendre la musique, mon gars, et est-ce que ça ne serait pas quelque chose, lui suffoquant et moi avec une canne blanche ou un chien d'aveugle d'un bout à l'autre de la 52e Rue ? Je pourrais m'asseoir avec ce gus aveugle, Ray Charles, et on pourrait comparer nos partitions. Cela fait marrer Vinnie et revenir la crise, et une fois qu'il a repris sa respiration il dit que l'asthme est un vicelard car si on pense à un truc marrant on rit et ça vous coupe le souffle. Cela le fout en l'air la façon dont les gens se marrent comme si ça aussi allait de soi sans jamais penser à ce que ce serait de jouer de la batterie avec de l'asthme, sans jamais penser à ce que ça fait de ne pas pouvoir rire. Les gens ne pensent tout simplement pas à ce genre de choses.

À Munich, le médecin militaire dit que le docteur de New York et le toubib de Lenggries ont déconné à pleins tubes, et il verse dans mes yeux quelque chose d'argenté, qui brûle comme de l'acide. Il me dit : Arrêtez de geindre, soyez un homme, vous n'êtes pas le seul élément à avoir cette infection, bon sang. Je devrais me féliciter de ne pas être un élément en Corée à me faire canarder le cul, que la moitié de ces éléments gras du cul stationnés en Allemagne devraient être là-bas à se battre avec leurs *pays* en Corée. Il me demande de regarder en haut, en bas, à droite, à gauche, et ça fera aller les gouttes dans chaque recoin de mes yeux. Et comment diable, il veut le savoir, comment diable ont-ils laissé entrer une paire d'yeux pareils dans cette armée d'hommes ? Une bonne chose qu'ils m'aient envoyé en Allemagne. En Corée, il m'aurait fallu un chien d'aveugle pour combattre les foutus éléments chinetoques. Je dois rester quelques jours à l'hôpital et, si je garde les yeux ouverts et la bouche fermée, je serai un élément correct.

Je ne sais pourquoi il n'arrête pas de me traiter d'élément et je commence à me demander si les médecins oculistes dans leur ensemble ne seraient pas différents des autres médecins.

Le meilleur du séjour à l'hôpital est que, même avec les yeux amochés, je peux lire toute la journée et fort avant dans la nuit. Le médecin dit que je suis censé reposer mes yeux. Il demande à l'infirmier de verser le liquide argenté dans les yeux de l'élément que voilà chaque jour jusqu'à nouvel ordre, mais l'infirmier, Apollo, me dit que le toubib déconne et il apporte un tube de pommade à la pénicilline qu'il m'applique sur les paupières. Apollo sait une chose ou deux car il est allé à l'école de médecine mais a dû lâcher prise en cours de route pour cause de cœur brisé.

L'infection disparaît en une journée et maintenant j'ai peur que le médecin me renvoie à Lenggries, et ce sera la fin de mes jours peinards à lire Zane Grey, Mark Twain, Herman Melville. Apollo me dit de ne pas me tracasser. Si le médecin vient dans ma salle, je devrai me frotter les yeux avec du sel et ils auront l'air de...

Deux trous de pisse dans la neige, dis-je.

Exact.

Je lui raconte que ma mère me faisait frotter mes yeux avec du sel pour qu'ils paraissent amochés afin qu'on ait l'argent pour acheter de la nourriture à un sale type de Limerick. Apollo dit : Ouais, mais on parle de maintenant, là.

Il s'enquiert de ma ration de café et de cigarettes dont, à l'évidence, je n'ai pas usage, et il se ferait un plaisir de m'en débarrasser en échange de la pommade à la pénicilline et du traitement au sel. Autrement le médecin rappliquera avec le machin argenté et, en un rien de temps, je me retrouverai à Lenggries en train de compter draps et couvertures pendant les trois mois me séparant de ma libération. Apollo dit que Munich grouille de femmes et que c'est facile de tirer un coup mais il veut de la poule de haute volée et pas d'une pute quelconque dans un immeuble bombardé.

La cause de toutes mes infortunes est un livre de Herman Melville intitulé *Pierre ou les Ambiguïtés*, qui ne ressemble en rien à *Moby Dick* et est tellement rasoir qu'il m'endort au milieu de la journée, et voilà que le médecin me secoue et agite le tube de pénicilline oublié par Apollo.

Réveillez-vous, bon sang. Où avez-vous eu ça ? Par Apollo, hein ? L'élément Apollo. Ce foutu lâcheur d'une minable école de médecine du Mississippi.

Il fonce à la porte et vocifère dans le couloir : Apollo, ramenez votre cul ici ! et on distingue la voix d'Apollo : Oui, monsieur, oui, monsieur.

Vous, bon sang, vous. Avez-vous fourni ce tube à cet élément ?

En quelque sorte, monsieur, oui, monsieur.

Que diable voulez-vous dire ?

Il souffrait, monsieur, il hurlait avec ses yeux.

Comment diable hurle-t-on avec ses yeux ?

Je parle de la douleur, monsieur. Il hurlait. J'ai dû recourir à la pénicilline.

Qui vous l'a dit, hein ? Vous êtes un foutu docteur ?

Non, monsieur. C'est juste quelque chose que je les ai vus faire dans le Mississippi.

Que le Mississippi aille se faire mettre, Apollo.

Oui, monsieur.

Et vous, soldat, qu'est-ce que vous êtes en train de lire avec ces yeux ?

Pierre ou les Ambiguïtés, monsieur.

Bon Dieu. Et de quoi ça cause ?

Je ne sais pas trop, monsieur. Pour résumer, il y a ce gars-là, Pierre, qui est coincé entre une brune et une blonde. Il essaie d'écrire un livre dans une piaule à New York et il a tellement froid que les femmes doivent chauffer des briques pour ses pieds.

Bon Dieu. Vous allez me rejoindre votre bataillon, soldat. Si vous pouvez rester ici sur votre cul à lire des livres sur des éléments pareils, vous pouvez redevenir un élément actif. Et vous, Apollo, vous avez de la chance que je ne fasse pas passer votre cul au tourniquet.

Oui, monsieur.

Rompez.

Le lendemain, Vinnie Gandia me ramène à Lenggries et il conduit sans ses baguettes. Il dit qu'il ne peut plus faire ça, qu'il a failli se tuer la dernière fois, après m'avoir amené à Munich. On ne peut pas conduire, battre et maîtriser son asthme en même temps, c'est aussi simple que ça. Il a fallu choisir, et les baguettes ont dû partir. S'il avait un accident qui lui abîmerait les mains et l'empêcherait de jouer, il se mettrait la tête dans le four, c'est aussi simple que ça. Il a hâte de retrouver New York et de traîner sur la 52e Rue, la plus chouette rue au monde. Il me fait promettre qu'on se retrouvera à New York, et il m'emmènera dans tous les bons clubs de jazz, rien à casquer, car il connaît tout le monde et ils savent que s'il n'avait pas ce foutu asthme il serait là-haut sur scène avec Krupa et Rich, là-haut sur scène.

Il y a une loi disant que je peux signer pour neuf autres mois dans l'armée et couper aux six ans de réserve. Si je rempile, on ne peut pas me rappeler chaque fois que les États-Unis décident de défendre la démocratie dans des régions lointaines. Je pourrais passer les neuf mois ici dans le magasin à distribuer draps, couvertures, préservatifs, à boire de la bière au village, à aller voir une fille de temps en temps, à lire les livres de la bibliothèque de la base. Je pourrais refaire un voyage en Irlande pour dire à ma grand-mère mon chagrin d'être parti sur un coup de tête. Je pourrais prendre des leçons de danse à Munich afin que toutes les filles de Limerick fassent la queue pour venir sur la piste avec moi, qui, d'ici là, aurais sûrement mes galons de sergent que j'obtiendrais sûrement.

Mais je ne peux me permettre neuf autres mois en Allemagne avec les lettres d'Emer me disant qu'elle compte les jours jusqu'à mon retour. Je ne m'étais jamais douté qu'elle m'aimait aussi bien et maintenant je l'aime bien de bien m'aimer car c'est la première fois de ma vie qu'une fille me sort un truc pareil. Je suis tellement excité d'être bien aimé par Emer que j'écris et lui dis que je l'aime et elle me répond qu'elle m'aime aussi, et ça m'envoie au septième ciel et me donne envie de faire mon barda et de sauter dans un avion pour me retrouver à son côté.

J'écris pour dire combien elle me manque et comment je suis ici à Lenggries à respirer le parfum de ses lettres. Je rêve de la vie que nous aurons à New York, comment j'irai à mon boulot chaque matin, un emploi douillet de fonctionnaire où je serai assis à un bureau et griffonnerai d'importantes décisions. Chaque soir nous irons dîner et nous coucherons tôt afin d'avoir plein de temps pour l'excitation.

Bien sûr, je ne peux mentionner la partie excitation dans les lettres car Emer est pure, et si jamais sa mère savait que j'ai de tels rêves la porte me serait claquée au nez pour toujours et je me retrouverais privé de la compagnie de la seule fille qui ait jamais dit qu'elle m'aimait bien.

Je ne puis décrire à Emer la convoitise que j'ai éprouvée pour les étudiantes au Biltmore. Je ne puis lui raconter mes séances avec les filles de Lenggries, celles de Munich, celle du camp de réfugiés. Elle serait tellement choquée qu'elle risquerait d'en parler à toute sa famille, surtout à son grand frère Liam, et il y aurait des menaces sur ma vie.

Rappaport dit qu'avant de se marier on a l'obligation de raconter à

133

sa promise toutes les choses qu'on a faites avec d'autres filles. Des conneries, fait Buck, la meilleure chose dans la vie c'est de la fermer, surtout avec quelqu'un qu'on va épouser. C'est comme à l'armée, ne jamais parler, ne jamais se porter volontaire.

Moi je ne dirais rien à carrément personne, intervient Weber, et Rappaport lui dit d'aller se balancer à un arbre. Weber ajoute que quand il se mariera il fera juste une chose pour la fille, il s'assurera qu'il n'a pas la chtouille car ça peut se transmettre et il ne voudrait pas qu'un gosse à lui naisse avec la chtouille.

Bon Dieu ! fait Rappaport. Mais c'est que la bête a des sentiments !

La veille au soir de mon retour au pays, il y a une fête dans un restaurant de Bad Tölz. Officiers et sous-officiers viennent accompagnés de leur épouse et ça veut dire que les hommes du rang ne peuvent venir avec leur bonne amie allemande. Les épouses d'officiers y trouveraient à redire, étant donné que certains hommes du rang ont une épouse qui les attend au pays et qu'il serait inconvenant d'être assises auprès de filles allemandes susceptibles de détruire de bonnes familles américaines.

Le capitaine fait un discours puis déclare que j'ai été un des meilleurs soldats qu'il ait jamais eus sous ses ordres. L'adjudant Burdick parle à son tour puis me présente un papier roulé rendant hommage à mon strict contrôle des draps, couvertures et moyens de protection.

Quand il dit *moyens de protection*, ça ricane le long des tables jusqu'à ce que les officiers jettent aux hommes de rang des regards noirs qui signifient : Arrêtez votre cirque, nos épouses sont là.

L'un des officiers a une épouse, Belinda, qui est de mon âge. Si elle n'avait pas un mari, j'aurais pu boire quelques bières pour me donner le courage de lui parler mais point n'est besoin car elle se penche vers moi et chuchote que toutes les épouses me trouvent bel homme. J'en rougis si fort que je dois aller aux toilettes, et quand je reviens Belinda est en train de dire quelque chose aux autres épouses, qui les fait rire, et voilà qu'elles me regardent, rient de plus belle, et je suis sûr qu'elles rient de ce que Belinda m'a dit. J'en rougis de nouveau et me demande si on peut se fier à quiconque en ce monde.

Buck semble avoir compris ce qu'il en est. Au diable ces femmes, Mac, murmure-t-il. Elles ne devraient pas se moquer de toi comme ça.

Je sais qu'il a raison mais je suis triste que le dernier souvenir de Lenggries que j'emporterai avec moi soit Belinda et les moqueries des autres épouses.

20

Le jour où j'ai été libéré de l'armée, à Camp Kilmer, j'ai retrouvé Tom Clifford dans Manhattan, au Breffni Bar de la Troisième Avenue. Nous avons pris corned-beef et chou enduit de moutarde, avec force bière pour rafraîchir nos bouches. Tom a déniché dans le South Bronx une pension irlandaise avec petit déjeuner, Logan's Boarding House, et, une fois que j'y aurais posé mon barda, nous allions pouvoir redescendre voir Emer après son travail dans son appartement de la 54e Rue Est.

Mr Logan avait l'apparence d'un vieil homme, avec une tête chauve et un visage rougeaud, sanguin. Vieux, il l'était peut-être, mais il avait une femme jeune, Nora de Kilkenny, et un bébé âgé de quelques mois. Il m'a expliqué qu'il occupait un rang élevé tant dans l'Ancien Ordre des Hiberniens que chez les Chevaliers de Colomb, et que je ne devais pas me méprendre sur ses vues en matière de religion et, plus généralement, de moralité, qu'aucun de ses douze pensionnaires ne pouvait escompter un petit déjeuner dominical à moins qu'il prouve être allé à la messe et, si cela se pouvait, avoir reçu la sainte communion. Pour ceux qui avaient communié, et pouvaient produire au moins deux témoins pour en attester, des saucisses étaient incluses dans le petit déjeuner. Bien sûr, chaque pensionnaire en trouvait toujours deux autres pour témoigner de sa communion. On témoignait à qui mieux mieux et Mr Logan avait fini par être si contrarié de ses dépenses en saucisses qu'un matin il s'était déguisé avec le chapeau et le manteau de Nora et était allé à pas menus jusqu'au milieu de l'église pour découvrir non seulement que les pensionnaires ne communiaient pas, mais que Ned Guinan et Kevin Hayes étaient bien les seuls à se rendre à la messe. Les autres étaient partis pour Willis Avenue, s'étaient glissés dans un bar par la porte de service afin de prendre quelques verres bien avant l'ouverture légale, midi, et quand, à leur retour, ils s'étaient présentés, titubants et empestant l'alcool, pour le petit déjeuner

Mr Logan avait voulu flairer leur haleine. Ils lui avaient dit d'aller se faire foutre, c'était un pays libre, et, s'ils devaient se faire flairer l'haleine pour une malheureuse saucisse, eh bien ils se contenteraient des œufs et du lait noyés d'eau, du pain rassis et du thé faiblard.

De même on devait s'abstenir de jurons et autre canaillerie dans la maison de Mr Logan sous peine de devoir prendre définitivement congé. Il n'allait pas permettre que son épouse et son enfant, Luke, soient exposés aux indécences, quelles qu'elles soient, de douze jeunes pensionnaires irlandais. Nos lits pouvaient bien se trouver au sous-sol, il serait infailliblement informé de tout comportement indécent. Non, vraiment, cela prenait des années pour asseoir un commerce hôtelier et il n'allait pas laisser douze tâcherons du vieux pays ficher ça en l'air. C'était déjà embêtant que des Noirs s'installent à droite et à gauche, dégradant le voisinage, des gens dénués de moralité, sans travail et sans père pour leurs enfants qui couraient les rues comme des sauvages.

Le prix de la semaine avec petit déjeuner était de dix-huit dollars et, si je voulais dîner, c'était un dollar de plus par jour. Il y avait huit lits pour douze pensionnaires, cela parce que chacun travaillait à différents horaires sur les docks et dans divers entrepôts, et quelle était l'utilité d'avoir des lits supplémentaires encombrant les deux pièces du sous-sol puisque le seul moment où tous les lits se trouvaient occupés était le samedi soir, quand vous deviez pieuter avec quelqu'un d'autre ? De toute façon, peu importait, ça tombait le soir où vous alliez prendre une cuite dans St. Nicholas Avenue et que, cela fait, il vous était bien égal de dormir avec un homme, une femme ou un mouton.

Il y avait une seule salle de bains pour nous tous, apportez votre savon, et deux serviettes tout en longueur qui sans doute avaient été blanches à une époque donnée. Chaque serviette présentait une ligne noire séparant le haut du bas, et c'était ainsi qu'on était censé les utiliser. Au mur, une pancarte écrite à la main vous avisait que le haut servait pour toute la région supérieure à votre nombril, et le bas pour toute la région inférieure, signé : *J. Logan, prop.* Les serviettes étaient changées chaque quinzaine, ce qui n'empêchait pas du tirage entre les pensionnaires qui avaient le souci du règlement et ceux qui avaient plutôt un coup dans l'aile.

Chris Wayne de Lisdoonvarna était le doyen des pensionnaires, quarante-deux ans, travaillant dans le bâtiment et économisant pour faire venir sa bonne amie, vingt-trois ans, afin qu'ils puissent se marier et avoir des enfants pendant qu'il avait encore un peu de ressort. Les pensionnaires l'appelaient Le Duc à cause de son nom de famille et du côté ridicule qu'il avait. Il ne buvait ni ne fumait, assistait à la messe et communiait chaque dimanche, et il prenait grand soin de nous éviter. Des mèches grises parsemaient sa chevelure noire et bouclée, et il était émacié à force de piété et de frugalité. Il avait sa propre serviette, un savon et une paire de draps qu'il gardait dans un sac de peur qu'on s'en serve. Chaque soir il s'agenouillait près de son lit et récitait tout le rosaire. Il était le seul à s'être assuré un lit bien à lui car personne, ivre ou à jeun, n'aurait couché avec lui ou utilisé le lit en son absence à cause de l'odeur de sainteté qui planait autour. Il travaillait de huit heures à cinq heures et dînait chaque soir avec les Logan. Ces derniers l'en appréciaient car cela apportait sept dollars supplémentaires par semaine, et ils l'appréciaient plus encore pour les petites quantités dont il nourrissait sa maigre charpente. Ils ne l'appréciaient plus autant par la suite, lorsqu'il commença à tousser, à cracher, à consteller son mouchoir de taches de sang. Ils lui expliquèrent qu'ils devaient songer à leur enfant et qu'il ferait mieux de trouver un autre endroit. Le Duc dit à Mr Logan qu'il était un fils de pute et un pathétique salopard qui lui faisait de la peine. Si Mr Logan croyait vraiment être le père de cet enfant, il devrait regarder d'un peu plus près ses pensionnaires, et, à supposer qu'il ne soit pas complètement aveugle, il ne manquerait pas de déceler une ressemblance marquée avec l'enfant sur le visage de l'un d'eux. Mr Logan se leva péniblement de son fauteuil et souffla que, n'eût-ce été son cœur fragile, il aurait tué Chris Wayne sur-le-champ. Il voulut se colleter avec Le Duc, mais son cœur ne le lui permit pas et il dut subir les cris d'orfraie de Nora de Kilkenny, qui le suppliait d'arrêter s'il ne voulait pas qu'elle se retrouve veuve avec un enfant orphelin.

Le Duc s'esclaffa tout son soûl, puis souffla à Nora : Ne vous en faites pas, cet enfant aura toujours un père. Pardi, n'est-il pas dans cette pièce même ?

Il sortit de la pièce en toussant de plus belle, prit l'escalier menant au sous-sol, et nul ne le revit jamais.

Ce fut difficile d'habiter là après ça. Mr Logan se montra soupçonneux à l'égard de chacun et on l'entendait vociférer à toute heure après Nora de Kilkenny. Il ôta une des deux serviettes, lésina en achetant du vieux pain à la boulangerie et en servant du lait et des œufs en poudre au petit déjeuner. Un jour il voulut nous faire tous aller à confesse pour observer nos visages et savoir si Le Duc avait dit vrai. Nous refusâmes. Seuls quatre pensionnaires résidaient depuis assez longtemps dans la maison pour être suspects, et Peter McNamee, le plus ancien, alla dire en face à Mr Logan que frayer avec Nora de Kilkenny était la dernière chose à laquelle il aurait songé. C'était un tel sac d'os à force de tenir la baraque à bout de bras qu'on pouvait l'entendre grincer et cliqueter quand elle montait l'escalier.

Mr Logan a suffoqué un instant dans son fauteuil, puis a dit à Peter : Cela me blesse, Peter, que vous disiez que ma femme cliquette, vous, le meilleur pensionnaire que nous ayons jamais eu, même si nous avons longtemps été bernés par la fausse piété de l'individu qui est parti il y a peu, Dieu merci.

Je suis navré de vous blesser, Mr Logan, mais Nora de Kilkenny n'est aucunement un morceau de choix. Personne ici ne lui accorderait un second regard sur une piste de danse.

Mr Logan nous a dévisagés un par un. Est-ce vrai, mes gaillards ? Est-ce exact ?

Tout à fait, Mr Logan.

En êtes-vous sûr, Peter ?

Oui, Mr Logan.

Que Dieu en soit remercié, Peter.

Les pensionnaires se font du bon argent sur les docks et dans les entrepôts. Tom travaille aux Entrepôts portuaires, il charge et décharge des camions, et, s'il fait des heures supplémentaires, il passe à un temps et demi, voire à un temps double, de sorte que son salaire excède largement cent dollars par semaine.

Peter McNamee travaille à la Merchants Refrigerating Company, il décharge la viande des camions frigorifiques de Chicago puis l'emmagasine. Les Logan l'apprécient pour les grosses pièces de bœuf ou de porc qu'il trimbale à la pension chaque vendredi soir, ivre ou à jeun, et cette viande vient en remplacement des dix-huit dollars. On n'en voit jamais la couleur, et certains pensionnaires jurent que Mr Logan la vend à un boucher de Willis Avenue.

Tous les pensionnaires boivent, même s'ils prétendent vouloir faire des économies et rentrer en Irlande pour la paix et la tranquillité qui s'y trouvent. Seul Tom dit qu'il n'y retournera jamais, que l'Irlande est une misérable tourbière, et les autres prennent ça comme un affront personnel et proposent d'aller régler la chose dehors si ça ne le dérange pas. Tom rigole. Il sait ce qu'il veut, et ce n'est pas une vie passée à se bagarrer, à boire, à gémir sur l'Irlande et à se partager des serviettes dans des taules comme celle-ci. Le seul d'accord avec Tom est Ned Guinan et peu importe ce qu'il en est de lui car il a la phtisie comme Le Duc et n'en a pas pour longtemps en ce monde. Il essaie d'économiser assez afin de pouvoir retourner chez lui dans le Kildare et mourir dans la maison qui l'a vu naître. Il rêve du Kildare, se voit appuyé sur une barrière du Curragh à observer l'entraînement matinal des chevaux qui trottent à travers la brume couvrant la piste jusqu'au moment où le soleil perce et colore de vert le monde entier. Quand il raconte ça, ses yeux scintillent, ses joues rosissent, et il sourit d'une façon qui vous donne envie d'aller à lui et de le tenir un instant dans vos bras, bien que ce soit le genre de geste qui pourrait faire sourciller dans une pension irlandaise. Il est remarquable qu'on lui permette de rester ici, mais Ned est si délicat que Mr Logan le traite comme un fils et en oublie le bébé que pourraient menacer les quintes de toux, les crachats et les mouches de sang. De même est-il remarquable qu'on le garde à l'Entrepôt Baker et Williams, où il répond au téléphone dans le bureau car sa faiblesse lui interdit de lever une plume. Quand il ne répond pas au téléphone, il étudie le français pour pouvoir parler à sainte Thérèse, la Petite Fleur, quand il ira au Ciel. Mr Logan lui fait observer très gentiment qu'il pourrait bien faire fausse route en cette matière, que le latin est la langue en vigueur au Ciel, d'où une longue discussion entre les pensionnaires quant à la langue que parlait Notre-Seigneur, Peter McNamee affirmant que c'était l'hébreu, ce qu'approuve ainsi Mr Logan : Vous auriez peut-être bien raison sur ce point, Peter, car il ne veut point contredire l'homme qui apporte la viande du dimanche chaque vendredi soir. Tom Clifford dit en riant qu'on devrait tous toiletter un tantinet notre irlandais des fois qu'on tomberait sur saint Patrick ou sainte Brigid, et tous de le foudroyer du regard, tous sauf Ned Guinan qui sourit de tout car peu importe ceci ou cela quand vous êtes à rêver des chevaux du Kildare.

Peter McNamee ajoute que c'est déjà un miracle qu'un seul d'entre nous soit encore vivant avec toute l'adversité que nous rencontrons en ce monde, le climat en Irlande, la tuberculose, les Anglais, le gouvernement De Valera, l'Église catholique, une, sainte, apostolique et romaine, et, maintenant, la façon dont on doit se crever le cul pour gagner une poignée de dollars sur les docks ou dans les entrepôts. Mr Logan le prie de surveiller son langage en présence de Nora de Kilkenny et Peter dit qu'il est désolé, qu'il s'est laissé emporter.

Tom me parle d'un boulot consistant à décharger des camions aux Entrepôts portuaires. Emer dit non, je devrais travailler dans un bureau où je pourrais utiliser ma jugeote. Tom dit que les boulots de manutention sont préférables aux emplois de bureau qui paient moins, vous obligent à porter costume-cravate et à rester tellement assis que vous finissez par vous choper un cul grand comme un portail de cathédrale. J'aimerais bien travailler dans un bureau, mais les entrepôts paient soixante-quinze dollars par semaine et c'est plus que j'ai jamais rêvé après mes trente-cinq dollars hebdomadaires au Biltmore. Emer dit que c'est très bien, du moment que j'arrive à économiser et à acquérir une éducation. Elle parle comme ça parce que tout le monde est allé à l'école dans sa famille et qu'elle n'a pas envie que je lève et traîne des poids jusqu'à ce que je sois un vieil homme brisé à l'âge de trente-cinq ans. À la façon dont Tom et moi parlons des pensionnaires, elle devine que ça boit sec et qu'il y a de la canaillerie en veux-tu en voilà, et elle ne voudrait pas que je passe mon temps dans les bars alors que je pourrais arriver à quelque chose.

Emer a l'esprit lucide car elle ne boit pas, ne fume pas, et la seule viande qu'elle se permet de temps à autre est un morceau de poulet pour sa circulation. Elle va à une école de commerce au Rockefeller Center dans le but de gagner sa vie et d'arriver à quelque chose en Amérique. Je sais que son esprit lucide est bon pour moi mais j'ai besoin de cet argent qu'offrent les entrepôts et je promets, à elle comme à moi-même, que j'irai un jour à l'école.

Mr Campbell Groel, propriétaire des Entrepôts portuaires, n'est pas trop sûr de vouloir m'engager, je serais peut-être un rien trop maigrichon. Puis il se tourne vers Tom Clifford qui, bien que plus petit et plus maigrichon que moi, est le meilleur travailleur du quai, et, si je suis à moitié aussi costaud et rapide que lui, eh bien, j'ai le boulot.

Le chef de quai est Eddie Lynch, un gros type de Brooklyn. Quand il nous parle, à moi ou à Tom, il rit et prend un accent à la Barry Fitzgerald[1] que je ne trouve pas drôle du tout même si je suis bien obligé de sourire puisque c'est lui le chef et qu'il me faut les soixante-quinze dollars chaque vendredi.

Midi venu, on se pose sur le quai avec notre déjeuner acheté au *diner* du coin, longs sandwichs à la saucisse de foie avec oignons dégoulinants de moutarde et bière Rheingold si froide que j'en ai mal au front. Les Irlandais parlent de ce qu'ils ont bu la veille au soir et ils rigolent de leurs grandes souffrances de ce matin. Les Italiens mangent ce qu'ils ont apporté de chez eux et se demandent comment nous pouvons bouffer cette merde de saucisse de foie. Les Irlandais sont vexés et veulent en découdre, sauf qu'Eddie Lynch vient déclarer que toute personne mêlée à une bagarre sur ce quai pourra chercher du boulot ailleurs.

Il y a un seul Noir, Horace, et il se pose loin de nous tous. Il sourit de temps en temps et ne dit rien car c'est comme ça.

À cinq heures, quand nous avons fini, quelqu'un va dire : C'est bon, allons nous taper une bière, une seule, juste une, et on se marre tous à l'idée de prendre une seule bière. Dans les bars, on boit en compagnie de dockers des appontements, qui sont toujours à s'engueuler pour décider si leur syndicat, l'ILA, devrait se joindre à l'AFL ou au CIO,

---

1. Américain d'origine irlandaise, Fitzgerald passa du théâtre au cinéma en 1930, dans *Junon et le paon* d'Alfred Hitchcock. (*N.d.T.*)

et quand ils ne s'engueulent pas là-dessus ils s'engueulent à propos des pratiques d'embauche déloyales. Les recruteurs et les chefs d'équipe vont dans différents bars plus à l'intérieur de Manhattan, de crainte d'avoir des problèmes sur les quais.

Il y a des soirs où je reste dehors si tard et suis tellement abruti d'alcool qu'il serait absurde de retourner dans le Bronx alors que c'est aussi simple de dormir sur le quai près des feux que font les clochards de la rue dans de grands bidons, jusqu'au moment où Eddie Lynch rapplique avec son accent à la Barry Fitzgerald et nous lance : On décolle le cule et on se met debout ! Même quand j'ai la gueule de bois, j'ai envie de lui dire que point n'est besoin de prononcer le *l* de *cul*, mais il est de Brooklyn, c'est lui le chef et il dira toujours *cule*.

Lorsqu'il y a du travail de nuit sur les appontements, des bateaux à décharger, et qu'il n'y a pas assez de dockers de l'ILA disponibles, on engage des débardeurs comme moi, affiliés aux Teamsters [1]. Vous devez prendre garde à ne pas piquer son job à un docker car il ne pensera pas à deux fois avant de vous lancer un crochet de chargement à la tête puis de vous balancer entre bateau et quai afin que vous soyez écraboillé au point d'en être méconnaissable. Ils gagnent plus d'argent sur les docks que nous dans les entrepôts, mais la besogne est intermittente et ils doivent se la disputer chaque jour. J'ai sur moi mon crochet de l'entrepôt, mais n'ai jamais appris à m'en servir à d'autres fins que de levage.

Après trois semaines à l'entrepôt, et toutes les saucisses de foie, et toute la bière, me voilà plus maigrichon que jamais. Eddie Lynch s'écrie, avec son accent de Brooklyn : Tudieu ! Par ma foi ! Je pourrais vous fourrer, Clifford et toi, dans le cule d'un moineau, vous deusses !

Avec les nuits passées à boire et à bosser sur les appontements, mes yeux s'enflamment à nouveau. Cela s'aggrave quand je dois décharger des sacs de piments cubains des bateaux de United Fruit. Il arrive que la seule chose qui me soulage soit la bière, et Eddie Lynch de s'écrier : Bon Dieu ! le gosse est tellement avide de bière qu'il se la verse par les mirettes !

Je gagne du bon argent à l'entrepôt et je devrais être content sauf que dans ma tête il n'y a que confusion et ténèbres. Chaque matin, le métro aérien de la Troisième Avenue est bondé de gens en costumes et robes, frais, proprets et contents d'eux. S'ils ne sont pas en train de lire des journaux, ils parlent et je les entends décrire leurs projets de vacances ou se vanter de la réussite de leurs enfants à l'école ou à

---

1. Membres du syndicat des camionneurs. *(N.d.T.)*

l'université. Je sais qu'ils travailleront chaque jour jusqu'à ce qu'ils soient vieux, avec des cheveux argentés, se réjouissant de leurs enfants et petits-enfants, et je me demande si cela m'arrivera jamais.

En juin, les journaux regorgent d'anecdotes sur les cérémonies de remises de diplômes, illustrées par des photos d'heureux lauréats entourés de leur famille. J'essaie de regarder les photos, mais la rame cahote, tressaute, et je suis projeté contre les passagers qui m'adressent des regards condescendants à cause de mes vêtements de travail. J'ai envie de clamer que c'est seulement temporaire, qu'un jour j'irai à l'école et porterai un costume comme eux.

21

J'aimerais faire preuve de plus de fermeté à l'entrepôt, savoir dire non quand quelqu'un parle en riant d'aller se taper une bière, une seule, juste une. Il faudrait que je sache dire non, surtout quand je dois retrouver Emer pour aller au cinéma ou manger un morceau de poulet. Parfois, après des heures passées à boire, je l'appelle et lui dis que j'avais des heures supplémentaires à faire, mais elle n'est pas dupe et plus je mens plus sa voix est froide, et ce n'est bientôt plus la peine de continuer d'appeler pour mentir ainsi.

Puis, au milieu de l'été, Tom m'apprend qu'Emer fréquente quelqu'un d'autre, qu'elle est fiancée, qu'elle porte une grosse bague donnée par son fiancé, un agent d'assurances du Bronx.

Elle refuse de me parler au téléphone. Je vais frapper à sa porte, elle refuse de me laisser entrer. Je la supplie un moment, lui raconte que je suis un homme changé, que je vais m'amender et mener une vie convenable, fini de m'empiffrer de sandwichs à la saucisse de foie, fini de me gaver de bière jusqu'à en tituber.

Elle refuse de me laisser entrer. Elle est fiancée, et sa main darde un éclat de diamant qui déclenche en moi un tel affolement que je veux marteler le mur, m'arracher les cheveux, me jeter par terre à ses pieds. Je ne veux pas m'éloigner piteusement de chez elle pour retrouver la pension Logan et l'unique serviette et les entrepôts et les docks et les cuites jusqu'à pas d'heure pendant que le reste des gens, dont Emer et son assureur, mènent des vies sans reproche avec abondance de serviettes, tout contents le jour de la remise des diplômes et souriant de leurs parfaites dents américaines brossées après chaque repas. Je veux qu'elle me fasse entrer afin qu'on puisse parler de notre avenir, lorsque j'aurai un costume, un emploi de bureau, que nous aurons notre propre appartement, lorsque je serai à l'abri du monde et de toute tentation.

Elle refuse de me laisser entrer. Il faut qu'elle s'en aille, et tout de suite. Elle a quelqu'un à voir, et je sais que c'est l'agent d'assurances.

Il est là ?

Elle dit non, mais je sais qu'il est dedans et je braille que je veux le voir, qu'elle éjecte le connard et je lui ferai son affaire, je l'étendrai pour le compte.

Puis elle me claque la porte au nez, et je suis si choqué que mes yeux sèchent d'un coup et que toute chaleur quitte mon corps. Tellement choqué que je me demande si ma vie ne se résume pas à une série de portes qu'on me ferme au nez, choqué au point que je n'ai même pas envie d'aller prendre une bière au Breffni Bar. Des gens passent devant moi dans les rues, des voitures klaxonnent, mais j'ai une telle sensation de froid et de solitude que je pourrais aussi bien me trouver dans une cellule de prison. Je prends place dans le métro aérien de la Troisième Avenue en direction du Bronx et songe à Emer et à son assureur, sans doute en train de boire une tassé de thé en riant de la façon dont je me suis couvert de honte, tous les deux propres et sains, à ne pas boire, à ne pas fumer, faisant signe qu'on remporte le plat de poulet.

Je sais qu'il en est ainsi dans ce pays, les gens assis dans leur salle de séjour, tout sourire, bien en sécurité, résistant à la tentation, vieillissant ensemble car capables de dire : Non, merci, je ne veux pas de bière, non, pas une seule.

Je sais qu'Emer agit ainsi à cause de mon comportement et je sais que c'est moi l'élu de son cœur, et non cet homme qui est probablement en train de siroter du thé en l'ennuyant à mourir avec des histoires d'assurances. Car, enfin, elle pourrait avoir un retour d'affection à mon égard et vouloir à nouveau de moi si je renonçais à l'entrepôt, aux docks, à la saucisse de foie, à la bière, et me dégotais un emploi convenable. Il y a encore une chance pour moi puisque Tom m'a appris qu'ils ne se marieront pas avant l'année prochaine, et, si je m'améliore, pas plus tard que dès demain, elle voudra sûrement à nouveau de moi, encore que ça ne me plaît guère d'imaginer ce type assis durant des mois sur son canapé à la bécoter et à faire courir ses pattes un peu partout sur ses omoplates.

Bien sûr, le type est un catholique irlando-américain, Tom me l'a dit, et, bien sûr, il respectera sa pureté jusqu'à la nuit de noces, cet agent d'assurances, mais je sais que les catholiques irlando-américains ont l'esprit empli d'immondices. Tous font les rêves obscènes que je fais moi-même, surtout les agents d'assurances. Je sais que l'homme d'Emer songe aux choses qu'ils feront lors de leur nuit de noces, même s'il lui faudra confesser ses pensées graveleuses au prêtre avant de se marier. C'est une bonne chose que moi-même ne sois pas sur le point de me marier car il me faudrait alors avouer les choses que j'ai faites avec des femmes dans toute la Bavière, par-delà la frontière de l'Autriche, et parfois même en Suisse.

Je vois dans le journal la publicité d'une agence de placement offrant des emplois de bureau, stables, garantis, bien rémunérés, formation de six semaines payée, costume-cravate requis, préférence donnée aux vétérans.

Dans le formulaire de candidature m'est demandé où j'ai eu mon brevet d'études secondaires, et à quelle date, ce qui me force à écrire ce mensonge : Collège d'enseignement secondaire des Frères Chrétiens, Limerick, Irlande, juin 1947.

L'homme de l'agence m'apprend le nom de la compagnie qui embauche : la Croix bleue.

Quel genre de compagnie est-ce, monsieur ?

Une compagnie d'assurances.

Ah, mais...

Ah, mais quoi ?

Oh, rien, c'est très bien, monsieur.

C'est très bien car je me rends compte que, si cette compagnie d'assurances m'engage, je pourrais m'élever dans le monde et Emer voudra bien à nouveau de moi. Elle aura juste à choisir entre deux assureurs, même si l'autre lui a déjà donné une bague de diamant.

Mais, avant de pouvoir lui reparler, je dois accomplir mes six semaines de formation à la Croix bleue. Les bureaux se trouvent sur la Quatrième Avenue, dans un immeuble avec une entrée comme un portail de cathédrale. Sept hommes suivent le cours, tous avec le brevet d'études secondaires, l'un si vilainement blessé durant la guerre de Corée que sa bouche s'est déplacée sur le côté de son visage, ce qui l'amène à postillonner sur son épaule. Il faut des jours pour comprendre ce qu'il essaie de dire, qu'il souhaite travailler pour la Croix bleue afin de pouvoir venir en aide aux vétérans comme lui qui ont été grièvement blessés et n'ont personne. Puis, après quelques jours de cours, il découvre qu'il n'est pas au bon endroit, se rappelle que c'était la Croix-Rouge qu'il avait en tête depuis le début, et il maudit le formateur de ne pas l'avoir averti plus tôt. On est bien contents de le voir partir même s'il a souffert, et comment, pour l'Amérique, mais c'est difficile d'être assis toute la journée près d'un homme qui a la bouche sur le côté du visage.

Le formateur, Mr Puglio, nous apprend tout d'abord qu'il prépare son doctorat d'études commerciales à la NYU, puis, deuxième point, que toutes les informations portées par nous-mêmes dans notre candidature seront dûment vérifiées. Dès lors, si quiconque prétend être allé dans un établissement d'enseignement secondaire sans que ce soit vrai, qu'il rectifie cela sur-le-champ, sans quoi... Car le mensonge est la seule chose que la Croix bleue ne saurait tolérer.

Chaque matin, les pensionnaires de chez Logan rigolent de me voir en costume-cravate. Ils se marrent de plus belle en apprenant combien je suis payé, actuellement quarante-sept dollars par semaine, somme qui montera à cinquante quand je serai en fin de formation.

Il reste seulement huit pensionnaires. Ned Guinan est retourné chez lui dans le Kildare pour regarder les chevaux et mourir, et deux autres ont épousé des serveuses de chez Schrafft qui ont la réputation d'économiser dans le but de rentrer au pays et d'acheter la vieille ferme de famille. La serviette Haut et Bas est encore là, mais personne ne s'en sert plus depuis que Peter McNamee a fait sensation en allant s'acheter une serviette bien à lui. Il dit qu'il en avait marre de voir des hommes adultes dégoulinant après la douche courir en tous sens et s'ébrouer comme de vieux clébards, des hommes qui dilapident volontiers la moitié de leur salaire en whisky mais ne sont même pas fichus d'aller acheter une serviette. Il ajoute que le pompon a été atteint un samedi, lorsque cinq pensionnaires se sont assis sur leur lit, ont bu du whisky irlandais tout frais détaxé de Shannon Airport, puis ont commenté et accompagné à pleine voix une émission de musique irlandaise qui passait à la radio, histoire de se mettre d'humeur pour un bal à Manhattan le soir même. Une fois leur douche prise, l'unique serviette s'est révélée inutile et, au lieu de courir en tous sens pour s'ébrouer, ils se sont mis à danser des gigues et des branles au son de la radio, et ils passaient un grand moment quand Nora de Kilkenny, venant remplacer le papier toilette, est entrée sans frapper puis, voyant ce qu'elle voyait, a hurlé comme une sorcière et a remonté l'escalier comme une folle pour avertir Mr Logan qui est descendu et a trouvé les danseurs se roulant tout nus par terre et riant aux éclats et n'en ayant rien à péter de Mr Logan et de sa gueulante comme quoi ils étaient une honte pour la nation irlandaise et notre mère l'Église, et il avait bien envie de les jeter tous tant qu'ils étaient dans la rue à poil, et, vraiment, quel genre de mères avaient-ils donc ? Cela dit, il est remonté en marmonnant car il était impossible d'expulser cinq pensionnaires payant chacun dix-huit dollars par semaine.

Le jour où Peter est rentré avec sa propre serviette, les autres pensionnaires ont été stupéfaits et ont voulu la lui emprunter mais il leur a dit d'aller se faire foutre et a caché son emplette en divers endroits, non sans mal car une serviette, pour sécher, doit être suspendue sous peine de rester humide puis de moisir si on la plie et la dissimule sous un matelas ou sous le bac de douche. Peter s'est trouvé fort contrarié de ne pouvoir mettre sa serviette à sécher jusqu'au moment où Nora de Kilkenny lui a dit qu'elle allait l'emporter en haut et veiller dessus le temps qu'elle sèche, Mr Logan et elle lui vouant une telle reconnaissance pour la viande qu'il ne manquait jamais de livrer chaque vendredi soir. C'était une bien belle solution, mais Mr Logan s'est ému à force de voir Peter monter chercher sa serviette sèche et bavarder quelques minutes avec Nora de Kilkenny. Mr Logan regardait alors fixement son petit garçon, Luke, puis Peter, puis de nouveau le bébé, et son froncement se faisait si sévère que ses sourcils se joignaient. Un jour, n'y tenant plus, il a appelé du bas des marches : Cela vous prendrait-y toute la journée, Peter, de récupérer votre serviette sèche ? C'est que Nora a bien à faire dans cette maison ! Peter a aussitôt descendu l'escalier en disant : Ah, désolé, Mr Logan, vraiment désolé ! mais cela n'a point satisfait Mr Logan qui s'est repris à regarder fixement le petit Luke, puis Peter. J'ai quelque chose à vous annoncer, Peter. Nous n'aurons plus besoin de votre viande et vous allez devoir trouver un moyen de faire sécher votre serviette tout seul. Nora a suffisamment de besogne sans devoir chaperonner votre serviette pendant qu'elle sèche.

Le soir même, on a entendu hurler et gueuler chez les Logan. Le matin suivant, Mr Logan a épinglé sur la serviette de Peter un mot l'avisant qu'il devait partir, qu'il avait causé un trop grand préjudice à la famille Logan avec sa façon d'abuser de leur bonne nature en matière de séchage de serviette.

Peter n'y a vu nul inconvénient. Il allait s'installer à Long Island, dans la maison de son cousin. Nous tous allions le regretter, il n'était que de penser à la manière dont il nous avait ouvert le monde des serviettes, et bientôt nous avons tous eu une serviette, elles étaient suspendues partout, et chacun a mis un point d'honneur à ne pas se servir de celles des autres puisque, de toute façon, elles ne séchaient jamais dans l'humidité du sous-sol.

22

C'est un changement agréable de prendre le métro chaque matin avec mon costume-cravate et le *New York Times* tenu bien haut afin que le monde voie que je ne suis pas le genre de gland qui lit des bandes dessinées dans le *Daily News* ou le *Mirror*. Les gens se diront : voilà un homme en costume qui peut maîtriser des grands mots en chemin pour la tâche importante qui l'attend dans une agence d'assurances.

Je peux bien porter un costume et lire le *Times* et m'attirer des regards admiratifs, mais je ne parviens pas encore à m'empêcher de commettre mon péché mortel quotidien, l'Envie. Je vois les étudiants d'université, les jaquettes de leurs livres, *Columbia*, *Fordham*, *NYU*, *CCNY*, et je me sens vide à la pensée que je ne serai jamais l'un d'eux. J'aimerais entrer dans une librairie et acheter des jaquettes pour livres universitaires à exhiber dans le métro, sauf que, je le sais, on comprendra mon manège et on se moquera de moi.

Mr Puglio nous instruit des différentes polices d'assurance maladie proposées par la Croix bleue, police familiale, individuelle, pour les sociétés, les veuves, les orphelins, les vétérans, les invalides. Enseigner l'excite et il nous raconte que c'est une chose merveilleuse de dormir la nuit avec la certitude que les gens n'ont pas à s'inquiéter de tomber malades, eh non, du moment qu'ils ont la Croix bleue. Nous sommes dans une petite pièce sans fenêtre, enfumée par les cigarettes, et c'est difficile de rester éveillé par un après-midi d'été avec Mr Puglio qui se monte le bourrichon sur les primes. Chaque vendredi il nous colle un exercice, et c'est un supplice le lundi quand il louange les mieux notés, puis se rembrunit face aux mal notés comme moi. Mes notes sont mauvaises car je ne m'intéresse pas aux assurances, et je me demande si Emer est bien saine d'esprit de s'être fiancée avec un assureur alors qu'elle pourrait être avec un homme passé du dressage de bergers allemands à la frappe de rapports matinaux la plus rapide qu'il y ait jamais eu dans le commandement européen. J'ai envie de l'appeler pour lui dire que d'être entré dans les assurances me rend dingue, et est-elle contente de m'avoir fait ce coup-là ? Je pourrais encore être à travailler aux Entrepôts portuaires, à savourer ma saucisse de foie arrosée de bière si elle ne m'avait entièrement brisé le cœur. J'aimerais l'appeler mais j'ai peur qu'elle ne se montre froide, ce qui me conduirait à aller me réconforter au Breffni Bar.

Tom est au Breffni et il m'explique que la meilleure chose à faire est de laisser la plaie guérir. Allez, ajoute-t-il, prends donc un verre, et dis-moi où as-tu dégoté cet affreux costume ? C'est déjà assez pénible de souffrir à cause de la Croix bleue et d'Emer pour en plus devoir se faire charrier pour votre costume et, quand je dis à Tom d'aller se faire mettre, il éclate de rire puis déclare que je survivrai. Lui-même quitte la pension pour un petit appartement de Woodside, dans le Queens. Si ça me disait de partager, le loyer est de dix dollars la semaine et on fait sa propre cuisine.

J'ai de nouveau envie d'appeler Emer, cette fois pour lui parler de mon poste important à la Croix bleue et de l'appartement que je vais avoir dans le Queens, mais son visage s'efface de ma mémoire et, dans un autre coin de ma cervelle, quelque chose me dit que je suis content d'être célibataire à New York.

Si Emer ne veut pas de moi, à quoi bon être dans les assurances où je suffoque chaque jour dans une pièce sans air avec Mr Puglio qui se montre désagréable chaque fois que je m'assoupis ? C'est dur d'être assis là lorsqu'il nous explique que le premier devoir d'un homme marié est de préparer sa femme à être veuve, et je me mets à rêvasser de Mrs Puglio subissant le cours de veuvage. Mr Puglio lui fait-il la leçon à la table du soir ou assis dans le lit ?

Par-dessus le marché, j'ai perdu mon appétit à force de rester assis toute la journée dans mon costume et, quand il m'arrive d'acheter un sandwich à la saucisse de foie, j'en jette la plus grande partie aux pigeons de Madison Park.

Assis dans ce square, j'écoute des hommes en chemise blanche et cravate discuter de leurs boulots, du marché financier, des assurances, et je me demande s'ils sont contents de savoir qu'ils feront ça jusqu'au jour où ils auront les cheveux grisonnants. Ils se racontent comment ils ont rembarré le chef, comment il n'a pas eu un mot à dire, même que sa bouche allait comme ça, tu sais, et qu'il était cloué dans son fauteuil. Un jour eux-mêmes seront chefs, face à des gens qui les rembarreront, et qu'en diront-ils ? Il y a des jours où je donnerais n'importe quoi pour être à flâner sur les berges du Shannon ou à naviguer sur la Mulcaire, voire à escalader les montagnes derrière Lenggries.

Un des stagiaires de la Croix bleue qui s'en retourne à l'agence passe devant moi.

Yo, McCourt, il est deux heures ! T'arrives ?

Il dit *yo* parce qu'il a conduit un tank dans un régiment de cavalerie en Corée, et c'est ainsi qu'ils parlaient du temps où la cavalerie avait des chevaux. Il dit *yo* pour dire au monde qu'il n'a pas été un banal fantassin.

On marche vers l'immeuble des assurances et je sais que je ne vais pas pouvoir traverser cette entrée de cathédrale. Je sais que je ne suis pas taillé pour le monde des assurances.

Yo, McCourt, ramène-toi, il est tard ! Puglio va faire une colique !

Je ne vais pas là-dedans.

Quoi ?

Je vais pas là-dedans.

Je commence à descendre la Quatrième Avenue.

Yo, McCourt ! T'es dingue, mec ? Tu vas te faire saquer. Merde, mon pote, faut que j'y aille, moi !

Je continue sous le radieux soleil de juillet jusqu'à Union Square, où je m'assieds et me demande ce que je viens de faire. Paraît-il que si vous quittez une place dans n'importe quelle grosse boîte ou que vous vous faites saquer toutes les autres boîtes en sont informées et leurs portes vous sont fermées pour toujours. La Croix bleue est une grosse boîte et je peux aussi bien abandonner tout espoir d'avoir un jour un poste important dans n'importe quelle grosse boîte. Mais c'est une bonne chose d'être parti maintenant au lieu d'attendre qu'on découvre les mensonges dans mon formulaire de candidature. Mr Puglio nous a expliqué que c'était un délit si grave que, non seulement vous étiez saqué, mais, en plus, la Croix bleue exigeait le remboursement des frais engagés pour le stage de formation et, pour couronner le tout, votre nom était communiqué à toutes les autres grosses boîtes avec un petit drapeau rouge flottant en haut de la feuille pour les avertir. Ce petit drapeau rouge, ajoutait Mr Puglio, signifie que vous êtes banni pour toujours du monde de l'entreprise américaine, et autant aller vous installer en Russie.

Mr Puglio adorait parler comme ça et, content d'être loin de lui, je laisse Union Square pour descendre Broadway d'un pas flâneur avec tous les autres New-Yorkais qui semblent complètement désœuvrés. On devine facilement que certains ont ce petit drapeau rouge au-dessus de leur nom, des hommes portant barbe et bijoux et des femmes à longue chevelure et sandales qui jamais plus ne seront autorisés à franchir le seuil du monde de l'entreprise américaine.

Il y a des endroits de New York que je vois aujourd'hui pour la première fois, City Hall, le pont de Brooklyn au loin, une chapelle protestante, Saint-Paul, qui renferme la tombe de Thomas Addis Emmet, frère de Robert qui se fit pendre pour l'Irlande [1], et, plus bas encore dans Broadway, Trinity Church, en regard de toute la longueur de Wall Street.

Tout en bas, où vont et viennent les ferry-boats de Staten Island, il y a un bar, le Bean Pot, où je me sens l'appétit pour tout un sandwich à la saucisse de foie et un formidable de bière car ma cravate est défaite et ma veste est sur le dos d'une chaise et je suis tout soulagé de m'être échappé, fût-ce avec le petit drapeau rouge au-dessus de mon nom. Le fait d'avoir fini le sandwich à la saucisse de foie me dit que j'ai perdu Emer pour toujours. Si jamais elle entend parler de mes ennuis avec le monde de l'entreprise américaine, elle versera peut-être une larme de pitié pour moi même si, en fin de compte, elle sera heureuse d'avoir choisi l'agent d'assurances du Bronx. Elle se sentira en sécurité de se savoir assurée pour tout, de savoir qu'elle ne pourra faire un pas sans être couverte par l'assurance.

C'est cinq cents pour le ferry de Staten Island, et la vue de la statue de la Liberté et d'Ellis Island me rappelle ce matin d'octobre 1949 où je suis arrivé à New York sur l'*Irish Oak*, lorsque celui-ci est passé devant la ville et a remonté le fleuve pour jeter l'ancre le soir même à Poughkeepsie, puis, le lendemain, à Albany, d'où j'ai pris le train pour redescendre à New York.

C'était il y a bientôt quatre ans et me voilà sur le ferry de Staten Island avec ma cravate dans la poche de la veste que je porte sur l'épaule. Me voilà sans un boulot au monde, avec ma bonne amie qui s'est envolée et le petit drapeau rouge qui flotte au-dessus de mon nom. Je pourrais retourner au Biltmore et reprendre les choses où je les ai laissées, nettoyer les salons, récurer des cuvettes de cabinets, poser des moquettes, mais non, un homme qui a été caporal ne peut retomber aussi bas.

Regarder Ellis Island et un vieux ferry-boat de bois en train de pourrir entre deux entrepôts me fait songer à tous les gens qui sont passés ici avant moi, avant mon père et ma mère, tous les gens partis d'Irlande pour échapper à la famine, tous les gens de l'Europe entière débarquant ici le cœur au bord des lèvres de crainte qu'on leur trouve des maladies et qu'on les renvoie, et, quand vous y songez, une vive plainte s'en

---

1. Robert Emmet (1778-1803) fut exécuté pour avoir voulu soulever l'Irlande contre les Anglais. *(N.d.T.)*

vient d'Ellis Island à travers les eaux, et vous vous demandez si les gens renvoyés ont dû retourner avec leurs bébés dans des endroits comme la Tchécoslovaquie et la Hongrie. Les gens ainsi renvoyés furent les plus tristes de toute l'histoire de l'humanité, bien plus mal lotis que les gens comme moi qui ont peut-être les yeux amochés et le petit drapeau rouge, mais jouissent tout de même du sentiment de sécurité que confère la détention du passeport américain.

On ne vous laisse pas rester sur le ferry une fois qu'il est arrivé à quai. Il faut entrer dans la gare maritime, payer ses cinq cents, attendre le prochain ferry, et, pendant que j'y suis, autant aller prendre une bière au bar du terminal. Je ne cesse de songer à ma mère et à mon père arrivant dans ce port il y a plus de vingt-cinq ans, puis, au fil de mes allers-retours sur le ferry, six en tout, avec une bière à chaque attente, je ne cesse de songer aux gens atteints de maladies qui furent renvoyés et ça me rend si triste que je quitte tout de bon le ferry et appelle Tom Clifford aux Entrepôts portuaires et lui demande de me retrouver au Bean Pot afin de savoir comment rentrer dans le petit appartement du Queens.

Il me retrouve au Bean Pot. Quand je lui dis que les sandwichs à la saucisse de foie sont délicieux ici, il répond qu'il en a fini avec la saucisse de foie, qu'il a décidé de changer un peu. Puis il se marre et dit que j'ai dû biberonner un brin, que ma langue a des problèmes avec les mots *saucisse de foie*, et je lui réponds que non, c'est la journée que j'ai eue avec Puglio et la Croix bleue et la pièce sans air et le petit drapeau rouge et ceux qui furent renvoyés, les plus tristes de tous.

Il ne sait pas de quoi je parle. Il me dit que je n'ai pas les yeux en face des trous, alors on met sa veste, on rentre dans le Queens, et au lit.

Mr Campbell Groel me reprend aux Entrepôts portuaires, et je suis content d'avoir à nouveau un salaire convenable, soixante-quinze dollars hebdomadaires, et jusqu'à soixante-dix-sept si je conduis le chariot de levage à fourche deux jours par semaine. Sur les quais de chargement, le travail normal consiste à être debout dans le camion à placer caisses, cageots, sacs de fruits et de piments sur des palettes. Manœuvrer le chariot est plus facile. Vous hissez les palettes chargées, vous les entreposez et vous attendez le prochain chargement. Personne ne se soucie que vous lisiez le journal en attendant mais, si c'est le *New York Times*, tous se marrent et disent : Voyez la tête d'œuf sur son char !

Une de mes tâches est d'entreposer les sacs de piments des bateaux de United Fruit dans la salle de fumigation. Quand la cadence ralentit, c'est un bon endroit pour apporter une bière, lire le journal, faire une sieste, et tout le monde paraît s'en foutre. Même Mr Campbell Groel peut venir jeter un coup d'œil en sortant de son bureau et nous lancer : Allez-y doucement, les hommes ! La journée est chaude !

Horace, le Noir, s'assied sur un sac de piments pour lire un journal jamaïcain, à moins qu'il relise une lettre de son fils qui fait des études au Canada. Quand il lit cette lettre, il se tape la cuisse et se fend la pêche : Ah, dis donc, mec, ah, dis donc, mec ! La première fois que je l'ai entendu parler, son accent m'a semblé si irlandais que je lui ai demandé s'il était du comté de Cork, et il n'a plus pu s'arrêter de rigoler. Tous les gens des îles ont du sang irlandais, mec !

Horace et moi avons failli mourir ensemble dans la salle de fumigation. La bière et la chaleur nous avaient tellement envapés qu'on s'est endormis par terre jusqu'au moment où on a entendu la porte claquer et le gaz siffler dans la salle. On a essayé de pousser la porte, mais elle était bloquée, et le gaz commençait à nous rendre bien malades quand Horace a escaladé un tas de sacs de piments pour briser une vitre et appeler à l'aide. Eddie Lynch était en train de fermer dehors. Il nous a entendus et a fait coulisser la porte.

Vous êtes deux foutus veinards, a-t-il dit. Puis il a voulu nous faire monter la rue pour prendre deux ou trois bières, histoire de décrasser nos poumons et de fêter ça. Non, mec, a fait Horace, je peux pas aller dans ce bar-là.

Qu'est-ce que tu chantes, bordel ? a demandé Eddie.

Les Noirs sont pas bienvenus dans ce bar.

Jamais entendu pareille connerie, a fait Eddie.

Non, mec, pas besoin d'avoir des problèmes. On va prendre une bière ailleurs, les mecs.

Je me suis demandé pourquoi Horace devait se résigner comme ça. Il avait un fils à l'université au Canada et lui-même ne pouvait pas se faire servir une bière dans un bar de New York. Il m'a dit que je ne comprenais pas, que j'étais jeune et que je ne pouvais pas mener le combat de l'homme noir.

Ouais, t'as raison, Horace, a fait Eddie.

Quelques semaines plus tard, Mr Campbell Groel dit que le port de New York n'est plus ce qu'il était, l'activité est languissante, il doit débaucher quelques hommes et, bien sûr, étant le plus jeune, je suis le premier à devoir partir.

À quelques rues de là se trouve Merchants Refrigerating Company où on a besoin d'un homme de quai pour remplacer les hommes en congé d'été. Nous avons peut-être une vague de chaleur, me dit-on, mais habille-toi chaudement.

Ma tâche consiste à décharger la viande des camions frigorifiques qui livrent des quartiers de bœuf de Chicago. C'est le mois d'août sur le quai mais à l'intérieur, où nous suspendons la viande, ça gèle. Les hommes rigolent et disent que nous sommes les seuls travailleurs à voyager aussi vite du pôle Nord à l'équateur et vice versa.

Peter McNamee est chef de quai pendant le congé de l'homme habituel et il ne m'a pas plus tôt vu qu'il s'écrie : Qu'est-ce que tu fabriques ici, au nom de Jésus crucifié ? Et moi qui pensais que tu avais une cervelle dans la tête !

Il me dit que je devrais aller à l'école, que je n'ai aucune excuse pour me coltiner des quartiers de bœuf alors que je pourrais profiter de la bourse de l'armée et m'élever dans le monde. Il ajoute que ce n'est pas un boulot pour les Irlandais. Ils viennent ici et, sitôt après, les voilà qui toussent et crachent du sang et découvrent qu'ils avaient la tuberculose depuis le début, dernière génération à être affectée de cette malédiction de la race irlandaise. C'est le travail de Peter de signaler tout homme toussant ou crachant sur les quartiers de bœuf, sans quoi les inspecteurs de l'hygiène viendront boucler la boîte sur l'heure et on sera à la rue à se gratter le cul à la recherche d'un boulot.

Peter me raconte que lui-même a sa claque de tout ce cirque. Il ne s'est pas entendu avec le cousin de Long Island et maintenant il est dans une autre pension du Bronx, et c'est la même vieille routine, rapporter la pièce de bœuf ou n'importe quelle sorte de viande le vendredi soir et il a le gîte gratis. Sa mère le tourmente avec ses bafouilles. Pourquoi ne peut-il dégoter une chouette fille et se ranger et lui donner un petit-fils ? Ou attend-il qu'elle ait les deux pieds dans la tombe ? Elle le harcèle tellement pour qu'il trouve une femme qu'il ne veut plus lire ses lettres.

À la fin de mon deuxième vendredi chez Merchants Refrigerating, Peter emballe sa pièce de bœuf dans du papier journal et demande si ça me dirait d'aller boire un coup en haut de la rue. Il pose la pièce de bœuf sur un tabouret du comptoir mais la viande commence à se dégeler, des gouttes de sang perlent, et ça agace le tenancier. Il explique à Peter qu'il ne peut pas rester dans le bar avec cette chose-là, qu'il ferait mieux de la mettre quelque part. D'accord, d'accord, fait Peter, et, dès que le tenancier regarde ailleurs, il emporte la pièce de bœuf aux toilettes pour hommes et l'y laisse. Il revient au comptoir, se met à raconter comment sa mère le harcèle et, ce faisant, passe de la bière au whisky. Le tenancier compatit car tous deux sont du comté de Cavan et ils me disent que je ne peux pas comprendre.

Soudain un rugissement parvient des toilettes pour hommes, et un costaud déboule en gueulant qu'il y a un rat énorme assis sur le siège des cabinets. Le tenancier aboie après Peter : Nom de Dieu de bordel, McNamee, c'est là que vous avez mis cette foutue viande ? Sortez-moi ça d'ici !

Peter récupère sa viande. Allez, McCourt, c'est marre. J'en peux plus de trimbaler la barbaque chaque vendredi soir. Je m'en vais à un bal dégoter une femme à épouser.

On va en taxi chez Jaeger mais ils n'admettent pas Peter avec la viande. Peter propose de la laisser au vestiaire mais il essuie un refus catégorique. Il fait un éclat, le directeur de l'établissement intervient : Allez, allez, sortez-moi cette viande d'ici, et Peter lui balance un coup de pièce de bœuf. Le directeur appelle à l'aide et Peter et moi sommes poussés au bas des marches par deux armoires du Kerry. Peter gueule qu'il cherchait juste une femme à épouser et qu'ils devraient avoir honte. Les hommes du Kerry éclatent de rire, le traitent de trou du cul, et s'il ne se tient pas bien ils vont prendre la viande et faire de sa tête une paupiette. Immobile au milieu du trottoir, Peter décoche aux hommes du Kerry un regard singulièrement sobre. Vous avez raison, dit-il enfin, après quoi il leur propose la viande, sans succès. Il la propose aux passants, mais ceux-ci secouent la tête et hâtent le pas.

Je ne sais pas quoi faire de cette viande, gémit-il. La moitié du monde meurt de faim mais personne ne veut de ma viande.

On va au restaurant Wright de la 86e Rue et Peter demande s'ils nous donneraient deux dîners en échange d'une pièce de bœuf. Non, cela leur est impossible, rapport aux règles d'hygiène. Il file vers le milieu de la rue, pose la bidoche sur la ligne médiane, revient au pas de course, se gondole de voir les voitures louvoyer pour éviter la viande, est carrément plié en deux lorsque retentit le son des sirènes et qu'une voiture de police et une ambulance apparaissent hurlantes à l'angle de l'avenue, s'arrêtent tous gyrophares allumés, et qu'en descendent des hommes qui vont se planter autour de la viande en se grattant la tête, et il est mort de rire quand ils repartent avec la pièce de bœuf à l'arrière de la voiture de police.

Comme il semble avoir dessoûlé, on retourne chez Wright et on commande des œufs au bacon. C'est vendredi, dit-il, mais j'en ai rien à branler. C'est la dernière fois que je trimbale de la barbaque dans les rues de New York, sans parler du métro. De toute façon, j'en ai plein le dos d'être irlandais. J'aimerais me réveiller un matin et n'être rien ou alors un genre de protestant américain. Aussi voudras-tu bien payer mes œufs car je dois économiser mon argent et partir pour le Vermont et n'être rien.

Et il passe la porte.

23

Un jour que l'activité est particulièrement languissante chez Merchants Refrigerating, on se voit dire qu'on peut rentrer chez nous. Au lieu de retourner en métro dans le Queens, je monte Hudson Street et m'arrête à un bar appelé White Horse Tavern. J'ai bientôt vingt-trois ans mais je dois prouver que j'en ai dix-huit avant qu'on me serve une bière et un sandwich au *knockwurst*. Je trouve l'endroit étonnamment paisible alors qu'un journal m'a appris que c'est un lieu de prédilection des poètes, surtout de l'homme déchaîné, Dylan Thomas. Les gens assis aux tables près des fenêtres ont l'air de poètes et d'artistes, et ils se demandent probablement pourquoi je suis là au comptoir avec un pantalon couvert de sang de bœuf séché. J'aimerais être assis, près des fenêtres, avec une fille aux longs cheveux, et lui raconter que j'ai lu Dostoïevski et comment Herman Melville m'a fait renvoyer de l'hôpital de Munich.

Mais pour l'instant, je peux seulement rester au comptoir, l'esprit tourmenté par des questions. Qu'est-ce que je fabrique ici avec ce sandwich et cette bière ? Qu'est-ce que je fabrique sur cette terre ? Vais-je passer le reste de ma vie à traîner des pièces de bœuf du camion à la chambre frigorifique et vice versa ? Vais-je finir mes jours dans un petit appartement du Queens tandis qu'Emer aura le bonheur d'élever une famille dans une banlieue complètement protégée par l'assurance ? Vais-je prendre le métro toute ma vie en enviant les gens chargés de livres universitaires ?

Je ne devrais pas être en train de manger du *knockwurst* en un moment pareil. Je ne devrais pas être en train de boire de la bière alors que je n'ai aucune réponse dans ma tête. Je ne devrais pas être dans ce bar avec tous ces poètes et artistes qui sont à échanger des propos sérieux sur un ton feutré. J'en ai marre du *knockwurst* et de la saucisse de foie et de sentir chaque jour le contact de la viande congelée sur mes épaules.

Je repousse le *knockwurst*, laisse la moitié d'un formidable, passe la porte, traverse Hudson Street puis prends Bleecker Street, sans savoir où je vais mais en sachant que je dois continuer de marcher jusqu'à ce que je le sache, et j'arrive à Washington Square et voilà la NYU et je sais que c'est là que je dois aller avec ma bourse de l'armée, études secondaires ou non. Un étudiant m'indique le bureau des admissions et la femme qui s'y trouve me donne un formulaire. Puis elle dit que je ne l'ai pas rempli correctement, qu'il leur faut connaître le nom du lycée où j'ai eu mon brevet d'études secondaires, et quand est-ce que je l'ai eu.

Je n'y suis jamais allé.

Vous n'êtes jamais allé au lycée ?

Non, mais j'ai droit à une bourse de l'armée et j'ai lu des livres toute ma vie.

Oh, mon Dieu, mais c'est que nous exigeons le brevet d'études secondaires ou l'équivalent.

Mais je lis des livres. J'ai lu Dostoïevski et j'ai lu *Pierre ou les Ambiguïtés*. Ce n'est pas aussi bon que *Moby Dick* mais je l'ai lu quand même, dans un hôpital de Munich.

Vous avez vraiment lu *Moby Dick* ?

Oui, et *Pierre ou les Ambiguïtés* m'a fait renvoyer de l'hôpital de Munich.

Je vois bien qu'elle ne comprend pas. Elle emporte mon formulaire dans un autre bureau et revient avec la directrice des admissions, une femme au visage gentil. La directrice me dit que je suis un cas inhabituel et désire des renseignements sur ma scolarité en Irlande. D'après son expérience, les étudiants européens sont mieux préparés au travail universitaire et elle me permettra de m'inscrire à la NYU si je parviens à maintenir un B de moyenne pendant une année. Elle désire savoir le genre de travail que je fais et, quand je lui explique pour la viande, elle s'exclame : Mon Dieu, mon Dieu, j'en apprends tous les jours !

Étant donné que je n'ai pas de brevet d'études secondaires et que je travaille à plein temps, j'ai le droit de suivre uniquement deux cours : Introduction à la littérature et Histoire de l'éducation en Amérique. Je me demande bien pourquoi je dois être introduit à la littérature, mais la femme du bureau des admissions dit que c'est obligatoire, même si j'ai lu Dostoïevski et Melville, chose admirable pour quelqu'un dépourvu de brevet d'études secondaires. Elle ajoute que le cours d'Histoire de l'éducation en Amérique me procurera le fond de culture générale dont j'ai besoin après mon insuffisante éducation européenne.

Je suis au septième ciel et la première chose à faire est d'acheter les manuels requis puis de les couvrir des jaquettes violet et blanc de la NYU afin que les gens dans le métro me regardent avec admiration.

Tout ce que je sais des cours d'université se résume à ce que j'ai vu il y a longtemps au cinéma à Limerick, et me voilà en train d'en suivre un, Histoire de l'éducation en Amérique, avec le Pr Maxine Green là-haut sur l'estrade à nous expliquer comment les Pèlerins éduquaient leurs enfants. Autour de moi, des étudiants griffonnent à tout va dans leurs cahiers et j'aimerais savoir ce que moi-même dois griffonner. Comment suis-je censé savoir ce qui importe dans tout ce qu'elle est en train de dire là-haut ? Suis-je censé me rappeler chaque chose ? Certains étudiants lèvent la main pour poser des questions mais je ne pourrais jamais faire ça. Toute la classe me regarderait fixement et se demanderait : Qui c'est celui-là, avec l'accent ? Je pourrais essayer de prendre un accent américain, mais ça ne marche jamais. Chaque fois que je tente le coup, les gens sourient et font : Aurions-nous là une pointe d'Irlande ?

Le professeur dit que les Pèlerins ont quitté l'Angleterre pour échapper à la persécution religieuse, ce qui me laisse perplexe car les Pèlerins étaient eux-mêmes anglais et ce sont les Anglais qui ont toujours persécuté tous les autres, particulièrement les Irlandais. J'aimerais lever la main et raconter au professeur comment les Irlandais ont souffert durant des siècles sous le joug anglais, mais je suis sûr que chacun dans cette classe a un brevet d'études secondaires, et si j'ouvre la bouche ils sauront que je ne suis pas des leurs.

D'autres étudiants ont le lever de main facile, et leurs premiers mots sont toujours : *Eh bien, je pense...*

Un jour, je lèverai la main et dirai : *Eh bien, je pense*, mais, pour l'instant, je ne sais que penser des Pèlerins et de leurs modes d'éducation. Puis le professeur nous dit que les idées ne tombent pas pleinement formées des cieux, que les Pèlerins furent, somme toute, les enfants de la Réforme, avec une vision du monde concomitante, et leurs attitudes à l'égard des enfants en découlèrent.

On griffonne de plus belle dans la classe, les filles davantage que les hommes. Les filles griffonnent comme si chaque mot sorti de la bouche du Pr Green importait.

Puis je me demande pourquoi j'ai ce gros manuel sur l'éducation américaine, que je trimbale tout le temps dans le métro afin que les gens m'admirent d'être un étudiant d'université. Je sais qu'il y aura des contrôles, un en milieu de trimestre et un à la fin, mais d'où viendront les questions ? Si le professeur ne fait que parler comme ça, à longueur de temps, et si on ajoute les sept cents pages du manuel, je vais être largué à coup sûr.

La classe compte pas mal de jolies filles et j'aimerais bien demander à l'une d'elles si elle aurait une idée de ce que je devrais savoir avant le contrôle de milieu de trimestre dans sept semaines. J'aimerais aller à la cafétéria de l'université ou dans un café de Greenwich Village et bavarder avec la fille à propos des Pèlerins, de leurs manières puritaines et de la frousse bleue qu'ils flanquaient à leurs enfants. Je pourrais raconter à la fille que j'ai lu Dostoïevski et Melville, et elle serait impressionnée et tomberait amoureuse de moi, et nous étudierions ensemble l'histoire de l'éducation en Amérique. Elle ferait des spaghettis et nous irions au lit pour l'excitation puis nous nous redresserions pour lire le gros manuel et nous demander pourquoi les gens de l'ancienne Nouvelle-Angleterre s'infligeaient de telles misères.

Les types de la classe regardent les griffonneuses et c'est visible qu'ils ne prêtent pas la moindre attention au professeur. C'est visible qu'ils sont en train de décider à quelles filles ils parleront après, et, en effet, une fois fini ce premier cours, ils se dirigent vers les plus jolies. Ils ont le sourire facile avec leurs chouettes dents blanches et ils sont habitués à bavarder car c'est ce qu'ils faisaient au lycée, où garçons et filles sont ensemble. Mais une jolie fille aura toujours quelqu'un qui l'attend dehors dans le couloir, et le type de la classe qui aura commencé à bavarder avec elle en perdra son sourire.

Le chargé de cours du samedi matin est Mr Herbert. Les filles de la classe ont l'air de bien l'aimer et elles ont déjà dû suivre ses cours car les voilà qui veulent savoir comment s'est passée sa lune de miel. Il sourit, fait tinter la monnaie qu'il a dans sa poche de pantalon, nous raconte sa lune de miel et je me demande en quoi ça introduit à la littérature. Puis il nous demande d'écrire deux cents mots sur un auteur qu'on aimerait rencontrer, sans oublier d'expliquer pourquoi. Mon auteur est Jonathan Swift et j'écris que j'aimerais le rencontrer à cause des *Voyages de Gulliver*. Ce devrait être chouette de prendre une tasse de thé, ou une pinte, avec un homme doté d'une telle imagination.

Debout sur son estrade, Mr Herbert feuillette les dissertations et dit : Hmmm, Frank McCourt. Où est Frank McCourt ?

Je lève la main en sentant mon visage rougir. Ah, dit Mr Herbert, vous aimez bien Jonathan Swift ?

En effet.

Pour son imagination, hein ?

Oui.

Il n'a plus le sourire, sa voix n'a rien d'amical, et je suis embarrassé par la façon dont toute la classe me regarde. Vous connaissez la dimension satirique de Swift écrivain, n'est-ce pas ?

Je n'ai rien compris à ce qu'il vient de me demander. Il me faut mentir et répondre : En effet.

Vous savez qu'il fut peut-être le plus grand écrivain satirique de la littérature anglaise.

Je croyais qu'il était irlandais.

Mr Herbert regarde la classe et sourit. Mr McCourt, si je suis originaire des îles Vierges, s'ensuit-il que je suis vierge ?

La salle éclate de rire et je sens mon visage s'enflammer. Je sais qu'ils rient de la manière dont Mr Herbert a joué avec moi et m'a remis à ma place. Maintenant il explique à la classe que ma dissertation constitue l'exemple parfait d'une approche simpliste de la littérature, que, s'il est loisible de voir dans les *Voyages de Gulliver* un récit pour enfants, et de les priser grandement pour cette seule qualité, ceux-ci ne s'en détachent pas moins avantageusement dans la littérature anglaise, et non irlandaise, mesdames et messieurs, pour leur brio satirique. Et d'ajouter : Lorsque nous lisons de grandes œuvres littéraires à l'université, nous tâchons de nous élever au-dessus de la banalité et de la puérilité, et, ce disant, il me regarde.

Le cours prend fin et les filles vont entourer Mr Herbert de leurs sourires et dire combien elles ont savouré le récit de sa lune de miel et je me sens tellement honteux que je descends les six étages à pied pour éviter de me trouver dans l'ascenseur avec des étudiants qui pourraient soit me mépriser d'apprécier les *Voyages de Gulliver* pour les mauvaises raisons, soit éprouver de la peine à mon égard. Je range mes livres dans un sac car je n'en ai plus rien à faire que les gens dans le métro me regardent avec admiration. Je suis incapable de m'accrocher à une fille, incapable de garder un emploi de bureau, je me ridiculise durant mon premier cours de littérature et je me demande bien pourquoi j'ai quitté Limerick. Si j'étais resté là-bas et avais passé l'examen, je serais maintenant facteur, me baladant de rue en rue, tendant des lettres, bavardant avec les femmes, rentrant prendre mon thé sans un souci au monde. J'aurais pu lire Jonathan Swift tout mon soûl sans en avoir rien à péter s'il était un auteur satirique ou un maître conteur.

24

Tom est dans l'appartement où il chante, prépare le ragoût de mouton à l'irlandaise et bavarde avec la femme du propriétaire, le Grec d'en bas qui tient la boutique de nettoyage à sec. La femme du propriétaire est une svelte blonde et je me rends bien compte qu'elle n'a pas envie de me voir ici. Je traverse Woodside et vais à la bibliothèque emprunter un livre que j'ai feuilleté la dernière fois que j'y suis allé, *Je frappe à la porte* de Sean O'Casey[1]. C'est un livre sur une enfance pauvre à Dublin et jamais je ne me serais douté qu'on pouvait écrire sur ce genre de choses. C'était très bien pour Charles Dickens d'écrire sur les pauvres gens de Londres, mais ses livres finissaient toujours avec les personnages découvrant qu'ils étaient les fils depuis longtemps perdus de vue du duc de Somerset, après quoi chacun vivait très heureux.

Il n'y a pas de fin heureuse chez Sean O'Casey. Ses yeux sont pires que les miens, si amochés que c'est à peine s'il peut aller à l'école. Cependant il s'arrange pour lire, il apprend tout seul à écrire, apprend tout seul l'irlandais, écrit des pièces pour le Théâtre de l'Abbaye, rencontre Lady Gregory et le poète Yeats, mais doit quitter l'Irlande quand tout le monde se retourne contre lui. Jamais il ne serait resté dans une classe où quelqu'un l'aurait ridiculisé à propos de Jonathan Swift. Il aurait riposté puis serait sorti, quitte à se cogner contre un mur avec ses yeux amochés. C'est le premier auteur irlandais que je lis qui écrit sur les guenilles, la crasse, la faim, les bébés qui meurent. Les autres en font des tartines sur les fermes, les fées et la brume qui gaze la tourbe, et c'est un soulagement d'en découvrir un qui a les yeux amochés et une mère souffrante.

Ce que je découvre à présent est qu'une chose en mène à une autre. Quand Sean O'Casey écrit sur Lady Gregory ou Yeats, je dois les

---

1. Premier volume de ses *Autobiographies*, paru en 1939. *(N.d.T.)*

trouver dans l'*Encyclopedia Britannica* et ça m'occupe jusqu'au moment où le bibliothécaire se met à faire clignoter les lumières. Je ne sais comment j'ai pu atteindre l'âge de dix-neuf ans à Limerick en ignorant tout ce qui a eu lieu à Dublin avant mon époque. Il me faut recourir à l'*Encyclopedia Britannica* pour apprendre combien célèbres étaient les écrivains irlandais, Yeats, Lady Gregory, AE[1] et John Millington Synge qui a écrit des pièces où les gens parlent un langage que je n'ai jamais entendu à Limerick ou ailleurs.

Me voilà dans une bibliothèque du Queens à découvrir la littérature irlandaise, à me demander pourquoi le maître d'école ne nous a jamais parlé de ces écrivains jusqu'au moment où je découvre qu'ils étaient tous protestants, même Sean O'Casey, dont le père était originaire de Limerick. Personne à Limerick n'aurait voulu accorder à des protestants le mérite d'être de grands écrivains irlandais.

Lors de la deuxième semaine du cours d'Introduction à la littérature, Mr Herbert déclare que de son point de vue l'un des ingrédients les plus souhaitables dans une œuvre littéraire est l'enthousiasme et que celui-ci est certainement présent dans les œuvres de Jonathan Swift ainsi que chez son admirateur, notre ami Mr McCourt. S'il existe une certaine innocence dans l'appréhension de Swift par Mr McCourt, celle-ci est nourrie d'appétence. Mr Herbert dit à la classe que je suis la seule personne sur trente-trois à avoir choisi un écrivain véritablement grand, que ça le décourage de penser qu'il en est dans cette classe pour voir de grands écrivains en Lloyd Douglas ou Henry Morton Robinson. Maintenant il aimerait savoir comment et quand est-ce que j'ai lu Swift pour la première fois, et je dois raconter qu'un homme aveugle de Limerick m'a payé pour lui faire la lecture de Swift quand j'avais douze ans.

Je n'ai pas envie de prendre ainsi la parole en classe à cause de la honte de la semaine dernière, mais je dois faire ce qu'on me demande sous peine d'être viré de l'université. Les autres étudiants me regardent, chuchotent, et je ne sais s'ils se moquent de moi ou s'ils m'admirent. Après la fin du cours, je prends de nouveau l'escalier au lieu de l'ascenseur mais je ne peux sortir par la porte du bas à cause de la pancarte marquée Sortie de Secours qui m'avertit que des alarmes se déclencheront si je pousse quoi que ce soit. Je remonte au sixième étage pour prendre l'ascenseur, mais la porte de ce niveau est verrouillée, comme celles des autres, et il ne me reste plus qu'à pousser la

---

1. Pseudonyme du poète George Russell (1867-1935), éditeur de la revue littéraire *La Ferme irlandaise. (N.d.T.)*

porte du rez-de-chaussée jusqu'au déclenchement de l'alarme, après quoi on m'emmène dans un bureau pour remplir un formulaire et rédiger une déclaration sur ce que je faisais à cet endroit à part déclencher des alarmes.

Comme il est inutile de faire une déclaration sur mes ennuis avec le professeur qui m'a ridiculisé la première semaine et louangé la deuxième, j'écris que, nonobstant ma crainte des ascenseurs, je les prendrai à compter de ce jour. Je sais que c'est ce qu'ils veulent lire et j'ai appris à l'armée qu'il est plus commode de servir aux gens des bureaux ce qu'ils ont envie de lire, sinon il y aura toujours quelqu'un placé plus haut désirant que vous remplissiez un formulaire plus long.

25

Tom dit qu'il est fatigué de New York, il va partir pour Detroit où il connaît des gens et pourra gagner du bon argent en travaillant sur les chaînes d'assemblage des usines automobiles. Il me dit que je devrais l'accompagner, oublier l'université, je n'aurai pas un diplôme avant des années et, même si j'en décrochais un vite fait, je ne gagnerais pas tant d'argent que ça. Si tu es rapide sur la chaîne d'assemblage, tu es promu contremaître puis contrôleur et, en un rien de temps, te voilà dans un bureau à dire aux gens ce qu'il faut faire, assis là en costume-cravate, avec ta secrétaire dans une chaise en face de toi en train d'agiter sa chevelure, de croiser les jambes et de demander s'il y a quelque chose, quoi que ce soit, qui te ferait plaisir, quoi que ce soit.

C'est sûr, j'aimerais accompagner Tom. J'aimerais avoir de l'argent pour explorer Detroit dans une voiture neuve avec une blonde à mon côté, une protestante dénuée de tout sens du péché. Je pourrais revenir à Limerick dans des fringues américaines bariolées à souhait, sauf qu'ils voudraient savoir quel genre de boulot je fais en Amérique et jamais je ne pourrais leur répondre que je suis debout toute la journée à coller des pièces diverses dans les voitures de marque Buick qui défilent sur la chaîne d'assemblage. Je préférerais leur apprendre que je suis étudiant à la New York University, encore que certains objecteraient : À l'université ? Mais comment, au nom de Dieu, as-tu pu entrer dans une université, toi qui as quitté l'école à quatorze ans et n'as jamais mis un pied dans un établissement d'enseignement secondaire ? Les gens de Limerick pourraient bien dire que tout chez moi annonçait la grosse tête, que j'étais trop grand pour mes bottes, que j'avais une haute opinion de moi, que Dieu a placé certains d'entre nous ici pour fendre du bois et puiser de l'eau, et puis, de toute façon, pour qui me prends-je après mes années dans les ruelles de Limerick ?

Horace, le Noir avec qui j'ai failli mourir dans la salle de fumigation, me dit que je serais un imbécile de quitter l'université. Lui-même travaille pour que son fils puisse continuer d'étudier au Canada, et c'est la seule façon de faire en Amérique, mec. Sa femme nettoie des bureaux dans Broad Street et elle est contente car ils ont un bon garçon là-haut au Canada et ils économisent quelques dollars pour sa remise de diplôme dans deux ans. Leur fils, Timothy, veut devenir pédiatre afin de retourner en Jamaïque guérir les enfants malades.

Horace m'explique que je devrais remercier Dieu d'être blanc, un jeune Blanc avec la bourse de l'armée et une bonne santé. Peut-être un petit problème avec les yeux, mais, il n'empêche, dans ce pays, mieux vaut être un Blanc aux yeux amochés qu'un Noir avec de bons yeux. Si jamais son fils lui apprenait qu'il voulait quitter l'université pour aller se planter devant une chaîne d'assemblage à coller des allume-cigares dans des bagnoles il monterait au Canada lui casser la tête.

À l'entrepôt il y a des hommes qui rient de moi et voudraient savoir pourquoi diable je vais m'asseoir avec Horace pendant la pause-déjeuner. De quoi peut-on parler avec un gars dont les grands-parents tombaient à peine de l'arbre ? Si je m'installe à un bout du quai afin de lire un livre pour mes cours, ils font leurs mous du poignet et demandent si je ne serais pas une tante. Je leur balancerais bien mon crochet de chargement à travers la gueule mais Eddie Lynch leur lance de la boucler, de laisser le gosse tranquille, qu'ils sont des ploucs ignorants dont les grands-parents étaient encore dans la fange et n'auraient pas su reconnaître un arbre s'ils l'avaient eu enfoncé dans le cul.

Les hommes ne vont pas répondre à Eddie mais ils s'en reprennent à moi lors du déchargement des camions en faisant soudainement tomber des caisses ou des cageots sur mes bras tendus, ce qui fait mal. Si l'un d'eux manœuvre le chariot de levage, il fera tout pour me coincer contre le mur puis éclatera de rire : Oups ! Je t'avais pas vu là, dis donc ! Après le déjeuner, ils feront les gentils et me demanderont comment était mon sandwich, et, si je réponds : Bon, ils diront : Merde, mec, t'as donc pas goûté la merde de pigeon que Joey a étalé sur ton jambon ?

De sombres nuages roulent dans ma tête et j'ai envie de me jeter sur Joey avec mon crochet, mais le jambon me monte à la gorge et je vomis en plein milieu du quai tandis que les hommes ne se tiennent plus de rire, les seuls à ne pas se marrer étant Joey du côté fleuve, qui lève les yeux au ciel étant donné qu'il n'est pas bien dans sa tête, comme chacun le sait, et Horace à l'autre bout, qui regarde sans mot dire.

Mais, une fois que tout le jambon est remonté et que cessent les haut-le-cœur, je sais ce que pense Horace. Il pense que s'il s'agissait de son fils, Timothy, il lui dirait de s'éloigner de tout ça et je sais que c'est ce que je dois faire. Je m'avance vers Eddie Lynch et lui tend mon crochet de chargement, prenant garde de le lui présenter par le manche afin d'éviter toute offense. Il le prend et me serre la main. C'est bon, le gosse, dit-il, bien de la chance, et on t'enverra ton chèque. Eddie est peut-être un chef de quai sans éducation, qui a fait son chemin à la force du poignet, mais il comprend la situation, il comprend ce que je pense. Je m'avance vers Horace et on se serre la main. Je ne peux rien dire car j'éprouve à son égard un étrange sentiment d'affection qui rend difficile de parler et j'aimerais bien qu'il soit mon père. Lui non plus ne dit rien, il sait qu'il y a des moments comme ça, où les mots n'ont pas de sens. Il me tapote l'épaule, hoche la tête, et la dernière chose que j'entends aux Entrepôts portuaires vient d'Eddie Lynch : Retournez au boulot, bande de bites molles !

Un samedi matin, Tom et moi prenons le métro jusqu'à la gare routière de Manhattan. Lui part pour Detroit et moi j'emporte mon barda dans une pension du quartier de Washington Heights. Tom achète son billet, fourre ses sacs dans le compartiment bagages, monte dans le bus et dit : Tu es sûr ? Tu es sûr de ne pas vouloir venir à Detroit ? Tu pourrais avoir la bonne vie !

Il me serait facile de grimper dans ce bus. Tous mes biens sont dans le barda et je pourrais le balancer là-dedans avec les bagages de Tom, prendre un billet et partir pour une grande aventure avec de l'argent et des blondes et des secrétaires me proposant tout, quoi que ce soit, mais je pense à Horace me disant quel imbécile je serais de faire ça et je sais qu'il a raison et je secoue la tête à l'adresse de Tom avant que la portière du bus se ferme, et il se dirige vers sa place, souriant et agitant la main.

Dans le train A, tout le long du trajet jusqu'à Washington Heights, je balance entre Tom et Horace, Detroit et la NYU. Pourquoi ne pas bosser tout bonnement en usine, de huit à cinq, pause-déjeuner d'une heure, deux semaines de congé chaque année ? Je pourrais rentrer le soir, prendre une douche, sortir avec une fille, lire un livre quand j'en aurais envie. Je n'aurais pas à me faire du mouron au sujet de professeurs me couvrant de ridicule une semaine, de louanges la suivante. Je n'aurais pas à me faire du mouron à propos de dissertations et de notes de lecture de gros manuels et de contrôles. Je serais libre.

Mais, si je me déplaçais dans Detroit par trains et par bus, il se pourrait que je voie des étudiants avec leurs livres et, là, je me demanderais quel imbécile j'ai été de lâcher la NYU dans le seul but de me faire de l'argent en bossant sur une chaîne d'assemblage. Je sais que je ne serais jamais content sans diplôme universitaire et que je serais toujours à me demander ce que j'ai raté.

Chaque jour j'apprends l'étendue de mon ignorance, surtout quand je vais prendre un café et un toast au fromage à la cafétéria de la NYU. Il y a toujours une foule d'étudiants qui laissent tomber leurs livres par terre et semblent n'avoir rien d'autre à faire que de parler de leurs cours. Ils se plaignent des professeurs et les maudissent de donner des mauvaises notes. Ils se vantent d'utiliser la même dissertation trimestrielle pour plus d'un cours ou ils rigolent des façons dont on peut faire tourner un professeur en bourrique avec des dissertations directement copiées sur des encyclopédies ou paraphrasées d'après des livres. La plupart des classes sont si nombreuses que les professeurs peuvent seulement parcourir les dissertations et, s'ils ont des assistants, ces derniers ne connaissent rien à rien. Ainsi parlent les étudiants et l'université semble être un grand jeu pour eux.

Chacun parle, personne n'écoute, et je vois bien pourquoi. J'aimerais être un étudiant ordinaire, qui parle et se plaint, mais je ne me vois vraiment pas écouter des gens causant sans arrêt de ce truc qui s'appelle la moyenne des notes. Ils parlent de la moyenne car c'est elle qui vous donne accès au troisième cycle et c'est ce qui obsède les parents.

Quand les étudiants ne sont pas à causer de leurs moyennes, ils discutent du sens de chaque chose, la vie, l'existence de Dieu, la terrible situation du monde, et on ne sait jamais quand quelqu'un va lâcher le grand mot, *existentialisme*, qui donne à chacun l'air sérieux et profond. Ils peuvent être en train d'évoquer leur vocation de docteur ou d'avocat quand soudain l'un d'eux lève les bras au ciel et déclare que tout est absurde, que la seule personne au monde qui soit sensée est Albert Camus qui dit que votre acte quotidien le plus important consiste à décider de ne pas se suicider.

Si jamais je devais me trouver assis parmi un groupe de ce genre, avec mes livres par terre et une expression lugubre sur le visage causée par la vacuité de toute chose, il vaudrait mieux que je me renseigne sur l'existentialisme et que je pige qui est Albert Camus. C'est ce que j'entends faire jusqu'au moment où les étudiants commencent à parler des différentes disciplines, et je découvre que je suis dans celle que tout le monde regarde de haut : Sciences de l'éducation. C'est bien d'être dans une école de commerce ou à l'université des Arts et Sciences de Washington Square mais, si vous êtes aux Sciences de l'éduc, vous êtes tout au bas de l'échelle. Vous allez être professeur, seulement voilà : qui veut être professeur ? Certains étudiants ont une mère enseignante et elles sont payées peau de balle, mec, peau de balle. Tu te casses le cul pour une bande de mômes qui ne t'apprécient pas, et qu'est-ce que tu obtiens ? *Bubkes*, voilà ce que tu obtiens.

Vu leur façon de dire ça, je comprends que *bubkes* n'est pas bon et ça me fait un autre mot à chercher en plus d'existentialisme. J'éprouve un sombre sentiment d'être assis là dans la cafétéria à écouter les brillantes discussions autour de moi tout en sachant que je ne rattraperai jamais les autres étudiants. Ils sont là avec leur brevet d'études secondaires et leurs parents qui s'échinent pour les envoyer à la NYU afin d'être docteurs et avocats, mais leurs parents savent-ils combien de temps leurs fils et filles passent dans la cafétéria à discutailler de l'existentialisme et du suicide ? Me voilà, vingt-trois ans et sans brevet d'études secondaires, avec des yeux amochés, des dents amochées, tout amoché, et qu'est-ce que je fabrique donc ici ? Je me félicite de ne pas avoir essayé de prendre place parmi les étudiants futés et suicidaires. Si jamais ils apprenaient que je veux être professeur, je serais la risée du groupe. Je ferais probablement mieux d'aller m'asseoir dans une autre partie de la cafétéria, avec les futurs professeurs inscrits en Sciences de l'éducation, encore que ça montrerait au monde que je suis avec les perdants qui ne peuvent accéder aux bons établissements.

La seule chose à faire est de finir mon café et mon toast au fromage, puis d'aller à la bibliothèque voir ce qu'il en est de l'existentialisme et découvrir ce qui attriste tant Camus, au cas où.

26

Ma nouvelle logeuse est Mrs Agnes Klein, qui me montre une chambre à douze dollars la semaine. C'est une vraie chambre, pas comme le bout de couloir que me louait Mrs Austin dans la 68e Rue. Il y a un lit, un bureau, une chaise, un petit canapé dans le coin près de la fenêtre où mon frère Michael pourra dormir quand il viendra d'Irlande dans quelques mois.

Je n'ai pas plus tôt franchi le seuil que Mrs Klein me raconte son histoire. Elle m'avise que je ne dois pas me hâter d'en tirer des conclusions, quelles qu'elles soient. Elle s'appelle peut-être Klein mais c'était le nom de son mari, qui était juif. Son vrai nom est Canty et je suis bien placé pour savoir qu'on ne fait pas plus irlandais que ça, et d'ailleurs, si je n'ai nulle part où aller à Noël, je peux le passer avec elle et son fils, Michael, enfin, ce qu'il en reste. Son mari, Eddie, a été la cause de tous ses ennuis. Juste avant la guerre, il a filé en Allemagne avec leur fils de quatre ans, Michael, car sa mère était mourante et il comptait hériter de sa fortune. Bien entendu ils se sont fait rafler, toute la tribu des Klein, la mère et tout, et ils ont fini dans un camp. Inutile d'expliquer aux foutus nazis que Michael était un citoyen américain, né dans le quartier de Washington Heights. Le mari n'a jamais réapparu, mais Michael a survécu, pauvre gosse, et à la fin de la guerre il a même été capable de dire qui il était aux Américains. Elle m'apprend que ce qu'il reste de lui se trouve dans une petite pièce, au fond de l'appartement. Elle dit que je devrais venir dans sa cuisine le jour de Noël vers deux heures de l'après-midi et boire un petit quelque chose avant le repas. Il n'y aura point de dinde. Elle aimerait bien cuisiner à l'européenne, si cela ne me dérange pas. Elle me dit de ne pas accepter à moins que ce ne soit sincère, que je n'ai pas besoin de venir au repas de Noël si j'ai autre part où aller, chez quelque fille irlandaise qui ferait de la purée. Que je ne m'en fasse pas pour elle. Ce ne sera pas son premier Noël avec personne d'autre que Michael au fond de l'appartement, enfin, ce qu'il en reste.

C'est le jour de Noël, d'étranges odeurs parviennent de la cuisine, et Mrs Klein s'y trouve, poussant des choses dans une poêle à frire. Des *piroshkis*, dit-elle. C'est polonais. Michael en raffole. Prenez une vodka avec un peu de jus d'orange. Bon pour vous à cette époque de l'année, avec la grippe qui s'annonce.

On s'installe dans le salon avec nos verres, et elle parle de son mari. Elle dit qu'on ne serait pas là à boire de la vodka et à se faire cuire les bons vieux *piroshkis* s'il était présent. C'est que, pour lui, Noël était un jour comme les autres.

Elle se penche pour régler une lumière et sa perruque glisse et la vodka en moi me fait éclater de rire quand je vois son crâne parsemé de petites touffes châtain foncé. Allez-y, dit-elle. Un de ces jours, ce sera la perruque de votre mère qui glissera, et alors on verra si vous rirez. Et elle replace brusquement la perruque sur sa tête.

Je lui réplique que ma mère a une belle chevelure et elle rétorque : Pas étonnant. Votre mère n'a jamais eu un mari cinglé au point de se jeter dans les bras des nazis, pour l'amour de Dieu. S'il n'avait pas fait ça, Michael, enfin, ce qu'il en reste, sortirait de ce lit là-bas et viendrait prendre une vodka en salivant comme un pauvre diable à l'idée de manger ses *piroshkis*. Oh, mon Dieu, les *piroshkis* !

Elle bondit de sa chaise et se précipite dans la cuisine. Les voilà un peu brûlés, ma foi, mais ils n'en seront que plus goûteux et croustillants. Selon ma philosophie – voulez-vous connaître ma philosophie ? – quoi qu'il se passe de contrariant pour vous dans une cuisine, vous avez toujours moyen de le tourner à votre avantage. Allez, nous pourrions aussi bien prendre une autre vodka le temps que je fasse cuire la choucroute et la *kielbasa*.

Elle remplit les verres puis m'invective quand je lui demande ce qu'est la *kielbasa*. Elle dit qu'elle ne peut croire à l'ignorance qui règne en ce monde. Deux ans dans l'armée des États-Unis et vous ne savez pas ce que c'est ? Pas étonnant que les communistes gagnent du terrain. C'est polonais, pour l'amour de Dieu, de la saucisse, et vous devriez venir me regarder la faire frire des fois que vous en épouseriez une qui ne soit pas irlandaise, une chouette fille qui pourrait bien exiger sa *kielbasa*.

On reste dans la cuisine en buvant une autre vodka pendant que la *kielbasa* crépite et que la choucroute mijote avec une odeur de vinaigre. Mrs Klein pose trois assiettes sur un plateau et emplit un verre de Manischewitz pour Michael, enfin, ce qu'il en reste. Il en raffole, dit-elle, il raffole du Manischewitz avec les *piroshkis* et la *kielbasa*.

Je la suis à travers sa chambre à coucher et parviens dans une petite pièce assombrie où Michael, enfin, ce qu'il en reste, est assis dans le lit, les yeux fixés droit devant lui. Nous avons apporté des chaises et son lit nous sert de table. Mrs Klein allume la radio et on écoute des flonflons, de la musique d'accordéon. C'est la musique qu'il préfère, dit-elle. Tout ce qui est européen. Il a la nostalgie, vous savez, la nostalgie de l'Europe, pour l'amour de Dieu. N'est-ce pas, Michael ? N'est-ce pas ? Je te parle. Joyeux Noël, Michael, foutu joyeux Noël. Elle arrache sa perruque et la balance dans un coin. On ne fait plus semblant, Michael. J'en ai ma claque. Parle-moi ou bien l'année prochaine je cuisine à l'américaine. L'année prochaine ce sera la dinde, Michael, la farce, sauce aux canneberges, le grand jeu, Michael !

Il regarde fixement droit devant lui et la graisse de la *kielbasa* luit dans son assiette. Sa mère tripote le bouton de la radio jusqu'au moment où elle tombe sur Bing Crosby chantant *White Christmas*.

Mieux vaut t'y faire, Michael. L'année prochaine, Bing et la farce. Au diable la *kielbasa* !

Elle repousse son assiette sur le lit et tombe endormie, la tête sur le coude de Michael. J'attends un moment, puis je remporte mon repas dans la cuisine, je le jette dans la poubelle, je retourne dans ma chambre et m'écroule sur mon lit.

Timmy Coin travaille à la Merchants Refrigerating Company et loge à la pension de Mary O'Brien, au 720 de la 180ᵉ Rue Ouest, tout près d'où j'habite. Il me dit de passer prendre une tasse de thé à n'importe quel moment, Mary est si gentille.

Il ne s'agit pas d'une vraie pension, mais d'un vaste appartement, et il y a quatre pensionnaires payant chacun dix-huit dollars la semaine. Ils ont un bon petit déjeuner quand ils veulent, pas comme chez Logan dans le Bronx où nous devions aller à la messe ou nous trouver en état de grâce. Mary elle-même est plutôt du genre à rester assise dans sa cuisine le dimanche matin, à boire du thé, à fumer des cigarettes et à sourire aux pensionnaires décrivant leurs terribles gueules de bois qui les font jurer que, non, plus jamais on ne les y reprendra. Elle me dit que je pourrai toujours venir loger ici le jour où l'un des garçons décidera de s'en retourner en Irlande. Ils s'en retournent toujours, ajoute-t-elle. Ils croient pouvoir rassembler quelques dollars puis s'installer dans la vieille ferme avec une fille du village, mais après, après, qu'est-ce que vous faites soir après soir sans personne d'autre que la femme assise face à vous en train de tricoter à la lueur du feu et vous à songer aux lumières de New York, aux bals de l'East Side et aux bars douillets et coquets de la Troisième Avenue ?

J'aimerais venir loger chez Mary O'Brien pour échapper à Mrs Agnes Klein qui semble sempiternellement sur le qui-vive de l'autre côté de sa porte, à attendre que je tourne la clef dans la serrure pour me fourrer dans la main un verre de vodka orange. Peu lui chaut que je doive lire ou rédiger des devoirs pour mes cours à la NYU. Peu lui importe que je sois épuisé d'avoir travaillé de nuit sur les appontements ou dans les entrepôts. Elle tient à me raconter l'histoire de sa vie, comment Eddie la lui a faite au charme, mieux que n'importe quel Irlandais, et gare aux jeunes Juives, Frank, elles peuvent être très charmeuses, elles aussi, et très – comment dites-vous ? – très sensuelles, et, avant que vous ayez compris quoi que ce soit, vous voilà à piétiner le verre.

Piétiner le verre ?

Exactement, Frank. Cela vous ennuie-t-il que je vous appelle Frank ? Ils ne vous épouseront pas sans que vous ayez piétiné le verre à vin, jusqu'à en faire de petits morceaux. Puis ils veulent vous convertir pour que les gosses soient juifs et héritent de tout. Moi je n'ai pas voulu. J'étais sur le point de le faire mais ma mère a dit que si jamais je devenais juive elle se jetterait du pont George-Washington et, de vous à moi, je n'en aurais rien eu à foutre qu'elle saute et rebondisse sur un remorqueur qui serait passé par là. Ce n'est pas elle qui m'a dissuadée de devenir juive. J'ai gardé la foi pour mon père, brave homme, un petit problème avec la boisson, mais à quoi s'attendre avec un nom comme Canty dont regorge le comté de Kerry que j'espère voir un jour si Dieu m'accorde la santé. On dit que le comté de Kerry est si verdoyant et si joli, et moi qui ne vois jamais de verdure, qui ne vois rien d'autre que cet appartement et le supermarché, rien d'autre que cet appartement et Michael, enfin, ce qu'il reste de lui, là-bas au bout du couloir. Mon père disait qu'il aurait le cœur brisé si je devenais juive, non qu'il eût quoi que ce soit contre eux, ce malheureux peuple souffrant, mais n'avions-nous pas souffert également, et allais-je tourner le dos à des générations qui s'étaient fait pendre et brûler un peu partout ? Il est venu au mariage, mais pas ma mère. Elle a déclaré que c'était comme si je remettais le Christ au supplice là-haut sur la croix, avec les plaies, et j'en passe. Elle a déclaré que le peuple d'Irlande se laisserait mourir de faim avant d'aller à la soupe protestante, et que dirait-il de ma conduite ? Eddie m'a prise dans ses bras et il m'a dit que lui aussi avait des problèmes avec sa famille et que quand on aime quelqu'un on peut dire au monde entier de vous baiser le cul, et voyez ce qui est arrivé à Eddie, il a fini dans un foutu four, que Dieu pardonne mon langage.

Elle s'assied sur mon lit, pose son verre par terre, couvre son visage de ses mains. Jésus, Jésus, gémit-elle. Je ne puis dormir en songeant à ce qu'ils lui ont fait et à ce que Michael a vu. Qu'est-ce que Michael a vu ? J'ai vu les photographies dans les journaux. Jésus. Et je les connais, les Allemands. Ils habitent ici. Ils ont des épiceries et des enfants, et moi je leur demande : Avez-vous tué mon Eddie ? Et ils ne font que me regarder.

Elle pleure, s'affale sur mon lit, s'endort, et je ne sais si je dois la réveiller et lui expliquer que moi-même suis épuisé, que je paie douze dollars par semaine, tout ça pour qu'elle s'endorme dans mon lit tandis que je dois trouver le sommeil sur l'inconfortable canapé d'angle qui attend la venue de mon frère Michael dans quelques mois.

Je raconte ces choses-là à Mary O'Brien et à ses pensionnaires, et ils éclatent d'un rire hystérique. Ah, que Dieu l'aime ! fait Mary. Je connais la malheureuse Agnes et tout ce qui se rapporte à elle. Il y a des jours où elle perd complètement la boule et erre dans le quartier sans sa perruque à demander à tout le monde où est le rabbin afin qu'elle puisse se convertir pour le bien de son fils, le malheureux Michael cloué au lit, enfin, ce qu'il en reste.

Chaque quinzaine, deux bonnes sœurs viennent aider Mrs Klein. Elles lavent Michael, enfin, ce qu'il reste de lui, et changent ses draps. Elles nettoient l'appartement et surveillent Mrs Klein quand elle prend un bain. Elles brossent sa perruque afin qu'elle n'ait pas cet aspect emmêlé. Mrs Klein ne le sait pas mais les sœurs diluent sa vodka avec de l'eau, et si elle s'enivre c'est tout dans sa tête.

Sœur Mary Thomas est curieuse à mon égard. Est-ce que je pratique ma religion et à quelle école vais-je, car ne sont-ce pas des livres et cahiers qu'elle voit là ? Quand je lui réponds : NYU, elle sourcille et se demande à haute voix si je ne m'inquiète pas de perdre ma religion dans un tel endroit. Je ne peux lui dire que j'ai arrêté d'aller à la messe depuis des années, elle et sœur Beatrice étant si bonnes pour Mrs Klein et Michael cloué au lit, enfin, ce qu'il en reste.

Sœur Mary Thomas me chuchote quelque chose que je ne dois jamais confier à personne, sauf s'il s'agit d'un prêtre, qu'elle a pris la liberté de baptiser Michael. Après tout, il n'est pas vraiment juif puisque sa mère est une catholique irlandaise et la sœur a horreur de songer à ce qui pourrait arriver à Michael s'il mourait sans recevoir les sacrements. Petit garçon, n'a-t-il pas suffisamment souffert, en Allemagne, de voir son père se faire emmener ou pire ? Et ne mérite-t-il pas la purification du baptême au cas où il ne se réveillerait pas un matin là-bas dans le lit ?

Maintenant, elle veut le savoir : Quelle est ma situation ici ? Est-ce moi qui encourage Agnes à boire ou l'inverse ? Je lui explique que je suis trop occupé par l'école et le travail pour faire autre chose que grappiller un peu de sommeil entre les deux. Elle veut savoir si je ne lui ferais pas une petite faveur, quelque chose pour apaiser son âme. À supposer que j'aie un moment, et que la malheureuse Agnes soit endormie ou abrutie de vodka additionnée d'eau, voudrais-je bien aller au fond de l'appartement, m'agenouiller au pied du lit de Michael, réciter deux ou trois *Je vous salue, Marie* et peut-être une dizaine du chapelet ? Sans doute ne comprendra-t-il pas, mais sait-on jamais ? Avec l'aide de Dieu, les *Je vous salue, Marie* pourraient s'imprimer dans sa pauvre cervelle troublée et l'aider à retourner au royaume des vivants, à revenir à la vraie Foi qui est descendue sur lui du côté de sa mère.

Si je fais ça, elle priera pour moi. Avant tout, elle priera pour que je quitte la NYU, dont chacun sait qu'il s'agit d'un ardent foyer de communisme, où je suis en grand danger de perdre mon âme immortelle, et en quoi cela profite-t-il à un homme de gagner le monde s'il perd son âme immortelle ? Dieu sait qu'il doit y avoir un endroit pour moi à Fordham ou à Saint-John, qui ne sont point d'ardents foyers du communisme athée comme la NYU. Je ferais mieux de déguerpir de la NYU avant que le sénateur McCarthy ne s'en occupe, que Dieu le bénisse et le préserve. N'est-ce pas vrai, sœur Beatrice ?

L'autre opine du chef car elle est toujours tellement occupée qu'elle parle rarement. Pendant que sœur Mary Thomas s'évertue à sauver mon âme du communisme athée, sœur Beatrice donne un bain à Mrs Klein, à moins qu'elle lave Michael, enfin, ce qu'il en reste. Parfois, lorsque sœur Beatrice ouvre la porte de la chambre de Michael, l'odeur qui envahit l'appartement suffit à vous soulever le cœur, mais ça ne l'empêche pas d'entrer. Elle lui fait tout de même sa toilette, change ses draps, et on l'entend qui fredonne des cantiques. Quand Mrs Klein a trop bu et rechigne à prendre un bain, sœur Beatrice la tient par les épaules, fredonne des cantiques et lisse les petites touffes châtain foncé parsemant son crâne jusqu'au moment où Mrs Klein est comme une enfant dans ses bras. Tout cela impatiente sœur Mary Thomas, qui lui lance alors : Vous n'avez pas le droit de nous faire perdre ainsi notre temps. Nous avons d'autres âmes en peine à visiter, des catholiques, Mrs Klein, des catholiques.

Je suis catholique, geint Mrs Klein. Je suis catholique.

C'est discutable, Mrs Klein.

Et, si Mrs Klein se met à sangloter, sœur Beatrice la tient plus fort, elle lui impose sa paume entière sur la tête et fredonne à tout va avec un petit sourire adressé au Ciel. Sœur Mary Thomas pointe un doigt menaçant dans ma direction et me lance : Prenez garde de vous marier en dehors de la vraie Foi ! Car voilà ce qui arrive !

27

J'ai reçu une lettre m'avisant d'aller voir mon directeur d'études du département d'anglais, Mr Max Bogart. Celui-ci me déclare que mes notes sont insuffisantes : B moins en Histoire de l'éducation en Amérique et C en Introduction à la littérature. Je suis supposé maintenir une moyenne de B durant mon année à l'essai si je veux rester à l'université. Après tout, ajoute-t-il, la directrice des admissions vous a fait une faveur en vous acceptant sans brevet d'études secondaires, et maintenant vous ne tenez pas vos engagements envers elle.

Je dois travailler.

Qu'est-ce à dire, vous devez travailler ? Tout le monde doit travailler.

Je dois travailler les nuits, parfois le jour, sur les appontements, dans les entrepôts.

Il déclare que je dois prendre une décision, le travail ou l'université. Il me donnera un répit cette fois et ajoutera une mise à l'essai à celle dont je jouis déjà. En juin prochain, il veut me voir avec une stricte moyenne de B, ou mieux.

Je n'aurais jamais cru que l'université se résumerait à cela : numéros, lettres, notes, moyennes et gens me mettant à l'essai. Je pensais que ce serait un endroit où des hommes et des femmes bienveillants et instruits enseigneraient avec chaleur et qu'ils s'arrêteraient pour expliquer si je ne comprenais pas. Je ne me doutais pas que j'aurais à cavaler d'un cours à l'autre avec des douzaines d'étudiants, parfois plus d'une centaine, avec des professeurs faisant leur leçon magistrale sans même vous regarder. Certains professeurs contemplent la fenêtre ou ont les yeux levés au plafond, et certains collent leur nez à des blocs-notes et lisent à partir de feuilles de papier jaune qui s'effrite. Quand des étudiants posent des questions, on les décourage d'un mouvement de main. Dans les romans anglais, les étudiants d'Oxford et de Cambridge se retrouvaient toujours dans les salles des professeurs et sirotaient du sherry en discutant de Sophocle. Moi aussi j'aimerais discuter de Sophocle, mais il faudrait d'abord que je le lise et le temps manque après mes nuits chez Merchants Refrigerating.

Et si je dois discuter de Sophocle, en plus de tirer la gueule à propos de l'existentialisme et du problème du suicide chez Camus, il faudra que je renonce à Merchants Refrigerating. Si je n'avais pas le travail de nuit, je pourrais m'installer dans la cafétéria et causer de *Pierre ou les Ambiguïtés* ou de *Crime et châtiment*, ou de Shakespeare en général. Dans la cafétéria se trouvent des filles avec des noms comme Rachel et Naomi et ce sont elles dont Mrs Klein m'a parlé, les jeunes Juives très sensuelles. J'aimerais avoir le courage de leur adresser la parole car elles sont probablement toutes comme les jeunes protestantes, au désespoir quant à la vacuité de tout, aucun sens du péché et prêtes à toute sensualité.

C'est le printemps 1954, et je suis étudiant à plein temps à la NYU, travaillant seulement à temps partiel sur les docks et dans les entrepôts, ou quand l'agence Manpower me confie une mission temporaire. La première a pour cadre une chapellerie de la Septième Avenue dont le propriétaire, Mr Meyer, me dit qu'il s'agit d'un boulot facile. Tout ce que j'ai à faire est de prendre ces chapeaux de femmes, tous de couleur neutre, de plonger ces plumes dans différents pots de teinture, de laisser la plume sécher, d'assortir la couleur au chapeau, de fixer la plume au chapeau. Facile, hein ? Ouais, c'est ce que vous croyez, dit Mr Meyer, mais quand je laisse certaines de mes employées portoricaines s'essayer à cette besogne elles arrivent à des combinaisons de couleurs propres à vous aveugler. Ces Portos prennent la vie pour une parade de Pâques, ce qu'elle n'est pas. Il faut avoir du goût quand on assortit une plume à un chapeau, oui, mon ami, du goût. Les petites dames juives de Brooklyn n'ont pas envie d'avoir la parade de Pâques sur leur tête pendant *pésah*, voyez ce que je veux dire ?

Il me dit que j'ai l'air assez intelligent. Et ne suis-je pas étudiant ? Un boulot facile comme ça ne devrait pas être un problème. Si c'en était un, franchement, je ne devrais même pas être à l'université. Comme il va s'absenter quelques jours, je vais être livré à moi-même, il n'y aura que moi et les dames portoricaines qui travaillent aux machines à coudre et aux planches à découper. Ouais, fait-il, les dames portos s'occuperont bien de vous, ha ha.

J'aimerais lui demander s'il y a des couleurs qui s'assortissent et des couleurs qui ne s'assortissent pas, mais le voilà parti. Je plonge les plumes dans les pots et ne les ai pas plus tôt fixées aux chapeaux que les femmes et filles portoricaines commencent à glousser et à s'esclaffer. Quand j'ai fini un lot de chapeaux, elles vont les placer sur des étagères le long des murs, puis m'en apportent un autre lot. Tout ce temps-là elles s'efforcent de ne pas rire mais ne peuvent s'en empêcher, et moi je ne peux m'arrêter de rougir. Voulant varier les tons, je plonge les plumes dans différentes teintures et tâche d'obtenir un effet d'arc-en-ciel. J'utilise une plume comme pinceau et tente sur les autres plumes de faire des pointillés, des rayures, des couchers de soleil, des lunes croissantes et déclinantes, des rivières onduleuses avec des poissons frétillants et des oiseaux perchés, et les femmes rigolent tellement qu'elles n'arrivent plus à actionner les machines à coudre. J'aimerais pouvoir leur parler et leur demander ce que je fais mal. J'aimerais pouvoir leur expliquer que je n'ai pas été mis en ce monde pour coller des plumes sur des chapeaux, que je suis un étudiant d'université qui a dressé des chiens en Allemagne et travaillé sur les appontements.

Trois jours plus tard, Mr Meyer est de retour. Dès qu'il voit les chapeaux, il se fige dans l'embrasure tel un homme pris de paralysie. Il regarde les femmes et elles secouent la tête comme pour dire qu'il y a bien de la folie dans le monde.

Qu'avez-vous fait ? demande-t-il.

Je ne sais que répondre.

Jésus. Je veux dire, vous êtes portoricain ou quoi ?

Non, monsieur.

Irlandais, hein ? Ouais, c'est bien ça. Peut-être que vous êtes daltonien. Je ne vous ai pas questionné à ce sujet. Me suis-je enquis de votre daltonisme ?

Non, monsieur.

Si vous n'êtes pas daltonien, alors je ne sais comment vous pouvez expliquer ces combinaisons. Vous faites paraître les Portoricains ternes, vous savez ça ? Ternes. Je suppose que c'est ce trait propre aux Irlandais, aucun sens de la couleur, aucun art, sacredieu ! Je veux dire, où sont les peintres irlandais ? Nommez-m'en un.

J'en suis incapable.

Vous avez entendu parler de Van Gogh, hein ? Rembrandt ? Picasso ?

J'en ai entendu parler.

C'est bien ce que je veux dire. Vous êtes de chouettes gens, les Irlandais, de grands chanteurs, John McCormack[1]. De grands flics, de grands hommes politiques, de grands prêtres. Beaucoup de prêtres

---

1. John McCormack (1884-1945), Américain né en Irlande, fut un ténor de renommée mondiale. *(N.d.T.)*

irlandais mais pas un artiste. Quand est-ce que vous avez vu un tableau irlandais sur un mur ? Un Murphy, un Reilly, un Rooney ? Nan, le gosse. En fait, je pense que vous autres ne connaissez qu'une couleur, le vert. Exact ? Aussi je vous conseille de rester au large de tout ce qui se rapporte à la couleur. Faites-vous flic, filez à l'agence, ramassez votre chèque et menez une chouette vie, allez, sans rancune.

Les gens de l'agence Manpower secouent la tête. Ils pensaient que ce serait l'emploi parfait pour moi, car ne suis-je pas étudiant ? En quoi est-ce tellement difficile de coller des plumes sur des chapeaux ? Mr Meyer les a appelés pour dire : Ne m'envoyez plus d'étudiants irlandais, ils sont daltoniens. Envoyez-moi quelqu'un de stupide qui connaisse les couleurs et ne déconne pas avec mes chapeaux.

Ils disent que si je savais taper à la machine ils auraient toutes sortes d'emplois pour moi. Je leur réponds que je sais taper à la machine, que j'ai appris à l'armée et que je suis efficace.

Ils m'envoient dans des bureaux de tous les quartiers de Manhattan. De neuf heures à cinq heures, je suis assis derrière des bureaux et je tape des listes, des factures, des adresses sur des enveloppes, des polices de chargement. Les chefs de service me disent que faire puis ne m'adressent plus la parole qu'en cas d'erreur. Les autres employés m'ignorent car je suis seulement temporaire, un tempo comme ils disent, et je pourrais aussi bien ne pas être là demain. Ils ne me voient même pas. Je pourrais mourir à mon bureau et ils passeraient devant moi en racontant ce qu'ils ont vu à la télévision hier soir et comment ils vont se barrer vite fait d'ici vendredi après-midi et filer vers la côte du Jersey. Ils font chercher du café et des gâteaux sans jamais me demander si je n'aurais pas quelque chose comme une bouche. Chaque truc inhabituel qui arrive est un prétexte pour une petite fête. On offre des cadeaux aux personnes promues, enceintes, à celles qui se fiancent ou se marient, et ils vont tous à l'autre bout du bureau pour boire du vin, manger des biscuits salés et du fromage pendant la dernière heure, avant le retour au bercail. Les femmes amènent leur nouveau bébé et toutes les autres foncent le chatouiller et dire : N'est-elle pas simplement magnifique ? Elle a tes yeux, Miranda, elle a tout à fait tes yeux. Les hommes disent : *Hi*, Miranda ! Bonne mine ! Chouette gosse ! C'est tout ce qu'ils peuvent dire car les hommes ne sont pas censés s'enthousiasmer ou s'émouvoir sur les bébés. Je ne suis pas invité aux petites fêtes et ça me fait drôle d'être là avec ma machine à écrire qui crépite et tout le monde en train de passer un bon moment. Lorsqu'un chef de service fait un petit discours et que je suis à la machine, on me lance de l'autre côté de la salle : Excusez-moi, vous là-bas, cessez ce boucan une minute, vous voulez bien ? On ne s'entend plus penser ici.

Je me demande bien comment ils peuvent travailler dans ces bureaux jour après jour, d'une année sur l'autre. Je n'arrête pas de regarder la pendule et il y a des fois où je crois que je vais simplement me lever et partir comme je l'ai fait à l'agence d'assurances de la Croix bleue. Les gens des bureaux semblent ne pas s'en faire. Ils vont à la fontaine d'eau fraîche, ils vont aux toilettes, ils se baladent de bureau en bureau et bavardent, ils s'appellent au téléphone de bureau en bureau, ils s'extasient devant leurs vêtements, leurs cheveux, leur maquillage, et chaque fois que quelqu'un perd deux ou trois kilos grâce à un régime. Quand une femme se voit dire qu'elle a perdu du poids, elle sourit pendant une heure et ne cesse de faire courir ses mains sur ses hanches. Les gens des bureaux se vantent de leurs enfants, de leur femme, de leur mari, et ils rêvent du congé de deux semaines.

On m'envoie dans une firme d'import-export de la Quatrième Avenue. On me donne une pile de paperasses concernant l'importation de poupées japonaises. Je suis supposé copier ce papier-ci sur ce papier-là. Il est neuf heures trente du matin à la pendule du bureau. Je regarde par la fenêtre. Le soleil brille. Un homme et une femme s'embrassent devant une cafétéria de l'autre côté de l'avenue. Il est neuf heures trente-trois du matin à la pendule du bureau. L'homme et la femme se séparent et marchent dans des directions opposées. Ils font demi-tour. Ils courent l'un vers l'autre pour s'embrasser à nouveau. Il est neuf heures trente-six du matin à la pendule. Je prends ma veste sur le dos de la chaise et l'enfile. Le directeur du bureau se tient sur le seuil de son box et lance : Hep ! Que se passe-t-il ? Je ne réponds pas. Des gens attendent l'ascenseur mais je me dirige vers l'escalier et dévale les sept étages aussi vite que possible. Le couple qui s'embrassait a disparu et j'en suis peiné. Je voulais les voir une fois encore. J'espère qu'ils ne sont pas allés dans des bureaux taper des listes de poupées japonaises ou annoncer à tout le monde leurs fiançailles de façon que le chef de service leur octroie une heure à siroter du vin et à grignoter du fromage et des biscuits salés.

Grâce à l'allocation mensuelle envoyée par mon frère Malachy qui est dans l'armée de l'air, ma mère est à l'aise à Limerick. Elle a la maison avec les jardins devant et derrière, où elle peut faire pousser des fleurs et des oignons si elle en a envie. Elle a assez d'argent pour les vêtements et le bingo et les excursions en bord de mer à Kilkee. Alphie est à l'école chez les Frères Chrétiens où il aura une instruction secondaire et toutes sortes d'opportunités. Avec le confort de la nouvelle maison, les lits, les draps, les couvertures, les oreillers, il n'a pas à combattre les puces toute la nuit, il y a le DDT, et il n'a pas à se

démener pour allumer un feu dans l'âtre chaque matin, il y a le fourneau à gaz. Il peut avoir un œuf tous les jours s'il le veut, sans même
avoir à y penser comme on le faisait. Il a des vêtements et des souliers
convenables et il a chaud même quand il fait mauvais dehors.

Il est temps pour moi d'envoyer à Michael de quoi venir à New
York et commencer son chemin dans le monde. Il arrive si fluet que
je voudrais l'emmener se gaver de hamburgers et de tartes aux pommes. Il loge avec moi quelque temps chez Mrs Klein et fait différents
boulots mais, sous la menace d'être appelé sous les drapeaux, il juge
préférable de s'engager dans l'armée de l'air car l'uniforme est d'une
belle nuance de bleu, plus élégant que le marron merdeux de l'armée
tout court, et plus susceptible d'attirer les filles. Quand Malachy aura
quitté l'armée de l'air, ma mère continuera de toucher l'allocation
mensuelle grâce à Michael, ce qui la fera tenir encore trois ans, et
j'aurai seulement à me soucier de moi-même jusqu'à ce que j'aie fini
à la NYU.

28

Lorsqu'elle débarque d'un pas tranquille au cours de psychologie, le professeur lui-même en reste bouche bée et serre un morceau de craie si fort qu'il craque et se brise. Il dit : Excusez-moi, mademoiselle, et elle lui adresse un tel sourire qu'il ne peut que sourire à son tour. Excusez-moi, mademoiselle, reprend-il, mais nous sommes assis par ordre alphabétique et il me faudrait connaître votre nom.

Alberta Small, dit-elle, et il désigne une rangée derrière moi et ça ne nous embêterait guère qu'elle mette toute une journée pour gagner sa place car nous nous régalons de sa chevelure blonde, de ses yeux bleus, de ses lèvres pulpeuses, d'une poitrine qui est matière à pécher, d'une silhouette à vous faire palpiter le milieu du corps. Quelques rangées plus loin, elle chuchote : Excusez-moi, et il y a du mouvement et de l'émoi là où les étudiants doivent se lever pour la laisser accéder à sa place.

J'aimerais être l'un des étudiants qui se lèvent pour la laisser passer, la sentir m'effleurer, me toucher.

À la fin du cours, je veille à attendre qu'elle remonte l'allée pour la regarder arriver et évoluer avec cette silhouette qu'on voit uniquement dans les films. Elle passe, m'adresse un petit sourire, et je me demande pourquoi Dieu est bon au point de me laisser avoir un sourire de la fille la plus ravissante de toute la NYU, si blonde et aux yeux si bleus qu'elle doit descendre d'une tribu de beautés scandinaves. J'aimerais tant pouvoir lui dire : *Hi !* Vous plairait-il de venir prendre une tasse de café et un toast au fromage et de discuter de l'existentialisme ? Mais je sais que ça n'arrivera jamais, surtout quand je vois qui est à l'attendre dans le couloir, un étudiant taillé comme une montagne et portant un blouson marqué *New York University Football*.

Après, lors du cours de psychologie, le professeur me pose une question sur Jung et l'inconscient collectif et je n'ai pas plus tôt ouvert la bouche que je sais que tout le monde me regarde fixement comme pour dire : Qui c'est celui-là, avec l'accent irlandais ? Le professeur lui-même dit : Ah ! Aurions-nous là une pointe d'Irlande ? et je dois reconnaître qu'en effet nous l'avons. Il explique à la classe que, bien sûr, l'Église catholique a été traditionnellement hostile à la psychanalyse, pas vrai, Mr McCourt ? et je sens comme une accusation. Pourquoi parle-t-il de l'Église catholique juste après que j'ai essayé de répondre à sa question sur l'inconscient collectif ? Et suis-je censé défendre l'Église ?

Je ne sais pas, monsieur le professeur.

Inutile de lui raconter qu'un prêtre rédemptoriste de Limerick tempêtait en chaire chaque dimanche matin contre Freud et Jung, les dénonçant et promettant que ces deux-là finiraient dans le trou le plus profond de l'enfer. Si je parle en classe, je sais que personne ne m'écoute. C'est seulement mon accent qu'on écoute, et il y a des fois où j'aimerais pouvoir plonger une main dans ma bouche et extirper mon accent par les racines. Même quand j'essaie d'avoir l'intonation américaine, les gens paraissent perplexes et font : Aurions-nous là une pointe d'Irlande ?

Une fois le cours fini, j'attends que passe la blonde, mais elle ne passe pas, elle s'arrête, les yeux bleus me sourient, elle fait : *Hi !* et voilà que mon cœur cogne dans ma poitrine. Moi, c'est Mike, dit-elle.

Mike ?

Ma foi, mon vrai prénom est Alberta mais on m'appelle Mike.

Il n'y a point de footballeur à l'horizon, et elle dit qu'elle a deux heures avant son prochain cours, et me plairait-il de prendre un verre chez Rocky ?

J'ai un cours dans dix minutes mais je ne vais pas manquer cette chance d'être avec cette fille qui est le point de mire de tous, cette fille qui a choisi de me faire *Hi !* à moi parmi tous les gens du monde. Nous devons aller vite chez Rocky afin de ne pas tomber sur Bob le footballeur. Il pourrait être contrarié s'il savait qu'elle allait prendre un verre avec un autre garçon.

Je me demande pourquoi elle appelle *garçon* tous les hommes. J'ai vingt-trois ans.

Elle dit qu'elle est en quelque sorte fiancée à Bob, qu'ils sont engagés, et je ne sais pas de quoi elle parle. Elle dit qu'une fille engagée s'est engagée à se fiancer et qu'on peut dire qu'une fille est engagée quand elle porte en sautoir la bague que son petit ami a reçu pour son brevet d'études secondaires. Du coup je m'étonne qu'elle ne porte pas la bague de Bob. Elle raconte qu'il lui a donné un bracelet d'or avec son nom à elle dessus, à porter autour de sa cheville, ce qui montrerait qu'elle est prise, mais elle ne le porte pas car c'est ce que font les Portoricaines, qui aiment trop le tape-à-l'œil. Normalement, le bracelet est ce qu'on reçoit juste avant la bague de fiançailles, et elle attendra ce moment-là, merci bien.

Elle me dit qu'elle est de l'État de Rhode Island. Elle a été élevée là-bas à partir de sept ans par la mère de son père. Sa propre mère avait seulement seize ans quand elle est née, et son père vingt, si bien qu'on peut deviner ce qui s'est passé. Mariage forcé. Lorsque vint la guerre et qu'il fut mobilisé puis envoyé à Seattle, ce fut la fin du mariage. Quoique de confession protestante, Mike a accompli ses études secondaires dans une école religieuse d'obédience catholique à Fall River, Massachusetts, et elle sourit au souvenir de cet été suivant la remise des diplômes, quand elle avait un flirt différent presque chaque soir. Elle peut bien sourire mais moi j'éprouve une forte montée de rage et d'envie, et j'aimerais tuer les garçons qui ont mangé du pop-corn avec elle et l'ont probablement embrassée dans quelque drive-in. Maintenant elle habite chez son père et sa belle-mère, là-haut sur Riverside Drive, et sa grand-mère est ici le temps qu'elle s'installe et s'habitue à la ville. Elle n'est pas le moins du monde intimidée pour me dire qu'elle aime bien mon accent irlandais, et elle a même bien aimé regarder le derrière de ma tête en classe, comment mes cheveux sont tout noirs et tout ondulés. J'en rougis et, bien qu'il fasse sombre chez Rocky, elle aperçoit le rougissement et trouve ça mignon.

Il faut que je m'habitue à leur façon de dire *mignon* à New York. Si vous dites de quelqu'un en Irlande qu'il est mignon, vous dites en réalité qu'il est rusé et sournois.

Je suis chez Rocky comme au septième ciel, à boire de la bière avec cette fille qui aurait aussi bien pu descendre d'un écran de cinéma, une autre Virginia Mayo [1]. Je sais que je fais l'envie de chaque homme et de chaque garçon présents chez Rocky, que ce sera pareil dans les rues, avec les têtes qui se tourneront et les gens qui se demanderont : Qui est-il donc pour être avec la fille la plus ravissante de la NYU, voire de tout Manhattan ?

Deux heures ont passé, elle doit aller à son prochain cours. Je m'apprête à lui porter ses livres comme ils font dans les films, mais elle dit : Non, mieux vaut que je reste ici un moment au cas où on tomberait sur Bob, qui ne serait pas content, mais alors pas du tout, de la voir avec un comme moi. Elle s'esclaffe et me rappelle qu'il est costaud, merci pour la bière, on se verra au cours la semaine prochaine, et la voilà partie.

Son verre est encore sur la table, avec une empreinte de rouge à lèvres rose. Je le porte à mes lèvres pour le goût qu'elle y a laissé et je rêve qu'un jour j'embrasserai les lèvres elles-mêmes. Je presse son verre contre ma joue et songe à elle en train d'embrasser le footballeur et de noirs nuages s'amassent dans ma tête. Pourquoi se serait-elle

---

1. Née en 1920, a joué notamment dans *La Fille du désert* de Raoul Walsh (1949). [N.d.T.]

assise avec moi chez Rocky si elle était en quelque sorte fiancée à lui ? Est-ce la coutume en Amérique ? Si vous aimez une femme, vous êtes supposé être loyal envers elle à tout moment. Si vous ne l'aimez pas, alors c'est très bien de boire de la bière chez Rocky avec une autre. Si elle va chez Rocky avec moi, elle ne l'aime donc pas, et je m'en sens beaucoup mieux.

Serait-ce qu'elle est peinée pour moi avec mon accent irlandais et mes yeux rouges ? Est-elle capable de deviner qu'il est difficile pour moi de parler à des filles si elles ne me parlent en premier ?

Partout en Amérique des hommes s'avancent vers des filles et font : *Hi !* J'en serais incapable. Déjà je me sentirais bête de faire *Hi !* comme ça, de prime abord, car je n'ai pas grandi en entendant ça. Il faudrait que je dise *Hello !* ou quelque chose d'adulte. Même quand elles me parlent, je ne sais jamais que répondre. Je ne veux pas qu'elles sachent que je ne suis jamais allé à l'école secondaire et je ne veux pas qu'elles sachent que j'ai grandi dans un taudis irlandais. J'ai tellement honte du passé que je ne peux en parler qu'en mentant.

Le chargé de cours en composition anglaise, Mr Calitri, désirerait que nous rédigions une dissertation sur un objet se rattachant à notre enfance, un simple objet, ayant revêtu une signification pour nous, quelque chose de domestique, si possible.

Il n'existe pas un objet de mon enfance dont je voudrais que quiconque soit instruit. Je ne voudrais pas que Mr Calitri ou quelqu'un de la classe soit instruit des misérables cabinets que nous partagions avec toutes les familles de Roden Lane. Je pourrais inventer quelque chose, oui, mais rien ne me vient à l'esprit comme aux autres étudiants, qui partent au quart de tour sur la berline familiale, le vieux gant de base-ball de Papa, la luge qui a vu tant de rigolades, la vieille glacière, la table de cuisine où ils faisaient leurs devoirs. Seul me vient le lit que je partageais avec mes trois frères et, même si j'en ai honte, je dois écrire là-dessus. Si j'invente quelque chose de chouette et respectable, et n'écris pas à propos du lit, je serai tourmenté. Du reste, Mr Calitri sera le seul à lire ça et je ne risque rien.

Le Lit

Pendant ma jeunesse à Limerick, ma mère a dû aller à la Société de Saint-Vincent-de-Paul pour voir si elle pouvait obtenir un lit pour moi et mes frères, Malachy, Michael, et Alphie, qui marchait à peine.

L'homme de Saint-Vincent-de-Paul a dit qu'il pouvait lui donner un bon avec lequel elle irait là-bas, dans Irishtown, dans un endroit où on vendait des lits d'occasion. Ma mère lui a demandé si nous ne pouvions pas avoir un lit neuf car on ne savait jamais ce qu'on risquait d'attraper avec un vieux. Il pouvait y avoir toutes sortes de maladies.

L'homme a répondu que quand on n'avait pas de quoi on ne choisissait pas, et que ma mère n'avait pas à être si regardante.

Mais elle n'a pas renoncé. Elle a demandé s'il était du moins possible de savoir si quelqu'un était mort dans le lit. Voilà qui n'était sûrement pas trop demander. Elle n'avait pas envie d'être couchée la nuit dans son propre lit à se dire que ses quatre petits garçons dormaient sur un matelas sur lequel quelqu'un était mort, peut-être de fièvre ou de phtisie.

L'homme de Saint-Vincent-de-Paul a dit : Ma petite dame, si vous ne voulez pas de ce lit, rendez-moi le bon et je le donnerai à quelqu'un qui ne sera pas aussi regardant.

Maman a fait : Ah non ! puis elle est rentrée chercher le landau d'Alphie afin que nous puissions transporter le matelas, le sommier et le cadre. L'homme de la boutique d'Irishtown a voulu qu'elle prenne un matelas d'où s'échappait le crin, tout couvert de taches, petites et grandes, mais ma mère a dit qu'elle ne laisserait pas une vache dormir dans un lit pareil, n'avait-il pas un autre matelas dans le coin là-bas ? L'homme a grommelé quelque chose puis a dit : D'accord, d'accord. De Dieu, les nécessiteux se font bien regardants ces temps-ci, et il est resté derrière son comptoir à nous regarder tirer le matelas au-dehors.

Nous devions pousser le landau dans les rues de Limerick, en nous y prenant à trois fois pour le matelas, les différentes parties du cadre de fer, tête, pied, tenants, et le sommier. Ma mère a dit que c'était la honte de sa vie et qu'elle aurait préféré faire ça de nuit. L'homme a dit qu'il était navré de ses tracas mais il fermait à six heures tapantes et ne resterait pas ouvert, quand bien même la Sainte Famille viendrait pour un lit.

Ce fut pénible de pousser le landau parce qu'il avait une roue voilée qui voulait aller son propre chemin, et plus pénible encore avec Alphie enseveli sous le matelas qui appelait sa mère en hurlant.

Mon père était là pour hisser le matelas à l'étage et il nous a donné un coup de main pour assembler le sommier et le cadre. Bien sûr il ne nous aurait pas aidés à pousser le landau d'Irishtown jusqu'à la maison, trois bons kilomètres, car le spectacle lui aurait fait honte. Il était d'Irlande du Nord, où on s'y prend sans doute autrement afin d'apporter le lit chez soi.

Nous avions de vieux paletots pour mettre sur le lit car la Société de Saint-Vincent-de-Paul nous avait refusé un bon pour des draps et des couvertures. Ma mère a allumé le feu, et une fois qu'on s'est assis autour pour boire le thé elle a dit : Au moins plus personne n'est par terre, Dieu n'est-il pas bon ?

La semaine suivante, Mr Calitri s'avance sur l'estrade et s'assied sur le coin de son bureau. Il extrait nos dissertations de sa serviette et déclare à la classe : Pas une mauvaise série de dissertations, certaines un peu trop sentimentales. Mais il en est une que j'aimerais vous lire si l'auteur n'objecte pas, *Le Lit*.

Il regarde dans ma direction et fait se lever ses sourcils comme pour demander : Objectez-vous ? Je ne sais que dire, encore que j'aimerais le supplier : Non, non, s'il vous plaît, n'apprenez pas au monde d'où je viens, mais mon visage a déjà pris feu et je ne peux que lui adresser un haussement d'épaules comme si ça m'était égal.

Il lit *Le Lit*. Je sens que toute la classe me regarde, et j'ai honte. Encore heureux que Mike Small n'assiste pas à ce cours. Elle ne m'accorderait plus jamais un regard. Il y a des filles dans la classe et elles pensent sans doute qu'elles devraient s'éloigner de moi. J'ai envie de leur raconter que l'histoire est inventée, mais Mr Calitri est justement là-haut en train de la commenter, d'expliquer à la classe pourquoi il lui a donné un A, que mon style est direct, que la matière de mon sujet est riche. Il rit en disant *riche*. Vous voyez ce que je veux dire, dit-il. Il ajoute que je devrais continuer d'explorer mon riche passé, et le voilà de nouveau en joie. Je ne sais pas de quoi il parle. Je regrette bien d'avoir écrit sur ce lit et j'ai peur que chacun ait pitié de moi et me traite comme un nécessiteux. La prochaine fois que j'irai en cours de composition anglaise, j'installerai ma famille dans une maison confortable des faubourgs et je ferai de mon père un postier nanti d'une pension.

À la fin du cours les étudiants hochent la tête vers moi en souriant, et je me demande s'ils sont déjà peinés pour moi.

Mike Small venait d'un autre monde, elle comme son footballeur. Ils étaient peut-être de différentes régions de l'Amérique mais ils avaient été adolescents et c'était partout la même chose. Ils flirtaient le samedi soir, quand le garçon devait passer prendre la fille chez elle, et, bien sûr, elle n'était jamais à l'attendre à sa porte car ça aurait montré qu'elle était trop empressée et la rumeur aurait couru et elle se serait retrouvée seule chaque samedi soir pour le reste de sa vie. Le garçon devait attendre dans le salon avec un papa silencieux qui paraissait toujours désapprobateur derrière son journal, se rappelant ses flirts d'autrefois et se demandant ce qu'on allait faire à sa petite fille. La mère faisait l'enquiquineuse et voulait savoir quel film ils allaient voir et à quelle heure ils seraient rentrés car sa fille était un bijou qui avait besoin d'une bonne nuit de sommeil pour garder cet éclat à son teint en vue de la messe du lendemain matin. Au cinéma ils se tenaient la main et, si le garçon avait de la veine, il pouvait obtenir un baiser de la fille et, même, toucher sa poitrine par accident. Dans ce dernier cas, la fille dardait au garçon un regard acéré, et ça voulait dire que le corps était réservé pour la lune de miel. Après le film, ils allaient prendre hamburgers et milk-shakes à la buvette avec tous les autres lycéens, les garçons avec la coupe en brosse, les filles en jupe et socquettes. Ils accompagnaient à pleine voix le juke-box, et les filles piaillaient : Frankie ! Frankie ! Si la fille en pinçait pour un garçon, elle pouvait lui accorder un long baiser à sa porte, peut-être même un petit coup de langue dans la bouche, mais, s'il essayait de garder sa langue là-dedans, elle se dégageait et lui disait bonne nuit, elle avait passé un bon moment, merci bien, et c'était là une autre manière de rappeler que le corps était réservé pour la lune de miel.

Certaines filles vous laissaient toucher, palper, embrasser, mais elles ne vous laissaient pas aller jusqu'au bout et on les appelait les quatre-vingt-dix pour cent. Il y avait quelque espoir pour les quatre-vingt-dix pour cent, mais les jusqu'au-boutistes avaient une réputation telle que personne en ville ne voulait les épouser, et c'étaient celles qui faisaient un beau jour leur valise et partaient pour New York où tout le monde fait tout.

C'est en tout cas ce que j'avais vu dans des films ou entendu raconter à l'armée par des GI venant de tout le pays. Si vous aviez une voiture et qu'une fille acceptait d'aller avec vous dans un drive-in, vous saviez qu'elle attendait plus que du pop-corn, plus que de l'action là-haut sur l'écran. Cela n'avait pas de sens d'y aller juste pour un baiser. Vous pouviez avoir ça dans un cinéma ordinaire. Le drive-in était l'endroit où vous aviez droit à la langue dans la bouche, à la main sur le sein, et, mec, je te le dis, si elle te laissait arriver au mamelon, elle était à toi. Le mamelon était comme une clef qui ouvrait les jambes et, si vous n'étiez pas avec un autre couple, c'était direction la banquette arrière, et qui s'intéressait au foutu film ?

Les GI racontaient qu'il y avait de drôles de nuits où tu pouvais être en pleine action, mais ton pote était en difficulté sur la banquette arrière avec sa poule assise toute droite à regarder le film, ou alors ce pouvait être l'inverse, ton pote en pleine affaire et toi si frustré que tu avais envie d'exploser dans ton froc. Il arrivait que ton pote ait fini avec sa poule et que celle-ci soit prête à te prendre et là c'était le pur paradis, mec, car non seulement tu tirais ton coup mais celle qui t'avait repoussé était assise là, le visage pétrifié, à faire semblant de regarder le film alors qu'en fait elle vous écoutait là-derrière et, des fois, n'y tenant plus, elle te grimpait dessus et là tu étais pris entre deux gonzesses sur la banquette arrière. Bon Dieu.

Les hommes de l'armée disaient qu'ensuite vous n'aviez aucun respect pour la fille qui vous avait laissé aller jusqu'au bout, et que vous aviez seulement un peu de respect pour la quatre-vingt-dix pour cent. Naturellement, vous aviez un respect entier pour la fille qui avait dit non et était restée assise toute droite à regarder le film. C'était bien elle la fille pure, pas de la camelote endommagée, et la fille dont vous vouliez comme mère de vos enfants. Si vous épousiez une fille qui avait vadrouillé, comment être jamais sûr d'être le vrai père de vos gosses ?

Je sais une chose : S'il est jamais arrivé à Mike Small d'aller dans un drive-in, elle a été celle qui est restée assise à regarder le film. Toute autre éventualité serait trop douloureuse à envisager, surtout que c'est déjà assez difficile de penser à elle embrassant le footballeur à sa porte pendant que son père attend dedans.

Les sœurs m'avisent que Mrs Klein perd la tête à force de boire et qu'elle néglige le malheureux Michael, enfin, ce qu'il en reste. Elles vont les emmener dans des endroits où on pourra s'occuper d'eux, des foyers catholiques, mais encore est-il préférable de ne souffler mot de Michael à personne de crainte qu'une organisation juive le réclame. Sœur Mary Thomas n'est pas contre les Juifs, mais elle ne veut point perdre une âme précieuse comme celle de Michael.

L'un des pensionnaires de Mary O'Brien est retourné en Irlande s'établir sur les cinq arpents de son père et épouser une fille d'en bas de la route. Je peux avoir son lit pour dix-huit dollars par semaine et prendre chaque matin ce que je veux dans le réfrigérateur. Les autres pensionnaires irlandais travaillent sur les appontements et dans les entrepôts, et ils en rapportent des fruits en boîte ou des bouteilles de rhum et de whisky provenant de caisses tombées par accident lors du déchargement des bateaux. Et Mary de s'extasier : Juste quand vous dites qu'il y a quelque chose que vous aimeriez, voilà que toute une caisse en tombe par accident le lendemain sur les docks ! Il y a des dimanches matin où on ne s'embête pas à préparer le petit déjeuner tellement on se trouve bien dans la cuisine avec des tranches d'ananas dans du sirop épais et des verres de rhum pour faire passer. Mary nous rappelle la messe mais on est assez contents comme ça avec nos ananas et notre rhum et Timmy Coin qui ne tarde jamais à demander une chanson quand bien même ce serait un dimanche matin. Il travaille chez Merchants Refrigerating et en rapporte souvent une grande pièce de bœuf le vendredi soir. Il est le seul qui se soucie d'aller à la messe, encore qu'il s'assure d'être de retour à temps pour l'ananas et le rhum qui ne peuvent durer toujours.

Frankie et Danny Lennon sont jumeaux, irlando-américains. Frankie vit dans un autre appartement et Danny est pensionnaire chez Mary. Leur père, John, vit dans les rues, errant avec une pinte de vin dans un sac en papier kraft, et il nettoie l'appartement de Mary en échange d'une douche, d'un sandwich et de quelques verres. Ses fils se marrent et chantent : *Oh, mon papa, pour moi il était si merveilleux.*

Frankie et Danny sont inscrits au City College, une des meilleures universités du pays, et gratuite. Bien qu'ils étudient la comptabilité, ils sont toujours excités par leurs cours de littérature. Frankie raconte qu'il a vu une jeune fille dans le métro en train de lire *Portrait de l'artiste en jeune homme* de James Joyce, et a absolument voulu aller s'asseoir à côté d'elle pour discuter de Joyce. Tout le long de son trajet, de la 34e Rue à la 181e Rue, il n'a eu de cesse de se lever pour aller vers elle, sans jamais rassembler le courage de lui parler, perdant ainsi chaque fois sa place au profit d'un autre passager. En fin de compte, comme la rame s'arrêtait à la 181e Rue, il s'est penché vers elle et a dit : Sacré bouquin, pas vrai ? et elle s'est écartée de lui dans un sursaut avant de laisser échapper un cri. Il a voulu lui dire : Désolé, désolé, mais les portières se sont fermées juste à cet instant et il s'est retrouvé tout bête sur le quai, foudroyé du regard par les passagers.

Ils adorent le jazz et, dans le salon, on croirait deux savants fous quand ils placent des disques sur l'électrophone, claquent des doigts en cadence, me racontent tout sur les grands musiciens jouant sur ce disque de Benny Goodman : Gene Krupa, Harry James, Lionel Hampton, Benny lui-même. Ils m'assurent que ce fut le plus grand concert de jazz de tous les temps, et la première fois qu'un Noir eut le droit de monter sur la scène du Carnegie Hall. Tiens, écoute-le, écoute Lionel Hampton, tout velours et glissé, écoute-le, lui, et Benny qui déboule, écoute, et voilà Harry qui balance deux trois notes histoire de te dire : Attention je m'envole, je m'envole, et Krupa qui usine son *bap-bap-bap-do-bap-de-bap*, les mains, les pieds qui s'emballent, *sing sing sing*, et tout le foutu orchestre qui se déchaîne, mec, se déchaîne, et le public, écoute-moi ce public, il a perdu la tête, mec, il a perdu sa foutue tête.

Ils mettent Count Basie, pointent le doigt et se marrent quand le Count frappe ces simples notes, les isole, puis, une fois qu'ils ont mis Duke Ellington, ils sont dans tout le salon à claquer des doigts s'immobilisant de temps en temps pour me dire : Écoute, écoute ça, et j'écoute car je n'ai jamais écouté comme ça avant, et maintenant j'entends ce que je n'ai jamais entendu avant et je suis bien obligé de me marrer avec les Lennon quand les musiciens prennent des passages de mélodies connues et les chamboulent, les bouleversent, les tournent dans tous les sens puis les remettent en place comme pour dire : Vois, on a emprunté ta petite mélodie pour la jouer à notre façon mais ne t'en fais pas, la revoilà qui revient et tu vas me la fredonner, mon joli, tu vas me chanter cette fille de pute, mec.

Les pensionnaires irlandais se plaignent, comme quoi ce n'est jamais que beaucoup de bruit. Paddy Arthur McGovern dit : C'est bien certain, nous n'avez plus rien d'irlandais avec des trucs pareils. Et pourquoi pas des chansons irlandaises sur cette machine ? Pourquoi pas quelques airs à danser irlandais ?

Les Lennon se marrent et nous disent que leur père a quitté la tourbe il y a belle lurette. C'est ça, l'Amérique, mec, fait Danny. C'est ça, la musique. Mais Paddy Arthur ôte Duke Ellington de l'électrophone, le remplace par le Tara Ceilidhe Band de Frank Lee, et on se trouve assis en rond dans le salon, à écouter, à tapoter, sans bouger nos tronches. Les Lennon se marrent, puis se barrent.

29

Sœur Mary Thomas a déniché ma nouvelle adresse et m'a envoyé un mot pour dire que ce serait très gentil si je venais dire adieu à Mrs Klein et Michael, enfin, ce qu'il en reste, et récupérer deux livres que j'ai laissés sous mon lit. Devant l'immeuble attend une ambulance, et à l'étage sœur Mary Thomas explique à Mrs Klein qu'elle doit mettre sa perruque et que, non, elle ne peut voir un rabbin, là où elle va il n'y a pas de rabbins, et elle serait mieux à genoux à réciter une dizaine de chapelet et prier pour le pardon, et, au fond de l'appartement, sœur Beatrice est à roucouler devant Michael, enfin, ce qu'il en reste, lui racontant que se lève un jour plus radieux, que là où il va il y aura des oiseaux, des fleurs, des arbres et un Seigneur ressuscité. Sœur Mary Thomas appelle vers le fond de l'appartement : Vous perdez votre temps, ma sœur ! Il ne comprend pas un mot de ce que vous dites ! Mais sœur Beatrice répond : Cela n'importe point, ma sœur ! C'est un enfant du Seigneur, un enfant juif du Seigneur, ma sœur !

Il n'est pas juif, ma sœur !

Cela importe-t-il, ma sœur ? Cela importe-t-il ?

Cela importe, ma sœur, et je vous conseillerais de consulter votre confesseur !

Oui, ma sœur, j'en ferai ainsi ! Et sœur Beatrice de reprendre allégrement ses paroles et cantiques à l'adresse de Michael, enfin, ce qu'il en reste, peut-être juif ou peut-être pas.

Oh, j'allais oublier vos livres ! fait sœur Mary Thomas. Ils sont sous le lit.

Elle me tend les livres et se frotte les mains comme pour les laver. Ne savez-vous pas, fait-elle, que l'œuvre d'Anatole France est inscrite à l'Index de l'Église catholique et que D. H. Lawrence était un Anglais complètement dépravé, qui hurle désormais dans les abîmes de l'enfer, puisse le Seigneur nous sauver tous ? Si ce sont vos lectures à la NYU, je crains pour votre âme et j'allumerai un cierge pour vous.

Non, ma sœur, je lis *L'Île des pingouins* pour moi, et *Femmes amoureuses* pour l'un de mes cours.

Elle lève les yeux au ciel. Oh, l'arrogance de la jeunesse ! Que je me sens peinée pour votre malheureuse mère !

Deux hommes en blouse blanche se présentent à la porte avec une civière, puis se dirigent vers le fond de l'appartement pour chercher Michael, enfin, ce qu'il en reste. Quand Mrs Klein les voit, elle s'écrie : Rabbi ! Rabbi ! Aidez-moi en mon heure de détresse ! et sœur Mary Thomas la repousse dans son fauteuil. Ils s'en reviennent à petits pas, les hommes en blanc avec Michael – enfin, ce qu'il en reste – sur la civière, et sœur Beatrice qui lui caresse le haut de la tête qui a tout l'air d'un crâne. *Alannah, alannah* [1], fait-elle avec son accent irlandais, c'est bien certain qu'il ne reste rien de vous. Mais maintenant vous allez voir le ciel et ses nuages. Elle descend avec lui dans l'ascenseur et j'aimerais prendre congé moi-même pour échapper à sœur Mary Thomas avec ses remarques sur l'état de mon âme et mes horribles lectures, mais je dois dire adieu à Mrs Klein, qui est toute prête avec sa perruque et son chapeau. Elle me prend la main et dit : Tu prendras soin de Michael, enfin, de ce qu'il en reste, n'est-ce pas, Eddie ?

Eddie. J'éprouve au cœur une violente douleur à cause de ça et d'un horrible souvenir mêlant Rappaport et la corvée de lessive à Dachau, et je me demande s'il m'arrivera de connaître du monde autre chose que sa noirceur. Connaîtrai-je jamais ce que sœur Beatrice a promis à Michael, enfin, ce qu'il en reste, les oiseaux, les fleurs, les arbres et un Seigneur ressuscité ?

Ce que j'ai appris à l'armée se révèle utile à la NYU. Ne jamais lever la main, ne jamais leur faire savoir votre nom, ne jamais se porter volontaire. Les étudiants frais diplômés du lycée, tout juste dix-huit ans, lèvent régulièrement la main pour dire à la classe et au professeur ce qu'ils pensent. Quand les professeurs posent une question en me regardant directement, je ne peux jamais finir de répondre avec leur façon de toujours s'exclamer : Ah ! Aurions-nous là une pointe d'Irlande ? Après ça, je n'ai plus la paix. Dès qu'un écrivain irlandais est mentionné, ou quoi que ce soit se rapportant à l'Irlande, chacun se tourne vers moi comme si j'étais l'autorité. Même les professeurs semblent penser que je sais tout de la littérature et de l'histoire irlandaises. S'ils disent quoi que ce soit concernant Joyce ou Yeats, ils me regardent comme si j'étais le spécialiste, comme si je devais hocher la tête et confirmer leurs dires. J'acquiesce sans cesse car je ne sais que faire

---

1. « Mon cher, mon cher », en gaélique. *(N.d.T.)*

d'autre. Si jamais je secouais la tête en signe de doute ou de désaccord, les professeurs creuseraient plus avant avec leurs questions et exposeraient mon ignorance à tous, particulièrement aux filles.

Il en va de même avec le catholicisme. Si je réponds à une question, ils entendent mon accent et en concluent que je suis un catholique, prêt à défendre la sainte Église jusqu'à ma dernière goutte de sang. Certains professeurs aiment bien me brocarder en raillant l'Immaculée Conception, la sainte Trinité, le célibat de saint Joseph, l'Inquisition, le peuple d'Irlande infesté de prêtres. Quand ils parlent comme ça, je ne sais que dire car ils ont le pouvoir de baisser mes notes et de mettre à mal ma moyenne, de sorte que je serais incapable d'accéder au Rêve Américain, ce qui pourrait me conduire à Albert Camus et à la décision quotidienne de ne point commettre le suicide. Je crains les professeurs avec leurs diplômes, et leur faculté de me ridiculiser devant les autres étudiants, particulièrement les filles.

À de tels moments, j'aimerais me lever et déclarer à la cantonade que je suis trop occupé pour être irlandais ou catholique ou quoi que ce soit d'autre, que je travaille jour et nuit pour gagner ma vie, tâchant de lire des livres pour mes cours et m'endormant dans la bibliothèque, m'évertuant à composer des dissertations trimestrielles avec notes en bas de page et bibliographies sur une machine à écrire qui me trahit avec les lettres *a* et *j* de sorte que je dois revenir en arrière et retaper des pages entières puisqu'il est impossible d'éviter le *a* et le *j*, m'endormant dans le métro jusqu'au terminus de façon fort embarrassante car je dois demander aux gens où je suis alors que je ne sais même pas dans quelle circonscription je me trouve.

Si je n'avais pas les yeux rouges et cet accent irlandais, je pourrais être purement américain et je n'aurais pas à supporter des professeurs qui me tourmentent avec Yeats, Joyce, la renaissance littéraire de l'Irlande et me lancent : Oh ! comme les Irlandais sont intelligents et spirituels ! Ah ! quel beau pays verdoyant quoique infesté de prêtres et pauvre avec une population prête à disparaître de la face de la terre étant donné la répression sexuelle puritaine, et qu'avez-vous à dire à cela, Mr McCourt ?

Je pense que vous avez raison, monsieur le professeur.

Oh, il pense que j'ai raison. Et vous, Mr Katz, que répondez-vous à cela ?

Je pense être d'accord, monsieur le professeur. Je ne connais pas tellement d'Irlandais.

Mesdames et messieurs, veuillez considérer ce qui vient d'être dit par les sieurs McCourt et Katz. Nous avons là l'intersection du celtique et de l'hébraïque, tous deux prêts à l'accommodement et au compromis. N'est-ce pas exact, messieurs McCourt et Katz ?

193

Nous hochons la tête et je me rappelle ce que disait ma mère : Face à un cheval aveugle, un hochement de tête vaut bien un clin d'œil. J'aimerais dire ça au professeur mais je ne puis courir le risque de le froisser avec tout le pouvoir qu'il a de me tenir éloigné du Rêve Américain et de me ridiculiser aux yeux de la classe, particulièrement à ceux des filles.

Le lundi et le mercredi matin, durant le trimestre d'automne, le Pr Middlebrook enseigne la littérature anglaise. Elle gravit la petite estrade, s'assied, place le pesant manuel sur le bureau, en lit des extraits, commente, regarde la classe seulement de temps à autre, quand il lui arrive de poser une question. Elle commence avec *Beowulf* et finit avec John Milton qui, dit-elle, est sublime, quelque peu en défaveur actuellement, mais son jour viendra, oui, son jour viendra. Les étudiants lisent des journaux, s'attellent à des mots croisés, se passent des petits mots, potassent d'autres cours. Après les nuits passées à divers boulots, j'ai du mal à rester éveillé et, quand une question m'est posée, Brian McPhillips me file un coup de coude, me chuchote question et réponse, et je bredouille le tout au professeur. Il arrive qu'elle marmonne sans lever la tête du manuel, et alors je me sais dans le pétrin, et ce pétrin prend la forme d'un C à la fin du trimestre.

Avec tous mes retards, mes absences, mes endormissements en classe, je sais que je mérite un C et j'aimerais dire au professeur combien je me sens coupable, et si elle me saquait complètement je ne lui en ferais point reproche. J'aimerais lui expliquer que j'ai beau ne pas être un étudiant modèle, elle devrait me voir avec le manuel de littérature anglaise, le lisant avec frénésie dans la bibliothèque de la NYU, dans le métro, jusque sur les appontements et les quais des entrepôts pendant la pause déjeuner. Elle devrait savoir que je suis probablement l'unique étudiant au monde qui se soit mis en délicatesse avec des débardeurs à propos d'un livre de littérature. Les types me brocardent : Eh, matez-moi le collégien ! Trop bien pour nous causer, hein ? Et quand je leur parle de l'étrangeté de la langue anglo-saxonne, j'ai droit à : Tu déconnes à pleins tubes, ce n'est pas du tout de l'anglais, et tu te fous de la gueule de qui, le môme ? Peut-être qu'ils ne sont jamais allés à l'université, mais ils ne vont pas se laisser mener en bateau par une moitié de trou du cul à peine débarquée d'Irlande qui leur sort que c'est de l'anglais alors qu'on voit bien qu'il n'y a pas un mot d'anglais dans toute la foutue page.

Après ça, ils ne veulent plus me parler et le chef de quai me transfère à l'intérieur pour que je m'occupe du monte-charge afin que les types ne me jouent pas des tours tels que me balancer des charges à m'en déboîter les épaules ou faire semblant de m'écraser avec les chariots élévateurs.

J'aimerais expliquer au professeur ma façon d'étudier les auteurs et les poètes du manuel en me demandant avec lequel j'aurais voulu prendre une pinte dans un pub de Greenwich Village, et comment celui qui se détache est Chaucer. À lui, j'aurais payé une pinte n'importe quand, puis j'aurais écouté ses contes sur les pèlerins de Canterbury. J'aimerais dire au professeur combien j'adore les sermons de John Donne, et comment j'aurais bien voulu lui payer une pinte, sauf que c'était un prêtre protestant, guère connu pour cogner le cul des pintes dans les tavernes.

Je ne puis raconter tout ça car c'est dangereux de lever la main durant un cours pour dire à quel point on adore quelque chose. Le professeur vous regarde avec un petit sourire apitoyé, la classe s'en aperçoit, et le petit sourire apitoyé fait le tour de la salle jusqu'à ce que vous vous sentiez bête au point de rougir et, là, vous allez vous jurer de ne plus jamais rien adorer à l'université, ou bien de le garder pour vous. J'arrive à glisser ça à mon voisin Brian McPhillips, mais quelqu'un de la rangée devant moi se tourne et fait : Ne serait-on pas un peu paranoïaque ?

Paranoïaque. Encore un mot à chercher, vu comment tout le monde s'en sert à la NYU. D'après la façon dont cet étudiant me regarde, avec son hautain sourcil gauche lui arrivant presque à la naissance des cheveux, je peux seulement deviner qu'il m'accuse d'être dérangé, et c'est inutile de tenter une riposte avant d'avoir trouvé le sens de ce mot. Je suis sûr que Brian McPhillips le connaît, mais il est occupé à parler avec Joyce Timpanelli sur sa gauche. Ils sont tout le temps à échanger des regards et des sourires. Cela veut dire qu'il se passe quelque chose, et je ne vais pas les embêter avec le mot *paranoïaque.* Je devrais avoir un dictionnaire sur moi, comme ça, dès qu'on me lancerait un mot inconnu, je pourrais le consulter à l'instant et balancer une repartie brillante qui ferait s'affaisser le sourcil hautain.

Ou bien je devrais pratiquer le silence que j'ai appris à l'armée et suivre ma propre route, ce qui est la meilleure chose à faire car les gens qui tourmentent d'autres gens avec des mots inconnus n'aiment pas quand vous suivez votre propre route.

Andy Peters, mon voisin du cours d'Introduction à la philosophie, me parle d'un boulot dans une banque tout en bas de Broad Street, Manufacturer's Trust Company. Ils cherchent des gens pour travailler sur les demandes de prêt personnel et je pourrais choisir un horaire de quatre heures à minuit ou un minuit-huit heures. Andy Peters ajoute que le meilleur truc de ce boulot est qu'une fois qu'on a fini le travail on peut partir, que personne ne bosse huit heures complètes.

Il y a un test de dactylographie, et je le passe sans problème étant donné la façon dont l'armée m'a arraché à mon chien pour faire de moi un aide de camp dactylographe. La banque dit : C'est bon, et j'ai la possibilité de faire le quatre heures-minuit afin de pouvoir assister à mes cours du matin et dormir la nuit. N'ayant aucun cours le mercredi et le vendredi, je peux m'en donner dans les entrepôts et sur les appontements et gagner ainsi un supplément d'argent en prévision du jour où, mon frère Michael ayant quitté l'armée de l'air, ma mère ne touchera plus son allocation. Je peux placer l'argent du mercredi-vendredi sur un compte séparé et, le moment venu, elle n'aura pas à courir à la Société de Saint-Vincent-de-Paul pour de la nourriture ou des chaussures.

À la banque, mon équipe compte sept femmes et quatre hommes, et tout ce que nous avons à faire est de prendre les piles de demandes de prêt personnel et de notifier aux demandeurs qu'ils ont été soit agréés soit éconduits. Andy Peters me glisse au cours d'une pause café que, si jamais je vois passer la demande rejetée d'un ami, je peux la transformer en acceptation. Les gestionnaires de crédit qui bossent la journée utilisent un petit code, et il me montrera comment modifier.

Soir après soir, nous voyons passer des centaines de demandes de prêt. Les gens en veulent pour l'arrivée d'un nouveau bébé, les vacances, les voitures, les meubles, les consolidations de dettes, les frais hospitaliers, les décorations d'appartement. Des lettres sont parfois jointes et, s'il s'en présente une bonne, on s'arrête tous de taper pour se la lire. Certaines lettres font pleurer les femmes et donnent envie de pleurer aux hommes. Les bébés sont morts, il y a des frais, et si la banque voulait bien aider. Un mari s'est tiré et la demandeuse ne sait que faire, ni vers où se tourner. Elle n'a jamais travaillé de sa vie, comment aurait-elle pu en élevant trois enfants, et elle a besoin de trois cents dollars pour la dépanner jusqu'à ce qu'elle trouve un emploi et une baby-sitter qui ne soit pas chère.

Un homme le promet : si la banque lui prête cinq cents dollars, elle pourra lui prendre une pinte de sang chaque mois jusqu'à la fin de ses jours, ce qui est une bonne affaire, tient-il à préciser, car il a un groupe sanguin rare, qu'il n'est pas disposé à divulguer pour l'instant, mais, si la banque l'aide, elle obtiendra du sang franc comme l'or, la meilleure garantie au monde.

La demande de l'homme au sang a fait l'objet d'un rejet et Andy la laisse couler, mais il change le code pour la femme désemparée avec les trois gosses qui s'est fait éconduire faute de garantie. Puis il me dit : Je ne comprends pas comment ils peuvent accorder des prêts à des gens qui veulent passer deux semaines allongés sur le sable de la foutue côte du Jersey et puis refuser une femme avec trois gosses pendus à ses ongles. Vois-tu, mon ami, c'est là que la révolution commence.

Il retouche quelques demandes chaque soir histoire de prouver combien une banque peut être stupide. Il dit savoir comment ça se passe pendant la journée, quand ces connards de gestionnaires traitent les demandes. Domicilié à Harlem ? Noiraud ? Points en moins. Portoricain ? *Mucho* points en moins. Il m'explique qu'il y a des douzaines de Portoricains dans New York qui s'imaginent avoir été agréés en raison de leur solvabilité mais, chaque fois, c'était Andy Peters qui a eu de la peine pour eux. Il dit que c'est tout un truc dans les quartiers portos de se mettre devant chez soi le week-end pour astiquer la voiture. Ils n'iront peut-être jamais nulle part mais seul l'astiquage compte, les vieux gonzes sur le perron qui observent l'astiquage et boivent la bonne vieille *cerveza* achetée au litre dans les *bodegas*, la radio avec Tito Puente à fond, les vieux gonzes qui matent les filles tortillant leur valseur le long des trottoirs, mec, c'est ça la vie, mec, c'est ça la vie, et qu'est-ce que tu veux de plus ?

Andy cause tout le temps des Portoricains. Selon lui, ce sont les seuls sachant vivre dans cette foutue ville au cul serré, que c'est une tragédie que ce ne soient pas les Espagnols qui aient remonté l'Hudson au lieu des foutus Hollandais et des foutus Angliches. On aurait la *siesta*, mec, on aurait la couleur. On n'aurait pas le mec en costard de flanelle gris. S'il avait toute latitude, il agréerait chaque Portoricain demandant un prêt pour une voiture afin qu'on les ait dans toute la ville en train d'astiquer leur bagnole neuve, de boire leur bière enveloppée de papier kraft, de s'écouter Tito et de flirter avec les filles qui secouent leur popotin le long des trottoirs, les filles avec ces corsages de paysanne transparents et ces Jésus en médaillons nichés bien profond dans leur décolleté, et n'aurait-on pas là une ville vivable ?

Le bagout d'Andy divertit les femmes du bureau mais elles lui demandent de faire un peu silence car elles veulent expédier leur boulot et se tirer d'ici. Elles ont les gosses à la maison, le mari qui attend.

Quand on finit tôt, on va prendre une bière et il me raconte pourquoi il étudie la philosophie à la NYU à l'âge de trente et un ans. Il est allé à la guerre, pas celle de Corée, non, la grande, en Europe, seulement voilà, il doit bosser le soir dans cette foutue banque à cause de son renvoi à la vie civile pour manquement à l'honneur au printemps 1945, juste avant que le conflit prenne fin, parle-moi d'un coup vicelard.

Couler un bronze, voilà ce qu'il venait de faire, un chouette bronze, bien peinard, dans un fossé français, tout torché et près de se reboutonner quand qui donc radine, un foutu lieutenant flanqué d'un sergent, et le lieutenant ne trouve rien d'autre à faire que de marcher vers Andy et de l'accuser d'avoir perpétré un acte contre nature avec cette brebis qui se trouvait à un mètre de là. Andy admet qu'en un sens le lieutenant avait un motif de parvenir à cette conclusion aussi hâtive qu'erronée car, juste avant de remonter son pantalon, Andy avait une trique qui, précisément, l'incommodait pour remonter ledit pantalon, et même s'il détestait tout ce qui ressemblait à un gradé il s'était dit qu'une explication pourrait aider.

Ma foi, mon lieutenant, il se peut que j'aie baisé cette brebis, comme il se peut que je ne l'aie pas baisée, mais ce qui retient ici l'intérêt est votre singulier souci concernant ma personne et ma relation avec cette brebis. Il y a une guerre en cours, mon lieutenant. Je viens ici pour couler un bronze dans un fossé français et voilà une brebis à hauteur des yeux et j'ai dix-neuf ans, et n'ai pas tiré un coup depuis le bal de fin d'études secondaires, et une brebis paraît, française, qui plus est, très tentante, et si vous jugez que j'avais l'air prêt à sauter sur cette brebis eh bien vous avez raison, mon lieutenant, je l'étais, mais je ne l'ai pas fait. Vous et le sergent avez interrompu une belle relation. J'ai cru que le lieutenant allait rigoler, pas du tout, au lieu de ça il a dit que j'étais un foutu menteur, que j'avais *brebis* écrit partout sur moi. Je voulais de la brebis par tous mes pores. J'en avais rêvé, mais cela ne s'était pas produit, et ce qu'il disait était si injuste que je l'ai poussé, non pas frappé, simplement poussé, et juste ensuite, bon Dieu, ils me collent toute une artillerie au visage, revolvers, carabines, fusils M1, et, avant que je me rende compte de rien, me voilà en cour martiale avec un capitaine ivre comme défenseur, qui me sort en aparté que j'étais un immonde baiseur de brebis et qu'il regrettait bien de ne pas être de l'autre côté de la barre à me poursuivre, car son père était un Basque du Montana, où ils respectaient leurs brebis, et je ne sais toujours pas si on m'a envoyé six mois en forteresse pour avoir agressé un gradé ou pour avoir niqué une brebis. Pour finir, ça m'a valu un renvoi à la vie civile pour manquement à l'honneur, et après un truc pareil tu peux aussi bien étudier la philosophie à la NYU.

30

Grâce à Mr Calitri, je griffonne des souvenirs de Limerick dans des carnets. J'établis des listes de rues, de maîtres d'école, de prêtres, de voisins, d'amis, de boutiques.

Depuis la dissertation, *Le Lit*, je suis sûr que les étudiants du cours de Mr Calitri me considèrent différemment. Les filles sont sans doute à se dire qu'elles ne sortiront jamais avec quelqu'un ayant passé sa vie dans un lit où un homme est peut-être mort. Puis Mike Small me dit qu'elle a entendu parler de la dissertation, que *Le Lit* a ému beaucoup d'étudiants de la classe, filles comme garçons. Je ne voulais pas qu'elle connaisse mes origines, mais maintenant elle tient à lire la dissertation, et ensuite, les larmes aux yeux, elle s'exclame : Oh, jamais je ne me serais doutée ! Oh, comme ça a dû être affreux ! Cela lui rappelle Dickens encore que je ne voie pas comment c'est possible puisque, dans Dickens, tout finit toujours bien.

Bien sûr, je ne vais pas dire ça à Mike Small de peur qu'elle ne pense que je la contredis. Elle pourrait tourner les talons et filer retrouver Bob le footballeur.

Maintenant Mr Calitri désire que nous rédigions une dissertation portant sur la famille, où entrerait de l'adversité, un sombre moment, un revers, et, bien que je ne veuille pas aller dans le passé, quelque chose est arrivé à ma mère, qui exige d'être écrit.

Le Lopin

Lorsque la guerre a commencé et que la nourriture a été rationnée en Irlande, le gouvernement a offert aux familles pauvres des lopins de terre dans les champs autour de Limerick. Chaque famille pouvait avoir un seizième d'arpent, le défricher et y faire pousser les légumes qu'elle voulait.

Mon père a demandé un lopin sur la route de Rosbrien et le gouvernement lui a prêté une bêche et une fourche pour la besogne. Il a emmené mon frère Malachy et moi pour qu'on l'aide. Dès que mon frère Michael a vu la bêche, il a crié qu'il voulait venir aussi mais il n'avait que quatre ans et il aurait été encombrant. Mon père lui a fait : *Whisht*, qu'à notre retour de Rosbrien on aurait des baies pour lui.

J'ai demandé à mon père si je pouvais porter la bêche et je l'ai bientôt regretté car Rosbrien était à des bornes et des bornes de Limerick. Malachy a commencé par porter la fourche mais mon père a eu vite fait de la prendre, vu sa façon de la balancer de-ci de-là en manquant éborgner les gens. Malachy a pleuré jusqu'à ce que mon père dise qu'il lui laisserait porter la bêche tout le trajet de retour. Mon frère a eu tôt fait d'oublier la fourche quand un chien est apparu, qui a bien voulu courir après un bâton pendant des kilomètres jusqu'au moment où on a dû le laisser, écumant de fatigue, couché sur la route, la truffe en l'air et le bâton entre les pattes.

Quand mon père a vu le lopin, il a secoué la tête. Rocaille, a-t-il dit, rocaille et pierraille. Et tout ce qu'on a fait ce jour-là a été de former un tas près du muret qui bordait la route. Mon père a utilisé la bêche pour déterrer les pierres et, même si j'avais seulement neuf ans, j'ai remarqué deux hommes dans les lopins voisins qui parlaient, le regardaient et rigolaient doucement. J'ai demandé pourquoi à mon père, et lui-même a eu un petit rire avant de dire : L'homme de Limerick a la terre noire et l'homme du Nord a le lopin rocailleux.

On a travaillé jusqu'à la tombée du soir, tellement affaiblis par la faim qu'on était incapables de ramasser une autre pierre. On se moquait pas mal qu'il porte la fourche et la bêche, on aurait même bien aimé qu'il puisse nous porter aussi. Il a déclaré que nous étions de grands garçons, de bons travailleurs, que notre mère serait fière de nous, que thé et pain grillé nous attendaient, et il nous a devancés avec ses grandes enjambées jusqu'au moment où, à mi-chemin de la maison, il s'est figé. Votre frère Michael, a-t-il dit. Nous lui avons promis des baies. Nous allons devoir rebrousser chemin vers les fourrés.

Malachy et moi nous sommes tellement plaints d'être fatigués et presque incapables de faire un autre pas que mon père nous a dit de rentrer, il cueillerait les baies tout seul. J'ai demandé pourquoi il ne pouvait pas cueillir les baies le lendemain et il a répondu qu'il avait promis à Michael les baies pour ce soir, pas pour demain, et il s'est éloigné, bêche et fourche sur l'épaule.

Dès que Michael nous a vus, il s'est mis à pleurer : Les baies ! Les baies ! Il a arrêté quand on lui a dit : Papa est reparti sur la route de Rosbrien cueillir tes baies, alors maintenant, si tu veux bien, arrête de pleurer et laisse-nous prendre notre pain grillé et notre thé.

On aurait pu manger une miche entière mais ma mère a dit : Laissez-en pour votre père. Elle a secoué la tête. Est-il bête, aussi, de se retaper tout le chemin pour des baies ! Puis elle a regardé Michael, debout sur le seuil, les yeux levés vers le haut de la ruelle pour voir si mon père n'arrivait pas, et elle a secoué la tête à nouveau, mais plus doucement.

Bientôt, Michael a aperçu mon père et il a monté la ruelle en appelant : Papa, Papa, as-tu cueilli les baies ? On a entendu Papa répondre : Un instant, Michael, un instant.

Il a posé bêche et fourche dans un coin et a vidé ses poches de manteau sur la table. Il en avait, des baies, de ces chouettes baies noires et juteuses qu'on trouve en haut et au fin fond des fourrés, hors de portée des enfants, des baies qu'il avait arrachées à la pénombre de Rosbrien. L'eau m'est venue à la bouche et j'ai demandé à ma mère si je pouvais avoir une baie. Demande à Michael, a-t-elle répondu, ce sont les siennes.

Je n'ai pas eu à lui demander. Il m'a tendu la plus grosse des baies, la plus juteuse, et il en a tendu une autre à Malachy. Il en a proposé à ma mère et à mon père mais ils ont dit : Non, merci ; c'étaient ses baies à lui. Il en a proposé encore une à Malachy, une à moi, et on en a bien voulu. J'ai pensé que si j'avais des baies pareilles, je les garderais toutes pour moi, mais Michael était différent ou peut-être qu'à quatre ans il n'était pas encore très dégourdi.

Après ça on est allés chaque jour au lopin, sauf le dimanche, on a enlevé les pierres et la caillasse jusqu'à ce qu'on atteigne la terre, puis on a aidé mon père à y planter des pommes de terre, des carottes et des choux. Des fois on le laissait pour vagabonder sur la route, chercher des baies et en manger tellement que ça nous donnait la courante.

Mon père a dit qu'en un rien de temps on ferait la récolte mais lui ne serait pas là pour ça. Il n'y avait pas de travail à Limerick, et les Anglais cherchaient de la main-d'œuvre pour leurs usines d'armement. Il avait du mal à se faire à l'idée de travailler pour les Anglais, surtout après ce qu'ils nous avaient fait, mais l'argent était tentant et puis, du moment que les Américains étaient entrés en guerre, c'était sûrement une cause juste.

Il est parti pour l'Angleterre avec des centaines d'hommes et de femmes. Si la plupart envoyaient de l'argent au pays, lui a dépensé le sien dans les pubs de Coventry et a oublié qu'il avait une famille. Ma mère a dû emprunter à sa propre mère et demander à l'épicière, Kathleen O'Connell, de lui faire crédit. Il lui a fallu mendier de la nourriture à la Société de Saint-Vincent-de-Paul et partout où elle pouvait en trouver. Elle disait que ce serait un grand secours pour nous, qu'on serait sauvés quand viendrait le temps de récolter nos patates, nos carottes, nos mignonnes têtes de chou. Oh, on allait se taper la cloche, ça oui, et, si Dieu était bon, Il pourrait bien nous envoyer un chouette morceau de jambon et ce n'était certes pas trop demander quand on habitait Limerick, la capitale de toute l'Irlande pour ce qui était du jambon.

Le jour est venu et elle a mis le nouveau bébé, Alphie, dans le landau. Elle a emprunté un sac à charbon au voisin d'à côté, Mr Hannon. On va le remplir, a-t-elle dit. C'est moi qui ai porté la fourche et Malachy la bêche afin qu'il n'éborgne pas les gens avec les pointes. Ma mère a prévenu : Ne fais donc pas des moulinets avec ces outils ou je m'en vais te flanquer une fière torgnole sur la margoulette.

Une claque sur la figure.

Quand nous sommes arrivés à Rosbrien, il y avait d'autres femmes en train de bêcher les lopins. S'il y avait un homme dans le champ, c'était qu'il était âgé et inapte au travail en Angleterre. Ma mère a souhaité le bonjour à deux ou trois femmes par-dessus le muret et, voyant qu'elles ne répondaient pas, elle a dit : Doivent être toutes bouchées à force de se pencher.

Elle a laissé Alphie dans le landau en dehors du lopin et a dit à Michael de s'occuper du bébé et de ne pas aller chercher de baies. Malachy et moi avons sauté par-dessus le muret mais elle a dû s'asseoir dessus, lancer les jambes et descendre de l'autre côté. Elle s'est reposée un instant et a dit : Rien de tel au monde qu'une pomme de terre nouvelle au sel et au beurre. Je donnerais mes deux yeux pour ça.

Nous avons repris la bêche et la fourche et sommes allés au lopin mais, pour ce que nous en avons tiré, nous aurions aussi bien pu rester à la maison. La terre était encore fraîche d'avoir été creusée puis retournée, et, dans les trous où auparavant se trouvaient pommes de terre, carottes et têtes de chou, grouillaient des vers blancs.

Ma mère s'est tournée vers moi. N'est-ce pas le bon lopin ?

Si.

Elle l'a arpenté sur toute la longueur. Les autres femmes étaient penchées, occupées à tirer des choses de terre. J'ai bien vu qu'elle voulait leur dire quelque chose mais j'ai vu aussi qu'elle trouvait ça inutile. J'allais pour ramasser la bêche et la fourche quand elle m'a crié : Laisse-les ! Elles ne nous serviront à rien maintenant que tout s'est envolé. J'ai voulu dire quelque chose mais son visage était si blanc que j'ai eu peur qu'elle me frappe et j'ai reculé, le dos au muret.

Elle est arrivée près du mur, s'est assise, a lancé les jambes, s'est rassise et n'a plus bougé jusqu'au moment où Michael a dit : Maman, est-ce que je peux aller chercher des baies ?

Tu peux, a-t-elle répondu. Tant qu'à faire.

Si Mr Calitri goûte cette histoire, il pourra bien me la faire lire devant la classe, et ils rouleront les yeux, diront : Et encore du malheur ! Les filles ont peut-être été peinées pour moi à propos du lit, mais cela suffit sans doute comme ça. Si je continue d'écrire sur mon enfance misérable, elles diront : Assez, assez, la vie est déjà assez dure, on a nos propres problèmes. Aussi, à partir de maintenant, mes histoires décriront l'installation de ma famille dans les faubourgs de Limerick, où chacun est bien nourri et propre après le bain au moins hebdomadaire.

31

Paddy Arthur McGovern m'en avertit : si je continue d'écouter cette musique de jazz bruyante, je vais finir comme les frères Lennon, américain à en oublier complètement que je suis irlandais, et qu'est-ce que je deviendrai ? Inutile de lui expliquer que les Lennon font grand cas de James Joyce, car il dirait : Oh, James Joyce, mon cul. J'ai grandi dans le comté de Cavan, et personne là-bas n'a jamais entendu parler de lui, et si tu ne fais pas gaffe tu vas te retrouver à Harlem et danser le jitterbug avec des négrillonnes.

Il va à un bal irlandais samedi soir, et si j'ai un peu de bon sens j'irai avec lui. Il veut danser exclusivement avec des filles irlandaises car si on danse avec des Américaines on ne sait jamais ce qu'on va ramasser.

Chez Jaeger, sur Lexington Avenue, Mickey Carton est là-haut avec son orchestre et Ruthie Morrissey qui chante *L'amour d'une mère est une bénédiction*. Une grande boule de cristal tourne au plafond, constellant la piste de taches argentées et mouvantes. Paddy Arthur n'est pas plus tôt entré qu'il invite une fille à danser, et c'est parti pour une valse. Il n'a pas de problème pour faire danser les filles, pardi, avec son mètre quatre-vingts, sa chevelure noire toute bouclée, ses sourcils noirs et fournis, ses yeux bleus, la fossette au menton, la façon désinvolte qu'il a de présenter sa main, comme pour dire : Debout, ma fille ! de sorte que la fille ne songerait jamais à dire non à cet homme de rêve, et une fois qu'ils évoluent sur la piste peu importe de quelle danse il s'agit, valse, fox-trot, lindy, two-step, il la guide avec assurance en lui accordant à peine un coup d'œil, et, quand il la reconduit à sa place, elle fait l'envie des autres filles qui gloussent sur les chaises le long du mur.

Il vient au comptoir où je suis allé prendre une bière pour le courage qui pourrait s'y trouver. Il veut savoir pourquoi je ne danse pas. Pardi, à quoi bon venir ici si tu ne danses pas avec ces beautés que voilà le long du mur ?

Il a raison. Les beautés assises le long du mur ressemblent aux filles du Cruise Hotel à Limerick, sauf qu'elles portent des robes comme vous n'en verriez jamais en Irlande, soie et taffetas et étoffes inconnues de moi, du rose, du brun-rouge, du bleu clair, agrémentées çà et là de rubans de dentelle, des robes sans épaules, au devant tellement empesé que si la fille tourne sur la droite la robe ne suit pas. Leurs cheveux sont truffés d'épingles et de barrettes de peur qu'ils ne ruissellent sur leurs épaules. Assises avec leur sac à main fantaisie dans le giron, elles sourient seulement quand elles se parlent. Certaines restent ainsi danse après danse, ignorées des hommes, jusqu'au moment où elles sont obligées de danser avec leur voisine. Elles piétinent sans grâce sur la piste, et quand la danse finit elles vont au bar prendre du citron pressé, ou de l'orange, la boisson des filles qui dansent entre elles.

Je ne peux pas dire à Paddy que j'aimerais mieux rester où je suis, peinard au comptoir. Ni lui expliquer que d'aller à n'importe quel genre de bal me donne un sentiment de vide nauséeux, qu'une fille aurait beau se lever pour danser, je ne saurais que lui dire. Je peux m'arranger d'une valse, flonflon flonflon, mais jamais je ne pourrai être comme ces hommes, là-bas sur la piste, qui chuchotent et font rire les filles si fort qu'elles ont peine à danser une minute entière. En Allemagne, Buck disait que si on arrive à faire rire une fille on est déjà à la moitié de sa cuisse.

Paddy retourne danser, puis il revient au comptoir avec une fille nommée Maura et m'explique qu'elle a une amie, Dolores, qui est timide car américano-irlandaise, et ne voudrais-je pas danser avec elle puisque je suis né ici, parce qu'on ferait une chouette paire, elle avec son ignorance de la danse irlandaise et moi qui écoute sans arrêt cette musique de jazz ?

Maura regarde Paddy et sourit. Il baisse un peu la tête et lui sourit tout en m'adressant un clin d'œil. Excusez-moi, dit-elle, je veux être sûre que Dolores est d'accord. Dès qu'elle est partie, Paddy chuchote que c'est avec elle qu'il va rentrer. Elle est chef de rang chez Schrafft, a son propre appartement, économise pour retourner en Irlande, et c'est la nuit de baraka pour Paddy. Il dit que je devrais être gentil avec Dolores, sait-on jamais, et il me refait un clin d'œil. M'est avis que je vais me dégoter un trou ce soir, dit-il.

Me dégoter un trou. C'est ce que j'aimerais moi-même, bien sûr, mais ce n'est pas comme ça que je le dirais. Je préfère la façon que Mikey Molloy avait de le dire à Limerick, quand il appelait ça la gaule. Si vous êtes comme Paddy, avec des femmes irlandaises qui vous sautent dans les bras, vous finissez probablement par ne plus les distinguer les unes des autres dans votre souvenir, et elles se confondent toutes en un unique trou jusqu'au jour où vous rencontrez la fille qui vous plaît vraiment, et elle vous fait comprendre qu'elle n'a pas été mise au monde pour se laisser tomber sur le dos pour votre plaisir. Jamais je ne pourrais penser à Mike Small de cette façon, ni même à Dolores que voilà, rougissante et intimidée, tout comme moi. Paddy me pousse du coude et parle du coin de la bouche : Propose-lui une danse, de Dieu.

Seul un marmonnement s'échappe de ma bouche et j'ai de la veine que Mickey Carton soit en train de jouer une valse avec Ruthie chantant : *Il est un beau comté en Irlande*, la seule danse où il est possible que je ne me ridiculise pas. Dolores me sourit, rougit, et je lui retourne son rougissement, et nous voilà tous deux à rougir sur la piste avec les petites taches argentées qui flottent sur nos visages. Si je fais un faux pas, elle m'accompagne, de sorte que le faux pas devient un pas de danse, et après un moment je me prends pour Fred Astaire et elle c'est Ginger Rogers, et je la fais tourner avec la certitude que les filles le long du mur m'admirent et meurent d'envie de danser avec moi.

Quand la valse s'arrête, bien que je sois prêt à quitter la piste de peur que Mickey entame un lindy ou un jitterbug, Dolores se tient immobile comme pour suggérer : Pourquoi ne danserait-on pas ça ? Et elle est si à l'aise sur ses pieds, et si légère au contact, que je regarde les autres couples, leur maintien tellement désinvolte, et ce n'est pas le moins du monde un problème de danser ça avec Dolores, quelle que soit la danse, et je la pousse et la tire et la fais tournoyer comme une toupie, bientôt certain que toutes les filles me reluquent et envient Dolores, jusqu'au moment où, si imbu de moi-même, je ne remarque pas une fille assise près de la sortie avec une béquille dépassant là où il ne faudrait pas, et quand mon pied se prend dedans je m'envole puis m'étale dans les girons des beautés le long du mur qui me repoussent alors de façon rude et fort peu amicale non sans faire remarquer que certains ne devraient pas avoir accès à la piste s'ils ne peuvent tenir leur boisson.

Paddy est près de la sortie, son bras passé autour de Maura. Paddy rigole mais pas Maura. Elle regarde Dolores comme pour lui témoigner sa compassion, mais Dolores est occupée à me remettre sur pied, me demandant si je me sens bien. Maura s'approche, lui chuchote quelque chose puis, se tournant vers moi : Prendrez-vous soin de Dolores ?

Oui.

Elle et Paddy s'en vont, et Dolores dit qu'elle aimerait faire de même. Elle habite le Queens et elle ajoute que je n'ai vraiment pas à l'accompagner tout le trajet, que le train E est assez sûr. Je ne puis lui dire que j'aimerais bien la raccompagner dans l'espoir qu'elle me propose d'entrer et que gaule s'ensuive. Elle a sûrement son propre appartement et il se peut que de m'avoir vu trébucher sur la béquille l'ait peinée au point qu'elle n'aura pas le cœur de me renvoyer et on se retrouvera dans son lit en un rien de temps, bien au chaud, tout nus, fous l'un de l'autre, manquant la messe, violant le sixième commandement encore et encore sans en avoir rien à péter.

Les cahots et arrêts brusques du train E nous jettent l'un contre l'autre, et je peux humer son parfum, sentir sa cuisse contre la mienne. C'est bon signe qu'elle ne s'écarte pas de moi, puis voilà qu'elle me laisse lui tenir la main et je suis au septième ciel quand soudain elle se met à parler de Nick, son petit ami qui est dans la Navy, et je m'empresse de replacer sa main dans son giron.

Je n'arrive pas à comprendre les femmes de ce monde, d'abord Mike Small qui boit en ma compagnie chez Rocky puis court retrouver Bob, et maintenant celle-ci qui me fait prendre le train E tout le trajet jusqu'au terminus de la 179e Rue. Jamais Paddy Arthur n'aurait donné dans pareil panneau. Il se serait assuré d'emblée, dans la salle de bal, qu'il n'y avait aucun Nick de la Navy et personne chez la fille pour contrecarrer son projet de nuit complète. Au moindre doute, il aurait sauté du train à l'arrêt suivant, alors pourquoi ne fais-je pas pareil ? J'ai été le soldat de la semaine à Fort Dix, j'ai dressé des chiens, je vais à l'université, je lis des livres, et voyez à quoi j'en suis réduit, à raser les murs dans les rues autour de la NYU afin d'éviter Bob le footballeur, et maintenant à raccompagner une fille qui envisage d'épouser un autre. Il semble que chacun ait quelqu'un en ce monde, Dolores son Nick, Mike Small son Bob, et Paddy Arthur est bien avancé dans sa nuit de gaule avec Maura dans Manhattan, et quel genre de crétin achevé suis-je pour me trimbaler au bout de la ligne ?

Je suis prêt à sauter au prochain arrêt et à planter tout de bon Dolores quand elle prend ma main et me raconte combien je suis chouette, que je suis un bon danseur, et cette béquille de malheur, parce qu'on aurait pu danser toute la nuit, et puis elle aime ma façon de parler, cet accent mignon, on devine que j'ai été bien élevé, c'est tellement chouette que j'aille à l'université, et elle ne comprend pas pourquoi je traîne avec Paddy Arthur qui, c'était facile à voir, n'avait rien de bon à l'esprit concernant Maura. Elle presse ma main et me dit que je suis tellement chouette de faire tout ce chemin pour l'accompagner et elle ne m'oubliera jamais et je sens sa cuisse contre la mienne tout le trajet jusqu'au terminus, et quand on se lève pour descendre je dois rester courbé pour cacher la gaule qui palpite dans mon pantalon. Je suis prêt à la raccompagner à pied mais la voilà qui s'arrête à un arrêt de bus et me dit qu'elle habite encore plus loin, dans Queens Village, et non, vraiment, je n'ai pas besoin de faire tout le trajet, elle sera tout à fait bien dans le bus. Elle me presse de nouveau la main et je me demande s'il

207

y aurait quelque espoir que ce soit ma nuit de baraka et que je finisse déchaîné au lit comme Paddy Arthur.

Pendant qu'on attend le bus, elle me tient encore la main et me raconte tout sur Nick de la Navy, comment son père ne l'aime pas vu qu'il est italien et le traite de toutes sortes de noms insultants derrière son dos, comment sa mère aime vraiment bien Nick mais ne l'admettra jamais de peur que son père rentre un soir furieusement ivre et pulvérise le mobilier, ce qui ne serait pas la première fois. Les pires soirs sont ceux où son frère, Kevin, vient en visite, commence à tenir tête à son père, et ensuite c'est incroyable ce qu'ils peuvent jurer et se rouler par terre. Kevin est extérieur à Fordham et il fait bien le poids face à son père.

C'est quoi, extérieur ?

Tu ne sais pas ce qu'est un extérieur ?

Non.

Tu es le premier garçon que je rencontre qui ne sait pas ce qu'est un extérieur.

Garçon. J'ai vingt-quatre ans, elle m'appelle *garçon*, et je me le demande : Faut-il avoir quarante ans pour être un homme en Amérique ?

Cependant je nourris l'espoir que les choses soient assez horribles avec son père pour qu'elle ait son propre appartement, mais non, elle habite chez ses parents et mes rêves de nuit de gaule s'envolent. On pouvait penser qu'une fille de son âge ait un endroit à elle afin d'y inviter les gars dans mon genre, qui la raccompagnent au bout de la ligne. Je n'en ai rien à faire qu'elle me presse mille fois la main. À quoi bon vous faire presser la main dans un bus au milieu de la nuit dans le Queens s'il n'y a pas la promesse d'une petite séance de gaule à la fin du voyage ?

Elle habite une maison avec une statue de la Vierge Marie et un oiseau rose dans le jardinet de devant. On est face à la petite grille et je me demande si je ne devrais pas l'embrasser et la mettre dans un état tel qu'on doive aller derrière un arbre pour la gaule, mais un rugissement jaillit du seuil : Sacredieu, Dolores, ramène ton cul ici, t'en as un foutu culot de te rentrer à cette putain d'heure et dis à ce foutu merdeux de cavaler s'il tient à sa vie, et elle fait : Oh, puis se rue à l'intérieur.

Le temps de m'en retourner chez Mary O'Brien, tout le monde est levé et en train de se taper des œufs au bacon suivis de rasades de rhum et de tranches d'ananas dans du sirop épais. Mary tire une bouffée de sa cigarette et m'adresse le sourire entendu.

On a l'air d'avoir pris du bon temps cette nuit.

32

À la banque, quand les employés de jour quittent leurs bureaux, Bridey Stokes arrive avec son balai à franges et son seau pour nettoyer les trois étages. Elle tire un grand sac de toile derrière elle, l'emplit avec les déchets des corbeilles à papier et le traîne jusqu'au monte-charge pour aller le vider quelque part au sous-sol. Andy Peters lui dit qu'elle devrait avoir des sacs de toile supplémentaires afin de ne pas être si souvent à descendre et à remonter, et elle répond que les gens de la banque ne veulent même pas lui en fournir un de plus, tellement ils sont radins. Elle pourrait les acheter elle-même mais elle doit travailler la nuit pour que son fils, Patrick, puisse continuer d'aller à l'université de Fordham, et ce n'est tout de même pas elle qui va fournir Manufacturer's Trust Company en sacs de toile. Chaque soir, à chaque étage, elle remplit le sac deux fois, ce qui entraîne six voyages au sous-sol. Andy tente de lui démontrer que six sacs de toile lui permettraient de remplir le monte-charge en une seule fois, ce qui lui ferait économiser tellement de temps et d'énergie qu'elle pourrait rentrer plus tôt retrouver Patrick et son mari.

Mon mari ? Il s'est tué à force de boire il y a dix ans.

Désolé de l'apprendre, dit Andy.

Moi je ne suis pas désolée, mais alors pas du tout. Il était trop habile de ses poings et j'en porte les marques jusqu'à ce jour. Pareil pour Patrick. Cela ne l'ennuyait pas de cogner le petit Patrick et de l'envoyer valdinguer dans toute la baraque jusqu'à ce que le petit bonhomme ne puisse même plus pleurer, et une nuit ça bardait tellement que, tenez, j'ai sorti le gamin de la maison et je suis allée implorer le guichetier du métro de nous laisser entrer dans sa cabine puis j'ai demandé à un flic où était le Secours catholique, et ils se sont occupés de nous et m'ont trouvé ce boulot et j'en suis bien contente même s'il n'y a qu'un sac de toile.

Andy lui dit qu'elle n'a pas à être esclave.

Je ne suis pas esclave. J'ai grimpé dans le monde depuis que j'ai échappé à ce cinglé. Dieu me pardonne, mais je ne suis même pas allée à son enterrement.

Elle laisse échapper un soupir et s'appuie sur le manche du balai qui, tellement elle est petite, lui arrive au menton. Elle a de grands yeux marron, point de lèvres, et quand elle veut sourire il n'y a rien pour. Elle est si maigre que quand Andy et moi allons à la cafétéria on lui rapporte un hamburger au fromage avec frites et un milk-shake histoire de voir si on ne pourrait pas la remplumer un peu, jusqu'au jour où on se rend compte qu'elle ne mange rien mais rapporte tout chez elle pour Patrick, qui étudie la comptabilité à Fordham.

Puis, un soir, on la trouve en larmes occupée à remplir le monte-charge de six sacs de toile pleins à craquer. Il y a place pour nous malgré les sacs et on descend avec elle en nous demandant si la banque, prise d'une générosité subite, lui aurait prodigué ces sacs de toile.

Non. C'est mon Patrick. Encore une année et il aurait eu son diplôme de Fordham, mais il m'a laissé un mot disant qu'il est amoureux d'une fille de Pittsburgh et qu'ils sont partis commencer une nouvelle vie en Californie et je me suis dit que quitte à être traitée comme ça je ne vais plus me tuer avec un seul sac de toile et j'ai fait tout Manhattan avant de trouver un magasin dans Canal Street qui en vend, un magasin chinois. On pourrait penser que dans une ville comme ça on n'aurait pas autant de mal à trouver des sacs de toile et je ne sais pas ce que j'aurais fait sans les Chinois.

Elle pleure de plus belle et passe la manche de son sweater sur ses yeux. Tout va bien, Mrs Stokes, dit Andy.

Bridey, dit-elle. Maintenant, c'est Bridey.

Tout va bien, Bridey. Nous allons aller en face et vous pourrez manger quelque chose pour reprendre des forces.

Ah, non. Je n'ai pas d'appétit.

Ôtez le tablier, Bridey. Nous allons en face.

Une fois dans la cafétéria, elle nous dit qu'elle ne veut même plus s'appeler Bridey. Maintenant, c'est Brigid. Bridey est un prénom pour les boniches et Brigid a ce qu'il faut de dignité. Non, elle ne pourra jamais prendre un hamburger au fromage mais elle le mange, ainsi que toutes les frites arrosées de ketchup, et nous dit qu'elle a le cœur brisé tout en aspirant son milk-shake avec une paille. Andy veut qu'elle explique pourquoi elle a soudainement décidé d'acheter les sacs de toile. Elle ne le sait pas. Le fait que Patrick soit parti comme ça, plus les souvenirs des violences de son mari ont ouvert une petite porte dans sa tête, et c'est tout ce qu'elle peut en dire. Les jours du sac unique sont révolus. Andy estime qu'il n'y a là ni rime ni raison. Elle est bien d'accord mais elle n'en a plus rien à faire. Elle a débarqué du

Queen Mary voilà plus de vingt ans, une jeune fille en pleine santé, tellement émue à l'idée d'être en Amérique, et regardez-la, maintenant, un véritable épouvantail. Eh bien, c'en est fini de faire l'épouvantail, ça aussi c'est révolu, et elle aimerait beaucoup une tranche de tarte aux pommes s'ils en avaient. Andy déclare qu'il étudie la rhétorique, la logique, la philosophie, mais voilà qui le dépasse, et elle dit qu'ils sont bien lambins avec la tarte aux pommes.

Il y a des livres à lire, des dissertations trimestrielles à rédiger, mais je suis obsédé par Mike Small au point de choisir à la bibliothèque les places près des fenêtres afin de suivre ses allées et venues dans Washington Square, du bâtiment principal de la NYU au Newman Club qu'elle fréquente entre les cours bien qu'elle ne soit pas catholique. Quand elle est avec Bob le footballeur, mon cœur se serre et j'ai cette chanson qui court dans ma tête, *Je me demande qui l'embrasse en ce moment*, encore que je sache fort bien qui l'embrasse en ce moment, Mr Footballeur lui-même, inclinant son quintal pour planter un baiser sur ses lèvres, et, quoique je sache que je l'aurais bien aimé s'il n'existait point de Mike Small, tant il est brave et bon enfant, je voudrais tout de même bien remettre la main sur cet illustré au dos duquel Charles Atlas promet de m'aider à me constituer une musculature qui me permettra de jeter du sable au visage de Bob lors de notre première rencontre sur une plage.

Quand vient l'été, il enfile son uniforme du ROTC[1] et part s'entraîner en Caroline du Nord, et Mike Small et moi sommes libres de nous voir et de flâner dans Greenwich Village, de manger chez Monte dans MacDougal Street, de boire de la bière à la White Horse Tavern ou au San Remo. On fait des allers et retours sur le ferry de Staten Island et c'est délicieux de se tenir debout sur le pont, main dans la main, observant l'horizon de Manhattan qui s'estompe, puis réapparaît, même si je ne puis m'empêcher de repenser à ceux qui furent renvoyés pour cause d'yeux et de poumons en mauvais état, et de me demander ce qu'il en fut pour eux dans les villes et villages de toute l'Europe après avoir eu un aperçu de New York, les hautes tours au-dessus de l'eau et la façon dont les lumières scintillent au crépuscule, quand, dans les Narrows, cornent les remorqueurs et mugissent les navires de ligne. Ont-ils vu et entendu tout ceci à travers les fenêtres d'Ellis Island ? Le souvenir a-t-il été douloureux et ont-ils jamais essayé à nouveau de se

---

1. *Reserve Officers Training Corps* : corps d'entraînement des officiers de réserve. (N.d.T.)

glisser dans ce pays par un endroit où il n'y avait pas d'hommes en uniforme leur retroussant les paupières et leur tapotant la poitrine ?

Comme Mike Small me demande : À quoi tu penses ? je ne sais que répondre de peur qu'elle trouve bizarre ma façon de m'interroger sur le sort de ceux qui furent renvoyés. Si ma mère ou mon père avait été renvoyé, je ne serais pas sur ce pont avec les lumières de Manhattan formant un rêve étincelant devant moi.

D'ailleurs, il n'y a que les Américains pour poser des questions pareilles : À quoi vous pensez ? ou : Qu'est-ce que vous faites ? Durant toutes mes années en Irlande, personne ne m'a jamais posé de questions de ce genre, et si je n'étais pas follement amoureux de Mike Small je lui dirais de se mêler de ses affaires quant à ce que je pense ou à ce que je fais pour gagner ma vie.

Je n'ai pas envie d'en raconter trop à Mike Small sur ma vie à cause de la honte, et puis je ne pense pas qu'elle comprendrait, surtout si on considère qu'elle a grandi dans une petite ville américaine où tout le monde a tout. Mais, quand elle commence à évoquer sa jeunesse et son adolescence dans le Rhode Island avec sa grand-mère, des nuages apparaissent. Elle parle de la natation en été, du patin à glace en hiver, des promenades dans une charrette de foin, des excursions à Boston, des flirts, du passage en classe supérieure, de l'édition de l'annuaire de son lycée, et sa vie ressemble à un film de Hollywood jusqu'au moment où elle remonte au temps où son père et sa mère se sont séparés et l'ont laissée à Tiverton chez sa grand-mère paternelle. Elle raconte combien elle a regretté sa mère, et comment elle a pleuré le soir au lit pendant des mois, et voilà qu'elle pleure maintenant. Du coup, je me pose une question : Si on m'avait envoyé vivre dans le confort chez un proche parent, est-ce que j'aurais regretté ma famille ? Difficile de penser que j'aurais regretté le même thé et le même pain chaque jour, le lit affaissé, grouillant de puces, les cabinets partagés avec les autres familles de la ruelle. Non, je n'aurais pas regretté tout cela, mais j'aurais regretté comment c'était avec ma mère et mes frères, la causette autour de la table et les soirs autour du feu, quand on s'amusait à distinguer des univers dans les flammes, des petites cavernes, des petits volcans, toutes sortes de formes, d'images. J'aurais regretté ça même si j'avais vécu chez une riche grand-mère, et je me sens peiné pour Mike Small qui n'a eu ni frères ni sœurs, ni feu près duquel s'asseoir.

Elle me raconte combien elle a été excitée le jour où elle a eu son diplôme d'enseignement primaire, comment son père devait faire tout le trajet depuis New York pour la cérémonie, sauf qu'il a appelé à la dernière minute pour dire qu'il devait aller à un pique-nique avec l'équipage du remorqueur, et ce souvenir ramène les larmes. Ce jour-là, sa grand-mère a incendié son père au téléphone, lui disant qu'il n'était qu'un vaurien, un salopard, un coureur de jupons, et qu'il ne remettrait plus jamais un pied à Tiverton. Du moins sa grand-mère était là. Elle était là pour tout, toujours. Ce n'était pas le genre à vous embrasser, vous câliner, vous border, mais elle tenait la maison propre, faisait la lessive, veillait à ce que le panier-repas soit bien rempli chaque matin pour l'école.

Mike essuie ses larmes et dit qu'on ne peut pas tout avoir, et moi, même si je me tais, je me demande pourquoi on ne peut pas tout avoir ou, au moins, tout donner. Pourquoi ne peut-on tenir la maison propre, faire la lessive, remplir le panier-repas et cependant vous embrasser, vous câliner, vous border ? Je ne puis expliquer ça à Mike, qui admire tant le caractère bien trempé de sa grand-mère, mais j'aurais aimé l'entendre dire que Grand-mère aurait pu aussi la câliner, l'embrasser, la border.

Bob étant parti pour le camp du ROTC, Mike m'invite à venir voir sa famille. Elle habite Riverside Drive près de l'université de Columbia avec son père, Allen, et sa nouvelle belle-mère, Stella. Son père commande un remorqueur dans le port de New York, pour le compte de la Dalzell Towing Company. Sa belle-mère est enceinte. Sa grand-mère, Zoe, est venue de Rhode Island et compte rester jusqu'à ce que Mike soit bien installée et s'habitue à New York.

Comme Mike m'a dit que son père aime être appelé *Capitaine*, dès mon entrée je fais : Salut, Capitaine ! et il se racle la gorge jusqu'à ce qu'on entende résonner le phlegme dans sa poitrine, puis me presse la main à m'en faire craquer les phalanges afin que je sache combien il est viril. Stella fait : *Hi*, mon chou ! puis m'embrasse la joue. Elle me dit qu'elle aussi est irlandaise, et que c'est chouette de voir Alberta sortir avec des garçons irlandais. Même elle emploie ce mot, *garçon*, et elle est irlandaise. Grand-mère est étendue sur le canapé du salon, les mains croisées derrière la tête, et, quand Mike me présente, le front de Zoe tressaille à la naissance des cheveux et elle dit : Comment ça va ?

Les mots m'échappent : Mazette ! Belle et bonne vie que vous avez là sur le canapé !

Elle me lance un regard noir qui m'apprend que j'ai dit ce qu'il ne fallait pas et il y a comme un malaise lorsque Mike et Stella vont dans une autre pièce pour regarder une robe et que je reste planté au milieu du salon avec le Capitaine qui fume une cigarette et lit le *Daily News*. Personne ne me parle et je m'étonne que Mike Small puisse filer et me laisser planté ici avec le père et la grand-mère qui m'ignorent. Je ne sais jamais que dire aux gens dans ces moments-là. Dois-je demander :

213

Comment se portent les remorqueurs ? Ou dois-je dire à la grand-mère qu'elle a fait du sacré bon boulot en élevant Mike ?

À Limerick, jamais ma mère ne laisserait quelqu'un planté ainsi au milieu d'une pièce. Elle dirait : Asseyez-vous donc là et nous allons prendre une bonne tasse de thé, car, dans les ruelles de Limerick, c'est pas bien d'ignorer quelqu'un, et pire encore d'oublier la tasse de thé.

C'est étrange que ni un homme avec un bon boulot comme le Capitaine ni sa mère sur le canapé ne prennent la peine de me demander si je n'aurais pas quelque chose comme une bouche ou si je n'aimerais pas m'asseoir. Non, vraiment, je ne sais pas comment Mike peut me laisser ainsi, bien que je sache qu'à ma place elle s'assiérait en toute simplicité et mettrait tout le monde de bonne humeur comme le fait mon frère Malachy.

Que se passerait-il si je m'asseyais ? Diraient-ils : Ma foi, vous devez vous sentir bien à l'aise pour vous asseoir sans qu'on vous en ait prié. Ou ne diraient-ils rien et attendraient-ils mon départ pour parler derrière mon dos ?

De toute façon, ils parleront derrière mon dos et se diront que Bob est un garçon bien plus chouette, et qu'il a belle allure dans son uniforme du ROTC, encore qu'ils auraient pu en dire autant s'ils m'avaient vu dans mon uniforme d'été kaki avec les galons de caporal. Mais j'en doute. Ils ont probablement une préférence pour lui avec son brevet d'études secondaires et ses yeux limpides et sains et son brillant avenir et sa nature enjouée, tout ça emballé dans son uniforme d'officier.

Et je sais d'après les livres d'histoire que les Irlandais n'ont jamais été aimés, là-haut en Nouvelle-Angleterre, qu'il y avait partout des pancartes disant : Ici, on n'embauche pas d'Irlandais.

Ma foi, je n'ai pas envie de mendier quoi que ce soit à qui que ce soit, et je suis prêt à tourner les talons et à partir quand Mike déboule dans le couloir, toute blonde et souriante, et prête à se promener puis à dîner dans le Village. J'aimerais lui dire que je ne veux rien avoir à faire avec des gens qui vous laissent planté au milieu du parquet et accrochent des pancartes rejetant les Irlandais, mais elle est si radieuse avec ses yeux si bleus, et si enjouée, si pimpante et américaine, que si elle me disait de rester planté là pour toujours je crois bien que je ferais comme un chien : Je remuerais la queue et j'obéirais.

Puis, dans l'ascenseur qui descend, elle me dit que j'ai mal parlé à Grand-mère, que Grand-mère a soixante-cinq ans et se donne beaucoup de mal pour faire la cuisine et le ménage et n'apprécie pas les finauds qui lui lancent des piques à cause de cinq malheureuses minutes sur le canapé.

J'ai envie de répondre : Oh, que ta grand-mère aille se faire foutre avec sa cuisine et son ménage. Elle a plein à bouffer et à boire, elle a tous les vêtements et les meubles qu'elle veut, elle a l'eau courante, chaude et froide, elle ne manque pas d'argent, alors, de quoi elle se plaint, bordel ? Le monde entier est plein de femmes qui élèvent des familles nombreuses, et sans pleurnicher, et il y a ta grand-mère posée sur son cul à se lamenter de devoir s'occuper d'un appartement et de deux ou trois personnes. Que ta grand-mère aille se faire foutre, oui, encore une fois.

Voilà ce que j'ai envie de répondre, sauf que je dois ravaler mes mots de peur que Mike Small ne se vexe et ne veuille jamais plus me revoir, mais c'est bien difficile de traverser la vie sans dire ce qui vous arrive sur la langue. Difficile d'être avec une fille aussi magnifique car elle n'aurait jamais de problème pour trouver quelqu'un d'autre, alors qu'il me faudrait probablement dénicher une fille moins jolie qui ne se soucierait ni de mes yeux amochés ni de mon manque de brevet d'études secondaires, encore qu'une fille moins jolie pourrait me proposer une chaise et une tasse de thé et je n'aurais pas sans cesse à ravaler mes mots. Andy Peters est toujours à m'expliquer que la vie est plus facile avec les filles d'allure quelconque, surtout celles avec de petits seins, voire pas de seins du tout, car elles sont toujours reconnaissantes de la moindre parcelle d'attention, et l'une d'elles pourrait aller jusqu'à m'aimer pour moi-même, comme on dit dans les films. Je n'arrive même pas à me représenter Mike Small avec des seins vu sa façon de réserver son corps entier pour la nuit de noces et la lune de miel, mais ça me fait mal d'imaginer Bob le footballeur s'en donnant avec elle lors de la nuit de noces.

Le chef de quai de l'Entrepôt Baker et Williams me voit dans le métro et me dit que je peux avoir du boulot l'été pendant que les hommes sont en congés. Il s'arrange pour me faire travailler de huit heures à midi, et à la fin de ma deuxième journée je vais aux Entrepôts portuaires voir si je ne pourrais pas me taper un sandwich avec Horace. Je pense souvent qu'il est le père que j'aimerais avoir, bien qu'il soit noir et que je sois blanc. Si jamais je disais ça à quelqu'un de l'entrepôt, je serais la risée du quai. Lui-même sait sans doute la façon dont ils parlent des Noirs et il entend sûrement le mot *nègre* flottant dans l'air. Quand je travaillais sur le quai avec lui, je me demandais comment il pouvait s'empêcher de jouer des poings. Au lieu de ça, il baissait la tête avec un petit sourire, et je me disais qu'il devait être dur de la feuille ou simplet, mais ensuite j'ai bien compris qu'il n'était pas sourd, et sa manière de parler de son fils étudiant au Canada montrait que lui-même serait allé à l'université s'il en avait eu l'occasion.

215

Il sort d'un *diner* de Laight Street et sourit à ma vue. Oh, mec, je devais me douter que tu te pointerais. J'ai un sandwich d'un kilomètre de long et de la bière. On mange sur l'appontement, d'acc ?

Je vais pour redescendre Laight Street jusqu'à l'appontement, mais il me fait changer de direction. Il n'a pas envie que les hommes de l'entrepôt nous aperçoivent. Ils lui en feraient voir tout le reste de la journée. Ils rigoleraient et demanderaient à Horace quand c'est qu'il a rencontré ma mère. Cela ne m'en donne que plus envie de descendre Laight Street et de les défier. Non, mec, fait-il. Garde tes émotions pour les trucs plus grands.

C'est un grand truc, Horace.

C'est rien, mec. C'est de l'ignorance.

On devrait rendre les coups.

Non, fils.

Bon Dieu, voilà qu'il m'appelle fils.

Non, fils. Je n'ai pas le temps de rendre les coups. Je ne vais pas aller sur leur terrain. Je choisis mes combats. J'ai un fils à l'université. J'ai une femme qui est souffrante et nettoie encore les bureaux le soir à Broad Street. Mange ta moitié de sandwich, mec.

C'est du jambon-fromage tartiné de moutarde, qu'on fait descendre avec un litre de Rheingold en se passant la bouteille, et j'ai une pensée soudaine, le sentiment que je n'oublierai jamais cette heure sur l'appontement avec Horace et les mouettes faisant cercle pour ce qui pourrait se présenter et les navires en rang d'oignons le long de l'Hudson attendant que les remorqueurs les tirent à quai ou les poussent vers les Narrows, le flot de la circulation grondant derrière nous et au-dessus de nos têtes sur le West Side Highway, une radio dans un bureau de l'appontement avec Vaughn Monroe chantant *Buttons and Bows*, Horace m'offrant un autre bout de sandwich en m'expliquant que deux ou trois kilos de plus sur les os ne me feraient pas de mal, et son expression de surprise en me voyant sur le point de lâcher le sandwich, de le laisser tomber car le cœur me manque et des larmes tombent sur le sandwich et je ne sais pourquoi, je ne puis l'expliquer à Horace ni à moi-même tant est puissante cette tristesse qui me dit que tout cela ne reviendra pas, ce sandwich, cette bière avec Horace sur l'appontement qui me fait me sentir si heureux que je ne puis que sangloter avec la tristesse qui s'y mêle et je me sens si bête que j'aimerais poser ma tête sur son épaule et il le sait car il se rapproche, passe son bras autour de moi comme si j'étais son propre fils, tous les deux noirs ou blancs ou rien, et peu importe, il n'y a rien à faire à part poser le sandwich là où une mouette arrive en piqué et n'en fait qu'une becquée, et on se marre, Horace et moi, et il met dans ma main le mouchoir le plus blanc que j'ai jamais vu et, quand je vais pour le lui rendre, il secoue la tête, garde-le, et je me dis que je garderai ce mouchoir jusqu'à mon dernier souffle.

Je lui raconte ce que ma mère disait quand on pleurait : Oh, tu dois avoir la vessie bien près de l'œil, et il se marre. Il semble ne pas se soucier qu'on remonte Laight Street, et les hommes sur le quai ne disent rien sur lui et ma mère car c'est difficile de blesser des gens qui sont déjà en train de rire hors de votre atteinte.

33

Parfois, elle est invitée à une cocktail-party. Elle m'emmène et je suis perplexe de voir les gens debout nez à nez, bavardant et mangeant des petits trucs sur des bouts de pain rassis et des biscuits salés, sans personne qui chante ou raconte une histoire comme à Limerick, jusqu'au moment où ils commencent à regarder leur montre et à dire : Avez-vous faim ? Voulez-vous aller manger quelque chose ? Et par ici la sortie et voilà ce qu'ils appellent une party.

C'est le New York du gratin et ça ne me botte guère, surtout quand un type en costume parle à Mike, lui dit qu'il est avocat, hoche la tête dans ma direction, lui demande pourquoi, au nom du ciel, elle sort avec quelqu'un comme moi, puis l'invite à dîner comme si elle devrait s'éloigner et me laisser avec le verre vide et tous les trucs rassis, sans personne qui chante. Bien sûr elle dit : Non merci, encore qu'on la devine flattée, et je me demande souvent si elle n'aimerait pas mieux partir avec Mr l'Avocat en Costume plutôt que rester avec moi, un homme venu des taudis, qui n'est jamais allé au lycée et reluque le monde avec deux yeux comme des trous de pisse dans la neige. Elle aimerait sûrement épouser quelqu'un aux yeux bleus et limpides et aux dents d'une blancheur irréprochable qui l'emmènerait à des cocktails puis l'installerait dans le Westchester où ils s'inscriraient au country-club, joueraient au golf, boiraient des martinis et batifoleraient dans la nuit sous l'emprise du gin.

Je sais déjà ce que je préfère moi-même, le New York de la bohème, où des hommes barbus et des femmes aux longs cheveux arborant des colliers lisent de la poésie dans des cafés et des bars. Leurs noms sont dans les journaux et les revues : Kerouac, Ginsberg, Brigid Murnaghan. Quand ils n'habitent pas des ateliers ou des vieux appartements, ils vagabondent dans le pays. Ils boivent de grands pichets de vin, fument de la marijuana, couchent sur les planchers et ils entravent le jazz. *Entravent.* C'est comme ça qu'ils parlent, et ils font claquer leurs doigts, super, mec, super. Ils sont comme mon oncle Pa à Limerick, ils n'en ont rien à péter de rien. S'ils devaient aller à une cocktail-party ou porter une cravate, ce serait leur mort.

Une cravate fut la cause de notre première dispute, qui me permit d'avoir mon premier aperçu du tempérament de Mike Small. Nous devions aller à une cocktail-party et, quand je l'ai retrouvée devant son immeuble de Riverside Drive, elle m'a demandé : Où est ta cravate ?

À la pension.

Mais c'est une cocktail-party.

Je n'aime pas mettre de cravate. Ils n'en portent pas, là-bas dans le Village.

Je me moque de ce qu'ils portent dans le Village. C'est une cocktail-party et tous les hommes porteront des cravates. Tu es en Amérique maintenant. Allons te trouver une cravate dans une boutique de Broadway.

Pourquoi devrais-je acheter une cravate quand j'en ai une à la pension ?

Parce que je ne vais pas à cette party avec toi dans cette tenue.

Elle m'a planté là, a monté la 116ᵉ jusqu'à Broadway, a levé la main, a sauté dans un taxi sans regarder pour voir si je venais.

J'ai pris l'omnibus de la Septième Avenue pour Washington Heights en proie à une souffrance indicible, me maudissant pour mon entêtement et m'inquiétant qu'elle me plaque pour un Mr l'Avocat en Costume, qu'elle passe le reste de l'été à l'accompagner à des cocktails jusqu'à ce que Bob le footballeur revienne du ROTC. Elle pourrait même plaquer Bob pour l'avocat, en finir avec l'université et s'installer dans le Westchester ou à Long Island, où tous les hommes portent cravate, où certains en ont une pour chaque jour de la semaine, sans compter les réunions mondaines. Elle pourrait être contente d'aller au country-club tirée à quatre épingles et se souvenir de ce que disait son père : Une dame n'est pas correctement habillée tant qu'elle n'est pas gantée de blanc jusqu'aux coudes.

Paddy Arthur descendait l'escalier, sur son trente-et-un, pas de cravate, en route pour un bal irlandais, et pourquoi n'allais-je pas avec lui, des fois que je retombe sur Dolores, ha ha.

J'ai fait demi-tour et suis redescendu en lui disant que ça m'était égal de ne jamais revoir Dolores dans cette vie ou la prochaine après le tour qu'elle m'avait joué, me faire prendre le train E jusqu'au terminus, plus tout le trajet jusqu'à Queens Village, en me laissant croire qu'il pourrait y avoir une petite séance de gaule au bout de la nuit. Avant de prendre le métro, Paddy et moi nous sommes arrêtés pour une bière dans un bar de Broadway, et Paddy a dit : Jésus, qu'est-ce que t'as donc ? Une abeille dans le fion ou quoi ?

Quand je lui ai raconté pour Mike Small et la cravate, Paddy ne s'est guère montré compatissant. Il a dit : Voilà ce que ça donne de traîner avec ces foutus protestants, et qu'en dirait ma malheureuse mère, là-bas à Limerick ?

Je me moque de ce qu'en dirait ma mère. Je suis fou de Mike Small.

Il a commandé un whisky et m'a conseillé d'en prendre un aussi, de faire relâche, de me calmer un brin, de me purger la tête, et, une fois que j'ai eu deux whiskies dans le corps, je lui ai expliqué que j'aimerais vivre allongé sur un plancher de Greenwich Village en fumant de la marijuana, en partageant un pichet de vin avec une fille aux longs cheveux, Charlie Parker sur l'électro nous faisant flotter aux cieux puis nous ramenant tout doucement à terre sur une longue plainte suave et grave.

Paddy m'a lancé le regard féroce. *Arrah*, pour l'amour de Jasus, c'est ma fiole que tu te paies ? Tu sais le problème avec toi ? Les protestants et les Noirs. La prochaine fois, ce sera les Juifs, et tu seras complètement damné.

Sur le tabouret à côté de Paddy se trouvait un vieil homme fumant une pipe, qui a déclaré : C'est bien, fils, c'est bien. Dites à votre ami qui est là qu'il faut coller à ses semblables. Toute ma vie j'ai collé à mes semblables, j'ai creusé des trous pour la compagnie du téléphone, que des Irlandais, jamais eu l'ombre d'un problème car, par Jésus, je collais à mes semblables et j'en ai vu des jeunes gars arriver et en épouser de toutes sortes et perdre leur foi et ensuite aller aux matchs de base-ball et là c'en était fini d'eux.

Le vieil homme a dit qu'il connaissait un homme de sa propre ville qui était parti travailler vingt-cinq ans dans un pub en Tchécoslovaquie puis était rentré s'installer au pays sans un mot de tchèque dans la tête, et tout ça parce qu'il avait collé à ses semblables, la poignée d'Irlandais qu'il avait pu trouver là-bas, que Dieu en soit remercié ainsi que Sa bienheureuse Mère. Le vieil homme a ajouté qu'il aimerait nous offrir une tournée en l'honneur des hommes et femmes d'Irlande qui collent à leurs semblables de sorte que, à la naissance d'un enfant, ils savent qui est le père et cela, par le Christ, que Dieu pardonne le langage, est la chose la plus importante de toutes, savoir qui est le père.

Nous avons levé nos verres et porté un toast à tous ceux qui collent à leurs semblables et savent qui est le père. Paddy s'est penché vers le vieil homme et ils ont parlé du pays, à savoir l'Irlande, même si le vieil homme ne l'avait point vu depuis quarante ans, mais avait pourtant l'espoir d'être enterré dans la délicieuse ville de Gort auprès de sa pauvre vieille mère irlandaise et de son père qui avait payé de sa personne durant le long combat contre le perfide tyran saxon, et il a levé à nouveau son verre, pour chanter :

> *Que Dieu sauve l'Irlande, disent les héros,*
> *Que Dieu sauve l'Irlande, disent-ils tous,*
> *Que ce soit tout en haut de l'échafaud*
> *Ou au champ de bataille que nous mourons,*
> *Oh, qu'importe, si pour Erin nous tombons.*

Ils s'absorbaient de plus en plus dans leur whisky et j'ai regardé fixement le miroir du bar, me demandant qui embrassait Mike Small en ce moment, regrettant de n'être pas en train de parader avec elle dans les rues pour faire tourner les têtes et susciter l'envie de tout un chacun. Paddy et le vieil homme me parlaient seulement afin de me rappeler que des milliers d'hommes et de femmes étaient morts pour l'Irlande, qui n'auraient guère été heureux de ma conduite, de me voir fréquenter des épiscopaliens traîtres à la cause. Paddy m'a de nouveau tourné le dos et j'en ai été réduit à lorgner ce que je pouvais apercevoir de moi dans le miroir et à m'interroger sur le monde où je me trouvais. Le vieil homme se penchait de temps à autre, apparaissant derrière l'épaule de Paddy, pour me lancer : Collez à vos semblables ! Collez à vos semblables ! J'étais donc à New York, dans le pays de la liberté et la patrie des braves, mais j'étais censé me conduire comme si j'étais encore à Limerick, irlandais à tout moment, devant sortir uniquement avec des filles irlandaises qui m'effrayaient avec leur état de grâce perpétuel, toujours à dire non à tout et à chacun à moins qu'il s'agisse d'un bouseux voulant s'installer dans une ferme du Roscommon et élever sept enfants, trois vaches, cinq brebis et un cochon. Je me demandais bien pourquoi j'étais retourné en Amérique, si c'était pour devoir écouter les tristes histoires des souffrances de l'Irlande et danser avec des filles de la campagne, des génisses de Mullingar, vaches jusqu'aux talons.

Il n'y avait rien dans ma tête si ce n'était Mike Small, blonde, les yeux bleus, exquise, menant sa vie avec une aisance tout épiscopalienne, la fille cent pour cent américaine, avec les doux souvenirs de Tiverton dans sa tête, la petite ville du Rhode Island, la maison où sa grand-mère l'avait élevée, la chambre à coucher aux petits rideaux bougeant mollement aux fenêtres qui donnaient sur la Narragansett, le lit pourvu de draps et couvertures, oreillers à foison, tête blonde sur l'oreiller emplie de rêves de sorties, de promenades en charrette à foin, d'excursions à Boston, de garçons, de garçons, de garçons, et Grand-mère le matin présentant le copieux petit déjeuner cent pour cent américain afin que sa petite fille puisse passer la journée à laisser sur le cul chaque garçon, fille, professeur et toute personne qu'elle rencontre, y compris moi et surtout moi, mortifié sur le tabouret de bar.

Le noir se faisait dans ma tête à cause du whisky et je m'apprêtais à dire à Paddy et au vieil homme : Je suis fatigué des souffrances de l'Irlande et je ne peux pas vivre dans deux pays à la fois. Au lieu de ça, je les ai laissés caqueter, tous deux perchés sur leurs tabourets, et j'ai descendu Broadway à pied de la 179e à la 116e dans l'espoir qu'une attente assez longue me permette d'avoir une vision fugitive de Mike Small se faisant ramener par Mr l'Avocat en Costume, une vision souhaitée et non souhaitée, et j'en étais là quand un flic en voiture m'a hélé et m'a lancé : Circule, l'ami, toutes les filles de Barnard sont parties au lit.

Dégage, a repris le flic, et j'ai obtempéré car c'était inutile d'essayer de lui expliquer que je savais qui l'embrassait en ce moment, qu'elle était sûrement dans un cinéma avec le bras de l'avocat autour d'elle, les doigts pendillant à l'entour de sa poitrine qui était réservée pour la lune de miel, qu'il y avait peut-être bien un baiser profond ou une pression accentuée entre deux bouchées de pop-corn, et moi j'étais là sur Broadway à regarder le portail de l'université de Columbia de l'autre côté et je ne savais plus où me tourner, souhaitant seulement trouver une fille de Californie ou d'Oklahoma, toute blonde et aux yeux bleus comme Mike Small, toute gaie avec une dentition n'ayant jamais connu ni douleur ni cavité, toute gaie car sa vie est tracée de telle sorte qu'elle aura son diplôme d'université et épousera un chouette garçon, oui, elle dira *garçon*, et ils s'installeront dans la paix, l'aise et le confort, comme disait ma mère.

Le flic s'en est repris à moi : On te dit de dégager, mon pote, et je me suis efforcé de traverser la 116e avec une certaine dignité afin qu'il ne puisse me montrer du doigt et dire à son collègue : Encore une autre éponge à whisky du vieux pays. Ils ne savaient ni ne se seraient souciés que tout cela était arrivé parce que Mike Small avait voulu que je porte une cravate et que j'avais refusé.

Le West End Bar était bondé d'étudiants de Columbia et je me suis dit qu'en prenant une bière je pourrais me fondre dans la cohue et être pris pour l'un d'eux, qui étaient plus hauts sur l'échelle que les étudiants de la NYU. Une blonde pourrait s'enticher de moi, chasser Mike Small de mon esprit, même si je ne me croyais pas en mesure de l'écarter de mes pensées, Brigitte Bardot en personne se fût-elle glissée entre mes draps.

J'aurais aussi bien pu me trouver à la cafétéria de la NYU vu la façon dont ces étudiants de Columbia débattaient à tue-tête de la vacuité de la vie, comme quoi tout était absurde et comme quoi seule importait la grâce sous pression, mec. Quand cette corne de taureau t'arrive dessus et t'érafle la hanche, tu sais que c'est le moment de vérité, mec. Lis ton Hemingway, mec, lis ton Jean-Paul Sartre, mec. Ils connaissent la musique.

Si je n'avais dû travailler dans des banques, sur des docks, dans des entrepôts, j'aurais eu le temps de faire un étudiant convenable et de gémir sur la vacuité. J'aurais aimé que mes père et mère aient vécu des vies respectables et m'aient envoyé à l'université, car ainsi j'aurais pu passer mon temps dans des bars et cafétérias à dire à chacun comment j'admirais Camus pour son invitation quotidienne au suicide et Hemingway pour le risque de la corne de taureau dans le flanc. Je savais que si j'avais eu de l'argent et du temps je l'aurais emporté sur n'importe quel étudiant de New York dans le domaine du désespoir, encore que je n'aurais jamais pu souffler mot de tout cela à ma mère sans qu'elle s'exclame : *Arrah !* Pour l'amour de Dieu ! N'as-tu pas ta santé, et des chaussures, et une belle chevelure, et que veux-tu de plus ?

J'ai bu ma bière et me suis demandé quel était ce pays où les flics étaient là à vous intimer de dégager, où les gens tartinaient votre sand- wich au jambon de merde de pigeon, où une fille qui s'était engagée à se fiancer avec un footballeur me lâchait en pleine rue pour non-port de cravate, où une bonne sœur allait baptiser Michael, enfin, ce qu'il en restait, même s'il avait souffert dans un camp de concentration et aurait mérité d'être laissé à sa condition de Juif avec laquelle il n'em- bêtait personne, où des étudiants mangeaient et buvaient tout leur soûl et gémissaient sur l'existentialisme et la vacuité de chaque chose, et où les flics revenaient vous le dire : Dégage.

J'ai remonté Broadway en longeant Columbia, je suis arrivé dans Washington Heights et j'ai continué jusqu'au pont George-Washington d'où j'ai pu contempler l'Hudson en amont et en aval. Ma tête s'est emplie de nuages noirs, de bruits et d'allées et venues entre Limerick et Dachau, avec Ed Klein, Dachau où Michael, enfin, ce qu'il en res- tait, une portion d'abats, avait été sauvé par les GI, et ma mère entrait dans ma tête puis en sortait avec Emer du Mayo et Mike Small du Rhode Island, et Paddy Arthur était là aussi, qui riait et disait : Jamais tu ne feras danser des filles d'Irlande avec ces deux yeux-là, comme des trous de pisse dans la neige, et j'ai contemplé le fleuve en amont et en aval et me suis senti désolé pour moi-même jusqu'à ce que le ciel s'illumine au loin et que le soleil levant voyage d'une tour à l'autre, transformant Manhattan en piliers d'or.

34

Quelques jours plus tard, elle m'appelle en larmes. Elle est dans la rue, et est-ce que je voudrais venir la chercher à l'angle de la 116ᵉ et de Broadway ? Il y a eu du grabuge avec son père, elle n'a pas d'argent et ne sait que faire. Elle attend à l'angle, et une fois dans le métro elle m'explique qu'elle était en train de s'habiller avec la ferme intention de m'appeler et de me retrouver quelque part, nonobstant ma susceptibilité sur le chapitre des cravates, mais son père est venu lui hurler que non, il était hors de question qu'elle sorte, et elle a dit que si, elle avait bien l'intention de sortir, et il l'a cognée en plein sur la bouche qui, comme je peux le voir, est en train d'enfler. Elle s'est enfuie du domicile paternel, et c'est sans retour. Mary O'Brien dit qu'elle a de la veine. Un des pensionnaires est retourné en Irlande pour épouser la fille d'en bas de la route, et sa chambre est disponible.

En un sens, je suis content que son père l'ait cognée car elle a fait appel à moi plutôt qu'à Bob et ça signifie sûrement qu'elle me préfère. Bien sûr, Bob est malheureux et, quelques jours plus tard, le voilà à la porte qui me traite de sale petit sac à tourbe sournois et m'apprend qu'il va me casser la tête mais, comme je bouge celle-ci d'un côté, son poing s'écrase contre le mur et il doit aller à l'hôpital se faire mettre un plâtre. En s'en allant, il menace de me retrouver et m'avertit que je ferais bien de faire la paix avec mon créateur, encore que, quand je tombe sur lui deux ou trois jours plus tard à la NYU, il me tend une main amicale, après quoi je ne le revois jamais. Peut-être bien qu'il appelle Mike Small derrière mon dos, mais c'est trop tard, et d'ailleurs elle ne devrait même pas lui parler puisqu'elle m'a déjà admis dans sa chambre et dans son lit, oubliant qu'elle réservait le corps pour la nuit de noces et la lune de miel. La nuit de nos premiers ébats, elle me dit que j'ai pris sa virginité et je devrais peut-être me sentir coupable ou attristé mais j'en suis incapable, surtout si je pense que je suis le premier, celui qui reste pour toujours dans le souvenir de chaque fille, comme ils disaient à l'armée.

224

Il nous est impossible de rester chez Mary O'Brien car nous ne pouvons résister à la tentation d'aller dans le même lit et il y a des regards entendus. Paddy Arthur cesse totalement de m'adresser la parole, et je ne sais si c'est par piété ou patriotisme, ou les deux, ou par dépit de me voir avec une personne qui n'est ni catholique ni irlandaise.

Le Capitaine fait savoir qu'il est disposé à donner à Mike une certaine somme d'argent chaque mois, ce qui lui permet de louer un petit appartement dans Brooklyn. J'aimerais bien habiter avec elle, mais comme le Capitaine et la grand-mère y verraient scandale je loue pour moi un appart sans eau chaude dans Greenwich Village, au 46 Downing Street. Ils appellent ça un appart sans eau chaude et je me demande pourquoi. Il y a bien l'eau chaude, mais pas de chauffage, à l'exception d'un gros appareil à kérosène dont le rougeoiement me fait redouter une explosion. Le seul moyen de rester au chaud est d'acheter une couverture électrique chez Macy et de la brancher avec une rallonge qui me laisse libre de mes mouvements. Il y a une baignoire sabot dans la cuisine et des cabinets dans le couloir, que je dois partager avec un vieux couple d'Italiens qui habitent en face. Le vieil Italien frappe comme un sourd à ma porte pour m'aviser de placer mon papier hygiénique sur le support destiné à cet effet et de ne pas toucher au sien. Lui et son épouse marquent leur papier hygiénique, et ils sauront si j'essaie de m'en servir, alors j'ai intérêt à faire attention. Son anglais est mauvais, et quand il se met à me raconter ses problèmes avec les précédents locataires de l'appartement que j'occupe actuellement il devient si frustré qu'il agite un poing devant mon visage et m'avertit que je pourrais avoir de gros ennuis si je touche à son papier toilette, de gros ennuis, ce qui ne l'empêche pas de me donner un rouleau pour mes débuts, histoire de s'assurer que je ne touche pas au sien. Il ajoute que son épouse est une gentille femme, qui a d'ailleurs eu l'idée de me donner le rouleau, qu'elle est souffrante et veut une vie paisible et sans problème. *Capice ?*

Mike Small déniche un petit appartement à Brooklyn Heights, dans Henry Street. Elle a sa propre salle de bains et personne ne la tourmente à propos du papier hygiénique. Elle déclare que mon appartement est une honte et elle se demande comment je peux vivre ainsi, sans chauffage, sans place pour cuisiner, avec des Italiens qui gueulent pour le papier hygiénique. Elle se sent peinée pour moi et me laisse dormir chez elle. Elle prépare de délicieux dîners même si elle ne savait même pas faire du café quand son père l'a brutalement chassée.

À la fin de l'année universitaire, elle retourne dans le Rhode Island pour que son dentiste examine l'abcès causé par le poing de son père. Je m'inscris aux cours d'été de la NYU, lisant, étudiant, rédigeant des dissertations trimestrielles. Je travaille à la banque, de minuit à huit heures, et je manœuvre le chariot élévateur dans l'Entrepôt Baker et Williams deux jours par semaine, rêvant de Mike Small douillettement installée chez sa grand-mère dans le Rhode Island.

Elle m'appelle pour m'apprendre que sa grand-mère ne m'en veut plus tant que ça d'avoir dit qu'elle avait la bonne vie. Grand-mère a même eu une parole gentille pour moi.

Quoi donc ?

Elle a dit que tu avais une belle tête brune toute bouclée et elle est tellement peinée de la scène avec mon père que ça ne l'embêterait pas si tu venais passer un jour ou deux là-bas.

Après ce qui m'est arrivé à la banque, je pourrais aller dans le Rhode Island toute une semaine. Un homme assis à côté de moi dans une cafétéria de Broad Street proche de mon travail m'a dit qu'il m'avait entendu parler la veille au soir et en avait conclu que j'étais sans doute irlandais. S'était-il trompé ?

Non.

Ah, fort bien, parce que moi aussi je suis irlandais, aussi irlandais que le cochon de Paddy ! Père du Carlow, maman du Sligo. J'espère que ça ne vous ennuiera pas, mais quelqu'un m'a communiqué votre nom et j'ai appris que vous étiez affilié aux Teamsters et à l'ILA.

Ma carte de l'ILA n'est plus valable.

C'est bon. Je suis un meneur et on essaie d'infiltrer ces putains de banques, excusez le langage. Êtes-vous partant ?

Oh, bien sûr.

Je veux dire que vous êtes le seul qu'on a pu trouver dans votre équipe qui ait comme un passé syndical et on voudrait juste que vous glissiez quelques petites allusions. Vous savez et on sait que la banque paie des salaires de merde. Alors, juste des petites allusions ici et là, pas trop nombreuses, pas trop rapidement, et je vous reverrai dans deux ou trois semaines. Tenez, c'est moi qui régale.

La nuit du lendemain était un jeudi, jour de paie, et quand on a reçu nos chèques le chef de service m'a dit : Vous êtes libre pour le reste de la nuit, McCourt.

Il s'est assuré d'être entendu par l'équipe au complet. Vous êtes libre pour la nuit, McCourt, comme pour toutes les autres nuits, et vous pouvez aller raconter ça à vos amis syndicalistes. C'est une banque ici et nous n'avons pas besoin de foutus syndicats.

Personne n'a rien dit, ni les dactylos, ni les commis aux écritures. Ils ont hoché la tête. Andy Peters aurait dit quelque chose mais il faisait encore l'horaire quatre heures-minuit.

J'ai pris mon chèque, me suis dirigé vers l'ascenseur, et j'étais à l'attendre quand un cadre est sorti de son bureau : McCourt, n'est-ce pas ?

J'ai hoché la tête.

Dites-moi, vous êtes en train de finir l'université, n'est-ce pas ?

Tout à fait.

Jamais songé à vous joindre à nous ? Vous pourriez embarquer et on vous aurait un chouette salaire à cinq chiffres dans trois ans. Je veux dire, vous êtes des nôtres, n'est-ce pas ? Irlandais ?

Tout à fait.

Moi itou. Le père du Wicklow, la maman de Dublin, et quand vous travaillez dans une banque comme ça, les portes s'ouvrent, vous savez, l'Ancien Ordre des Hiberniens, les Chevaliers de Colomb, toutes ces choses-là. Nous prenons soin des nôtres. Si nous ne le faisons pas, qui le fera ?

Je viens juste d'être viré.

Viré ? Que diable voulez-vous dire ? Viré pour quelle raison ?

Pour avoir laissé un meneur syndical m'adresser la parole dans une cafétéria.

Vous avez fait ça ? Vous avez laissé un meneur syndical vous adresser la parole ?

Tout à fait.

Foutrement stupide de votre part. Écoutez, mon ami, nous sommes sortis des mines de charbon, nous sommes sortis des cuisines et des fossés. Nous n'avons besoin d'aucun syndicat. Les Irlandais deviendront-ils jamais sensés ? J'vous pose une question, là ! À vous que j'cause !

Je n'ai rien répondu et j'ai continué de me taire dans l'ascenseur qui descendait. Je n'ai rien répondu car j'étais viré de cette banque, et puis, de toute façon, il n'y avait rien à répondre. Je n'avais pas envie de parler d'Irlandais devenant sensés ou non, et je me demandais pourquoi chaque personne que je rencontrais se sentait obligée de m'apprendre de quel coin d'Irlande venaient ses père et mère.

L'homme voulait discutailler mais je lui ai refusé cette satisfaction. Mieux valait s'éloigner et le laisser sur ses ergots, comme disait ma mère. Il a crié après moi pour me dire que j'étais un connard, que je finirais par creuser des fossés, livrer des tonneaux de bière, servir du whisky à des pochards irlandais dans un Blarney Stone. Jésus ! a-t-il enfin clamé. En quoi est-ce mal de veiller sur ses semblables ? et, chose étrange, il y avait de la tristesse dans sa voix, comme si j'avais été le fils qui l'avait déçu.

Mike Small m'attend à la gare de Providence, Rhode Island, puis nous prenons un bus pour Tiverton. Avant d'arriver à la maison, nous allons chez un marchand d'alcools acheter une bouteille de rhum, du Pilgrim's, le préféré de Grand-mère. Zoe, la grand-mère, fait : *Hi !* mais ne présente ni main ni joue. C'est l'heure du dîner et il y a corned-beef, chou et pommes de terre bouillies car, selon Zoe, c'est ce que les Irlandais aiment manger. Elle dit que je dois être fatigué du voyage et que j'aimerais sûrement boire quelque chose. Mike me regarde en souriant car on sait bien que c'est Zoe qui a envie de boire quelque chose, rhum et Coca.

Et toi, Grand-mère ? Aimerais-tu boire quelque chose ?

Ma foi, je ne sais pas, mais bon, d'accord. Tu t'occupes des boissons, Alberta ?

Oui.

Tiens, pendant que tu y es, vas-y mollo avec le Coca. Me détraque l'estomac, ce truc-là.

La grand-mère et moi sommes assis dans un salon assombri par des épaisseurs de stores, de rideaux, de tentures. Il n'y a ni livres ni revues ni journaux, et les photos montrent toutes le Capitaine dans son uniforme de lieutenant, sauf une qui montre un angelot blond – Mike.

La grand-mère et moi sirotons nos verres et il y a un silence car Mike est dans le vestibule à répondre au téléphone et Zoe et moi n'avons rien à nous dire. J'aimerais pouvoir dire : C'est une chouette maison, mais je ne peux pas car je n'aime pas la pénombre de cette pièce alors qu'il fait grand soleil au-dehors. Soudain Zoe s'écrie : Alberta ! Vas-tu rester au foutu téléphone jusqu'à la nuit ? Tu as un invité ! Puis, se tournant vers moi : C'est à Charlie Moran qu'elle cause. Ils étaient grands amis durant toute l'école, mais alors ! ce qu'il peut être bavard, bon sang !

Charlie Moran, donc. Ainsi Mike m'abandonne dans cette pièce lugubre avec Grand-mère pour jacasser avec son ex-petit copain. Toutes ces semaines dans le Rhode Island elle s'en est bien donné avec Charlie tandis que je faisais l'esclave dans les banques et les entrepôts.

Sers-toi un autre verre, Frank, fait Zoe. Cela signifie qu'elle en veut un aussi, et, comme elle me demande d'y aller mollo avec le Coca, qui lui détraque l'estomac, je lui double sa dose de rhum dans l'espoir que ça l'assommera, de façon à avoir les coudées franches avec sa petite-fille.

Mais non, la boisson la revigore et, après quelques gorgées, elle déclare : Mangeons donc, bon sang de bois ! Les Irlandais aiment manger ! Puis, une fois à table, elle dit : Aimes-tu cela, Frank ?

Oui.

Eh bien, mange donc. Tu sais ce que je dis toujours, un plat sans patates n'est pas un plat, et pourtant je ne suis même pas irlandaise. Non, bon sang de bois, pas une seule goutte d'Irlande, encore qu'il y ait un soupçon d'Écosse. Ma mère s'appelait MacDonald. C'est écossais, non ?

Si.

Ce n'est pas irlandais ?

Non.

Après le dîner, nous regardons la télévision et elle s'endort dans son fauteuil après m'avoir dit que ce Louis Armstrong, là, sur l'écran, est laid comme le péché et ne vaut pas tripette question chansonnette. Mike la secoue et lui dit d'aller au lit.

Ne me dis pas d'aller au lit, bon sang de bois ! Tu es peut-être étudiante mais je suis encore ta grand-mère, pas vrai, Bob ?

Je ne suis pas Bob.

Non ? Et qui es-tu, alors ?

Je suis Frank.

Ah, oui, l'Irlandais. Ma foi, Bob est un chouette gars. Il va être officier. Qu'est-ce que tu vas être ?

Professeur.

Professeur ? Eh bien, ma foi, ce n'est pas une Cadillac que tu conduiras ! Et elle se hisse dans l'escalier pour aller se coucher.

Bon, maintenant que Zoe ronfle à tout va dans sa chambre, Mike va sûrement visiter mon lit, mais non, elle est trop nerveuse. Que se passerait-il si Zoe s'éveillait subitement et nous découvrait ainsi ? Je me retrouverais sur la route à guetter le bus pour Providence. C'est un supplice lorsque Mike vient me souhaiter une bonne nuit en m'embrassant car, même dans le noir, je la sais dans son mignon petit pyjama rose. Elle ne va pas rester, oh non, Grand-mère pourrait entendre, et moi je lui dis que ça me serait égal que Dieu en personne soit dans la pièce à côté. Non, non, fait-elle, et de s'en aller, et je me demande quel est ce monde où les gens loupent volontairement une séance de jambes en l'air.

L'aube venue, Zoe passe l'aspirateur en haut, puis en bas, en maugréant : Cette foutue maison ressemble à Hogan's Alley. La maison est déjà reluisante de propreté car elle n'a rien d'autre à faire que la nettoyer, et, en fait, elle rouspète sur Hogan's Alley pour me remettre à ma place car elle sait que je sais que c'était un quartier irlandais de New York, aussi misérable que dangereux. Elle se plaint que l'aspirateur ne ramasse pas comme avant alors qu'il est facile de voir qu'il n'y a rien à ramasser. Elle se plaint qu'Alberta dorme trop tard, et est-elle supposée préparer trois petits déjeuners distincts, le sien, le mien, celui d'Alberta ?

Sa voisine, Abbie, débarque et les voilà qui boivent du café et se plaignent des gosses, de la crasse, de la télévision, de ce foutu Louis Armstrong qui est laid comme un pou et ne sait pas chanter, de la crasse, du prix de la nourriture et des vêtements, des gosses, des foutus Portugais qui gagnent partout du terrain à Fall River et dans les villes environnantes, c'était déjà bien assez moche quand les Irlandais tenaient tout mais encore pouvaient-ils parler anglais tant qu'ils étaient à jeun. Elles se plaignent des coiffeurs qui prennent une fortune et ne peuvent démêler une coiffure convenable d'un cul de baudet.

Oh, Zoe, comme vous parlez ! s'exclame Abbie.

Ma foi, je parle sérieusement, bon sang de bois !

Si ma mère était là, elle serait perplexe. Elle se demanderait pourquoi ces femmes se plaignent. Seigneur Dieu, elles ont tout ! ferait-elle. C'est au chaud, au propre, bien nourri, et ça se plaint de tout ! Ma mère et les femmes des taudis de Limerick n'avaient rien et se plaignaient rarement. Elles disaient que c'était la volonté de Dieu.

Zoe a tout mais se plaint sur la musique de l'aspirateur et c'est peut-être bien sa façon de prier, bon sang de bois !

À Tiverton, Mike est Alberta. Zoe se plaint de ne pas comprendre pourquoi une fille a besoin d'un foutu prénom comme Mike quand elle en a déjà deux bien à elle, Agnes Alberta.

Nous faisons une promenade dans Tiverton et je me reprends à imaginer comment ce serait d'être professeur ici, marié à Alberta. On aurait une cuisine étincelante où chaque matin je prendrais mon café avec un œuf et lirais le *Providence Journal*. On aurait une grande salle de bains avec plein d'eau chaude et d'épaisses serviettes molletonnées à souhait et je pourrais me prélasser là dans la baignoire et contempler la Narragansett au travers des petits rideaux ondulant mollement dans le soleil matinal. Et une voiture pour faire des excursions à Horseneck Beach et à Block Island, puis on irait à Nantucket voir les proches de la mère d'Alberta. Avec les années, j'aurais les cheveux clairsemés et la bedaine saillante. Le vendredi soir, on irait assister aux rencontres interclubs de basket, et j'y ferais la connaissance de quelqu'un susceptible de parrainer mon entrée au country-club. S'ils m'admettaient, je devrais me mettre au golf et là se situerait sûrement le commencement de ma fin, le premier pas vers la tombe.

Un séjour à Tiverton suffit à me ramener à New York.

35

Durant l'été 1957, j'achève mes études à la NYU, et à l'automne je passe les examens du ministère de l'Éducation afin d'enseigner l'anglais dans les établissements d'enseignement secondaire.

Un journal du soir, le *World-Telegram and Sun*, contient une rubrique scolaire où les professeurs peuvent trouver des boulots. La plupart des postes vacants concernent des lycées d'enseignement professionnel, et des amis m'ont déjà mis en garde : Ne t'approche pas de ces lycées d'enseignement professionnel. Les gamins sont des tueurs. Ils te mâchonneront et te recracheront aussi sec. Regarde ce film, *Blackboard Jungle* [1], où un professeur déclare que les lycées d'enseignement professionnel sont les poubelles du système scolaire, et que les professeurs sont là pour s'asseoir sur les couvercles. Mate ce film et tu fileras à toutes jambes dans l'autre direction.

Il y a un poste vacant pour un professeur d'anglais au lycée d'enseignement professionnel Samuel Gompers, dans le Bronx, mais le directeur de département m'explique que je parais trop jeune et que les gamins m'en feraient voir. Il ajoute que son père était du Donegal, sa mère du Kilkenny, et il aimerait bien m'aider. C'est vrai qu'on devrait s'occuper de nos semblables, seulement voilà, il a les mains liées, et sa façon de hausser les épaules et de tendre ses mains paumes ouvertes contredit complètement son propos. Cela dit, il se soulève de son fauteuil et m'accompagne à la grande porte avec son bras autour de mes épaules, me conseillant d'essayer une autre fois Samuel Gompers, qui sait, peut-être que dans un an ou deux j'aurai forci et perdu cet air innocent, et il me gardera dans un coin de sa tête, encore que ce ne sera pas la peine de revenir si je me fais pousser la barbe. Il ne supporte

---

1. *Graine de violence*, film américain de Richard Brooks (1955). *[N.d.T.]*

pas les barbes et il ne veut pas de foutus beatniks dans son département. En attendant, conclut-il, je pourrais essayer les lycées catholiques, où le salaire n'est pas terrible, mais j'y serais avec mes pareils et un chouette gosse irlandais doit coller à ses semblables.

Le directeur du département d'anglais du lycée d'enseignement professionnel Grady de Brooklyn dit : Ouais, bien sûr qu'il aimerait me donner un coup de main, mais : Vous savez, avec cet accent-là, vous auriez des problèmes avec les gamins, ils pourraient trouver que vous parlez drôlement, et enseigner est déjà assez difficile comme ça quand vous vous exprimez correctement, alors, avec un accent, on peut dire que la difficulté s'en trouve doublée. Il est curieux de savoir comment j'ai passé la partie orale de la licence de formation des maîtres, et comme je lui réponds qu'on m'a accordé une licence dérogatoire, à la condition que je prenne des cours de rattrapage en élocution, il fait : Ouais, peut-être que vous pourrez revenir quand on ne croira pas entendre Paddy-tout-juste-débarqué-du-bateau, ha ha ha. Il ajoute que dans l'intervalle je devrais coller à mes semblables, lui-même est irlandais, enfin, aux trois quarts irlandais et, pour le reste, allez savoir.

Quand je retrouve Andy Peters autour d'une bière, je lui raconte qu'il faudra que je m'étoffe, paraisse plus âgé et parle comme un Américain avant de dégoter un boulot d'enseignant, et il fait : Et merde ! Oublie l'enseignement ! Lance-toi dans les affaires. Spécialise-toi dans un truc. Les enjoliveurs, tiens. Accapare le marché. Déniche un boulot dans un garage et apprends tout ce que tu peux sur les enjoliveurs. Les gens vont au garage, les enjoliveurs arrivent sur le tapis, et tout le monde se tourne vers toi. La crise de l'enjoliveur, ça t'évoque quelque chose ? Un enjoliveur se détache, vole dans les airs, décapite une ménagère modèle, et voilà toutes les chaînes de télévision qui t'appellent pour avoir ton opinion d'expert. Après, tu continues sur ta lancée. Centre McCourt de l'Enjoliveur. Enjoliveurs Américains et Autres. Enjoliveurs Neufs et d'Époque. Enjoliveurs Anciens pour le Collectionneur Éclairé.

Est-il sérieux ?

Peut-être pas sur les enjoliveurs. Il dit : Regarde ce qu'ils font dans le monde universitaire. Tu accapares un quart d'hectare de connaissances humaines, disons l'imagerie phallique de Chaucer dans *Le Conte de la bourgeoise de Bath*, ou la dévotion de Swift pour la merde, et tu plantes une clôture autour. Tu décores la clôture avec des notes de bas de page et des bibliographies. Tu poses une pancarte disant : N'approchez pas ! Tout Intrus Perdra Sa Titularisation ! Moi-même suis engagé dans la noble quête d'un philosophe mongol. J'ai songé à accaparer le marché d'un philosophe irlandais mais je n'ai trouvé que Berkeley et ils ont déjà leurs pattes dessus. Un seul philosophe irlandais, pour l'amour de Dieu. Un seul et unique. Gambergez-vous jamais ? Alors me voilà collé avec les Mongols ou les Chinois, et je vais probablement devoir apprendre le mongol ou le chinois ou je ne sais quelle foutue langue ils parlent là-bas, et quand j'aurai trouvé mon homme il sera tout à moi. C'était quand, la dernière fois que tu as entendu parler d'un philosophe mongol dans ces cocktails de l'East Side dont tu raffoles tant ? Je décrocherai mon doctorat, j'écrirai deux ou trois articles sur mon Mongol dans d'obscures revues d'érudition. Je prononcerai des conférences savantes devant un parterre d'orientalistes éméchés durant les conventions de la Modern Language Association et j'attendrai que pleuvent les propositions d'emploi des huit grandes universités du Nord-Est et de leurs petites cousines. Je me dégoterai une veste de tweed, une pipe, un air pompeux, et les épouses des mandarins se jetteront à ma tête, me supplieront de réciter, en anglais s'il vous plaît, des poésies érotiques mongoles introduites en douce dans le pays au fin fond du cul d'un yack ou d'un panda destiné au zoo du Bronx. Et je vais te dire autre chose, un petit conseil, des fois que tu irais en troisième cycle. Si tu t'inscris à un cours, arrange-toi toujours pour trouver sur quoi le professeur a fait sa thèse de doctorat, après quoi tu t'empresses de la lui resservir. Le type est spécialisé dans les images aquatiques chez Tennyson ? Déverse-lui tout sur la tronche. Le type est un spécialiste de George Berkeley ? Fais-lui le claquement d'une seule main tandis qu'un arbre tombe dans la forêt. Comment tu crois que je me suis dépêtré de ces foutus cours de philo à la NYU ? Le type est un catholique ? Je lui fourgue d'Aquin. Juif ? Je lui fourgue Maimonide. Agnostique ? On ne sait jamais quoi sortir à un agnostique. On ne sait jamais sur quel pied danser avec eux, bien qu'on puisse toujours essayer le vieux Nietzsche. On peut infléchir ce vieil enfoiré de toutes les façons qu'on veut.

Andy me déclare que Bird fut le plus grand Américain qui vécût jamais, désormais tout là-haut avec Abraham Lincoln et Max Kiss, le type qui a inventé Ex-Lax. Bird aurait dû avoir le prix Nobel et un siège à la Chambre des lords.

C'est qui, Bird ?

Pour l'amour de Dieu, McCourt, je m'inquiète pour toi, là. Tu me racontes que tu adores le jazz et tu n'as jamais entendu parler de Bird. Charlie Parker, mec. Mozart. Tu m'écoutes ? Tu piges ? Mozart, pour l'amour de Dieu. Ou Charlie Parker.

Qu'est-ce que Charlie Parker a à voir avec les boulots d'enseignant ou les enjoliveurs ou Maimonide ou quoi que ce soit d'autre ?

Tu vois, McCourt, c'est ça ton problème, toujours à chercher la cohérence, un vrai malade de logique. C'est pour ça que les Irlandais n'ont pas de philosophes. Un foutu paquet de théologiens de taverne et d'avocats de chiotte. Fais relâche, mec. Jeudi soir je finis tôt, et on ira faire un tour dans la 52ᵉ histoire d'écouter un peu de zizique. D'acc ?

Nous allons de club en club et arrivons à un endroit où une femme noire en robe blanche coasse dans un micro auquel elle se cramponne comme sur un bateau qui donnerait de la gîte. Andy chuchote : C'est Billie et c'est une honte qu'ils la laissent faire la conne comme ça là-haut.

Il monte sur la scène et essaie de lui prendre la main pour l'aider à descendre mais elle l'injurie et le menace du poing jusqu'au moment où elle trébuche et tombe de l'estrade. Un autre homme quitte son tabouret et la conduit à la sortie, et je devine d'après les sonorités limpides entre ses coassements que c'était Billie Holiday, la voix que j'ai entendue gamin à Limerick sur la fréquence des Armed Forces, une voix pure me disant : *Je ne peux te donner autre chose que de l'amour, chéri.*

Voilà ce qui arrive, fait Andy.

Qu'est-ce que tu veux dire, voilà ce qui arrive ?

Je veux dire voilà ce qui arrive, point. Jésus, dois-je écrire un livre ?

Comment ça se fait que tu connaisses Billie Holiday ?

J'adore Billie Holiday depuis mon enfance. J'écume la 52ᵉ pour tâcher de l'apercevoir. Je lui tiendrais volontiers son manteau. Je récurerais la cuvette de ses cabinets. Je lui ferais couler l'eau du bain. J'embrasserais le sol où elle marche. Je lui ai raconté mon renvoi à la vie civile pour non-baise avec une brebis française et elle a trouvé que ça devrait faire une chanson. Je ne sais pas ce que Dieu entend faire de moi dans la prochaine vie mais je ne suis pas partant, à moins que je ne puisse m'asseoir entre Billie et Bird pour l'éternité.

À la mi-mars 1958 paraît une autre annonce dans le journal : Poste vacant pour professeur d'anglais au lycée d'enseignement professionnel et technique McKee, Staten Island. Le proviseur adjoint, Miss Seested, examine mon diplôme puis m'emmène voir le proviseur, Moses Sorola, qui ne bouge pas de son fauteuil derrière le bureau d'où ses yeux plissés me lorgnent à travers un nuage de fumée venu de son nez et de la cigarette qu'il tient entre ses doigts. Il déclare que c'est une situation d'urgence. Le professeur que je remplacerais, Miss Mudd, a pris l'abrupte décision de partir en retraite au milieu du trimestre. Il estime que de pareils professeurs sont inconséquents et rendent dure la vie à un proviseur. Il n'a pas un plein programme d'anglais pour moi, non, et j'aurais chaque jour à enseigner trois classes de Sciences sociales, plus deux classes d'Anglais.

Mais je ne connais rien aux Sciences sociales.

Il lance une bouffée, plisse les yeux, dit : Ne vous inquiétez pas pour ça, puis me conduit dans le bureau du directeur de département, Acting, lequel me précise que j'aurais à enseigner trois classes d'Économie civique, et voici le manuel, *Votre monde et vous*. Mr Sorola sourit à travers la fumée. *Votre monde et vous*, dit-il. Voilà qui devrait couvrir à peu près tout.

Je lui déclare ne rien connaître à l'économie ou au civisme, et il réplique : Contentez-vous de devancer les gamins de quelques pages. Chaque chose que vous leur direz sera une nouveauté. Dites-leur qu'on est en 1958, dites-leur leurs noms, dites-leur qu'ils habitent Staten Island, et ils seront surpris et reconnaissants du tuyau. À la fin de l'année, même votre nom sera une nouveauté pour eux. Oubliez vos cours de littérature à l'université. Ici, ce n'est pas une zone à haut quotient intellectuel.

Il m'emmène voir Miss Mudd, le professeur que je remplace. Il ouvre la porte de la classe, où des garçons et des filles, penchés aux fenêtres, en appellent d'autres à travers la cour. Miss Mudd est assise à son bureau, en pleine lecture de dépliants touristiques, indifférente à l'avion en papier qui file au-dessus de sa tête.

Miss Mudd a pris sa retraite.

Mr Sorola quitte la salle et elle dit : C'est bien ça, jeune homme. J'ai hâte de m'en aller d'ici. On est quand ? Mercredi ? Vendredi est mon dernier jour et vous êtes le bienvenu dans cette maison de fous. Trente-deux années que j'y suis, et qui ça intéresse ? Les gamins ? Les parents ? Excusez mon français, mais qui donc, jeune homme, qui donc en a quelque chose à foutre ? Nous instruisons leurs chiards et ils nous paient comme des plongeurs de restaurant. Quelle année était-ce ? 1926. Calvin Coolidge était déjà là. Là-dessus, j'arrive. J'ai travaillé pendant le reste de son mandat et ensuite est venu l'homme de la Crise, Hoover, puis Roosevelt, puis Truman, puis Eisenhower. Regardez par cette fenêtre. Vous avez une bonne vue du port de New York d'ici, et lundi matin, si ces gamins ne vous ont pas déjà rendu fou, vous verrez un gros bateau appareiller et ce sera moi sur le pont en train d'agiter la main, mon petit, en train d'agiter la main et de sourire, car s'il est deux choses que je souhaite ne jamais revoir de ma vie, avec l'aide de Dieu, ce sont bien Staten Island et les gamins. Des monstres, des monstres. Regardez-les. Vous seriez mieux à travailler avec les chimpanzés, dans le zoo du Bronx. On est en quoi ? 1958. Comment ai-je tenu ? Il faudrait être Joe Louis. Allez, bien de la chance, mon petit. Il va vous en falloir.

36

Avant que je m'en aille, Mr Sorola m'avise que je devrais revenir le lendemain pour observer Miss Mudd avec ses cinq classes. J'apprendrai quelque chose de la procédure. Il dit que l'enseignement consiste pour moitié en procédure, et je ne sais pas de quoi il parle. Je ne sais que penser du sourire derrière la fumée de cigarette, et je me demande s'il ne serait pas en train de blaguer. Il pousse en travers du bureau mon emploi du temps tapé à la machine, trois classes d'EC, Économie civique, deux classes d'E4, seconde année d'Anglais durant le quatrième trimestre. Le haut de la feuille d'emploi du temps porte : *Classe Principale, PRA*, et, en bas : *Mission de Surveillance, Cafétéria des Élèves, cinquième heure.* Je ne demande pas à Mr Sorola ce que cela signifie de crainte qu'il me trouve ignorant et ne veuille plus m'embaucher.

Je descends la butte vers la gare maritime quand une voix de garçon m'appelle : Mr McCourt ! Mr McCourt ! Est-ce que vous êtes Mr McCourt ?

Oui.

Mr Sorola aimerait vous revoir.

Je remonte la butte à la suite de l'élève et je devine pourquoi Mr Sorola veut me revoir. Il a changé d'avis. Il a trouvé quelqu'un d'expérience, maîtrisant la procédure et sachant ce qu'est une classe principale. Si je n'obtiens pas ce boulot, je vais devoir me remettre à chercher.

Mr Sorola attend devant la grande porte du lycée. Il laisse sa cigarette pendiller de sa bouche et place sa main sur mon épaule. J'ai de bonnes nouvelles pour vous, dit-il. Le poste est à pourvoir plus tôt qu'on l'avait prévu. Vous avez dû faire impression sur Miss Mudd car elle a décidé de partir aujourd'hui. En fait elle est déjà partie, par la petite porte, et il est à peine midi. Aussi se demandait-on si vous ne pourriez commencer demain, de sorte que vous n'auriez pas à attendre lundi.

Mais je...

Ouais, je sais. Vous n'êtes pas prêt. C'est bon. On va vous donner du matériel pour occuper les gamins jusqu'à ce que vous ayez pris le coup, et puis je viendrai voir de temps en temps, histoire de les rappeler à l'ordre.

Il déclare que c'est pour moi une occasion en or de me mettre dans le bain et de commencer ma carrière d'enseignant, je suis jeune, je vais bien aimer les gamins, ils vont bien m'aimer, le lycée McKee a un sacré bon corps enseignant tout prêt à m'aider et à me soutenir.

Je dis oui, bien sûr, je serai là demain. Ce n'est pas la place de professeur dont je rêvais, mais il faudra bien que ça fasse l'affaire puisque je ne trouve rien d'autre. Assis dans le ferry de Staten Island, je songe aux recruteurs de la NYU qui cherchaient des professeurs pour les lycées de banlieue, comment ils m'ont dit que je semblais intelligent et enthousiaste, seulement voilà, mon accent poserait vraiment problème. Oh, force leur était d'admettre que c'était charmant, même que ça leur rappelait Barry Fitzgerald, si chouette dans *Going my Way*[1], mais, mais, mais. Ils disaient être exigeants quant à l'élocution dans leurs établissements, et ce ne serait pas possible de faire une exception dans mon cas puisque l'accent irlandais était contagieux, et que diraient les parents si leurs gamins revenaient à la maison en parlant comme Barry Fitzgerald ou Maureen O'Hara ?

Je voulais travailler dans l'un de leurs lycées de banlieue, à Long Island, dans le Westchester, où garçons et filles auraient été éveillés, gais, souriants, attentifs, le stylo suspendu tandis que j'aurais discouru sur *Beowulf, Les Contes de Canterbury*, les poètes courtois, les poètes métaphysiques. J'aurais été admiré, et une fois que garçons et filles auraient eu la moyenne dans mes cours leurs parents m'auraient sûrement invité à dîner dans les plus élégantes demeures. Des jeunes mères seraient venues me voir au sujet de leurs enfants, et bien malin qui aurait pu dire ce qui serait arrivé en l'absence des maris, les hommes en costume de flanelle gris, et j'aurais écumé les banlieues en quête d'épouses esseulées.

Je vais devoir faire une croix sur les banlieues. J'ai là sur les genoux le livre qui va m'aider à réussir ma première journée d'enseignant, *Votre monde et vous*, et je le parcours, feuilletant une courte histoire des États-Unis considérée d'un point de vue économique, des chapitres sur le gouvernement américain, le système bancaire, comment lire les pages financières, comment ouvrir un compte d'épargne, comment tenir les comptes de la maison, comment obtenir des prêts et des hypothèques.

---

1. *La Route semée d'étoiles*, film américain de Leo McCarey (1943). *[N.d.T.]*

À la fin de chaque chapitre se trouvent des questions vrai-faux et des questions prêtant à débat. Qu'est-ce qui a causé le krach du marché financier en 1929 ? Comment cela peut-il être évité à l'avenir ? Si vous vouliez économiser de l'argent et toucher des intérêts : 1) le garderiez-vous dans un bocal ? – 2) l'investiriez-vous dans le marché financier japonais ? – 3) le garderiez-vous sous votre matelas ? – 4) le placeriez-vous sur un compte d'épargne bancaire ?

Il y a des activités suggérées, avec des ajouts crayonnés par un élève. Demandez que la famille se réunisse et discutez du budget familial avec Papa et Maman. Montrez-leur d'après votre étude de ce livre comment ils peuvent améliorer la tenue de leurs comptes. (Ajout : *Ne soyez pas étonnés s'ils vous foutent sur la gueule.*) Faites une visite à la Bourse de New York avec votre classe. *(Ils seront contents de ne pas être au bahut une journée.)* Songez à un produit dont votre communauté pourrait avoir besoin et fondez une petite entreprise pour fournir ledit produit. *(Essayez la cantharide.)* Écrivez au Conseil de la Réserve fédérale et dites-leur ce que vous pensez d'eux. *(Dites-leur d'en laisser un peu pour nous autres.)* Interviewez un certain nombre de gens qui se souviennent du krach de 1929 et rédigez un compte rendu de mille mots. *(Demandez-leur pourquoi ils n'ont pas choisi le suicide.)* Écrivez une histoire dans laquelle vous expliquez l'étalon-or à un enfant de dix ans. *(Il ne s'en endormira que mieux.)* Rédigez un rapport sur ce qu'a coûté la construction du pont de Brooklyn et sur ce que celle-ci coûterait de nos jours. Soyez précis. *(Sans quoi !)*

Le ferry passe devant Ellis Island et la statue de la Liberté, et je me fais un tel mouron sur l'Économie civique que je ne songe même pas aux millions qui ont débarqué ici, ni à ceux qui furent renvoyés pour mauvais yeux et état poitrinaire. Je me demande comment je vais faire pour me tenir devant ces adolescents américains et leur parler des divisions et subdivisions de l'Administration et leur prêcher les vertus de l'épargne alors que moi-même suis endetté partout. Et voilà que le ferry glisse dans sa cale, et, avec la journée qui m'attend demain, pourquoi ne m'offrirais-je pas deux ou trois bières au Bean Pot, et, après ces deux ou trois bières, pourquoi n'irais-je pas en métro à la White Horse Tavern dans Greenwich Village pour bavarder avec Paddy et Tom Clancy et les écouter chanter dans l'arrière-salle ? Quand j'appelle Mike pour lui annoncer les bonnes nouvelles à propos du nouveau boulot, elle désire savoir où je me trouve puis me sermonne sur la stupidité de rester en ville à boire de la bière la veille du jour le plus important de ma vie, et je ferais mieux de ramener mon cul à la maison si je sais ce qui est bon pour moi. Des fois elle parle comme sa grand-mère, qui est toujours à vous expliquer ce que vous devez faire de votre cul. Ramène ton cul ici. Sors ton cul de ce lit.

Mike a raison, mais elle a un brevet d'études secondaires et elle saura que dire à ses classes quand elle commencera d'enseigner, alors que moi, même avec un diplôme d'université, je ne sais ce que je vais bien pouvoir dire aux élèves de Miss Mudd. Devrais-je faire comme Robert Donat dans *Goodbye, Mr Chips* [1], ou comme Glenn Ford dans *Blackboard Jungle* ? Devrais-je débouler dans la salle toute frime dehors comme James Cagney ou bien entrer avec le pas martial d'un maître d'école irlandais et donner de la baguette, de la lanière et de la gueule ? Si un lycéen m'envoyait un avion en papier, devrais-je coller mon visage au sien et lui dire : Essaie ça encore une fois, gamin, et tu es dans le pétrin. Que faire de ceux qui regardent par la fenêtre et appellent leurs copains à travers la cour ? S'ils sont comme certains des écoliers dans *The Blackboard Jungle*, ils vont faire les durs, m'ignorer, et le reste de la classe me méprisera.

Paddy Clancy interrompt son chant dans l'arrière-salle du White Horse et vient me dire qu'il ne voudrait se trouver dans mes pompes pour rien au monde. Chacun sait comment sont les lycées dans ce pays, c'est bien ça, de véritables jungles. Avec mon diplôme d'université, pourquoi ne suis-je pas devenu avocat ou homme d'affaires ou quelque chose qui permette de gagner un peu d'argent ? Il connaît différents professeurs dans le Village et ils plaquent l'enseignement à la première occasion.

Lui aussi a raison. Tout le monde a raison et j'ai l'esprit trop envasé par toute la bière que j'ai dans le corps pour me faire encore du mouron. Je rentre chez moi et m'écroule sur le lit tout habillé, mais voilà, cette longue journée et la bière ont beau m'avoir crevé, je suis incapable de dormir. Je me lève sans cesse pour lire des chapitres de *Votre monde et vous*, je me teste avec des questions vrai-faux, j'imagine ce que je vais raconter sur le marché financier, les différences entre action et obligation, les trois piliers du gouvernement, la récession de cette année-ci, la dépression de cette année-là, et puis, tant qu'à faire, autant me lever pour de bon, sortir et me gorger de café pour tenir le reste de la journée.

L'aube me trouve assis dans un *diner* de Hudson Street en compagnie de dockers, de camionneurs, de débardeurs, de vérificateurs. Pourquoi ne vivrais-je pas comme eux ? Ils font leurs huit heures par jour, lisent le *Daily News*, suivent le base-ball, prennent deux ou trois bières, rentrent à la maison retrouver leur femme, élèvent leurs gosses. Ils sont mieux payés que les professeurs et ils n'ont pas de mouron à se faire sur *Votre monde et vous* et sur des adolescents obsédés par le sexe qui n'ont pas envie d'être dans votre classe. Au bout de vingt

---

1. *Au revoir, Mr Chips*, film britannique de Sam Wood (1939). *[N.d.T.]*

ans, les ouvriers peuvent prendre leur retraite et se dorer au soleil de Floride, sans plus rien attendre que le déjeuner et le dîner. Je pourrais appeler le lycée d'enseignement professionnel et technique McKee et leur dire : Oubliez tout, je veux une vie plus facile. Je pourrais raconter à Mr Sorola que l'Entrepôt Baker et Williams cherche un vérificateur, boulot que je pourrais facilement décrocher avec mon diplôme d'université, et tout ce que j'aurais à faire le restant de mes jours serait de me tenir sur le quai avec des manifestes sur une planchette, vérifiant ce qui arrive et ce qui part.

Puis je songe à la réaction de Mike Small si je lui disais : Non, je ne suis pas allé au lycée McKee aujourd'hui. J'ai pris un boulot de vérificateur chez Baker et Williams. Elle piquerait une crise. Elle s'écrierait : Tout ce travail à l'université pour faire le foutu vérificateur sur les docks ? Elle pourrait me mettre à la porte et retourner dans les bras de Bob le footballeur, et je me trouverais seul au monde, forcé d'aller aux bals irlandais et de raccompagner des filles réservant leur corps pour la nuit de noces.

J'ai honte d'aller enseigner pour la première fois dans cet état, la gueule de bois pour cause de White Horse Tavern, tétanisé par les sept tasses de café de ce matin, mes yeux comme deux trous de pisse dans la neige, une barbe de deux jours qui m'assombrit le visage, ma langue chargée faute de m'être brossé les dents, mon cœur cognant dans ma poitrine, affolé de fatigue et surtout d'anxiété à l'idée d'affronter ces hordes de jeunes américains. Je regrette bien d'avoir quitté Limerick. Je pourrais être là-bas avec un emploi pensionné à la Poste, facteur respecté de tous, marié à une chouette fille prénommée Maura, élevant deux enfants, confessant mes péchés chaque samedi, en état de grâce chaque dimanche, pilier de la communauté, sujet de fierté pour ma mère, mourant dans le sein de notre mère l'Église, pleuré par un large cercle d'amis et de parents.

À une table du *diner* se trouve un docker racontant à son ami que son fils sera diplômé de Saint-John en juin, qu'il s'est crevé le cul toutes ces années pour envoyer le gosse à l'université et qu'il est l'homme le plus chanceux du monde car son fils apprécie ce qu'il fait pour lui. Le jour de la remise des diplômes, il s'adjugera une bonne tape dans le dos pour avoir survécu à une guerre et envoyé un fils à l'université, un fils qui désire être professeur. Sa mère est tellement fière de lui, car elle-même a toujours désiré être professeur mais l'occasion ne s'est jamais présentée, et voilà, ça fait une deuxième raison de se réjouir. Le jour de la remise, ils seront les parents les plus fiers au monde et c'est bien l'essentiel, pas vrai ?

Si ce docker et Horace des Entrepôts portuaires savaient ce que je suis en train de penser, ils n'auraient guère de patience envers moi. Ils me diraient combien je suis chanceux d'avoir un diplôme d'université et une occasion d'enseigner.

La secrétaire de l'établissement me dit d'aller voir Miss Seested qui me dit d'aller voir Mr Sorola qui me dit d'aller voir le directeur de département qui me dit de voir auprès du secrétariat pour obtenir ma fiche de présence, et puis, au fait, pourquoi donc m'avait-on adressé à lui ?

La secrétaire fait : Oh, déjà de retour ? et me montre comment insérer ma fiche de présence dans la pointeuse, comment la glisser dans la fente du côté Entrée et la récupérer du côté Sortie. Elle déclare que si je dois quitter le bâtiment pour quelque raison que ce soit, même durant ma pause déjeuner, je dois signer mon départ et mon retour chez elle car on ne sait jamais quand on pourrait avoir besoin de moi, ni quand une urgence pourrait se présenter, et on ne peut avoir des professeurs qui musardent un peu partout, font des allées et venues, entrent et sortent à leur gré. Elle me dit d'aller voir Miss Seested, qui paraît surprise et fait : Oh, vous revoilà ? avant de me tendre un cahier Delaney à couverture rouge, le registre des présences pour mes classes. Elle dit : Vous connaissez la marche à suivre, bien entendu ? Et je prétends que oui, de peur de passer pour stupide. Elle me renvoie au secrétariat afin d'y prendre mon registre de permanence, et je dois mentir également à la secrétaire, l'assurer que je connais la marche à suivre. Si j'ai des problèmes, dit-elle, que je demande aux gamins. Ils en savent plus que les professeurs.

Je suis tout tremblant à cause de la gueule de bois, du café et, surtout, de l'anxiété devant ce qui m'attend, cinq classes, un appel à effectuer, une mission de surveillance, et j'aimerais beaucoup mieux être sur le ferry pour Manhattan où je pourrais être assis derrière un bureau dans une banque et prendre des décisions sur des prêts.

Des élèves me bousculent dans le couloir. Ils se poussent, se chamaillent, rient aux éclats. Ne savent-ils pas que je suis un professeur ? N'aperçoivent-ils pas sous mon bras les deux registres et *Votre monde et vous* ? Jamais les maîtres d'école de Limerick n'auraient toléré pareil comportement. D'un pas martial ils arpentaient les couloirs avec leur baguette, et si vous ne marchiez pas correctement vous vous preniez cette baguette en travers des mollets, ah ça oui.

Et que suis-je censé faire avec cette classe, la première de toute ma carrière d'enseignant, des élèves du cours d'Économie civique qui sont là à se bombarder de craies, de gommes, de petits pains à la viande ? Dès que j'aurai fait un pas dans la salle et poserai mes affaires sur le bureau, ils arrêteront sûrement de lancer des choses. Mais ils n'en font rien. Ils m'ignorent et je ne sais d'abord que faire, puis les paroles sortent de ma bouche, mes toutes premières en tant que professeur : On cesse de lancer des petits pains à la viande ! Ils me regardent comme pour dire : Qui est ce type ?

La sonnerie signale le début du cours et les élèves gagnent en hâte leur place. Ils chuchotent, me regardent, se marrent, chuchotent de nouveau, et je regrette bien d'avoir mis le pied à Staten Island. Ils se tournent pour regarder le tableau noir, fixé sur le côté de la salle, où quelqu'un a marqué en grand : Miss Mudd est Partie. La Vieille Bique a pris sa Reutraite, puis, me voyant regarder ça, ils se remettent à chuchoter et à rire. J'ouvre mon exemplaire de *Votre monde et vous* comme pour commencer une leçon quand une fille lève la main.

Oui ?

M'sieur, vous allez donc pas faire l'appel ?

Oh, mais oui, tout à fait.

C'est mon job, m'sieur.

La voilà qui se dandine dans l'allée jusqu'à mon bureau et les garçons font : *Hou ! Hou !* et : Qu'est-ce que tu vas faire le reste de ma vie, Daniela ? Elle arrive derrière mon bureau, fait face à la classe, et, quand elle se penche pour ouvrir le cahier Delaney, c'est facile de voir que son chemisier est trop juste, d'où une recrudescence de *Hou ! Hou !*

Elle sourit car elle sait ce que les livres de psychologie nous ont appris à la NYU, comme quoi une fille de quinze ans a des années d'avance sur un garçon du même âge, et ils peuvent l'accabler de *Hou ! Hou !* tant qu'ils veulent, ça n'a aucune importance. Elle me chuchote qu'elle sort déjà avec un gars de terminale, un footballeur du lycée Curtis, où tous les élèves sont brillants, pas une bande de singes mécanos aux pattes pleines de cambouis comme ceux de cette classe. Les garçons aussi savent tout cela, et c'est pourquoi ils font semblant de s'étreindre la poitrine et de s'évanouir quand elle appelle leurs noms portés sur les fiches Delaney. Elle prend son temps avec le registre des présences et je suis planté comme un imbécile sur le côté, à attendre. Je devine qu'elle taquine les garçons et je me demande si elle ne serait pas aussi en train de jouer avec moi, à me montrer ainsi sa maîtrise de la classe grâce à un chemisier bien rempli tout en m'empêchant de me lancer à ma guise dans l'Économie civique. Quand elle appelle le nom d'un élève absent hier, elle exige un mot des parents, et, si l'absent ne l'a pas, elle le réprimande et porte un N sur sa fiche. Elle rappelle à la classe que cinq N peuvent vous valoir un F sur votre bulletin, puis, se tournant vers moi : Pas vrai, m'sieur ?

Je ne sais que répondre. Je hoche la tête. Je rougis.

Une fille crie : Eh, m'sieur, vous êtes mignon ! et je rougis de plus

242

belle. Les garçons vocifèrent, frappent les pupitres de leurs paumes, et les filles échangent des sourires. T'es folle, Yvonne ! lancent-elles à celle m'ayant qualifié de mignon, qui leur réplique : Mais c'est vrai qu'il est mignon ! Et je me demande si la rougeur quittera un jour mon visage, si je serai un jour en mesure de me tenir là et de parler d'Économie civique, si je serai pour toujours à la merci de Daniela et d'Yvonne.

Daniela déclare qu'elle en a fini avec l'appel et maintenant il lui faudrait le passe pour aller aux toilettes. Elle sort un bâtonnet d'un tiroir et se tortille jusqu'à la porte accompagnée d'un autre chœur de *Hou ! Hou !* tandis qu'un garçon en interpelle un autre : Joey ! Lève-toi, Joey, qu'on mesure combien tu l'aimes, lève-toi qu'on voie ça, Joey ! et Joey rougit si fort qu'une vague de rires et de gloussements traverse la salle.

Nous sommes à la moitié de l'heure et je n'ai pas dit un mot sur l'Économie civique. Essayons d'être un professeur, un maître d'école. Je prends *Votre monde et vous* et leur dis : C'est bon, ouvrez votre livre au chapitre... hum... à quel chapitre en étiez-vous ?

On n'en était pas à aucun chapitre.

Vous voulez dire que vous n'en étiez pas à quelque chapitre que ce soit ? Quelque chapitre que ce soit.

Non, je veux dire qu'on n'en était pas à aucun chapitre. Miss Mudd ne nous a pas appris rien du tout.

Miss Mudd ne vous a pas appris quoi que ce soit. Quoi que ce soit.

Eh, m'sieur, pourquoi vous répétez tout ce que je dis ? Rien du tout, quoi que ce soit. Miss Mudd ne nous a jamais embêtés comme ça. Elle était chouette, Miss Mudd.

Tous hochent la tête et murmurent : Ouais, elle était chouette, Miss Mudd, et je sens que je vais devoir rivaliser avec elle même s'ils l'ont poussée à la retraite.

Une main levée.

Oui ?

M'sieur, vous seriez pas écossais ou quelque chose comme ça ?

Non, je suis irlandais.

Ah ouais ? Les Irlandais aiment boire, hein ? Tout ce whisky, hein ? Vous serez ici à la Saint-Paddy ?

Je serai ici le jour de la Saint-Patrick.

Vous allez pas être bourré et gerber au défilé comme tous les Irlandais ?

J'ai dit que je serai ici. Très bien, ouvrez vos livres.

Une main.

Lesquels de livres, m'sieur ?

Ce livre-là, *Votre monde et vous.*

On n'a pas de ce livre, m'sieur.

Nous n'avons pas ce livre.

Voilà que vous recommencez à répéter tout ce qu'on dit.

Nous devons parler un anglais correct.

Eh, m'sieur, c'est pas le cours d'anglais, ici. C'est l'Écœuneumie civiqueuh. On doit apprendre l'argent et tout et tout, et là vous ne nous apprenez pas rien du tout sur l'argent.

Daniela revient à l'instant où une autre main se lève. Eh, m'sieur, comment vous vous appelez ? Daniela remet le passe dans le tiroir puis s'adresse à la classe : Il s'appelle McCoy. Je viens de voir ça aux toilettes et il est pas marié.

Je marque mon nom au tableau noir : McCourt. Puis j'ajoute : Monsieur.

Une fille du fond lance : Eh, monsieur, vous avez une copine ?

Et tous de rire à nouveau. Je rougis une fois de plus. On se donne des coups de coude. Est-ce qu'il est pas mignon ? font les filles, et je cherche refuge dans *Votre monde et vous*.

Ouvrez vos livres. Chapitre premier. Nous allons commencer par le commencement. *Une brève histoire des États-Unis d'Amérique*.

Mr McCoy.

McCourt. McCourt.

Ouais, si vous voulez, mais c'est qu'on connaît tout sur Colomb et la suite. On a ça en cours d'Histoire avec Mr Bogard. Il sera furax si vous apprenez l'histoire alors qu'il est payé pour ça et que c'est pas votre boulot.

Je dois enseigner ce qui est dans le livre.

Miss Mudd n'enseignait pas ce qui est dans le livre. Excusez le langage, mais elle en avait rien à foutre, Mr McCoy.

McCourt.

Ouais.

Et, quand retentit la sonnerie et qu'ils se ruent hors de la salle, Daniela vient à mon bureau et me dit de ne pas m'en faire, faut pas écouter ces gamins, ils sont tous tellement bêtes, elle suit le cours de commerce pour être secrétaire juridique, et sait-on jamais, peut-être même sera-t-elle avocate un jour, faire appel, ça la connaît, et tout et tout. Enfin, elle tient à me le dire : Excusez le langage, Mr McCoy, mais ne vous laissez pas emmerder par personne.

La classe suivante compte trente-cinq filles, toutes vêtues de blanc et boutonnées du cou à l'ourlet. La plupart ont une coiffure identique, le chignon en hauteur. Elles m'ignorent. Elles posent de petites boîtes sur les pupitres et scrutent des miroirs. Elles s'épilent les sourcils, se tamponnent les joues avec des houppettes, se mettent du rouge aux lèvres et les pressent contre leurs dents, elles se liment les ongles et les époussettent d'un souffle. J'ouvre le cahier Delaney afin d'appeler leurs noms et elles paraissent surprises. Oh, c'est vous le remplaçant ? Où est Miss Mudd ?

Elle a pris sa retraite.

Oh, c'est donc vous qui allez être notre professeur ?

Oui.

Je leur demande dans quel atelier elles sont, ce qu'elles étudient.

La cosmétologie.

Qu'est-ce ?

Beauté appliquée. Et comment c'est que vous vous appelez, m'sieur ?

Je désigne le tableau. Mr McCourt.

Oh, ouais. C'est vous qu'Yvonne a dit que vous êtes mignon.

Je laisse passer. Si j'entreprends de corriger chaque erreur grammaticale dans ces classes, je n'arriverai jamais à l'Économie civique et, pire, si on me demande d'expliquer les règles de grammaire, je suis voué à montrer mon ignorance. Je n'admettrai aucune distraction. Je vais commencer par le chapitre premier de *Votre monde et vous*, intitulé : *Une brève histoire des États-Unis d'Amérique*. Je pioche au fil des pages, de Christophe Colomb aux Pèlerins à la guerre d'Indépendance, puis la guerre de 1812, puis la guerre de Sécession, et une main se lève, et une voix, au fond de la classe.

Oui ?

Mr McCourt, pourquoi est-ce que vous nous racontez tout ça ?

Je vous raconte ça parce que vous ne pouvez comprendre l'Économie civique si vous n'avez quelques notions de l'histoire de votre pays.

Mr McCourt, on est en cours d'anglais, là. Je veux dire, c'est vous le professeur et vous ne savez même pas devant quelle classe vous vous trouvez.

Elles s'épilent les sourcils, se liment les ongles, secouent leur chignon, elles ont pitié de moi. Elles me disent que mes cheveux sont une catastrophe, et c'est facile de voir que je ne suis jamais entré de ma vie chez une manucure.

Pourquoi est-ce que vous viendriez pas à l'atelier de Beauté appliquée, qu'on s'occupe de vous ?

Elles sourient, se donnent des coups de coude, et mon visage s'embrase de nouveau et elles disent que ça aussi c'est mignon. Ouah, bon Dieu, regardez-le ! Il est timide.

Je dois prendre le contrôle de la situation. Je dois être le professeur. C'est que j'ai tout de même été caporal dans l'armée des États-Unis. Je disais aux hommes ce qu'il fallait faire, et s'ils n'obtempéraient pas je leur en faisais baver car ils avaient directement nargué la discipline militaire et encouraient la cour martiale. Aussi vais-je tout simplement dire à ces filles ce qu'il faut faire.

Rangez-moi tout ça et ouvrez vos livres.

Quels livres ?

Tous les livres que vous avez pour le cours d'anglais.

On n'a que ce *Géants dans la terre*, qui est le bouquin le plus rasoir au monde. Et toute la classe d'entonner : Hin-hin, hin-hin-hin, rasoir, rasoir, rasoir.

Elles me disent que c'est sur une famille originaire d'Europe, qui se trouve là-bas dans la prairie, avec tout le monde qui est déprimé et parle de suicide, et personne de la classe n'arrive à finir ce bouquin car il donne envie de se tuer soi-même. Pourquoi ne peuvent-elles lire un chouette roman sentimental où vous n'auriez pas tous ces gens d'Europe tirant la gueule dans la prairie ? Ou pourquoi ne pourraient-elles regarder des films ? Elles pourraient regarder James Dean, oh, bon Dieu, James Dean, pas croyable qu'il soit mort, elles pourraient le regarder et parler de lui sans fin. Oh, oui, James Dean, elles pourraient le regarder pour toujours.

Quand les filles de Beauté appliquée s'en vont, il y a Permanence, une période de huit minutes où je dois m'occuper de la paperasse pour trente-trois élèves de l'atelier d'Imprimerie. Ils déboulent, que des garçons, et se montrent obligeants. Ils me disent ce qu'il faut faire et de ne pas m'inquiéter. Je dois effectuer l'appel, envoyer une liste des absents à Miss Seested, ramasser les mots d'excuse censément écrits par des parents ou des médecins, distribuer des titres de transport pour le bus, le métro, le ferry. Un garçon apporte dans la salle le contenu de la boîte aux lettres de Miss Mudd. Il y a des mots et des lettres de divers fonctionnaires, tant du lycée que de l'extérieur, des mots convoquant des élèves difficiles pour considérer leur orientation, des commandes et des demandes de listes et de formulaires, des deuxièmes et troisièmes rappels. Il semblerait que Miss Mudd se soit complètement désintéressée de sa boîte aux lettres depuis des semaines, et la tête me pèse à la pensée du travail qu'elle m'a laissé.

Les garçons me disent que je n'ai pas besoin de faire l'appel chaque jour, mais maintenant que j'ai commencé je ne puis m'arrêter. La plupart d'entre eux sont italiens et faire l'appel tient de l'opérette : Adinolfi, Buscaglia, Cacciamani, DiFazio, Esposito, Gagliardo, Miceli.

Je suis supposé leur faire prononcer le serment de fidélité au drapeau et chanter l'hymne américain sous ma direction. Je n'en connais en vérité que des bribes, mais peu importe ; les garçons se lèvent, placent leur main sur leur cœur et récitent leur version du serment : Je jure fidélité au drapeau de Staten Island, et aux coups d'un soir, une fille

246

sous moi, invisible à tous, avec de l'amour et des baisers rien que pour moi.

Quand ils passent à l'hymne américain, certains fredonnent, en guise d'accompagnement : *Tu n'es rien qu'un chien galeux* [1].

Un mot du directeur de département me demande d'aller le voir dans l'heure qui suit, la troisième, mon heure d'étude où je suis censé planifier mes leçons. Il me dit que je devrais avoir un plan de leçon pour chaque classe, qu'il y a un formulaire type pour les plans de leçons, que je devrais insister afin que tous les élèves aient des cahiers propres et soignés, que je devrais m'assurer que leurs manuels sont couverts, des points en moins s'ils ne le sont pas, que je devrais vérifier que les fenêtres sont ouvertes en haut de quinze centimètres, que je devrais confier à un élève le nettoyage de la salle à la fin de chaque cours, que je devrais me tenir à la porte pour accueillir les classes à leur entrée, même chose à leur sortie, que je devrais clairement tracer au tableau noir le titre et l'objet de chaque leçon, que je ne devrais jamais poser de questions auxquelles on peut répondre par oui ou par non, que je ne devrais permettre aucun bruit injustifié dans la salle, que je devrais exiger des élèves qu'ils restent à leur place sauf s'ils lèvent la main pour demander le passe des toilettes, que je devrais insister pour que les garçons ôtent leur couvre-chef, que je devrais faire nettement comprendre qu'aucun élève n'a le droit de parler sans avoir levé la main au préalable. Enfin, je devrais m'assurer que tous les élèves restent jusqu'à la fin du cours, qu'ils n'ont aucunement le droit de sortir de la salle dès la sonnerie d'avertissement qui, pour mon information, retentit cinq minutes avant la fin du cours. Si mes élèves sont surpris dans les couloirs avant la fin, j'aurai à en répondre au proviseur en personne. Des questions ?

Le directeur poursuit : Il y aura des contrôles de milieu de trimestre dans deux semaines, et mon enseignement devrait privilégier les domaines sur lesquels porteront les contrôles. Les élèves d'Anglais devront avoir assimilé l'orthographe et les listes de mots, leurs cahiers devant d'ores et déjà comporter une centaine d'exemples, des points en moins si tel n'est pas le cas, et être préparés à disserter sur deux romans. Quant aux élèves d'Économie civique, ils devraient avoir dépassé la moitié de *Votre monde et vous*.

La sonnerie signale la cinquième heure, ma mission de surveillance à la cafétéria des élèves. Le directeur m'affirme que c'est une tâche de tout repos. Je serai là-haut avec Jake Homer, le professeur que les gamins redoutent le plus.

Je grimpe l'escalier menant à la cafétéria, mes tempes palpitent, ma

---

1. Début de *Hound Dog*, chanson popularisée par Elvis Presley en 1956. *(N.d.T.)*

bouche est toute sèche, et j'aimerais vraiment bien pouvoir m'embarquer avec Miss Mudd. Au lieu de cela, je suis poussé et bousculé par des élèves, puis arrêté à mi-marches par un professeur qui demande à voir mon laissez-passer. Il est petit, trapu, et sa tête chauve repose directement, sans cou, sur ses épaules. Il me lance un regard noir à travers des verres épais et lève le menton avec arrogance. Je lui dis que je suis professeur et il refuse de me croire. Il demande à voir ma feuille d'emploi du temps. Oh, fait-il, je suis désolé. Vous êtes McCourt. Je suis Jake Homer. Nous allons être ensemble à la cafétéria. Je le suis dans l'escalier et dans le couloir aboutissant à la cafétéria des élèves. Deux files attendent d'être servies, une composée de garçons, l'autre de filles. Jake me dit que c'est un des gros problèmes, maintenir séparés garçons et filles. Il ajoute que ce sont des animaux à cet âge-là, surtout les garçons, et ce n'est pas leur faute. C'est la nature. S'il pouvait agir à sa guise, il placerait carrément les filles dans une autre cafétéria. Les garçons sont toujours à se pavaner, à frimer, et si deux aiment la même fille c'est obligé qu'il y ait une bagarre. D'ailleurs, me dit-il, si une bagarre éclate, ne pas s'en mêler tout de suite. Laissez les petits salopards s'en donner et décharger leur agressivité. C'est pire quand le temps est au chaud, mai, juin, lorsque les filles ôtent leur sweater et que les garçons se mettent à traquer le nichon comme des malades. Les filles savent bien ce qu'elles font, allez, et les garçons sont là avec la langue pendante, comme des chiens. Notre boulot consiste à les maintenir séparés et, si un garçon veut faire un tour dans la section des filles, il doit venir ici demander la permission. Autrement vous auriez deux cents gamins s'en donnant en plein jour. Nous devons également arpenter la cafétéria et veiller à ce que les gamins rapportent leur plateau et leurs déchets au comptoir de la cuisine, veiller à ce qu'ils laissent propre autour de leur table.

Jake demande si je suis allé à l'armée et, comme je lui réponds oui, il dit : Je parie que vous ne vous doutiez pas que vous vous coltineriez ce genre de corvée de merde quand vous avez décidé de devenir enseignant. Je parie que vous étiez loin de vous douter que vous seriez gardien de cafétéria, contrôleur-chef des déchets, psychologue, baby-sitter, pas vrai ? Vous en déduisez ce qu'on pense des enseignants dans ce pays, d'avoir à passer des heures de votre vie à regarder ces gamins manger comme des porcs et à leur dire de nettoyer après. Les médecins et les avocats ne sont pas à courir partout pour dire aux gens de nettoyer. Ce n'est pas en Europe que vous trouverez des enseignants dans pareille galère. Là-bas, un professeur de lycée est traité comme un professeur d'université.

Un garçon allant au comptoir ne s'aperçoit pas qu'un emballage de crème glacée a glissé de son plateau. Il revient à sa table, quand Jake l'interpelle :

Ramasse-moi cet emballage de crème glacée, gamin.

Le garçon a une attitude de défi. Ce n'est pas moi qui ai fait tomber ça.

Je ne t'ai pas demandé si tu l'avais fait tomber, gamin. Je t'ai dit de le ramasser.

Je n'ai pas à le ramasser. Je connais mes droits.

Viens ici, gamin. Je vais te les dire, tes droits.

Un silence soudain se fait dans la cafétéria. Sous les yeux de tous, Jake pose la main sur l'omoplate gauche du garçon et lui tord la peau dans le sens des aiguilles d'une montre. Gamin, dit-il, tu as cinq droits. Un, tu la fermes. Deux, tu fais ce qu'on te dit, et les trois autres ne comptent pas.

Jake continue de tordre et le garçon essaie de ne pas grimacer, de faire bonne figure, jusqu'au moment où Jake tord si fort que le garçon s'arque et s'écrie : Très bien, très bien, Mr Homer, très bien ! Je vais ramasser le papier !

Jake le lâche. C'est bon, gamin. Je vois que tu es un gamin raisonnable.

Le garçon va s'effondrer sur sa chaise. Il est tout honteux et je sais qu'il ne le devrait pas. Quand un maître de Leamy's à Limerick tourmentait un garçon de cette façon, on était toujours contre le maître et je sens que c'est pareil ici, vu comment les élèves, garçons et filles, lancent à Jake et moi des regards noirs. Je me demande s'il m'arrivera jamais d'être aussi dur qu'un maître d'école irlandais ou aussi vache que Jake Homer. Les professeurs de psychologie de la NYU ne nous ont jamais appris ce que nous devions faire dans ces cas-là, et pourquoi ? Parce que les professeurs d'université n'ont jamais à surveiller des élèves dans des cafétérias de lycée. Et qu'arrivera-t-il si jamais Jake est absent et que je me trouve être le seul professeur ici, à essayer de contrôler deux cents élèves ? Une chose est sûre : si je demande à une fille de ramasser un bout de papier, et qu'elle refuse, je ne pourrai pas lui tordre la peau de l'omoplate jusqu'à la faire trembler des genoux. Non, il faudra que j'attende d'être vieux et vache comme Jake, encore que lui-même ne tordrait sûrement pas la peau d'une omoplate de fille. Il est plus poli avec les filles, il leur donne du *Mes chères*, et cela ne les embêterait-il pas de contribuer à garder cet endroit propre ? Oh, non, Mr Homer ! se récrient-elles, et il s'éloigne en canard, tout sourire.

Il se tient à côté de moi près du comptoir de la cuisine et me dit : Vous devez tomber sur les petits salopards comme une tonne de briques. Puis, à un garçon venu devant nous : Oui, fils ?

Mr Homer, il faut que je vous rende le dollar que je vous dois.

C'était à quel propos, fils ?

Le jour où je n'avais pas l'argent du déjeuner, le mois dernier. Vous m'aviez prêté un dollar.

Oublie ça, fils. Va t'acheter une crème glacée.

Mais, Mr Homer...

Vas-y, fils. Prends-toi une friandise.

Merci, Mr Homer.

C'est bon, gamin.

À moi : C'est un chouette gamin. Vous ne croiriez pas l'épreuve qu'il traverse, et pourtant il vient encore au bahut. Son père torturé, presque tué par des nervis de Mussolini en Italie. Bon Dieu, vous ne croiriez pas les épreuves qu'elles traversent, les familles de ces gamins, et on est dans le pays le plus riche du monde. Estimez-vous heureux, McCourt. Dites, ça vous embêterait que je vous appelle Frank ?

Pas du tout, Mr Homer.

Appelle-moi Jake.

D'accord, Jake.

C'est ma pause déjeuner et il me conduit à la cafétéria des professeurs, au dernier étage. Mr Sorola me voit et me présente à des tablées d'enseignants. Mr Rowantree, Imprimerie, Mr Kriegsman, Éducation sanitaire, Mr Gordon, Atelier d'usinage, Miss Gilfinane, Art, Mr Garber, Élocution, Mr Bogard, Sciences sociales, Mr Maratea, Sciences sociales.

Je prends mon plateau, sandwich et café, puis m'assieds à une table inoccupée, mais Mr Bogard se pointe, dit : Moi, c'est Bob, et m'invite à m'asseoir avec lui et les autres professeurs. J'aimerais bien rester tout seul car je ne sais que dire à quiconque et je n'aurai pas plus tôt ouvert la bouche qu'ils feront : Ah ! mais vous êtes irlandais ! Et il faudra que j'explique comment cela s'est fait. Ce n'est pas autant la plaie que d'être noir. Vous pouvez toujours changer d'accent mais jamais de couleur de peau et ce doit être la barbe quand vous êtes noir et que les gens se croient obligés de parler d'on ne sait quel problème noir uniquement parce que vous vous trouvez là avec cette peau. Vous pouvez changer d'accent et les gens cesseront de vous apprendre l'endroit d'Irlande d'où venaient leurs parents mais il n'y a point d'échappatoire quand vous êtes noir.

Mais je ne puis dire non à Mr Bogard après qu'il s'est donné la peine de venir à ma table. Une fois que me voilà installé avec mon sandwich et mon café, j'ai droit à une seconde présentation des professeurs, avec leur prénom cette fois. Jack Kriegsman dit : Votre premier jour, n'est-ce pas ? Vous êtes sûr de vouloir faire ça ?

Certains professeurs rient aux éclats et secouent la tête comme pour dire qu'ils regrettent vraiment de s'être fourrés là-dedans. Bob Bogard ne rit pas. Il se penche en avant et déclare : S'il existe une profession plus essentielle que l'enseignement, j'aimerais bien savoir laquelle. Personne ne semble savoir que dire ensuite, quand Stanley Garber me demande quelle matière j'enseigne.

Anglais. Enfin, pas exactement. Ils me font enseigner trois classes d'Économie civique, dis-je, et Miss Gilfinane de faire : Ah ! Mais vous êtes irlandais ! Quel plaisir d'entendre l'accent du pays ici !

Elle me débite son ascendance puis désire savoir d'où je viens, quand je suis arrivé, si je repartirai un jour, et pourquoi donc catholiques et protestants sont-ils toujours à se battre dans le vieux pays ? Jack Kriegsman déclare qu'ils sont pires que les Juifs et les Arabes, ce à quoi s'oppose Stanley Garber. Stanley déclare que les Irlandais, d'un côté comme de l'autre, ont du moins une chose en commun, le christianisme, tandis que Juifs et Arabes sont aussi différents que le jour et la nuit. Jack réplique : Connerie que tout ça, et Stanley riposte, sarcastique : Voilà ce que j'appelle un commentaire intelligent.

Quand retentit la sonnerie, Bob Bogard et Stanley Garber me raccompagnent en bas. Bob me dit qu'il connaît la situation dans les classes de Miss Mudd, que les gamins sont déchaînés après des semaines de non-enseignement, et que je lui fasse savoir si jamais j'ai besoin d'aide. Je lui dis que j'ai en effet bien besoin d'aide, et à l'instant même. J'aimerais le savoir : Que diable suis-je censé faire avec ces élèves d'Économie civique qui vont devoir passer des contrôles de milieu de trimestre dans deux semaines alors qu'ils n'ont même pas ouvert le manuel ? Comment puis-je porter sur les bulletins des notes qui ne reposent sur rien ?

Stanley intervient : Ne vous en faites pas. De toute façon, dans ce lycée, beaucoup de notes sur les bulletins ne reposent sur rien. Il y a ici des gamins dont le niveau de lecture est digne du cours élémentaire, et ce n'est pas votre faute. Ils devraient être encore en primaire mais on ne peut les y garder car ils mesurent un mètre quatre-vingts, sont trop grands pour le mobilier et cassent les pieds des professeurs. Vous verrez.

Lui et Bob Bogard regardent mon emploi du temps et secouent la tête. Trois classes en fin de journée. C'est le pire emploi du temps qu'on puisse avoir, impossible pour un prof débutant. Les gamins ont eu leur déjeuner et ils sont chargés à bloc de protéines et de sucre, et ils veulent être dehors à chahuter, à cavaler. Le sexe. Faut pas chercher plus loin, dit Stanley. Le sexe, le sexe, le sexe. Mais c'est comme ça quand on arrive en milieu de trimestre et qu'on remplace les Miss Mudd qu'il y a dans le monde. Allez, bonne chance ! fait Stanley.

Faites-moi savoir si je peux aider ! fait Bob.

J'affronte les protéines et le sucre et le sexe, le sexe, le sexe durant les heures six, sept et huit, mais je suis réduit au silence par une grêle de questions et d'objections. Elle est où, Miss Mudd ? Elle est morte ? Elle a fugué ? Ha ha ha. Vous, notre nouveau prof ? Vous allez être avec nous pour toujours ? À perpète ? Vous avez une copine, m'sieur ? Non, on n'a aucun *Monde et vous*. Il est bête, ce bouquin ! Pourquoi qu'on peut pas parler de films ? J'avais une prof en cinquième, elle parlait tout le temps de films et ils l'ont virée. C'était une chouette prof. Eh, m'sieur, n'oubliez pas de faire l'appel. Miss Mudd faisait toujours l'appel.

Miss Mudd n'avait pas à faire l'appel car dans chaque classe se trouve un délégué qui s'en charge. C'est généralement une déléguée, une fille timide avec un cahier soigné et une belle écriture. Faire l'appel lui vaut des états de service, ce qui impressionnera les employeurs quand elle ira chercher un boulot dans Manhattan.

Les élèves en seconde année d'anglais applaudissent en apprenant le départ définitif de Miss Mudd. Elle était garce. Elle a voulu leur faire lire ce bouquin rasoir, *Géants dans la terre*, et elle a dit que quand ils en auraient fini avec ça ils auraient à lire *Silas Marner*[1] et c'est là que Louis qui est près de la fenêtre et lit beaucoup de livres a dit à chacun que c'était un bouquin sur un vieux dégueulasse en Angleterre et une petite fille, et que c'était le genre de livre qu'on ne devrait pas lire en Amérique.

Miss Mudd disait qu'ils devaient lire *Silas Marner* car s'annonçait un contrôle de milieu de trimestre et ils allaient avoir à rédiger une dissertation où il fallait comparer *Silas Marner* à *Géants dans la terre* et les élèves de la huitième heure aimeraient savoir comment elle avait bien pu se mettre en tête qu'on pouvait comparer un bouquin sur des gens tirant la gueule dans la prairie avec un bouquin sur un vieux dégueulasse en Angleterre.

Et de rire. Ils me disent : On n'a pas envie de lire aucun livre bête.

Vous voulez dire que vous n'avez envie de lire aucun livre qui soit bête ?

Quoi ?

Oh, rien. Quand retentit la sonnerie d'avertissement, ils saisissent leur manteau et cartable, puis se précipitent en désordre vers la porte. Je dois hurler : Rasseyez-vous. C'est la sonnerie d'avertissement.

Ils paraissent surpris. Qu'est-ce qu'il y a, m'sieur ?

Vous n'êtes pas censés partir à la sonnerie d'avertissement.

Miss Mudd nous laissait partir.

Je ne suis pas Miss Mudd.

---

1. Roman de George Eliot (1860). *[N.d.T.]*

Miss Mudd était chouette. Elle nous laissait partir. Pourquoi vous êtes si méchant ?

Ils passent la porte et je ne peux les arrêter. Mr Sorola est dans le couloir, me disant que mes élèves ne sont pas supposés partir à la sonnerie d'avertissement.

Je sais, Mr Sorola. Je n'ai pu les arrêter.

Ma foi, Mr McCourt, un peu plus de discipline demain, d'accord ?

Oui, Mr Sorola.

Cet homme est-il sérieux ou me fait-il marcher ?

37

De vieux cireurs italiens sillonnent le ferry de Staten Island à la recherche de clients. La nuit a été dure, la journée plus dure encore, et pourquoi donc ne dépenserais-je pas un dollar, plus vingt-cinq cents de pourboire, pour un cirage, même si ce vieil Italien secoue la tête et me dit dans son mauvais anglais que je devrais aller acheter une nouvelle paire de chaussures à son frère qui en vend dans Delancey Street et me ferait un bon prix si je mentionne Alfonso du ferry.

Une fois qu'il a fini, il secoue la tête et dit que ce sera seulement cinquante cents car ce sont là les pires chaussures qu'il a vues depuis des années, des chaussures de clochard, des chaussures qu'on n'enfilerait pas à un mort, et je devrais bien aller à Delancey Street et ne pas oublier de dire à son frère qui m'envoie. Je lui explique que je n'ai pas l'argent pour une nouvelle paire, je viens à peine de commencer un nouveau boulot, et il me fait : Ça va, ça va, donnez-moi un dollar. Vous êtes prof, hein ? et quand je lui demande : Comment vous le savez ? il répond : C'est toujours les profs qui ont les chaussures dégueulasses.

Je lui donne le dollar, le pourboire, et il s'éloigne en secouant la tête et en criant : Cirage ! cirage !

C'est une belle journée de mars, et assez agréable pour s'asseoir dehors, sur le pont, afin d'observer les touristes qui s'excitent avec leur appareil photo face à la statue de la Liberté, le long doigt de l'Hudson tout devant et l'horizon de Manhattan qui semble dériver vers nous. L'eau est animée, agitée de vaguelettes blanches, et un souffle de tiédeur printanière s'en vient par la brise qui s'engouffre dans les Narrows. Oh, c'est bien bon et j'aimerais me tenir là-haut sur la passerelle à faire aller et venir ce vieux ferry, louvoyant entre les remorqueurs, les chalands, les navires marchands et les paquebots qui enflent les eaux du port en vagues qui s'écrasent contre la proue du ferry.

Ce serait une vie agréable, plus agréable que d'avoir à affronter chaque jour des douzaines de lycéens avec leurs petits coups de coude, leurs petits clins d'œil et leurs petits rires à la dérobée, leurs plaintes et leurs objections, ou la façon qu'ils ont de m'ignorer comme si j'étais un meuble. Un souvenir flotte dans ma tête, celui d'un matin à la NYU, d'un visage disant : Ne serait-on pas un peu paranoïaque ?

Paranoïaque. J'ai regardé ce mot. Si je me tiens devant une classe et qu'un gamin chuchote quelque chose à un autre, et qu'ils rient, vais-je croire qu'ils rient de moi ? Vont-ils s'attabler dans la cafétéria en imitant mon accent et en blaguant sur mes yeux rouges ? Je sais qu'ils le feront car nous faisions la même chose à Leamy's, et, si je commence à me tracasser là-dessus, autant aller passer ma vie dans le service des prêts de la Manufacturer's Trust Company.

Vais-je faire ça le reste de ma vie, prendre le métro, puis le ferry pour Staten Island, monter la butte jusqu'au lycée d'enseignement professionnel et technique McKee, pointer à l'entrée, extraire une liasse de paperasses de ma boîte aux lettres, dire à mes élèves classe après classe, jour après jour : Assis, je vous prie, ouvrez vos cahiers, sortez vos stylos, vous n'avez pas de feuille ? Voici une feuille, tu n'as pas de stylo ? emprunte à ton voisin, copiez les notes sur le tableau, tu ne peux pas voir de là ? Joey, voudrais-tu bien échanger ta place contre celle de Brian ? Allez, Joey, ne sois pas si... non, Joey, je ne t'ai pas traité de con, je t'ai simplement demandé d'échanger ta place contre celle de Brian qui a besoin de lunettes, tu n'as pas besoin de lunettes, Brian ? ma foi, pourquoi dois-tu changer de place ? peu importe, Joey, change juste de place, veux-tu bien ? Freddie, fais-moi disparaître ce sandwich, nous ne sommes pas à la cafétéria, ça m'est égal que tu aies faim, non, tu ne peux pas aller manger ton sandwich aux toilettes, on n'est pas supposé manger des sandwichs dans les toilettes, qu'y a-t-il, Maria ? Tu es malade, tu dois voir l'infirmière ? C'est bon, voici un passe, Diane, veux-tu emmener Maria à l'infirmerie et me faire savoir ce qu'en dit l'infirmière ; non, je sais bien qu'on ne te dira pas ce qu'elle a, je veux simplement savoir si elle reviendra en classe, qu'est-ce, Albert ? Tu es malade, toi aussi ? Non, tu ne l'es pas, Albert, tu restes assis là et tu fais ton travail, il faut que tu voies l'infirmière, Albert ? tu es réellement malade ? tu as la diarrhée ? ma foi, tiens, voici le passe pour les toilettes des garçons et ne reste pas là-bas toute l'heure, vous autres finissez de copier les notes sur le tableau, il y aura un test, vous savez ça, n'est-ce pas ? Il y aura un test. Qu'est-ce donc, Sebastian, ton stylo était à court d'encre ? ma foi, que ne le disais-tu ? oui, tu le dis maintenant mais tu aurais pu le dire dix minutes avant, oh, tu ne voulais pas interrompre toutes ces personnes malades ? c'est gentil à toi, Sebastian, quelqu'un a-t-il un stylo à prêter à Sebastian ?

oh, allez, qu'est-ce donc, Joey, Sebastian est un quoi ? un quoi ? tu ne devrais pas dire des choses pareilles, Joey, Sebastian, assieds-toi, pas de bagarre dans la classe, qu'est-ce donc, Ann ? tu dois y aller ? aller où, Ann ? Oh, tu as tes règles ? tu as raison, Joey, elle n'a pas besoin de l'annoncer à tout le monde, oui, Daniela ? tu veux accompagner Ann aux toilettes ? pourquoi ? oh, elle parle pas, hum, elle ne parle pas un bon anglais, et quel est le rapport avec le fait qu'elle a ses... qu'est-ce donc, Joey ? tu penses que les filles ne devraient pas parler comme ça ; doucement, Daniela, doucement, tu n'as pas à être insultante, qu'est-ce donc, Joey ? tu es croyant et les gens ne devraient pas parler comme ça, c'est bon, doucement, Daniela, je sais que tu défends Ann qui a besoin d'aller aux cabinets, aux toilettes, alors vas-y, emmène-la, et vous autres copiez les notes sur le tableau, oh, toi non plus tu ne peux pas voir ? Veux-tu t'avancer ? c'est bon, avance, voici une chaise inoccupée mais où est ton cahier ? tu l'as oublié dans le bus, très bien, il te faut une feuille, voici une feuille, il te faut un stylo, voici un stylo, il te faut aller aux toilettes ? ma foi, va va va aux toilettes, et va manger un sandwich, et va traîner avec tes copains, bon Dieu !

Mr McCoy.

McCourt.

Vous devriez pas jurer comme ça. Vous devriez pas dire le nom de Dieu comme ça.

Ils disent : Oh, Mr McCourt, vous devriez prendre la journée de demain, la Saint-Paddy ! Vous êtes irlandais, quand même ! Vous devriez aller au défilé !

Si je prenais la journée pour la passer au lit, ils en seraient tout aussi contents. Les remplaçants des professeurs absents se donnent rarement la peine de faire l'appel et les élèves sèchent tout bonnement les cours. Oh, allez, Mr McCourt, vous avez besoin d'un jour de congé avec vos amis irlandais. Je veux dire, vous ne viendriez pas au lycée si vous seriez en Irlande, n'est-ce pas ?

Ils gémissent lorsque j'apparais le lendemain. Oh, merde, mec, excusez le langage, mais quel genre d'Irlandais vous êtes ? Eh, m'sieur, peut-être que vous sortirez ce soir avec tous les Irlandais et que vous serez pas là demain ?

Je serai ici demain.

Ils m'apportent des choses vertes, une patate peinte à la bombe, un bagel vert, une bouteille de Heineken parce que c'est vert, une tête de chou avec des trous en guise d'yeux, de nez, de bouche, coiffée d'un petit bonnet vert de farfadet confectionné en atelier d'art. Le chou s'appelle Kevin et a comme copine une aubergine prénommée Maureen. Il y a une carte de vœux de soixante centimètres par soixante centimètres me souhaitant Joyeuse Saint-Paddy, avec un collage de choses en papier vert, des trèfles, des gourdins, des bouteilles de whisky, du corned-beef vert, saint Patrick tenant un verre de bière verte au lieu d'une crosse et s'exclamant : Palsambleu ! C'est un grand jour pour les Irlandais ! Un dessin de moi avec un ballon disant : Embrassez-moi, je suis irlandais. La carte est signée par des douzaines d'élèves de mes cinq classes, et décorée de joyeux visages en forme de trèfles.

Les classes sont bruyantes. Eh, Mr McCourt, comment ça se fait que vous ne portiez pas de vert ? Parce qu'il en a pas besoin, imbécile, il est irlandais ! Mr McCourt, pourquoi vous n'allez pas à la parade ? Parce qu'il vient juste de commencer ce boulot ! Seulement une semaine qu'il est là, bon Dieu !

Mr Sorola ouvre la porte. Tout va-t-il bien, Mr McCourt ?

Oh, oui.

Il vient à mon bureau, regarde la carte, sourit. Ils doivent bien vous aimer, hein ? Et vous êtes ici depuis combien de temps ? Une semaine ?

Presque.

Ma foi, voilà qui est très bien, mais voyons si vous pouvez les remettre au travail. Il repasse la porte, suivi d'un : Joyeuse Saint-Paddy, Mr Sorola ! qui ne le fait pas se retourner. Puis un élève du fond lance : Mr Sorola est un sale Macaroni ! et il y a une empoignade qui ne prend fin qu'avec une menace de test sur *Votre monde et vous*. Puis un autre élève remet ça : Sorola est pas italien. Il est finnois.

Finnois ? C'est quoi, finnois ?

La Finlande, connard, là où il fait tout le temps noir.

Il a pas l'air finnois.

Eh, tête de nœud ! Parce qu'ils ont quel air, les Finnois ?

J'en sais rien mais il en a pas l'air. Il pourrait être sicilien.

Il est pas sicilien. Il est finnois et je parie un dollar. Quelqu'un veut parier ?

Personne ne veut relever le pari, et je leur dis : Très bien, ouvrez vos cahiers.

Ils sont indignés. Ouvrir nos cahiers ? C'est la Saint-Paddy et vous êtes là à nous dire d'ouvrir nos cahiers après qu'on vous ait fait la carte et tout et tout !

Je sais. Merci pour la carte mais c'est un jour d'école ordinaire, il y aura des tests et nous devons avoir lu tout *Votre monde et vous*.

Un gémissement parcourt la salle et le vert a disparu de la journée.

Oh, Mr McCourt, si seulement vous saviez comme on déteste ce bouquin.

Oh, Mr McCourt, vous pourriez pas nous raconter l'Irlande ou quelque chose comme ça ?

Mr McCourt, parlez-nous de votre copine. Vous devez avoir une chouette copine. Vous êtes vraiment mignon. Ma mère est divorcée, elle aimerait faire votre connaissance.

Mr McCourt, j'ai une sœur qui a votre âge. Elle a un boulot important dans une banque. Elle aime bien toute cette vieille musique, Bing Crosby, tout ça.

Mr McCourt, j'ai vu ce film irlandais, *L'Homme tranquille*[1], c'était à la télé et John Wayne il battait sa femme, comment qu'elle s'appelle, et est-ce que c'est ça qu'ils font en Irlande, de battre leur femme ?

Ils feraient n'importe quoi pour couper à *Votre monde et vous*. Mr McCourt, est-ce que vous éleviez des cochons dans votre cuisine ?

Nous n'avions pas de cuisine.

Ouais, mais si vous n'aviez pas de cuisine, comment est-ce que vous faisiez à manger ?

Nous avions une cheminée où nous faisions bouillir l'eau pour le thé et nous mangions du pain.

Incapables de croire que nous n'avions pas l'électricité, ils ont voulu savoir comment nous gardions la nourriture au frais. Celui qui s'était enquis des cochons dans la cuisine a soutenu que tout le monde avait un réfrigérateur jusqu'au moment où un autre garçon lui a lancé qu'il avait tort, que sa mère avait grandi en Sicile sans réfrigérateur, et si le garçon-aux-cochons-dans-la-cuisine ne voulait pas le croire ils allaient se retrouver dans une sombre allée après l'école et seul l'un d'eux en sortirait. Des filles leur ont dit de se calmer et l'une a déclaré qu'elle se sentait tellement peinée pour moi, d'avoir grandi comme ça, que si elle avait pu remonter le temps elle m'aurait emmené chez elle et m'aurait laissé prendre un chouette bain aussi longtemps que je l'aurais voulu, et puis j'aurais pu tout manger dans le réfrigérateur, oui, tout. Les filles ont hoché la tête, les garçons se sont tus, et j'ai été content d'entendre la sonnerie me signalant que j'allais pouvoir me réfugier dans les toilettes des professeurs avec mes étranges émotions.

J'apprends l'art qu'ont les lycéens de surseoir, d'ajourner, leur stratégie d'évitement, leur façon de saisir n'importe quelle occasion de se soustraire au travail de la journée. Ils sont flatteurs, enjôleurs, mettent la main sur le cœur en clamant qu'ils sont catastrophés d'apprendre tout cela sur l'Irlande et les Irlandais, ils auraient pu m'interroger bien plus tôt mais ils ont différé jusqu'à la Saint-Patrick, croyant que je

---

1. Film américain de John Ford (1952). *[N.d.T.]*

souhaiterais célébrer mon héritage, ma religion et le reste, et ne voudrais-je pas leur parler de la musique irlandaise, et est-ce vrai que l'Irlande est verte en toute saison et que les filles ont ce mignon petit nez retroussé et que les hommes boivent boivent boivent, est-ce vrai, Mr McCourt ?

La salle résonne de menaces et de promesses étouffées. J'vais pas rester au bahut aujourd'hui. J'vais aller en ville voir la parade. Tous les bahuts cathos donnent la journée. J'suis catho. Pourquoi j'aurais pas la journée ? Marre, putain ! Dès que ce cours est fini, tu vois mon cul sur le ferry. Tu viens, Joey ?

Nan. Ma mère me tuerait. J'suis pas irlandais.

Et alors ? Moi aussi j'suis pas irlandais.

Les Irlandais veulent que des Irlandais dans cette parade.

Connerie. Ils ont des Noirs dans la parade, et s'ils ont des Noirs pourquoi j'devrais être assis ici moi qui suis catho italien ?

Ils aimeront pas ça.

Je m'en fiche. D'abord les Irlandais seraient même pas ici si Colomb avait pas découvert ce pays, et il était italien.

Mon oncle disait qu'il était juif.

Oh, baise mon cul, Joey.

Il y a une onde d'agitation dans la classe, et des exclamations assourdies : Bagarre ! Bagarre ! Frappe-le, Joey ! Frappe-le ! Car une bagarre est une autre façon de passer le temps et d'éloigner le professeur de la leçon.

Le temps est venu d'une intervention professorale. Très bien, très bien, ouvrez vos cahiers, et des cris de douleur s'élèvent : Pas les cahiers, pas les cahiers, Mr McCourt, pourquoi vous nous faites ça ? Et puis on veut pas de *Votre monde et vous* le jour de la Saint-Paddy. La mère de ma mère était irlandaise et on devrait avoir du respect. Pourquoi que vous ne pouvez pas nous raconter l'école en Irlande, pourquoi ?

Très bien.

Je suis un professeur débutant qui a perdu sa première bataille et tout ça à cause de saint Patrick. À cette classe, comme à toutes mes classes du reste de la journée, je raconte l'école en Irlande, les maîtres avec leur baguette, leur lanière, leur canne, comment nous devions apprendre tout par cœur puis réciter, comment les maîtres nous tuaient si jamais on commençait à se bagarrer dans la classe, comment nous n'avions pas le droit de poser des questions, ni d'avoir des discussions, comment nous quittions l'école à quatorze ans pour devenir coursier ou sans emploi.

Je leur raconte l'Irlande car je n'ai pas le choix. Mes élèves ont saisi le jour et je n'y puis rien. Je pourrais les menacer de *Votre monde et vous* et de *Silas Marner* et me satisfaire de maîtriser la situation, d'enseigner bel et bien, mais je sais qu'alors surviendrait une rafale de demandes de passe pour les toilettes, pour aller voir l'infirmière, le conseiller d'orientation, et : Est-ce que je peux avoir le passe pour appeler ma tante qui est en train de mourir d'un cancer à Manhattan ? Si j'insistais pour qu'on s'en tienne au programme d'aujourd'hui, je me retrouverais à parler tout seul, et mon instinct me souffle qu'un groupe d'élèves expérimentés dans une classe américaine peut briser un professeur seul et inexpérimenté.

Et le lycée, Mr McCourt ?

Je n'y suis pas allé.

Ouais, ça se voit, fait Sebastian, et je me jure : Je t'aurai plus tard, petit salopard.

Ferme-la, Sebastian ! lui lance-t-on.

Mr McCourt, ils n'avaient donc aucun lycée en Irlande ?

Il y avait des lycées par douzaines, mais les gamins de mon école n'étaient pas encouragés à y aller.

Ben dis donc, mec, j'aurais bien aimé vivre dans un pays où tu n'avais pas à aller au lycée.

Dans la cafétéria des professeurs règnent deux écoles de pensée. Les anciens me disent : Vous êtes jeune, vous êtes débutant, mais ne laissez pas ces foutus gamins vous marcher sur les pieds. Faites-leur savoir qui commande dans la salle de classe et souvenez-vous : celui qui commande, c'est vous. L'autorité, voilà l'essentiel dans l'enseignement. Pas d'autorité ? Vous ne pouvez pas enseigner. Vous avez le pouvoir de les faire passer ou de les recaler, et ils savent foutrement bien qu'en cas d'échec il n'y aura pas de place pour eux dans cette société. Ils balaieront les rues et feront la plonge et ce sera leur propre faute, à ces petits salopards. Il suffit que vous ne vous laissiez pas emmerder. C'est vous qui commandez, vous, l'homme au stylo rouge.

La plupart des anciens ont survécu à la Seconde Guerre mondiale. Ils n'en parleront pas, sauf pour de rares allusions aux mauvais moments passés à Monte Cassino, ou à la bataille des Ardennes, ou à leur temps de captivité dans les camps japonais, ou à la fois où l'un d'eux est entré en tank dans une ville allemande et a cherché la famille de sa mère. Quand vous avez vu tout ça, vous n'allez pas vous faire emmerder par des gamins. Vous vous êtes battu afin qu'ils puissent poser chaque jour leur cul au lycée et se taper le déjeuner du lycée dont ils sont tout le temps à se plaindre, et c'est plus que vos père et mère ont jamais eu.

Les professeurs plus jeunes ne sont pas aussi catégoriques. Ils ont suivi des cours de psychopédagogie et de philosophie de l'éducation, ils ont lu John Dewey et me disent que ces enfants sont des êtres humains, que nous devons répondre à leurs besoins ressentis.

J'ignore ce qu'est un besoin ressenti et je ne demande pas, de peur d'exposer mon ignorance. Les jeunes professeurs secouent la tête face aux anciens. Ils me disent que la guerre est finie, que ces enfants ne sont pas l'ennemi. Ce sont nos enfants, pour l'amour de Dieu.

Un ancien explose : Des besoins ressentis, mon cul, oui ! Saute d'un zinc dans un champ plein de Fritz et tu sauras ce qu'est un besoin ressenti. Quant à John Dewey, lui aussi peut me baiser le cul ! Tout comme le reste de ces foutus profs d'université dégoisant sur l'enseignement dans les lycées alors qu'ils ne verraient même pas un gamin de bahut qui viendrait leur pisser sur la jambe !

C'est vrai, intervient Stanley Garber, chaque jour nous endossons notre armure et allons au combat, et chacun de rire car Stanley a le boulot le plus peinard de l'école, professeur d'Élocution, pas de paperasse, pas de livres, et d'où diable saurait-il ce que c'est qu'aller au combat ? Il s'installe derrière son bureau, demande à ses petites classes de quoi elles aimeraient parler aujourd'hui, et tout ce qu'il a à faire est de corriger leur prononciation. Il me dit que c'est vraiment trop tard pour les aider quand ils arrivent au lycée. On n'est pas dans *My Fair Lady* et il n'est pas le Pr Henry Higgins. Les jours où il n'est pas d'humeur, ou quand ses élèves n'ont pas envie de parler, il les envoie balader et vient à la cafétéria discuter de la terrible situation de l'enseignement en Amérique.

Mr Sorola sourit à Stanley à travers la fumée de sa cigarette. Alors, Mr Garber, quelle impression cela fait-il d'être à la retraite ?

Stanley lui retourne le sourire. Vous devriez le savoir, Mr Sorola, vous y êtes depuis des années.

On rirait bien tous, mais vous ne savez jamais avec les proviseurs.

Quand je demande à mes élèves d'apporter leurs livres en classe, ils se récrient : Miss Mudd ne nous a jamais donné de livres ! Les classes d'Économie civique déclarent : On ne sait rien du tout de *Votre monde et vous*, et les classes d'Anglais affirment n'avoir jamais vu ni *Géants dans la terre* ni *Silas Marner*. Le directeur de département dit : Bien sûr qu'ils ont eu les livres. Même qu'ils ont dû remplir des reçus quand ils les ont eus. Regardez donc dans le bureau de Miss Mudd, pardon, dans votre bureau, et vous les trouverez.

Point de reçus de livres dans le bureau. S'y trouvent des dépliants touristiques, des recueils de mots croisés, un fatras de formulaires, de directives, de lettres que Miss Mudd a écrites sans jamais les envoyer, quelques lettres d'anciens élèves, une biographie de Bach en allemand, une biographie de Balzac en français, et la salle s'emplit de regards innocents quand je dis : Miss Mudd n'a-t-elle pas distribué des livres et n'avez-vous pas rempli des reçus ? Ils se considèrent puis secouent la tête. T'as reçu un livre, toi ? Je ne me rappelle pas du tout avoir reçu un livre. Elle ne faisait jamais rien, Miss Mudd.

Je sais qu'ils mentent car dans chaque classe s'en trouvent deux ou trois ayant les livres et je sais qu'ils les ont eus par la voie normale. Le professeur les distribue, le professeur prend les reçus, vu ? Mais je ne veux pas embarrasser les élèves pourvus de livres en leur demandant comment ils leur sont parvenus. Je ne peux pas exiger d'eux qu'ils fassent des menteurs de leurs camarades.

Le directeur de département m'arrête dans le couloir d'un : Alors, qu'en est-il de ces livres ? Comme je lui explique que je ne peux embarrasser les élèves pourvus de livres, il grommelle : Connerie, et déboule dans ma classe au cours suivant. Très bien, ceux qui ont des livres, levez la main.

Il y a une main.

Très bien, d'où tenez-vous ce livre ?

Euh, je le tiens de... euh... de Miss Mudd.

Et vous avez signé un reçu ?

Ben... ouais.

Quel est votre nom ?

Julio.

Et quand vous avez reçu ce livre, le reste de la classe n'a-t-il pas également reçu des livres ?

Je sens mon cœur cogner fort et je suis énervé car, même si je suis professeur débutant, c'est ma classe et personne ne devrait y faire irruption et mettre dans l'embarras un de mes élèves et, nom de Dieu, il faut absolument que je dise quelque chose. Il faut que je fasse tampon entre ce garçon et ce directeur. Je m'adresse au directeur : J'ai déjà interrogé Julio à ce propos. Il était absent et n'a reçu le livre de Miss Mudd qu'à la toute fin de la journée.

Mouais. Est-ce exact, Julio ?

Ouais.

Et vous autres ? Quand avez-vous reçu vos livres ?

Silence. Ils savent que j'ai menti et Julio sait que j'ai menti et le directeur me soupçonne à coup sûr d'avoir menti mais il ne sait que faire. Il dit : Nous irons au fond de cette affaire, et s'en va.

Le mot passe de classe en classe et, le lendemain, il y a deux livres sur chaque pupitre, *Votre monde et vous* et *Silas Marner*, et, quand le directeur revient avec Mr Sorola, il ne sait que dire. Mr Sorola y va de son petit sourire. Alors, Mr McCourt, nous voilà de retour aux affaires, hein ?

Des livres, il y en a bien sur chaque pupitre ce jour-là, où élèves et professeur présentent un front uni aux intrus, le directeur, le proviseur, mais, une fois qu'ils sont partis, fini la lune de miel et s'élève un chœur de plaintes sur ces bouquins, comment ils sont rasoirs, et lourds, et pourquoi doivent-ils les apporter à l'école chaque jour ? Les élèves d'Anglais déclarent : Oh, *Silas Marner* est un petit livre, mais alors, s'ils doivent transporter *Géants dans la terre*, il faut un gros petit déjeuner, c'est un si gros bouquin, et tellement rasoir ! Devront-ils le transporter chaque jour ? Pourquoi ne peuvent-ils le laisser dans l'armoire de la classe ?

Si vous le laissez dans l'armoire, comment allez-vous le lire ?

Pourquoi est-ce qu'on peut pas le lire en classe ? Tous les autres profs disent à leurs classes : C'est bon, Henry, tu lis la page dix-neuf, c'est bon, Nancy, tu lis la page vingt, et c'est comme ça qu'ils finissent le bouquin et, pendant qu'ils sont en train de lire, nous on peut poser nos têtes et piquer un roupillon, ha ha ha, on rigole, Mr McCourt.

38

À Manhattan, mon frère Malachy tient un bar appelé Chez Malachy, avec deux associés. Il fait l'acteur avec les Irish Players, il parle à la radio, il apparaît à la télévision et il a son nom dans les journaux. J'en deviens célèbre au lycée d'enseignement professionnel et technique McKee. Dorénavant mes élèves connaissent mon nom et je ne suis plus Mr McCoy.

Eh, Mr McCourt, j'ai vu votre frère à la télé ! Cinglé, le mec !

Mr McCourt, ma mère a vu votre frère à la télé !

Mr McCourt, comment ça se fait que vous passez pas à la télé ? Comment ça se fait que vous soyez que professeur ?

Mr McCourt, vous avez un accent irlandais ! Pourquoi que vous ne pouvez pas être marrant comme votre frère ?

Mr McCourt, vous pourriez être à la télé ! Vous pourriez être dans une histoire d'amour avec Miss Mudd, à lui tenir les mains sur un bateau et à embrasser sa vieille poire ridée !

Les professeurs qui s'aventurent en ville, à Manhattan, me disent qu'ils voient Malachy dans des pièces de théâtre.

Oh, qu'il est drôle, votre frère ! On est allés le saluer après la pièce et on lui a dit qu'on enseignait avec vous et il a été très gentil, mais alors, ce qu'il aime boire, dites donc !

Mon frère Michael a quitté l'armée de l'air et travaille derrière le comptoir avec Malachy. Si des gens veulent offrir un verre à mes frères, qui sont-ils pour refuser ? Et allons-y pour Santé ! Cul Sec ! *Slainte ! Skoal !* Quand le bar ferme, ils n'ont pas à rentrer chez eux. Des endroits sont encore ouverts, où ils peuvent boire et échanger des anecdotes avec des inspecteurs de police et de distinguées maquerelles des bordels les plus raffinés de l'Upper East Side. Ils peuvent prendre le petit déjeuner chez Rubin sur Central Park South, où il y a toujours des célébrités qui vous font tourner la tête.

Malachy était renommé pour ses : Arrivez, les filles, et au diable les vieilles faces de pet de toute la Troisième Avenue ! Les tôliers de la génération d'avant voyaient entrer toute femme seule avec suspicion. Elle n'annonçait rien de bon et on ne lui faisait pas de place au comptoir. Place-la là-bas dans un coin sombre, ne lui sers pas plus de deux verres, et si jamais un homme fait mine de s'approcher d'elle, tu l'envoies sur le trottoir et on n'en parle plus.

Dès l'ouverture du bar de Malachy, le mot a couru que des jeunes filles de la Barbizon Women's Residence ne se gênaient pas pour occuper ses tabourets de comptoir, et bientôt les hommes sont venus en foule d'établissements comme P. J. Clarke's, Toots Shor's, El Morocco, suivis de près par une meute d'échotiers avides de rapporter les faits et gestes des célébrités et les dernières fredaines de Malachy. Il y avait des beaux garçons avec leur dame, des pionniers de la jet set. Il y avait des héritiers de fortunes si anciennes et aux assises si profondes qu'on pouvait tracer leurs ramifications jusque dans les sombres abîmes des mines de diamant de l'Afrique du Sud. Malachy et Michael ont été invités à des fêtes dans des appartements de Manhattan si vastes que les invités émergeaient après plusieurs jours de pièces oubliées. Il y avait des trempettes à poil dans les Hamptons et des sauteries dans le Connecticut, où les hommes riches enfourchaient les femmes riches qui enfourchaient les chevaux de race.

Le président Eisenhower prend parfois du temps sur ses parties de golf pour signer un projet de loi et nous mettre en garde contre le complexe militaro-industriel et Richard Nixon attend son heure tandis que Malachy et Michael remplissent les verres et veillent à ce que tout le monde se marre bien et en redemande : Encore, encore à boire, Malachy, encore une histoire, Michael, ah, quel duo tordant vous faites !

Pendant ce temps, ma mère, Angela McCourt, boit du thé dans sa confortable cuisine de Limerick, elle entend des anecdotes de visiteurs sur les grandes parties de rigolade à New York, elle voit des coupures de journaux sur le passage de Malachy au talk-show de Jack Paar, et elle n'a rien d'autre à faire que de boire ce thé, garder la maison bien au chaud ainsi qu'elle-même, veiller sur Alphie maintenant qu'il a quitté l'école et est prêt à prendre un emploi, quel qu'il soit, et ne serait-ce pas merveilleux qu'Alphie et elle puissent faire un petit tour à New York puisqu'elle n'est pas allée là-bas depuis un bail et que ses fils, Frank, Michael, Malachy, y vivent, et fort bien ?

Mon appart sans eau chaude de Downing Street est inconfortable et je n'y peux rien étant donné mon maigre salaire de professeur et les quelques dollars que j'envoie à ma mère en attendant qu'Alphie ait trouvé un emploi. Quand j'ai emménagé, j'ai acheté du kérosène pour mon poêle en fonte au petit Italien bossu de Bleecker Street, qui m'a dit : Vous en faut qu'un peu dans le poêle, mais sans doute ai-je eu la main lourde car le poêle s'est transformé en une grosse chose rouge d'aspect vivant, là, dans ma cuisine, et, comme je ne savais ni le baisser ni l'éteindre, j'ai fui l'appartement et suis allé à la White Horse Tavern pour y rester tout l'après-midi en proie à une horrible nervosité, guettant le *Boum !* de l'explosion et les sirènes plaintives des voitures de pompiers. Dès leur arrivée, il m'aurait fallu décider si je devais marcher vers les restes fumants du 46 Downing Street, d'où on serait en train d'extraire des corps carbonisés, puis affronter les inspecteurs de la brigade des incendies, ou bien si je devais appeler Alberta à Brooklyn, lui annoncer que mon immeuble était en cendres, toutes mes possessions parties en fumée, et pouvait-elle s'arranger pour m'héberger quelques jours, en attendant que je trouve un autre appart sans eau chaude ?

Il n'y a eu ni explosion ni incendie, et j'ai éprouvé un tel soulagement qu'un bain m'a paru mérité, un bon moment dans la baignoire, un peu de paix, d'aise et de confort, comme aurait dit ma mère.

C'est très bien de se prélasser dans la baignoire d'un appart sans eau chaude, mais votre tête va vous poser problème. L'appartement est si froid que si vous restez dans la baignoire assez longtemps votre tête commence à geler et vous ne savez qu'en faire. Si vous vous laissez glisser sous l'eau, tête comprise, vous souffrez en ressortant, et l'eau chaude commence à vous geler sur la tête, puis ce sont des frissons et des éternuements à n'en plus finir.

Sans compter qu'il est impossible de lire confortablement dans la baignoire d'un appart sans eau chaude. La peau immergée dans l'eau chaude peut bien rosir, voire se plisser à la chaleur, mais les mains qui tiennent le livre se violacent de froid. S'il s'agit d'un petit livre, vous pouvez alterner, tenir le livre d'une main et plonger l'autre dans l'eau chaude. Ce peut être une solution au problème de la lecture, sauf que la main dans l'eau sera bien évidemment trempée, et menacera de mouiller le livre, et vous n'irez pas prendre la serviette toutes les deux minutes car vous désirerez qu'elle soit chaude et sèche à la fin de votre séjour dans la baignoire.

J'ai pensé résoudre le problème de la tête en portant un bonnet de skieur en laine, et le problème des mains avec une paire de gants bon marché, mais alors m'a tracassé l'éventualité suivante : Si jamais je mourais d'une crise cardiaque, les ambulanciers se demanderaient ce

266

que je pouvais bien fabriquer dans la baignoire avec un bonnet et des gants et ils lâcheraient à coup sûr cette découverte au *Daily News* et je serais la risée du lycée d'enseignement professionnel et technique McKee et des clients de divers débits de boissons.

J'ai quand même acheté le bonnet et les gants, et le jour où l'explosion n'a pas eu lieu j'ai rempli la baignoire d'eau chaude. J'avais décidé de me faire du bien, d'oublier la lecture et de me glisser sous l'eau aussi souvent que j'en aurais envie, pour empêcher ma tête de geler. J'ai mis à la radio la musique convenant au rescapé d'un après-midi éprouvant nerveusement pour cause de poêle dangereux, j'ai branché ma couverture électrique, je l'ai posée sur une chaise à côté de la baignoire, je me suis séché dès la sortie avec la serviette rose, cadeau d'Alberta, je me suis drapé dans la couverture électrique, j'ai enfilé mon bonnet et mes gants, je me suis mis dans le lit bien chaud et bien douillet, j'ai regardé la neige battre à ma fenêtre, remerciant Dieu que le poêle se soit refroidi tout seul, et je me suis endormi en lisant *Anna Karenine*.

Le locataire de l'appartement du dessous, Bradford Rush, s'y était installé grâce à un tuyau que je lui avais donné une nuit qu'on travaillait tous les deux à la Manufacturer's Trust Company. À la banque, si quelqu'un l'appelait Brad, il le rabrouait : Bradford, Bradford, mon prénom est Bradford, en y mettant une hargne telle que personne ne voulait plus lui parler, et quand on allait prendre le petit déjeuner, ou le déjeuner, ou je ne sais plus comment on appelait ça à trois heures du matin, personne ne l'invitait jamais à se joindre à nous. Puis une femme qui allait démissionner pour cause de mariage l'a convié à fêter son départ avec nous et il nous a raconté, après trois verres, qu'il était du Colorado, diplômé de Yale, et qu'il était venu vivre à New York pour surmonter le suicide de sa mère qu'un cancer des os avait fait hurler pendant six mois. Cette histoire a fait fondre en larmes la femme qui allait se marier et nous nous sommes demandé pourquoi diable Bradford devait assombrir ainsi notre petite fête. C'est d'ailleurs la question que je lui ai posée le soir même dans le métro pour Downing Street mais je n'ai obtenu qu'un petit sourire et je me suis demandé s'il allait bien dans sa tête. Je me suis étonné qu'il soit commis aux écritures dans une banque alors qu'il avait un diplôme de l'Ivy League et aurait pu travailler à Wall Street avec ses pairs.

Plus tard, j'ai cherché pourquoi il ne m'avait pas simplement dit non lors de ma grande galère, en ce jour glacial de février où mon électricité avait été coupée pour non-paiement. Je venais de rentrer chez moi pour m'offrir la paix, l'aise et le confort d'un bain chaud dans la baignoire de la cuisine.

Après avoir posé la couverture électrique sur la chaise, j'ai mis la radio. Pas un son. Aucune chaleur dans la couverture, aucune lumière de la lampe.

L'eau fumait dans la baignoire et je me trouvais tout nu. Je n'avais plus qu'à enfiler bonnet, gants et chaussettes, me draper dans une couverture électrique sans chaleur et maudire la compagnie qui m'avait coupé l'électricité. Il faisait encore jour mais il était clair que cette situation n'allait pouvoir durer.

Bradford. Cela ne l'ennuierait sûrement pas de me rendre un petit service.

J'ai frappé à sa porte et son visage est apparu dans l'entrebâillement, aussi maussade que d'habitude. Oui ?

Bradford, je suis dans une galère là-haut.

Pourquoi êtes-vous drapé dans cette couverture électrique ?

C'est justement ce qui m'amène. On m'a coupé l'électricité et je n'ai pas de chauffage à part cette couverture et je me suis dit que, si je faisais pendre une longue rallonge à ma fenêtre, vous pourriez vous en saisir et la brancher, et j'aurais l'électricité en attendant d'être en mesure d'acquitter ma facture, ce qui, je vous l'assure, ne saurait tarder.

J'ai bien vu que ça ne l'enchantait guère mais il m'a adressé un petit hochement de tête puis a tiré ma rallonge chez lui dès que je l'ai fait pendre par la fenêtre. J'ai frappé trois fois sur le plancher dans l'espoir qu'il comprendrait que c'était pour dire merci, mais sans jamais obtenir de réponse, et par la suite, chaque fois que je l'ai croisé dans l'escalier, c'est tout juste s'il m'a salué, et j'ai compris qu'il remâchait cette histoire de rallonge. Le professeur de l'atelier d'électricité de McKee m'a expliqué que pareil arrangement ne coûtait jamais que quelques malheureux cents par jour. Il ne pouvait comprendre qu'on ait de la rancœur pour ça. Il a ajouté que je pouvais toujours offrir à ce sale rapiat deux ou trois dollars pour l'immense inconvénient d'avoir une rallonge branchée dans une prise, mais bon, ces types-là étaient de toute façon tellement minables que ce n'était même pas une question d'argent. Plutôt qu'ils n'étaient pas capables de dire non, de sorte que ce non se transformait en acide dans leurs tripes et bousillait leur vie.

J'ai cru que le professeur de l'atelier d'électricité exagérait jusqu'au moment où j'ai remarqué que s'accroissait l'hostilité de Bradford. Auparavant, il souriait un tant soit peu ou hochait la tête ou poussait un grognement. Désormais, il me croisait sans un mot ni un geste, et ça me turlupinait car je n'avais toujours pas l'argent pour régler les factures et j'ignorais combien de temps notre arrangement allait durer. J'en devenais nerveux au point d'allumer sans cesse la radio pour être sûr de pouvoir prendre un bain avec la couverture en train de chauffer.

Ma rallonge est restée deux mois dans sa prise, puis, par une nuit glaciale de la fin d'avril, eut lieu un acte de traîtrise. J'avais allumé la radio, j'avais posé ma couverture électrique à chauffer sur une chaise, j'avais mis dessus serviette, bonnet et gants afin qu'ils chauffent aussi, j'avais rempli la baignoire, je m'étais savonné et me trouvais allongé en train d'écouter la *Symphonie fantastique* d'Hector Berlioz quand soudain, au milieu du deuxième mouvement, alors que je m'apprêtais à sortir du bain tout revigoré, voilà que tout s'est arrêté, la radio s'est tue, la lumière s'est éteinte et, je l'ai compris aussitôt, la couverture commençait à refroidir sur le dos de la chaise.

J'ai alors deviné ce que venait de faire ce Bradford : il venait de couper le jus à un homme prenant un bain brûlant dans un appart sans eau chaude. Je savais que je n'aurais jamais fait un coup semblable à lui ou à quiconque. J'aurais pu le faire à quelqu'un ayant le chauffage central, mais jamais à un collègue, locataire comme moi d'un appart sans eau chaude, jamais.

Je me suis penché sur le côté de la baignoire et j'ai frappé sur le plancher dans l'espoir qu'il se soit trompé, qu'il ait la décence de me rebrancher, mais non, aucun bruit de lui, et point de radio, point de lumière. Comme l'eau était encore chaude, j'ai pu rester un moment dans le bain à méditer sur la vilenie de l'espèce humaine, à me demander comment un homme diplômé de Yale pouvait, de sang-froid, s'emparer d'une rallonge électrique et l'arracher de la prise, me vouant à mourir gelé au-dessus de lui. Pareil acte de traîtrise suffit à ce que vous abandonniez tout espoir et songiez à la vengeance.

Mais non, je ne voulais pas la vengeance, mais l'électricité, et il me fallait trouver un moyen de ramener Bradford à la raison. J'ai avisé une cuillère et un long bout de ficelle : si j'attachais l'une à l'autre, ouvrais la fenêtre et pouvais faire que la cuillère aille tapoter la vitre de Bradford, il était possible que celui-ci comprenne que j'étais au-dessus de lui, à l'autre extrémité de la ficelle, en train de tapoter, tapoter pour le don d'électricité. Il allait peut-être en concevoir de l'agacement et ignorer ma cuillère mais alors me revint qu'il m'avait confié un jour qu'un robinet gouttant suffisait à le tenir éveillé toute la nuit, et j'ai décidé de continuer de tapoter sur sa vitre avec ma cuillère si nécessaire jusqu'à ce qu'il ne puisse plus le supporter. Il aurait pu monter et cogner à ma porte et me prier d'arrêter, mais je le savais incapable d'une action aussi directe et j'ai compris que je le tenais. Je me suis senti peiné pour lui, avec une pensée pour sa mère qu'un cancer des os avait fait hurler pendant six mois, et me suis promis d'essayer de le réconforter un de ces jours, mais pour l'instant ça urgeait et il me fallait ma radio, ma lumière, ma couverture électrique, sinon j'allais devoir appeler Alberta pour qu'elle m'héberge une nuit, et si elle m'en demandait la raison je ne pourrais jamais lui avouer

269

que Bradford m'avait alimenté en électricité durant toutes ces semaines. Elle aurait un accès d'indignation vertueuse, style Nouvelle-Angleterre, et m'expliquerait que je devais payer mes factures et m'abstenir de tapoter aux vitres des gens avec des cuillères par les nuits glaciales, d'autant moins aux vitres de gens dont la mère était morte en hurlant à cause d'un cancer des os. A quoi j'aurais répondu qu'il n'y avait aucun rapport entre ma cuillère et la regrettée mère de Bradford, ce qui aurait aggravé le désaccord et conduit à une querelle, puis à mon départ de chez elle en claquant la porte, puis à mon retour dans le froid et l'obscurité de mon appartement.

C'était un vendredi soir, sa nuit de relâche à la banque, et je savais qu'il ne pourrait se défiler en allant au boulot. Je l'imaginais au-dessous, ma rallonge à la main, essayant de décider que faire avec cette cuillère tapotant contre sa vitre. Il aurait pu sortir mais où serait-il allé ? Qui aurait voulu prendre une bière avec lui dans un bar et entendre le récit de l'agonie de sa mère, cris compris ? Sans compter qu'il aurait probablement annoncé à la cantonade que quelqu'un au-dessus de lui le tourmentait avec une cuillère, ce qui aurait assurément éloigné de lui toute personne buvant une bière dans un bar.

J'ai tapoté ainsi quelques heures par intermittence et soudainement la lumière fut, ainsi que la musique à la radio. La *Symphonie fantastique* était, à ma grande irritation, terminée depuis longtemps, mais j'ai monté la température de la couverture électrique, enfilé bonnet et gants et suis allé au lit avec *Anna Karenine* que je n'ai pu lire en raison de l'obscurité amoncelée dans ma tête par la pensée de Bradford dans le Colorado avec sa malheureuse mère. Si ma mère était depuis peu morte d'un cancer des os à Limerick, et si quelqu'un à l'étage au-dessus m'avait tourmenté en tapotant à ma vitre avec une cuillère, je serais monté et l'aurais tué. Je me suis alors senti tellement coupable que j'ai songé à descendre frapper à sa porte pour lui dire : Je suis désolé à propos de la cuillère et de votre malheureuse mère, et vous pouvez débrancher la rallonge, mais j'étais si bien au chaud dans mon lit que je me suis endormi.

La semaine suivante, je l'ai vu qui chargeait ses affaires dans un fourgon. Je lui ai demandé si je pouvais l'aider, et sa réponse a tenu en trois mots : Tête de nœud. Il est parti mais m'a laissé branché, et j'ai eu des semaines d'électricité jusqu'au jour où j'ai irrémédiablement endommagé la rallonge avec un chauffage électrique et ai dû aller à la Beneficial Finance Company demander un prêt pour payer mes notes d'électricité et ne pas mourir gelé.

39

Dans la cafétéria des professeurs, les anciens disent que la salle de classe est un champ de bataille, que les professeurs sont des guerriers apportant la lumière à ces foutus gamins qui refusent d'apprendre, qui veulent juste poser leur cul et parler de films, de voitures, de sexe et de ce qu'ils vont faire samedi soir. Voilà comment c'est dans ce pays. Nous avons l'éducation libre et gratuite et personne n'en veut. Pas comme en Europe, où on respecte les professeurs. Les parents des gamins de ce lycée s'en fichent car eux-mêmes ne sont jamais allés au lycée. Ils étaient trop occupés à se débattre dans la crise économique et à livrer des guerres, la Seconde Guerre mondiale et celle de Corée. Et puis vous avez tous ces bureaucrates qui, déjà, n'ont jamais aimé enseigner, tous ces foutus proviseurs, proviseurs adjoints et directeurs de département qui se sont tirés de la salle de classe aussi vite que leurs petites jambes ont pu le leur permettre, et qui passent maintenant leur vie à harceler le simple professeur.

Bob Bogard est à la pointeuse. Dites, Mr McCourt, aimeriez-vous venir à la soupe ?

À la soupe ?

Il a un petit sourire et je sais qu'il veut dire autre chose. Oui, Mr McCourt, à la soupe.

Nous descendons la rue et nous engouffrons dans le Meurot Bar.

Voilà la soupe, Mr McCourt. Aimeriez-vous une bière ?

Nous nous juchons sur des tabourets et buvons bière après bière. Comme c'est vendredi, d'autres professeurs se pointent et ça parle gamins, gamins, gamins, et lycée, et j'apprends ceci : Dans chaque lycée ou collège il y a deux mondes, le monde du simple professeur et le monde de l'administrateur et du directeur, et ces mondes sont à couteaux tirés pour l'éternité, et dès qu'une chose ne va pas le professeur fait office de bouc-émissaire.

271

Bob Bogard me dit de ne pas me faire de mouron pour *Votre monde et vous* et le contrôle de milieu de trimestre. N'ayez pas d'états d'âme. Distribuez les sujets, regardez les gamins gribouiller ce qu'ils ne savent pas, ramassez les copies, donnez la moyenne aux gamins, ce n'est pas leur faute si Miss Mudd les a négligés, les parents seront contents, et vous n'aurez ni directeur ni proviseur sur le dos.

Je devrais quitter le Meurot et prendre le ferry pour Manhattan, où je dois retrouver Alberta pour dîner, mais les bières affluent et c'est difficile de dire non devant tant de générosité, et quand je descends de mon tabouret pour appeler Alberta elle me hurle que je suis le soûlard irlandais moyen, et c'est bien la dernière fois qu'elle m'aura attendu car elle en a fini avec moi pour toujours et il y a quantité d'hommes qui aimeraient sortir avec elle, adieu.

Toute la bière du monde n'allégerait pas ma détresse. Je me démène avec cinq classes par jour, j'habite un appart qu'Alberta appelle un galetas, et voilà que je me trouve en danger de la perdre à cause de mes heures passées au Meurot. Je dis à Bob que je dois y aller, il est presque minuit, on est restés sur les tabourets neuf heures de rang et de sombres nuages voltigent dans ma tête. Encore une, dit Bob, et puis nous irons manger. Vous ne pouvez pas aller sur ce ferry sans avoir mangé. Il ajoute qu'il importe de manger le genre de nourriture qui préserve de toute sensation déplaisante le matin venu, et, au Saint George Diner, il commande du poisson avec des œufs sur le plat, des pommes de terre sautées, toasts et café. Il affirme que la combinaison du poisson et des œufs après un jour et une nuit passés à boire de la bière opère des miracles.

Me revoilà sur le ferry où le vieux cireur italien en quête de clients à astiquer me dit que mes chaussures paraissent pires que jamais, et il est vain de lui répondre que je ne puis me permettre d'accepter son offre de cirage, pourtant à moitié prix si je vais acheter des chaussures chez son frère là-haut dans Delancey Street.

Non, je n'ai pas d'argent pour des chaussures. Je n'ai pas d'argent pour un cirage.

Ah, *professore, professore*, moi vous faire cirage gratuit. Vous fera du bien, le cirage. Vous aller voir mon frère pour les chaussures.

Il s'assied sur sa caisse, tire ma jambe, place mon pied sur ses genoux et lève les yeux vers moi. Moi sentir bière, *professore*. Prof rentrer tard, hein ? Affreuses chaussures, affreuses chaussures, mais moi cirer. Il applique le cirage, passe la brosse sur la chaussure, astique bien la pointe au chiffon, me tapote le genou pour signifier que c'est fini, remet son nécessaire dans la caisse et se lève. Il attend la question, que je ne pose pas puisqu'il la connaît : Et mon autre chaussure ?

Il hausse les épaules. Vous aller voir mon frère et moi faire votre autre chaussure.

Si j'achète des chaussures neuves à votre frère, je n'aurai pas besoin que celle-ci soit cirée.

Nouveau haussement d'épaules. C'est vous le *professore*. Vous intelligent, hein, avec cervelle ? Vous apprendre, et réfléchir à cirage ou pas cirage.

Et il s'éloigne en canard, tour à tour fredonnant et criant : Cirage ! Cirage ! aux passagers endormis.

Je suis un professeur nanti d'un diplôme universitaire et ce vieil Italien, avec son peu d'anglais, s'amuse de moi et m'envoie à terre avec une seule chaussure cirée, l'autre constellée de marques de pluie, de neige, de boue. Si j'allais l'empoigner et exiger le cirage de la chaussure sale, il pourrait bien gueuler et faire venir des membres d'équipage à son aide, et comment expliquerais-je l'offre de cirage gratuit, le cirage d'une seule chaussure, et puis l'arnaque ? Je suis maintenant assez sobre pour savoir que vous ne pouvez forcer un vieil Italien à cirer votre chaussure sale, que j'ai été bien bête depuis le début de le laisser s'en prendre à mon pied. Si j'allais protester auprès des membres d'équipage, il n'aurait qu'à leur raconter que je sentais la bière à plein nez pour qu'ils rigolent et s'en aillent.

Il se dandine dans les coursives. Il ne cesse de lancer : Cirage ! aux autres passagers, et j'ai fortement envie de les choper, lui et sa caisse, et de les jeter par-dessus bord. Au lieu de ça, quand je quitte le ferry, je lui balance : Jamais je n'achèterai de chaussures à votre frère dans Delancey Street.

Il hausse les épaules. Moi pas avoir aucun frère dans Delancey. Cirage ! Cirage !

Quand je disais au cireur que je n'avais pas d'argent, je ne mentais pas. Je n'ai pas quinze cents pour prendre le métro. Tout ce que j'avais est parti en bière et, lorsque nous sommes allés au Saint George Diner, j'ai demandé à Bob Bogard de payer pour mon poisson et mes œufs, je le rembourserais la semaine prochaine, et ça ne va pas me faire de mal de rentrer à pinces, monter Broadway, passer Trinity Church, la chapelle Saint-Paul où Thomas, frère de Robert Emmet, est enterré, passer City Hall, tourner dans Houston Street et monter jusqu'à mon appart sans eau chaude de Downing Street.

Il est deux heures du matin, il y a peu de gens, une voiture de temps en temps. Broad Street, où je travaillais à la Manufacturer's Trust Company, est à ma droite et je me demande ce que sont devenus Andy Peters et Brigid, anciennement Bridey. Je marche et revois les huit années et demie qui ont passé depuis mon arrivée à New York, les jours au Biltmore Hotel, à l'armée, à la NYU, les boulots dans les entrepôts, sur les docks, dans les banques. Je songe à Emer et à Tom Clifford et me demande ce que sont devenus Rappaport et les hommes que j'ai connus à l'armée. Jamais je n'aurais rêvé d'être capable de décrocher un diplôme universitaire et de devenir professeur, et maintenant je suis à me demander si je vais pouvoir survivre à un lycée d'enseignement professionnel. Les immeubles de bureaux devant lesquels je passe sont éteints mais je sais que durant la journée des gens sont assis à des bureaux, qui étudient le marché financier et gagnent des millions. Ils portent costume-cravate, transportent une mallette, vont déjeuner et parlent argent, encore argent et toujours argent. Ils habitent le Connecticut avec leur moitié épiscopalienne aux jambes longues, qui probablement se prélassait dans les salons du Biltmore du temps où je nettoyais pour elle et ses semblables, et ils boivent des martinis avant le dîner. Ils jouent au golf au country-club et ils ont des liaisons et tout le monde s'en fout.

Voici ce que je pourrais faire. Je pourrais passer du temps avec Stanley Garber pour me débarrasser de mon accent, encore qu'il m'ait déjà expliqué que je serais un idiot de le perdre. Il a dit que l'accent irlandais était charmant, ouvrait des portes et rappelait aux gens Barry Fitzgerald. Je lui ai déclaré que je n'avais pas envie de rappeler Barry Fitzgerald aux gens, et il m'a répliqué : Vous préféreriez avoir un accent juif et faire penser à Molly Goldberg ? Et quand je lui ai demandé qui était Molly Goldberg, il a dit : Si vous ne savez pas qui est Molly Goldberg, inutile de discuter avec vous.

Pourquoi ne puis-je avoir une vie brillante et insouciante comme mes frères Malachy et Michael, qui sont dans le bar là-haut en ville, à abreuver de belles femmes et à gouailler avec les diplômés du gratin des universités ? Je me ferais plus que ces quatre mille cinq cents dollars par an que gagnent les simples professeurs remplaçants. Il y aurait de gros pourboires, toute la nourriture que je pourrais manger, et des nuits dans les lits d'héritières épiscopaliennes que je lutinerais et éblouirais de bribes de poésie et de traits d'esprit. Je dormirais tard, je déjeunerais dans un restaurant romantique, je me baladerais dans les rues de Manhattan, il n'y aurait point de formulaires à remplir, point de copies à corriger, les livres que je lirais seraient destinés à mon seul plaisir et je n'aurais jamais à me casser la tête pour des lycéens grognons.

Et que dirais-je si jamais je revoyais Horace ? Serais-je capable de lui dire : Je suis allé à l'université, j'ai enseigné quelques semaines, et c'était si dur que je suis devenu barman dans l'Upper East Side afin de fréquenter des gens mieux choisis ? Je sais qu'il secouerait la tête et remercierait probablement Dieu que je ne sois pas son fils.

Je songe au docker dans le *diner*, qui s'est échiné des années pour que son fils puisse aller à Saint-John et devenir professeur. Que lui dirais-je ?

Si j'apprenais à Alberta que j'envisage de quitter l'enseignement pour le monde excitant des bars, elle se barrerait à coup sûr afin d'épouser un avocat ou un footballeur.

Aussi ne vais-je pas renoncer à l'enseignement, non point à cause de Horace ou du docker ou d'Alberta, mais à cause de ce que je pourrais bien être amené à me dire à la fin d'une nuit passée à servir à boire et à divertir les clients. Je m'accuserais d'avoir pris la voie facile, et tout ça pour m'être fait avoir par des garçons et des filles ne voulant rien savoir de *Votre monde et vous* et de *Géants dans la terre*.

Ils ne veulent pas lire et ils ne veulent pas écrire. Ah, Mr McCourt, font-ils, tous ces professeurs d'anglais qui veulent qu'on écrive sur des bêtises comme nos vacances d'été ou l'histoire de notre vie ! Rasoir ! Depuis le cours préparatoire, on écrit chaque année l'histoire de notre vie et les professeurs nous mettent juste *Lu* sur les feuilles et disent : Très bien.

Les classes d'Anglais sont effrayées par le contrôle de milieu de trimestre, avec ses questions à choix multiples sur l'orthographe, le vocabulaire, la grammaire et l'explication de texte. Quand je présente les sujets en Économie civique, il y a des grincements de dents, des paroles dures contre Miss Mudd, comme quoi son bateau devrait heurter un rocher et elle devenir de la chair à poisson. Faites de votre mieux, leur dis-je, et je serai modéré dans ma notation des bulletins, mais froideur et rancœur règnent dans la salle, comme si je les avais trahis en leur imposant ce contrôle.

Miss Mudd me sauve. Tandis que mes classes passent le contrôle de milieu de trimestre, j'explore les armoires du fond de la salle et les trouve remplies de vieux livres de grammaire, de journaux, de comptes rendus de conseils d'administration et de centaines de feuillets de rédactions d'élèves non corrigées, dont certaines remontent à 1942. Je vais pour jeter tout ça à la poubelle quand le début d'une vieille rédaction accroche mon œil. Les garçons d'alors aspiraient à combattre, à venger la mort de frères, d'amis, de voisins. L'un a écrit : Je m'en vais tuer cinq Japs pour chaque homme de mon quartier qu'ils ont tué. Un autre : Je ne veux pas aller dans l'armée s'ils me disent de tuer des Italiens car je suis italien. Je pourrais tuer mes propres cousins et je ne combattrai pas à moins qu'ils me laissent tuer des Allemands ou des Japs. Je préférerais tuer des Allemands car je ne veux pas aller dans le Pacifique où il y a toutes sortes de jungles avec des insectes et des serpents et d'autres saletés de ce genre.

275

Quant aux filles, elles attendaient. Lorsque Joey rentrera, lui et moi on se mariera et on ira dans le Jersey, loin de sa folle de mère.

J'entasse les rédactions jaunies sur mon bureau et commence à les lire à voix haute à mes classes. Les élèves se redressent. Il y a des noms familiers. Eh, c'était mon père ! Il a été gravement blessé en Afrique. Eh, c'était mon oncle Sal qui a été tué à Guam !

Des larmes paraissent au fil de ma lecture. Les garçons filent aux toilettes et reviennent les yeux rougis. Les filles sanglotent ouvertement et se consolent l'une l'autre.

Des douzaines de familles de Staten Island et de Brooklyn sont nommées dans ces feuillets si friables qu'on craint de les voir tomber en poussière. Nous voulons les sauver et le seul moyen est de les copier à la main, ceux-là et les centaines encore entassés dans les armoires.

Nul n'objecte. Nous sauvons le passé proche de familles non moins proches. Chacun a un stylo, et tout le reste du trimestre, d'avril à la fin de juin, ils déchiffrent et écrivent. Les larmes continuent de couler et il y a des éclats. C'est mon père quand il avait quinze ans ! C'est ma tante et elle est morte alors qu'elle allait avoir un bébé !

Les voilà pris d'un subit intérêt pour des rédactions intitulées *Ma vie*, et j'ai envie de dire : Vous voyez ce que vous pouvez apprendre sur vos père et oncle et tante ? Ne voulez-vous pas écrire sur vos vies pour la prochaine génération ?

Mais je m'abstiens. Je n'ai pas envie de déranger une classe aussi paisible, si paisible que Mr Sorola se doit d'enquêter. Il arpente la salle, regarde à quoi la classe est occupée et ne dit rien. Je le crois content du silence.

C'est juin et je donne à tous la moyenne, heureux d'avoir survécu à mes premiers mois d'enseignement dans un lycée d'enseignement professionnel, encore que je me demande ce que j'aurais fait sans les rédactions jaunies.

Il m'aurait peut-être bien fallu enseigner.

40

Comme j'ai depuis longtemps perdu la clef, la porte de mon appartement est toujours ouverte, et peu importe car il n'y a rien à voler. Commence un défilé de gens que je ne connais pas : Walter Anderson, conseil en relations publiques sur le retour, Gordon Patterson, aspirant acteur, Bill Galetly, homme en quête de la Vérité. Tous sont des piliers de bar sans domicile fixe, envoyés par Malachy, lui-même emporté par un cœur grand comme ça.

Walter se met à me faire les poches. Adieu, Walter.

Gordon fume au lit et provoque un début d'incendie, mais, pire que cela, sa copine va chez Malachy, le bar, se plaindre de mon hostilité à l'encontre de Gordon, qui se trouve bien mal installé chez moi. Encore un départ.

L'école est finie et je dois travailler de nouveau, au jour le jour, sur des appontements et dans des entrepôts. Chaque matin, je me présente pour remplacer des hommes en congé, des hommes en maladie, ou lorsqu'il y a une soudaine pointe d'activité et qu'il faut plus de bras que d'habitude. S'il n'y a pas d'embauche, je parcours les docks et les rues de Greenwich Village. Je peux aller sur la Quatrième Avenue pour fureter dans les librairies et rêver du jour où j'y viendrai acheter tous les livres dont j'aurai envie. Pour l'instant, je puis seulement m'offrir des livres de poche à bas prix, et je rentre chez moi content de mon lot : *L'Envers du paradis*, de F. Scott Fitzgerald, *Amants et fils*, de D. H. Lawrence, *Le soleil se lève aussi*, d'Ernest Hemingway, *Siddharta*, de Hermann Hesse, un week-end de lecture. Je vais faire chauffer une boîte de haricots sur mon réchaud électrique, faire bouillir de l'eau pour le thé et lire grâce au courant de l'appartement d'en dessous. Je vais commencer par Hemingway car j'ai vu le film avec Errol Flynn et Tyrone Power, où tous prenaient du bon temps à Paris et à Pampelune, tous à boire, à aller aux corridas, à tomber amoureux même si flottait une tristesse entre Jake Barnes et Brett Ashley vu l'état de celui-ci. C'est ainsi que j'aimerais vivre, parcourir le monde sans un souci, encore que je ne voudrais pas être Jake.

Quand j'arrive chez moi avec mes livres, j'y trouve Bill Galetly. Après Walter et Gordon, je ne veux plus d'intrus, mais Bill est plus difficile à déloger et, au bout d'un moment, ça ne m'ennuie pas qu'il reste. Il s'est déjà installé lorsque Malachy appelle pour dire que son ami, Bill, qui a renoncé au monde, quitté son boulot de directeur dans une agence de publicité, divorcé, vendu ses vêtements, livres, disques, a besoin d'être hébergé pour une courte période, et que ça ne va sûrement pas m'ennuyer.

Bill se tient nu sur une balance de salle de bains, devant un long miroir appuyé contre le mur. Par terre, deux bougies vacillantes. Il porte son regard du miroir à la balance, puis de la balance au miroir, puis recommence. Il secoue la tête et se tourne vers moi. Trop, dit-il. Cette chair trop, trop solide [1]. Il désigne son corps, une collection d'os couronnée d'une tête brune aux cheveux plats et à la barbe broussailleuse plus poivre que sel. Ses yeux sont bleus, écarquillés, fixes. C'est toi, Frank, hein ? *Hi !* Il descend de la balance, se tient le dos au miroir, se tord pour se regarder par-dessus son épaule et se lance : Gras et pansu que tu es, Bill !

Il me demande s'il m'est arrivé de lire *Hamlet* et m'assure l'avoir lu trente fois.

Et j'ai lu *Finnegans Wake*, enfin, à supposer qu'on puisse lire *Finnegans Wake*. J'ai passé sept ans avec le foutu bouquin et c'est pourquoi je suis ici. Ouais, tu te demandes. Lis *Hamlet* trente fois et tu commenceras à parler tout seul. Lis *Finnegans Wake* pendant sept ans et tu auras envie de te mettre la tête sous l'eau. La chose à faire avec *Finnegans Wake* est de le psalmodier. Cela peut te prendre sept ans mais tu auras quelque chose à raconter à tes petits-enfants. Ils auront de la considération pour toi. C'est quoi que tu as là, des haricots ?

En voudriez-vous ? Je vais les faire chauffer sur ce réchaud.

Non, merci. Pas de haricots pour moi. Vas-y avec tes haricots et je vais te livrer le message pendant que tu manges. J'essaie de réduire le corps à la portion congrue. Le monde est trop pour moi. Tu vois ce que je veux dire ? Trop de chair. Tu vois ?

Je ne vois pas.

Tu y es. Par la prière, le jeûne et la méditation, je vais tomber en deçà des cent livres, des trois chiffres méprisables. Je veux faire quatre-vingt-dix-neuf ou rien. Je veux. Ai-je dit : *Je veux* ? Je ne devrais pas dire : *Je veux*. Je ne devrais pas dire : *Je ne devrais pas*. Tu es paumé ? Allez, vas-y avec tes haricots. J'essaie d'éliminer mon

---

1. *Hamlet*, acte I, scène II. *(N.d.T.)*

ego mais cette action même procède de l'ego. Toute action procède de l'ego. Tu me saisis ? Je ne suis pas là avec ce miroir et cette balance pour le bien de ma santé.

De la pièce voisine il m'apporte deux livres et me dit que toutes mes questions trouveront réponse dans Platon et dans l'Évangile selon saint Jean. Excuse-moi, dit-il, faut que j'aille pisser un coup.

Il prend la clef et file tout nu aux cabinets du fond du couloir. Dès son retour il monte sur la balance pour voir combien il a perdu en pissant. Deux cent cinquante grammes, annonce-t-il dans un soupir de soulagement. Il s'accroupit sur le plancher et fait de nouveau face au miroir flanqué de bougies, avec Platon à main gauche, saint Jean à main droite. Il s'examine dans le miroir tout en me parlant. Vas-y. Mange tes haricots. Des livres. C'est ça que tu as là, hein ?

Je les mange, mes haricots, et, quand je lui récite les titres des livres, il secoue la tête. Oh, non. Oh, non. Hesse, à la rigueur. Oublie le reste. Que de l'ego occidental. Que de la merde occidentale. Je ne me torcherais pas le cul avec Hemingway. Mais je ne devrais pas dire ça. Arrogant. Ego et compagnie. Je retire ce que j'ai dit. Non, attends. Je l'ai dit. Je le laisse là-bas, tiens. Y a plus. Je lis *Hamlet*. Je lis *Finnegans Wake* et me voilà assis sur un plancher de Greenwich Village avec Platon, Jean et un homme mangeant des haricots. Qu'est-ce que tu fais de ces ingrédients ?

Je ne sais pas.

Parfois je désespère, et tu sais pourquoi ?

Pourquoi ?

Je désespère parce que je pourrais pousser trop loin avec Platon et Jean et les trouver en défaut. Je pourrais arriver nulle part. Tu sais ça ?

Non.

Jamais lu Platon ?

Si.

Saint Jean ?

Ils lisent tout le temps les Évangiles à la messe.

Rien à voir. Il faut t'asseoir et lire saint Jean, le tenir dans tes mains. Pas d'autre façon. Jean est une encyclopédie. Il a changé ma vie. Promets-moi de lire Jean et pas cette foutue camelote que tu as apportée dans le sac. Désolé, c'est cet ego qui se pointe à nouveau.

Il caquette devant le miroir, se tapote où devrait être son ventre, et se balance d'un livre à l'autre, lisant un coup des versets de Jean, un coup des paragraphes de Platon, couine de plaisir : Couic, couic, ah, le Grec et le Juif, ah, le Grec et le Juif !

Il me parle à nouveau. Je retire ce que j'ai dit, dit-il. Il n'y a aucun nulle part avec ces types. Aucun nulle part. La forme, la caverne, l'ombre, la croix. Jésus, il me faut une banane. Il sort une moitié de banane de derrière le miroir, lui marmonne quelque chose, puis la mange. Il croise les jambes sous lui, pose le dos de ses mains sur ses genoux, position du lotus. Quand je passe derrière lui pour jeter ma boîte de haricots dans la poubelle, je vois qu'il contemple le bout de son nez. Quand je lui dis bonsoir, il ne réagit pas, et je sais que je ne suis plus dans son monde, que je ferais aussi bien d'aller au lit avec un livre. Je vais lire Hesse pour maintenir l'ambiance.

41

Alberta parle mariage. Elle aimerait se ranger, avoir un mari, faire les antiquaires le week-end, préparer le dîner, avoir un jour un appartement convenable, être mère.

Mais je n'y suis pas encore prêt. Je vois Malachy et Michael avec leurs grandes parties de rigolade là-haut. Je vois les Clancy Brothers qui chantent dans l'arrière-salle de la White Horse Tavern, jouent dans des pièces au Cherry Lane Theatre, enregistrent leurs disques, se font découvrir et partent se produire dans des clubs prestigieux où de belles femmes les invitent à des fêtes après le spectacle. Je vois les Beats dans tous les cafés du Village qui lisent leurs œuvres, accompagnés de musiciens de jazz. Ils sont tous libres et je ne le suis pas.

Ils boivent. Ils fument de l'herbe. Les femmes sont faciles.

Alberta reproduit la routine qu'observe sa grand-mère dans le Rhode Island. Chaque samedi, on fait le café, on fume une cigarette, on met des bigoudis roses dans ses cheveux, on va au supermarché, on passe une grosse commande, on emplit le réfrigérateur, on emporte le linge sale à la laverie et on attend qu'il soit nettoyé et prêt à être plié, on apporte chez le teinturier des habits qui m'ont l'air propre, et quand j'en fais la remarque elle se contente de dire : Qu'est-ce que tu connais du nettoyage à sec ? Puis on fait le ménage, que celui-ci soit nécessaire ou non, on prend un verre, on fait un grand dîner, on va voir un film.

Le dimanche, on fait la grasse matinée, on prend un déjeuner copieux, on lit le journal, on va fouiner chez les antiquaires d'Atlantic Avenue, on rentre, on prépare les cours pour la semaine, on corrige des copies, on fait un grand dîner, on prend un verre, on corrige d'autres copies, on prend le thé, on fume une cigarette, on va au lit.

Elle prend l'enseignement plus à cœur que moi, elle prépare ses cours avec soin, elle corrige consciencieusement les copies. Ses élèves sont plus instruits que les miens et elle peut les encourager à parler littérature. Si moi je mentionne des livres, de la poésie, des pièces de théâtre, mes élèves gémissent et pleurnichent pour avoir le passe des toilettes.

Le supermarché me déprime car je n'ai pas envie chaque soir d'un grand dîner. Cela m'épuise. Je veux me balader en ville, boire du café dans des cafés et de la bière dans des bars. Je n'ai pas envie d'affronter la routine de Zoe chaque week-end pour le restant de ma vie.

Alberta me dit qu'il faut s'occuper des choses, que je dois grandir et me ranger sinon je deviendrai comme mon père, erratique, fou, buvant à en mourir.

On en arrive à une dispute où je lui déclare que je sais que mon père buvait trop et nous a abandonnés mais c'est mon père, non le sien, et elle ne comprendra jamais comment c'était quand il ne buvait pas, les matins que je passais avec lui près du feu, à l'écouter parler du noble passé de l'Irlande et des grandes souffrances de l'Irlande. Elle n'a jamais eu de tels matins avec son père qui l'a laissée avec Zoe quand elle avait sept ans, et je me demande comment elle pourra jamais surmonter ça. Comment pardonnera-t-elle jamais à ses père et mère de l'avoir balancée dans les pattes de la grand-mère ?

La dispute s'envenime au point que je me tire et vais vivre dans mon appartement du Village, d'attaque pour la folle vie de bohème. Puis j'apprends qu'elle a trouvé quelqu'un d'autre et soudain j'ai besoin d'elle, je suis désemparé, je suis fou d'elle. Je n'ai plus en tête que ses vertus, sa beauté, son énergie, le charme de sa routine du week-end. Si elle veut bien de moi à nouveau, je ferai un mari parfait. Je penserai à prendre les bons de réduction quand j'irai au supermarché, je laverai la vaisselle, je passerai l'aspirateur dans tout l'appartement chaque jour de la semaine, je couperai les légumes pour le grand dîner quotidien. Je porterai une cravate, je cirerai mes chaussures, je me convertirai au protestantisme.

Le grand jeu.

Je ne songe plus à l'existence débridée que mènent là-haut Malachy et Michael, aux Beats débraillés du Village avec leurs vies oiseuses. Je veux Alberta, piquante, alerte, féminine, toute chaude et rassurante. On se mariera, oh que oui, et on vieillira ensemble.

Elle accepte un rendez-vous chez Louis, près de Sheridan Square, et, quand elle paraît à la porte, elle est plus belle que jamais. Le personnel interrompt sa besogne pour la regarder. Les cous se tendent. Elle porte le beau manteau bleu à col de fourrure gris clair que son père lui a offert il y a des années de cela pour sceller la paix entre eux après qu'il l'eut cognée sur la bouche. Sur le col, un foulard de soie lavande, et je sais que jamais je ne reverrai cette couleur sans penser à ce moment, à ce foulard. Je sais qu'elle va s'asseoir sur le tabouret à côté de moi et me dire que tout ça n'était qu'un malentendu, que nous sommes faits l'un pour l'autre, que je devrais maintenant venir avec elle dans son appartement, qu'elle fera à dîner et que nous coulerons des jours heureux.

Oui, elle prendra un martini et, non, elle n'ira pas avec moi dans mon appartement et, non, je n'irai pas avec elle dans son appartement, parce que c'est fini. Elle en a sa claque de moi et de mes frères, du milieu d'Uptown et du milieu du Village, et elle veut mener sa vie comme elle l'entend. C'est déjà assez difficile d'enseigner chaque jour sans l'épreuve de me supporter, moi et mes pleurnicheries, toujours à vouloir faire ceci, cela, et puis autre chose, ma façon de vouloir être tout sauf responsable. Trop de jérémiades, dit-elle. Temps de grandir. Elle me dit que j'ai vingt-huit ans mais que je me conduis comme un gamin, et si je veux gâcher ma vie dans les bars comme mes frères, libre à moi, mais elle ne sera pas du voyage.

Plus elle parle, plus elle s'énerve. Elle ne veut pas que je lui tienne la main, ni même que je l'embrasse sur la joue, et, non, elle ne prendra pas un autre martini.

Comment peut-elle me parler ainsi alors que je suis là, le cœur brisé, sur le tabouret ? Elle se moque bien que j'aie été le premier homme dans sa vie, le tout premier au lit, celui qu'une femme n'oublie jamais. Tout ça n'a pas d'importance car elle a trouvé quelqu'un de posé, qui l'aime, qui fera tout pour elle.

Je ferai tout pour toi.

Elle dit que c'est trop tard. Tu as eu ta chance.

Mon cœur cogne à toute vitesse, une grande douleur s'élève dans ma poitrine et tous les noirs nuages du monde ont rendez-vous dans ma tête. J'ai envie de pleurer dans ma bière, là, maintenant, chez Louis, mais on jaserait, tiens donc, encore une querelle d'amoureux, et nous serions priés de partir ou, du moins, je le serais. Je suis sûr qu'ils aimeraient qu'Alberta reste pour orner l'endroit. Je n'ai pas envie de me retrouver dans la rue avec tous ces joyeux couples allant d'un pas flâneur au restaurant ou au cinéma avec une petite collation ensuite avant de grimper tout nus au lit, et, mon Dieu, est-ce son projet pour ce soir alors que je serai seul dans mon appart sans eau chaude et personne au monde à qui parler sauf Bill Galetly ?

Je l'implore. J'invoque mon enfance misérable, les maîtres d'école brutaux, la tyrannie de l'Église, mon père qui a préféré le biberon aux bébés, ma mère résignée, gémissant près du feu, mes yeux embrasés, mes dents partant en morceaux, la sordidité de mon appartement, Bill Galetly me tannant avec les gens des cavernes platoniciennes et l'Évangile selon saint Jean, mes dures journées au lycée d'enseignement professionnel et technique McKee, les professeurs, les anciens me disant d'y aller au fouet avec les petits salopards, les plus jeunes proclamant que nos élèves sont de vraies personnes et que c'est à nous de les motiver.

Je la supplie de prendre un autre martini. Cela pourrait l'amadouer et la faire venir dans mon appartement où je dirais à Bill : Va faire un tour, Bill, nous avons besoin d'intimité. Nous voulons nous asseoir à la lueur des bougies et envisager un avenir qui se présenterait comme suit : emplettes et grand ménage avec passage d'aspirateur le samedi, chasse aux antiquités, préparation de cours et sieste diablement agitée le dimanche.

Non, non, elle ne prendra pas d'autre martini. Elle a rendez-vous avec son nouvel homme et elle doit partir.

Oh, Dieu, non. C'est un coup de poignard en plein cœur.

Arrête les pleurnicheries. J'en ai assez entendu sur toi et ton enfance misérable. Tu n'es pas le seul. J'ai été balancée dans les pattes de ma grand-mère quand j'avais sept ans. Est-ce que je me plains ? Je me contente de faire avec.

Mais tu avais l'eau courante, chaude et froide, d'épaisses serviettes, du savon, des draps de lit, deux yeux bleus limpides et de belles dents, et ta grand-mère qui chaque jour te remplissait à ras bord ton petit panier-repas.

Elle descend du tabouret, me laisse l'aider à enfiler son manteau, ceint son cou du foulard lavande. Il faut qu'elle y aille.

Oh, bon Dieu. Je n'aurais aucun mal à glapir comme un chien battu. Mon ventre est glacé et il n'y a rien au monde que de noirs nuages avec au milieu Alberta toute blonde, aux yeux bleus, au foulard lavande, prête à me quitter à jamais pour son nouvel homme, et c'est pire qu'avoir des portes claquées au nez, pire même que mourir.

Puis elle embrasse ma joue. Bonne soirée, dit-elle. Elle ne dit pas adieu. Cela signifie-t-il qu'elle laisse une porte ouverte ? Si elle en avait fini avec moi pour toujours, elle aurait plutôt dû dire adieu.

Peu importe. Elle part. Passe la porte. Monte les marches sous les regards de tous les hommes du bar. C'est la fin du monde. Je pourrais aussi bien être mort. Tout aussi bien sauter dans l'Hudson et laisser le fleuve charrier mon cadavre devant Ellis Island et la statue de la Liberté, à travers l'Atlantique jusqu'en amont du Shannon où je serais du moins parmi les miens et non pas rejeté par des protestants du Rhode Island.

Le tenancier a environ la cinquantaine et je lui demanderais bien s'il lui est jamais arrivé de souffrir comme je souffre à présent, et, si oui, comment a-t-il réagi ? Existe-t-il un remède ? Si cela se trouve, il pourrait même m'expliquer ce que ça signifie quand une femme qui vous quitte pour toujours dit *Bonne soirée* et non pas *Adieu*.

Mais cet homme a une grosse tête chauve, d'épais sourcils noirs, et quelque chose me dit qu'il a ses propres problèmes, et je n'ai plus qu'à descendre du tabouret et m'en aller. Je pourrais monter rejoindre Malachy et Michael dans leurs vies excitantes mais je décide de rentrer à pied à Downing Street, avec l'espoir que les joyeux couples qui passent n'entendront pas les vagissements incontrôlés d'un homme dont la vie est finie.

Bill Galetly est là avec ses bougies, son Platon, son Évangile selon saint Jean et j'aimerais avoir mon chez-moi pour moi afin de passer une nuit à me lamenter dans mon oreiller mais il est assis sur le plancher à se contempler dans le miroir et à se pincer la chair du ventre là où il peut en trouver. Il lève les yeux et me dit que j'ai l'air lourdement chargé.

Que voulez-vous dire ?

Le fardeau de l'ego. Tu es en train de fléchir. Rappelle-toi : Le Royaume de Dieu est en vous.

Je ne veux ni de Dieu ni de Son Royaume. Je veux Alberta. Elle m'a plaqué. Je vais au lit.

Mauvais moment pour aller au lit. Se coucher est se coucher.

Agacé de devoir écouter ce genre d'évidence, je lui lance : Bien sûr que oui. De quoi parlez-vous ?

Se coucher est succomber à la gravité à un moment où on pourrait s'élever en spirale jusqu'à la forme parfaite.

Je m'en moque. Je vais me coucher.

D'accord. D'accord.

Je suis au lit depuis quelques minutes quand il vient s'asseoir sur le bord et me parle de la folie et de la vacuité du monde de la publicité. Plein d'argent et chacun ravagé d'ulcères à l'estomac. Que de l'ego. Aucune pureté. Il m'explique que je suis professeur et que je pourrais sauver bien des vies si j'étudiais Platon et saint Jean, mais, tout d'abord, je dois sauver ma propre vie.

Je ne suis pas d'humeur.

Pas d'humeur à sauver ta propre vie ?

Exact, ça m'est égal.

Ouais, ouais, c'est ce qui arrive quand on est rejeté. On le prend personnellement.

Bien sûr que je le prends personnellement. Comment devrais-je le prendre ?

Considère sa version de l'histoire. Elle ne te rejette pas, elle s'accepte elle-même.

Il part dans des circonvolutions, et la pensée d'Alberta devient si douloureuse que je dois trouver une échappatoire. Je lui dis que je vais sortir.

Oh, tu n'as pas besoin de sortir. Assieds-toi sur le plancher avec la bougie derrière. Regarde le mur. Les ombres. As-tu faim ?

Non.

Attends, et il m'apporte une banane de la cuisine. Prends ça. La banane est bonne pour toi.

Je n'ai pas envie de banane.

De quoi te pacifier. Tout ce potassium.

Je n'ai pas envie de banane.

Tu as juste l'impression de ne pas avoir envie de banane. Écoute ton corps.

Il me suit dans le couloir en prêchant pour les bananes. Il est nu mais me suit dans l'escalier, trois étages, puis le long du corridor qui mène à la porte de devant. Il continue sur les bananes, l'ego et Socrate heureux sous un arbre à Athènes, et, quand nous arrivons sur le perron, il se plante sur la marche du haut à agiter la banane tandis que les enfants jouant à la marelle sur le trottoir poussent des cris et le montrent du doigt et que les femmes aux seins et aux coudes reposant sur les coussins des rebords de fenêtre lui hurlent après en italien.

Malachy n'est pas à son bar. Il est chez lui, heureux avec sa femme, Linda, occupé à envisager la vie du bébé à venir. Michael est en congé pour la soirée. Il y a des femmes au comptoir et aux tables, mais elles sont accompagnées. Le barman fait : Oh, vous êtes le frère de Malachy, et ne me laisse pas payer mes verres. Il me présente à des couples installés au comptoir : C'est le frère de Malachy.

Vraiment ? On ne savait pas qu'il avait un autre frère. Oh, ouais, un peu qu'on le connaît, votre frère Michael. Et votre prénom est ?

Frank.

Et qu'est-ce que vous faites ?

Je suis professeur.

Vraiment ? Vous n'êtes pas dans la limonade ?

Ils se marrent. Et quand pensez-vous entrer dans la limonade ?

Quand mes frères deviendront professeurs.

C'est ce que je réponds mais ce qui me traverse l'esprit est bien différent. J'ai envie de leur dire qu'ils sont des crétins condescendants, que j'ai connu leurs pareils dans les salons du Biltmore, qu'ils faisaient probablement tomber leurs cendres de cigarette par terre, et à moi de nettoyer, et qu'ils m'ignoraient comme on ignore les gens qui nettoient. J'aimerais leur dire de me baiser le cul, et si j'avais pris quelques verres de plus je le ferais, mais je sais qu'en mon for intérieur je suis toujours à tripoter ma mèche et à me balancer d'un pied sur l'autre en présence de gens supérieurs, qu'ils riraient de tout ce que je leur dirais car ils savent ce que je suis en mon for intérieur, et s'ils ne le savent pas ils s'en moquent. Si je tombais raide mort du tabouret, ils iraient s'asseoir à une table pour éviter tout désagrément et raconteraient plus tard à la cantonade comment ils sont tombés sur un professeur d'école irlandais ivre mort.

Mais rien de tout ça n'a d'importance. Alberta est sûrement dans un petit restaurant italien romantique avec son nouvel homme, et tous deux se sourient à travers le halo de la bougie fichée dans une bouteille de chianti. Il lui explique ce qui est bon dans le menu et, après avoir commandé leur dîner, ils parlent de ce qu'ils feront demain, peut-être cette nuit, et, si je me mets à penser à ça, ma vessie va venir bien près de mon œil.

Le bar de Malachy est à l'angle de la 63e Rue et de la Troisième Avenue, à cinq pâtés de maisons de la première chambre meublée que j'ai eue, dans la 68e Rue. Au lieu de rentrer tout de suite, je pourrais aller m'asseoir sur le perron de Mrs Austin et repasser dans mon esprit les événements de mes dix années à New York, le problème que j'ai eu quand j'ai voulu voir *Hamlet* au Playhouse de la 68e avec ma tarte au citron meringuée et ma bouteille de ginger ale.

La maison de Mrs Austin a disparu. À la place se dresse un grand immeuble tout neuf, le New York Foundling Hospital, et j'ai les larmes aux yeux de voir comment ils ont démoli mes premiers jours dans la ville. Au moins le cinéma est là et ce doit être la soirée passée à boire de la bière car voilà que je presse tout mon corps contre le mur du cinéma avec les bras en croix jusqu'au moment où une tête appelle d'une voiture de police : Eh, l'ami, que se passe-t-il ?

Et si je lui racontais pour *Hamlet* et la tarte et Mrs Austin et la nuit passée à boire du *glug*, et comment sa maison s'est envolée et ma chambre meublée avec, et comment la femme de ma vie est avec un autre homme, et est-ce contraire à la loi, monsieur l'agent, d'embrasser un cinéma fait de souvenirs tristes et heureux quand c'est le seul réconfort qui vous reste, qu'en est-il, monsieur l'agent ?

Bien sûr, je ne vais pas sortir ça à un flic de New York, ni à n'importe qui d'autre. Je me contente de lui dire : Tout va bien, monsieur l'agent, et il me demande de dégager, le verbe préféré de la police.

Je dégage donc et, tout le long de la Troisième Avenue, de la musique se déverse des pubs irlandais avec les odeurs de bière, de whisky, et les éclats de voix, de rire.

Brave homme toi-même, Sean.

Arrah, Jasus, vu ce qu'on tient, on pourrait aussi bien être complètement bourrés.

Sacredieu, j'ai hâte de m'en retourner à Cavan pour l'excellente pinte qu'ils ont là-bas.

Crois-tu rentrer un jour, Kevin ?

Le jour où ils construiront un pont.

Ils rigolent et on entend au juke-box Mickey Carton à l'accordéon, avec la voix de Ruthie Morrissey qui navigue sur tous ces bruits de la nuit : *C'est ma vieille patrie irlandaise, loin de l'autre côté de l'écume,* et je suis tenté d'entrer, de me hisser sur un tabouret et de lancer au barman : Sers-nous une bonne vieille goutte de ton *craythur,* Brian, ou plutôt deux car on n'a jamais vu l'oiseau voler d'une seule aile, bon gars toi-même. Et ne serait-ce pas mieux que de s'asseoir sur le perron de Mrs Austin et d'embrasser les murs du Playhouse de la 68ᵉ, et ne me trouverais-je pas alors parmi mes semblables ?

Mes semblables. Les Irlandais.

Je pourrais boire irlandais, manger irlandais, danser irlandais, lire irlandais. Ma mère nous mettait souvent en garde : Mariez-vous parmi vos semblables, et ensuite les anciens m'ont dit : Colle à tes semblables. Si je les avais écoutés, je n'aurais pas été rejeté par une épiscopalienne du Rhode Island qui m'a lancé un soir : Mais qu'est-ce que tu fabriquerais si tu n'étais pas irlandais ? Et, quand elle a dit ça, j'aurais bien claqué la porte sauf que nous en étions à la moitié du dîner qu'elle avait préparé, du poulet farci avec un saladier de pommes de terre nouvelles, bien roses dans du beurre salé et persillé, le tout accompagné d'une bouteille de bordeaux qui me donnait de tels frissons de plaisir que j'aurais toléré toutes les piques possibles contre moi-même et l'ensemble des Irlandais.

J'aimerais être irlandais dès qu'il est question de chansons ou de poèmes. J'aimerais être américain quand j'enseigne. J'aimerais être irlando-américain ou américano-irlandais, encore que je sache que je ne puis être deux choses à la fois, même si Scott Fitzgerald a dit que l'intelligence se connaît à la faculté de nourrir simultanément deux pensées contradictoires.

En fait, je ne sais pas ce que j'aimerais être, et quelle importance, maintenant qu'Alberta est sans doute là-bas à Brooklyn avec son nouvel homme ?

Puis, dans la vitrine d'une boutique, j'entrevois ma triste figure et je ris de songer que ma mère aurait appelé ça une tronche d'un pied de long.

Arrivé à la 57ᵉ Rue, je prends vers l'ouest, en direction de la Cinquième Avenue, histoire d'avoir un goût de l'Amérique et de la richesse qui s'y trouve, du monde des gens qui vont s'asseoir dans le Palm Court du Biltmore Hotel, ces gens qui n'ont pas à se coltiner des traits d'union ethnographiques leur vie durant. Vous pourriez les réveiller au milieu de la nuit, leur demander : Vous êtes quoi, vous ? Et ils répondraient : Fatigués.

Je tourne ma tronche d'un pied de long vers le sud de la Cinquième Avenue et voilà le rêve que j'ai fait toutes ces années en Irlande, l'avenue quasi déserte à cette heure de la nuit à l'exception de deux autobus à impériale, l'un allant vers le nord, l'autre vers le sud, les joailleries, les librairies, les boutiques de vêtements pour femmes avec les mannequins tirés à quatre épingles en prévision de Pâques, les lapins et les œufs partout en devanture et aucun signe de Jésus ressuscité, et, plus loin dans le bas de l'avenue, l'Empire State Building, et j'ai quand même ma santé, non ? Un peu faiblard du côté des yeux et des dents, un diplôme universitaire et un poste d'enseignant et n'est-ce pas le pays où toutes choses sont possibles, où vous pouvez faire ce qu'il vous plaît du moment que vous arrêtez de vous plaindre et que vous vous bougez le cul car la vie n'est pas une invitation à déjeuner, sachez-le, mon ami.

Si seulement Alberta revenait à la raison et me revenait.

La Cinquième Avenue me conte mon ignorance. Il y a les mannequins féminins des vitrines dans leur tenue de Pâques, et si l'un d'eux s'animait et me demandait quel tissu il porte je n'en aurais pas la moindre idée. S'ils portaient de la toile de jute, je la reconnaîtrais illico à cause des sacs de charbon que je livrais à Limerick et que j'utilisais comme couverture lorsqu'ils étaient vides et que le temps était très mauvais. Je serais peut-être capable de distinguer le tweed à cause des manteaux que les gens portaient été comme hiver, mais je devrais avouer au mannequin que je ne sais pas faire la différence entre la soie et le coton. Je ne pourrais jamais montrer une robe et dire si c'est du satin ou de la laine, et je serais complètement paumé si on me défiait d'identifier du damas ou de la crinoline. Je sais que les romanciers aiment évoquer l'opulence de leurs personnages en s'attardant sur des drapés de damas, bien que j'ignore si quiconque porte une matière semblable à moins que les personnages tombent dans la panade et se mettent à jouer des ciseaux dans ledit damas. Je sais qu'il est fort difficile de dénicher un roman dont l'action se passe dans le Sud sans qu'il y ait une famille de planteurs blancs qui se prélassent sous la véranda, sirotent du bourbon ou de la limonade, écoutent les moricauds chanter *Doucement, doux chariot*, les femmes s'éventant pour combattre la chaleur que leur inflige la crinoline.

C'est en bas, dans Greenwich Village, que j'achète mes chemises et mes chaussettes, dans des boutiques appelées chemiseries, et j'ignore de quelle matière elles sont faites, bien que des gens m'avertissent que de nos jours on doit prendre garde à ce qu'on se met sur le corps, sous peine d'avoir une éruption causée par une allergie. Je ne me suis jamais soucié de ce genre de choses à Limerick, mais ici le danger plane même lorsqu'on achète des chaussettes et des chemises.

Les articles en devanture ont des noms qui ne me disent rien et je me demande comment j'ai pu avancer autant dans la vie dans un tel état d'ignorance. Il y a des fleuristes le long de l'avenue, à travers les vitres, je peux seulement nommer les géraniums. Les gens respectables de Limerick étaient fous des géraniums et, quand je portais des télégrammes, sur la porte de devant se trouvaient souvent ce genre de mots : Veuillez hausser le châssis et laisser les messages sous le pot de géraniums. C'est étrange d'être planté devant un fleuriste de la Cinquième Avenue à me rappeler que d'avoir porté des télégrammes m'a aidé à devenir un expert en géraniums alors que, même maintenant, je ne les aime toujours pas. Ils ne m'ont jamais ému comme m'émeuvent les autres fleurs dans les jardins des gens, avec tout leur éclat, et tout leur parfum, et la tristesse de leur agonie en automne. Les géraniums n'ont aucun parfum, ils vivent éternellement et leur émanation a de quoi vous écœurer, encore que je sois sûr que des gens demeurant là-bas sur Park Avenue me prendraient volontiers à part et passeraient une heure à me persuader des vertus éclatantes du géranium et je suppose que je devrais être d'accord avec eux car partout où je vais les gens en savent plus que moi sur toute chose et il n'est guère probable que vous soyez riche et habitiez Park Avenue sans posséder une profonde connaissance des géraniums en particulier et de tout ce qui pousse en général.

Tout le long de l'avenue se trouvent des traiteurs de luxe et, si jamais j'entrais dans un tel endroit, je devrais y amener une personne bien élevée, qui sache opérer une distinction entre *pâté de foie gras** et purée de pommes de terre. Tous ces traiteurs n'en ont que pour la France et je me demande ce qu'ils ont dans la tête. Pourquoi ne peuvent-ils marquer patates au lieu de *pommes** ? À moins qu'on paie plus cher quelque chose écrit en français ?

Cela n'a vraiment pas de sens de regarder les vitrines des antiquaires. Ils ne vous laisseront jamais connaître le prix de quoi que ce soit tant que vous ne demanderez pas, et ils ne poseront jamais une pancarte sur une chaise pour vous expliquer ce que c'est ou d'où ça vient. De toute façon, vous n'auriez même pas envie de vous asseoir sur la plupart. Elles ont le dos tellement droit, rigide, que les douleurs du vôtre vous expédieront à l'hôpital. Et puis il y a les petites tables aux pieds courbes, si délicats, qu'elles s'effondreraient sous le poids d'une pinte et ruineraient un inestimable tapis de Perse ou de toute région où des gens suent pour le plaisir des Américains riches. Dans le genre

---

* En français dans le texte.

délicat, il y a aussi les miroirs, et vous vous demandez comment ça ferait le matin de voir votre visage dans un cadre aussi affriolant, avec des petits Amours et des demoiselles qui s'ébattent en tous sens, et où regarderiez-vous dans un tel méli-mélo ? Regarderais-je le truc suintant de mes yeux ou serais-je enchanté par une demoiselle succombant à une flèche de Cupidon ?

Avec l'aube qui jette ses lueurs tout là-bas dans Greenwich Village, la Cinquième Avenue est quasi déserte à l'exception de gens se rendant à la cathédrale Saint-Patrick pour sauver leur âme, une majorité de vieilles femmes qui semblent avoir plus à craindre que les vieux hommes marmonnant à leur côté, à moins que les vieilles femmes l'emportent en longévité et que leur nombre soit plus grand. Quand le prêtre dispense la communion, les bancs se vident et j'envie les gens revenant dans les allées avec l'hostie en bouche et l'air saint qui vous indique qu'ils sont en état de grâce. Maintenant ils peuvent rentrer chez eux prendre un copieux petit déjeuner, et s'ils tombent morts en mangeant des saucisses et des œufs ils vont droit au Ciel. J'aimerais faire la paix avec Dieu mais mes péchés sont si terribles que n'importe quel prêtre me chasserait du confessionnal et je me rends compte une fois encore que mon seul espoir de salut serait d'avoir un accident auquel je survivrais quelques minutes de manière à pouvoir faire un acte de parfaite contrition qui ouvrirait les portes du Ciel.

N'empêche, c'est réconfortant d'être dans la cathédrale, savourant la quiétude d'une première messe, surtout que je peux regarder alentour et nommer ce que je vois, les bancs, le chemin de la Croix, la chaire, le tabernacle avec l'ostensoir renfermant l'eucharistie, le calice, le ciboire, les burettes à vin et à eau du côté droit de l'autel, la patène. Je n'y connais rien en joaillerie ou en fleurs, mais je peux énumérer les vêtements et ornements sacerdotaux, l'amict, l'aube, le scapulaire, le manipule, l'étole, la chasuble, et je sais que le prêtre là-haut portant la chasuble pourpre du carême passera au blanc le dimanche de Pâques, lorsque le Christ ressuscitera et que les Américains donneront à leurs enfants des lapins en chocolat et des œufs jaunes.

Après tous les dimanches matin à Limerick, je peux me balader aussi facilement qu'un enfant de chœur de l'introït de la messe au *Ite, missa est*, allez, vous pouvez partir, le signal pour les hommes assoiffés d'Irlande de rompre leur génuflexion et d'affluer dans les pubs pour la pinte du dimanche, remède aux affres de la nuit précédente.

Je peux nommer les moments de la messe, les vêtements et ornements sacerdotaux, et les éléments d'un fusil, comme Henry Reed dans son poème, mais à quoi bon tout cela si je m'élève dans le monde et m'assieds sur une chaise rigide à une table où on sert de la nourriture raffinée alors que je suis incapable de différencier le mouton du canard ?

Il fait grand jour sur la Cinquième Avenue et il n'y a personne d'autre que moi assis sur les marches entre les deux grands lions de la bibliothèque publique de la 42e Rue, où, il y a près de dix ans de cela, Tom Costello m'a dit d'aller lire les *Vies des poètes anglais*. Des petits oiseaux de diverses tailles et couleurs passent légèrement d'arbre en arbre, m'avisant que le printemps sera bientôt là, et j'ignore aussi leurs noms. Je peux faire la différence entre un pigeon et un moineau et ça s'arrête là, exception faite de la mouette.

Si mes élèves du lycée McKee pouvaient voir dans ma tête, ils se demanderaient comment j'ai bien pu devenir professeur. Comme ils savent déjà que je ne suis jamais allé au lycée, ils diraient : C'est ça. Voilà un prof qui est à nous donner des leçons de vocabulaire du haut de son estrade alors qu'il ne connaît même pas les noms des oiseaux dans les arbres.

La bibliothèque ouvrira dans quelques heures et je pourrais aller m'asseoir dans la grande salle de lecture avec de gros livres d'images qui m'apprendraient les noms des choses, mais c'est encore tôt matin et le chemin est long pour regagner Downing Street, retrouver Bill Galetly assis en tailleur et se lorgnant dans le miroir, Platon et l'Évangile selon saint Jean.

Il est allongé par terre sur le dos, nu et ronflant, une bougie coulant près de sa tête, entouré de peaux de banane. L'appartement est froid mais je n'ai pas plus tôt mis une couverture sur lui qu'il se redresse et la repousse. Désolé pour les bananes, Frank, mais j'avais une petite célébration ce matin. Grande percée. Ici même.

Il montre du doigt un passage dans saint Jean. Lis ça, dit-il. Vas-y, lis-le.

Et je lis : *C'est l'esprit qui vivifie, la chair ne sert de rien. Les paroles que je vous ai dites sont esprit et elles sont vie.*

Bill me regarde fixement. Alors ?

Quoi donc ?

Tu piges ? Tu entraves ?

Je ne sais pas. Il faudrait que je le relise plusieurs fois et c'est presque neuf heures du matin. Je suis resté debout toute la nuit.

J'ai jeûné pendant trois jours pour entrer là-dedans. Il faut entrer dans les choses. Comme avec le sexe. Mais je n'ai pas fini. Je me lance à la recherche du monde parallèle dans Platon. M'est avis que je vais devoir aller au Mexique.

Pourquoi au Mexique ?

La came est de première là-bas.

La came ?

Tu sais bien. Divers corps chimiques pour aider l'homme dans sa quête.

Ah, oui. Je vais me coucher un moment.

C'est volontiers que je t'aurais offert une banane mais j'avais la célébration.

Je dors quelques heures ce dimanche matin, et à mon réveil il est parti, ne laissant derrière lui que des peaux de banane.

42

Alberta a reparu. Elle m'appelle et me demande de la retrouver chez Rocky, en souvenir du passé. Elle porte un manteau léger de printemps avec le foulard lavande qu'elle avait quand elle a dit bonne soirée au lieu d'adieu, et sans doute a-t-elle eu tout le temps ces retrouvailles en tête.

Tous les hommes présents chez Rocky la reluquent et les femmes qui les accompagnent les foudroient du regard pour leur dire d'arrêter de mater quelqu'un d'autre et de ramener leurs yeux sur elles.

Elle se défait de son manteau, s'assied avec le foulard lavande déployé sur les épaules, et mon cœur bat si fort que c'est tout juste si je peux parler. Elle prendra un martini-dry avec un zeste et moi une bière. Elle m'explique que c'était une grande erreur de partir avec un autre homme, mais il était mûr, prêt à se ranger, tandis que moi je me conduisais tout le temps comme un célibataire, avec mon galetas là-bas dans le Village. Elle s'est rendu compte en moins de rien que c'était moi qu'elle aimait, et, même si nous avons nos différences, nous pouvons les ajuster, surtout si nous nous rangeons et nous marions.

Au moment où elle mentionne le mariage, je sens poindre dans mon cœur une vive douleur d'un ordre différent, la crainte poignante de ne jamais avoir cette vie libre dont je vois partout des exemples à New York, le genre de vie qu'on pouvait avoir à Paris où chacun allait dans les cafés, buvait du vin, écrivait des romans et couchait avec les femmes des autres, sans compter les riches et belles Américaines avides de passion.

Si je dis quoi que ce soit de ce genre à Alberta, elle dira : Hé ! Ho ! Grandis un peu, tu veux ! Tu as vingt-huit ans, bientôt vingt-neuf, et tu n'es pas un foutu beatnik !

Bien sûr, ni elle ni moi n'allons parler ainsi en plein milieu de notre réconciliation, d'autant moins que j'ai le sentiment agaçant qu'elle a raison et que je pourrais bien n'être qu'un instable chronique comme mon père. Bien que je sois professeur depuis un an, j'envie encore les gens libres de traîner dans les cafés et les pubs et aux fêtes où se pressent artistes et modèles, avec un petit groupe de jazz dans le coin en train de souffler relaxe et en sourdine.

Inutile de lui raconter quoi que ce soit de mes rêves de liberté. Elle dirait : Tu es professeur. Tu n'avais jamais rêvé que tu irais aussi loin le jour où tu as débarqué du bateau. Tiens-t'en à ça.

Une fois, dans le Rhode Island, nous nous sommes disputés à propos de je ne sais quoi, et Zoe, la grand-mère, a dit : Vous êtes chouettes, mais pas ensemble.

Elle refuse de venir dans mon appart sans eau chaude, le galetas, et elle ne veut pas que je vienne dans le sien, d'autant que son père s'y trouve pour peu de temps à la suite d'un différend avec sa femme, Stella. Elle pose sa main sur la mienne et nous échangeons un regard si intense qu'elle en a les larmes aux yeux tandis que j'ai honte du rougissement qu'elle voit sans doute, et du suintement.

Sur le chemin du métro, elle m'apprend que dans quelques semaines, lorsque le trimestre sera fini, elle ira dans le Rhode Island pour passer un moment avec sa grand-mère et faire le tri dans sa vie. Elle sait qu'une question est en suspens : Serai-je invité ? Et la réponse est non, ces temps-ci je ne suis pas dans les petits papiers de la grand-mère. Elle m'embrasse, me souhaite une bonne soirée, me dit qu'elle me parlera bientôt au téléphone, et, une fois qu'elle s'est engouffrée dans le métro, je traverse Washington Square, déchiré entre ma flamme à son égard et mes rêves de vie libre. Si je ne m'accorde pas au mode de vie qu'elle veut, une vie propre, organisée, respectable, je la perdrai et jamais je ne retrouverai quelqu'un comme elle. Je n'ai jamais eu de femmes se jetant à ma tête, que ce soit en Irlande, en Allemagne ou en Amérique. Jamais je ne pourrais raconter à quiconque mes week-ends à Munich, quand je fréquentais les plus ignobles putains d'Allemagne, ou l'époque de mes quatorze ans et demi à Limerick, quand je baisouillais avec une fille mourante sur un sofa vert. Seuls m'habitent la honte et de sombres secrets et c'est un vrai miracle qu'Alberta ait quelque chose à faire avec moi. S'il me restait quelque croyance en quoi que ce soit, je pourrais aller me confesser, mais où est le prêtre qui pourrait entendre mes péchés sans lever les mains au ciel de dégoût et m'envoyer à l'évêque ou dans quelque partie du Vatican réservée aux damnés ?

À la Beneficial Finance Company, l'homme dit : Aurions-nous une pointe d'Irlande ? Il m'apprend les régions d'Irlande d'où sont originaires sa mère et son père, et comment lui-même envisage d'y faire

295

un voyage, encore que ce ne soit guère commode avec six gosses, ha ha. Sa mère vient d'une famille de dix-neuf. Pouvez-vous croire ça ? Dix-neuf gosses. Bien sûr, sept sont morts, mais quand même ! Voilà comment c'était jadis dans le vieux pays. Ils avaient des gosses comme des lapins.

Bon, revenons à la demande. Vous désirez emprunter trois cent cinquante dollars pour visiter le vieux pays, pas vrai ? Vous n'avez pas vu votre mère depuis quoi, six ans ? L'homme me félicite de vouloir voir ma mère. De nos jours, trop de gens oublient leur mère. Mais pas les Irlandais. Non, pas nous. Nous n'oublions jamais nos mères. L'Irlandais qui oublie sa mère n'a rien d'un Irlandais et devrait se faire botter le cul tambour battant, excusez le langage, Mr McCourt. Je vois que vous êtes enseignant et je vous en admire. Ce doit être duraille, les classes nombreuses, le bas salaire. Ouais, je n'ai qu'à regarder votre demande pour voir le bas salaire. Je ne sais pas comment vous pouvez vivre avec ça, et là, je suis navré de vous le dire, là est le problème. C'est ça qui cloche dans cette demande, le bas salaire et l'absence de toute garantie, si vous voyez ce que je veux dire. Le siège va tiquer au vu de cette demande mais je vais l'appuyer car vous avez deux choses en votre faveur, vous êtes un Irlandais désireux d'aller voir sa mère dans le vieux pays et vous êtes un enseignant qui se tue à la tâche dans un lycée d'enseignement professionnel, et, comme je le dis, je m'en vais vous donner un coup de pouce.

Je lui dis que je travaillerai dans les entrepôts en juillet pour remplacer les hommes en congé, mais ça ne compte pas aux yeux de la Beneficial Finance Company à moins qu'il y ait une attestation d'emploi régulier. L'homme me conseille de ne rien dire de l'argent que j'envoie à ma mère. Le siège tiquerait s'il y avait quoi que ce soit qui compromette mes remboursements mensuels du prêt.

L'homme me souhaite bonne chance. C'est un tel plaisir de faire des affaires avec un de mes semblables, dit-il.

Le chef de quai de Baker et Williams paraît surpris. Jésus, te revoilà ! Je pensais que tu étais devenu professeur ou quelque foutu truc comme ça.

Je le suis devenu.

Mais alors, qu'est-ce tu viens foutre ici ?

J'ai besoin d'argent. Le salaire de professeur n'est pas mirobolant.

Tu aurais dû rester dans les entrepôts ou conduire un camion ou autre, comme ça tu te serais fait de l'argent et tu ne te bagarrerais pas avec ces foutus gosses qui se fichent de tout.

Puis il demande : Dis-moi, tu ne traînais pas des fois avec ce mec, Paddy McGovern ?

Paddy Arthur ?

Ouais. Paddy Arthur. Tellement de Paddy McGovern qu'ils doivent prendre un autre nom. Tu sais ce qui lui est arrivé ?

Non.

Cet abruti d'enfoiré était sur le quai du train A à la station de la 125e, Harlem, tu vois ? Qu'est-ce qu'il foutait donc à Harlem ? Devait vouloir se noircir un peu, d'une façon ou d'une autre. Toujours est-il que le voilà qui s'emmerde, planté là sur le quai comme tout le monde, et qui décide d'attendre le train en bas sur la voie. Sur la foutue voie, en évitant le troisième rail. Parce que tu peux y passer avec le troisième rail. Et puis le voilà qui allume une cigarette et reste là avec ce sourire stupide jusqu'au moment où le train A se pointe et met fin à ses problèmes. C'est ce qu'on m'a raconté. Qu'est-ce qui n'allait pas chez cet abruti d'enfoiré ?

Sans doute qu'il avait bu.

Bien sûr qu'il buvait. Les foutus Irlandais boivent toujours mais je n'avais encore jamais entendu parler d'un en train d'attendre le métro sur la voie. Mais dis-moi, ton pote, là, Paddy, il était toujours à raconter qu'il allait rentrer. Il allait économiser assez pour retourner vivre dans le vieux pays. Qu'est-ce qui s'est passé ? Tu sais ce que j'en pense ? Tu veux le savoir ?

Qu'est-ce que tu en penses ?

Il y en a qui devraient rester où ils sont. Ce pays peut te rendre cinglé. Il rend cinglé même celui qui y est né. Comment ça se fait que tu ne sois pas cinglé ? Ou peut-être bien que tu l'es, hein ?

Je ne sais pas.

Écoute-moi, le môme. Je suis moitié italien moitié grec et on a nos problèmes, mais voilà mon conseil à un jeune Irlandais : Évite la bibine et tu ne te retrouveras pas en train d'attendre le métro sur la voie. Tu m'as suivi ?

Oui.

Allant déjeuner, je vois une silhouette du passé en train de laver les assiettes dans la cuisine du *diner*, Andy Peters. Il m'aperçoit et me lance : Bouge pas, essaie les boulettes de viande et la purée, j'arrive dans un instant ! Il se pose à côté de moi sur un tabouret et me demande comment j'ai trouvé le jus.

Succulent.

Ouais, eh bien c'est moi qui l'ai fait. C'est mon jus du jour. En réalité je suis le plongeur ici mais le cuisinier est un ivrogne et il me laisse faire les jus et les salades bien qu'on ne commande guère de salades dans le coin. Les mecs des docks et des entrepôts trouvent que les salades sont bonnes pour les vaches. Je suis venu faire la plonge ici afin de pouvoir penser, maintenant que j'en ai fini avec cette putain de NYU. J'ai besoin de me nettoyer la tête. Ce que j'aimerais vraiment, c'est trouver un boulot de passeur d'aspirateur, faire le vide, tu comprends ? Je suis allé d'un hôtel à l'autre leur proposer de faire le vide mais il y a toujours le formulaire, toujours cette chierie de fouille dans mon passé qui révèle mon renvoi à la vie civile pour non-fornication avec une brebis et suffit à mettre le veto sur l'aspiro. Tu coules un bronze dans un fossé français et ta vie est fichue jusqu'au moment où tu trouves la brillante solution de réintégrer la vie civile américaine au plus bas niveau, la plonge, et mate ma vitesse, mec. Je serai le souverain plongeur. Ils cligneront des yeux de stupéfaction et, en un rien de temps, je serai préposé aux salades. Comment ? Apprenant, observant dans une cuisine d'Uptown, promu préposé aux salades, assistant de l'assistant du chef et, en un éclair, je serai aux sauces. Les sauces, pour l'amour de Dieu, car la sauce est le sacro-saint ingrédient de la cuisine française et les Américains en sont dingues. Alors guette ma patte, mon petit Frankie, guette mon nom dans les journaux, André Pierre, prononcé comme il se doit à la française, avec tes sourcils jusqu'à la naissance des cheveux, le saucier suprême, le grand manitou de la casserole, de la poêle et du fouet à fil, jacassant dans chaque talk-show sans que personne se soucie que j'aie sauté ou non chaque brebis de France et des monarchies avoisinantes. Les clients des restaurants huppés feront des *Oh !* et des *Ah !* et compliments au chef, moi, et je serai invité à leur table afin qu'ils puissent m'encourager avec ma toque blanche et mon tablier blanc, et bien sûr je laisserai courir le mot que j'étais à deux doigts du doctorat de philosophie à la NYU et les femmes de Park Avenue me feront monter chez elles pour que je leur enseigne l'art de mettre en sauce et la signification de l'univers, et, pendant que les maris seront à acheter du pétrole en Arabie Saoudite, moi j'irai forer les filons d'or de leurs rombières.

Il prend un moment pour me demander ce que je deviens.

Enseignant.

J'en avais peur. Je croyais que tu voulais être écrivain.

Je le veux.

Alors ?

Je dois gagner ma vie.

Tu tombes dans le piège. Je t'en supplie, ne tombe pas dans le piège. J'ai failli y tomber moi-même.

Je dois gagner ma vie.

Tu n'écriras jamais tant que tu feras le professeur. L'enseignement est un boulot ingrat. Tu te souviens de Voltaire ? Cultive ton jardin.

Je m'en souviens.

Et Carlyle ? Enrichissez-vous et oubliez l'univers.

Je gagne ma vie.

Tu meurs.

Une semaine plus tard il a quitté le *diner* et personne ne sait pour où.

Avec l'argent de la Beneficial Finance Company et celui que j'ai gagné dans les entrepôts, je suis en mesure de passer quelques semaines à Limerick et le même bon vieux sentiment m'étreint lorsque l'avion amorce sa descente et suit l'estuaire du Shannon jusqu'à l'aéroport. Le fleuve lance des miroitements argentés et les champs découvrent leur palette de vert foncé sauf quand le soleil luit et donne à la terre un brillant d'émeraude. C'est un moment où il est commode d'être assis près d'un hublot, des fois qu'il y aurait des larmes.

Elle est à l'aéroport avec Alphie, une voiture de location est là, et le matin respire la fraîcheur et la rosée sur la route de Limerick. Elle me raconte la visite de Malachy avec sa femme, Linda, et leur folle rigolade quand Malachy est parti dans un champ puis est revenu sur un cheval qu'il a voulu faire entrer dans la maison jusqu'à ce que chacun l'ait persuadé qu'une maison n'était pas un endroit pour un cheval. La bibine a coulé à flots ce soir-là et, mieux que de la bibine, de la *poteen*, que quelqu'un tenait d'un paysan, et ce fut une veine divine que la *garda* n'ait pas rôdé près de la maison car la détention de whisky de contrebande est un délit grave qui peut vous faire atterrir dans la prison de Limerick. Malachy a déclaré qu'elle et Alphie pourraient peut-être venir faire un séjour à New York pour Noël, et ne serait-ce pas épatant, de se retrouver tous ensemble ?

Les gens que je croise dans les rues me disent que j'ai l'air superbe, que j'ai de plus en plus l'air d'un Amerloque. Alice Egan en disconvient : Frankie McCourt n'a pas changé d'une heure, pas d'une heure. N'est-ce pas, Frankie ?

Je ne sais pas, Alice.

Tu n'as pas la plus légère pointe d'accent américain.

Tous les amis que j'avais à Limerick ont disparu, morts ou émigrés, et je me retrouve désœuvré, ne sachant que faire de moi-même. Je pourrais lire toute la journée dans la maison de ma mère, mais aurais-je fait tout le chemin de New York pour m'asseoir sur mon cul et lire ? Je pourrais passer mes soirées dans les pubs et boire, mais cela aussi j'aurais pu le faire à New York.

Je parcours à pied la ville d'un bout à l'autre et je vais aussi dans la campagne où mon père marchait sans fin. Les gens sont polis mais ils travaillent, ils ont des familles, tandis que je suis un visiteur, un Amerloqué.

C'est-y toi, Frankie McCourt ?

C'est moi.

Quand c'est-y que tu es arrivé ?

La semaine dernière.

Et quand c'est-y que tu repars ?

Le semaine prochaine.

C'est épatant. Je suis sûr que ta malheureuse mère est contente de t'avoir à la maison et j'espère que le temps se maintiendra au beau pour toi.

On me dit aussi : Je suppose que tu remarques toutes sortes de changements à Limerick ?

Oh, oui. Plus d'automobiles, moins de nez morveux et de genoux croûteux. Pas d'enfants pieds nus. Pas de femmes en châle.

Jésus, Frankie McCourt, c'en sont des drôles de choses que tu remarques.

Ils m'observent pour voir si je prends de grands airs, au cas où, ils ne me louperaient pas, mais je n'ai aucun air à prendre. Quand je leur annonce que je suis professeur, ils semblent déçus.

Seulement professeur ! Seigneur Dieu, Frankie McCourt, on pensait que tu serais millionnaire à l'heure qu'il est ! Pardi, ton frère Malachy n'est-il pas venu ici avec sa splendide épouse qui est mannequin et lui-même n'est-il pas acteur et tout et tout ?

L'avion s'élève vers un soleil couchant qui dore le Shannon, et bien que je sois content de retourner à New York je ne sais plus trop où est ma place.

43

Malachy connaît un tel succès avec son bar qu'il paie la traversée à ma mère et à mon frère Alphie sur le *SS Sylvania*, qui arrive à New York le 21 décembre 1959.

Quand ils sortent de la douane, j'aperçois une pièce de vieux cuir à moitié décollée de la chaussure droite de Maman, laissant entrevoir le petit orteil d'un pied qui était toujours gonflé. Cela finira-t-il jamais ? Est-ce la famille à la chaussure esquintée ? Nous nous embrassons et Alphie sourit, découvrant des dents noircies et bousillées.

La famille aux chaussures esquintées et aux dents bousillées. Seront-ce nos armoiries ?

Maman regarde derrière moi, vers la rue. Où est Malachy ?

Je ne sais pas. Il devrait être là dans un instant.

Elle me dit que j'ai bonne mine, que ça ne m'a pas fait de mal de prendre un peu de poids, encore que je devrais bien faire quelque chose pour mes yeux, qui sont rouges, mais alors ! Cela m'agace car, je le sais, il suffit que je pense à mes yeux ou que quelqu'un en parle pour que je les sente s'embraser, et, bien sûr, elle remarque mon irritation.

C'est que tu es un peu âgé pour avoir des yeux amochés, vois-tu.

J'ai bien envie de lui répliquer que j'ai vingt-neuf ans et que j'ignore l'âge convenable pour ne pas avoir des yeux amochés, et est-ce de ça qu'elle veut parler à l'instant où elle arrive à New York ? Mais voilà Malachy dans un taxi avec sa femme, Linda. Encore des sourires et des embrassades. Malachy fait attendre le taxi le temps qu'on récupère les valises.

Va-t-on les mettre dans la malle ? demande Alphie.

Linda sourit. Oh non, on va les mettre dans le coffre.

Le coffre ? On n'a pas apporté de coffre.

Non, non, dit-elle, on va mettre vos bagages dans le coffre du taxi.

Il n'y a pas de malle dans le taxi ?

Non, c'est le coffre.

Alphie se gratte la tête et sourit de nouveau, jeune homme assimilant sa première leçon d'américain.

Une fois dans le taxi, Maman s'exclame : Seigneur Dieu, regardez-moi toutes ces automobiles ! Les routes sont bloquées ! Je lui explique qu'à présent ça ne roule pas si mal. Un peu avant, c'était la pleine heure de pointe et la circulation était encore pire. Elle déclare ne pas voir comment ça pourrait être encore pire. Je lui dis que c'est toujours pire plus tôt, à quoi elle répond : Je ne vois pas comment ça pourrait être pire que maintenant, avec ces automobiles qui grouillent de partout.

J'essaie d'être patient et je parle lentement. Je te le dis, Maman, c'est ainsi qu'est la circulation dans New York. J'habite ici.

Malachy intervient : Oh, allez, peu importe. Belle matinée, ma foi, et elle dit : Moi aussi j'ai habité ici, au cas où vous auriez oublié.

Mais oui, lui dis-je. Seulement c'était il y a vingt-cinq ans et tu habitais Brooklyn, pas Manhattan.

Ma foi, c'est quand même New York.

Elle ne veut pas céder et moi non plus, encore que je me rende compte de notre mesquinerie à tous deux et me demande pourquoi je suis là à pinailler au lieu de célébrer l'arrivée de ma mère et de mon plus jeune frère dans la ville dont nous avons rêvé toute notre vie. Pourquoi me lance-t-elle des piques sur mes yeux et pourquoi dois-je la contredire sur la circulation ?

Linda tente de dissiper la tension. Ma foi, comme le dit Malachy, c'est une belle journée.

Maman hoche vaguement la tête, comme à contrecœur. C'en est une.

Et comment était le temps quand vous avez quitté l'Irlande, Maman ?

Une parole réticente : Pluvieux.

Oh, c'est toujours pluvieux en Irlande, non, Maman ?

Non, pas du tout, puis, croisant les bras, elle braque son regard droit devant, sur la circulation qui était tellement plus dense une heure auparavant.

Une fois à l'appartement, Linda fait le petit déjeuner tandis que Maman câline le nouveau bébé, Siobhan, lui adressant des roucoulements comme elle l'a fait avec chacun de nous sept. Maman, voudriez-vous du thé ou du café ? demande Linda.

Du thé, s'il vous plaît.

Quand le petit déjeuner est prêt, Maman repose le bébé, s'assied à table, puis désire savoir quelle est cette chose qui flotte dans sa tasse. Linda lui dit que c'est un sachet de thé et Maman lève un nez dédaigneux. Oh, pas question que je boive ça. Ce n'est sûrement pas du bon vrai thé.

Le visage de Malachy se contracte et, sans desserrer les dents, il lui dit : C'est le thé qu'on a. C'est ainsi qu'on le fait. On n'a pas une livre de thé Lyon's et une théière pour toi.

Ma foi, dans ce cas, je ne prendrai rien. Je vais juste manger mon œuf. Je me demande quel est ce pays où on ne peut pas avoir une bonne tasse de vrai thé.

Malachy s'apprête à répondre mais le bébé pleure et il va le sortir de son berceau pendant que Linda papillonne autour de Maman, souriante, voulant bien faire. Nous pourrions trouver une théière, Maman, et puis nous pourrions bien trouver du thé en vrac, n'est-ce pas, Malachy ?

Mais celui-ci parade dans le salon avec le bébé pleurnichant sur son épaule et on devine qu'il ne rendra pas les armes en matière de sachets de thé, pas cette fois en tout cas. Comme toute personne ayant pris une bonne tasse de vrai thé en Irlande, il déteste le thé en sachet mais il a une femme américaine qui ne connaît le thé que sous cette forme, il a un bébé et des soucis en tête et peu de patience pour cette mère qui, à peine arrivée aux États-Unis d'Amérique, lève un nez dédaigneux devant des sachets de thé, et sans doute ne voit-il pas pourquoi, après tous les frais et les tracas qu'il a eus, il devrait tolérer ses manières chipoteuses durant les trois prochaines semaines dans ce petit appartement.

Maman se lève de table un peu brusquement. Les cabinets ? fait-elle à Linda. Où sont les cabinets ?

Pardon ?

Les cabinets. Les water-closets.

Linda se tourne vers Malachy. Les toilettes, dit-il. La salle de bains.

Oh, fait Linda. Là-bas.

Pendant que Maman est dans la salle de bains, Alphie dit à Linda que le thé en sachet n'est pas si mauvais que ça, somme toute. Si on ne voyait pas le machin flotter dans la tasse, on pourrait même trouver ça très bon. Linda en retrouve le sourire et lui explique que c'est pour ça que les Chinois ne servent pas de gros morceaux de viande. Ils n'aiment pas regarder l'animal qu'ils mangent. S'ils font du poulet, ils le coupent en petits morceaux et le mélangent avec d'autres choses, au point qu'on croirait à peine que c'en est, du poulet. Voilà pourquoi on ne voit jamais une cuisse ou un gros blanc de poulet dans un restaurant chinois.

Est-ce vrai ? demande Alphie.

Le bébé pleurniche toujours sur l'épaule de Malachy, mais tout est douceur à table avec Alphie et Linda qui papotent sur le thé en sachet et le raffinement de la cuisine chinoise. Puis Maman revient de la salle

303

de bains et dit à Malachy : Cette enfant est pleine d'air, ah ça oui. Je vais la prendre.

Malachy tend Siobhan et se rassied pour finir son thé. Maman va et vient avec la pièce de cuir qui pendille de sa chaussure esquintée et je sais que je vais devoir l'emmener chez un marchand de chaussures de la Troisième Avenue. Elle donne des tapettes au bébé et soudain résonne un rot puissant qui nous fait tous rire. Elle replace le bébé dans le berceau et se penche sur lui. Là, là, ma petite choute, là, là, et le bébé émet un gargouillis. Maman revient à table, pose ses mains dans son giron et nous dit : Je donnerais mes deux yeux pour une bonne tasse de vrai thé, et Linda lui dit qu'elle ira voir dès aujourd'hui pour une théière et du thé en vrac, n'est-ce pas, Malachy ?

Il répond : Tout à fait, car il sait au fond de lui que rien ne vaut le thé fait dans une théière rincée avec de l'eau bouillant follement, une grosse cuillerée pour chaque tasse, une théière où l'on verse l'eau bouillant follement, gardée bien au chaud avec un couvre-théière tandis que le thé infuse six minutes exactement.

Malachy sait que Maman fera le thé ainsi, et il lâche du lest à propos du thé en sachet. Il sait aussi qu'en matière de rots de bébé elle l'emporte en instinct comme en savoir-faire, et c'est là un échange équitable : une bonne tasse de vrai thé pour elle et le confort pour Bébé Siobhan.

Pour la première fois en dix ans, on est tous ensemble, Maman et ses quatre fils. Malachy a sa femme, Linda, et son bébé, Siobhan, le premier d'une nouvelle génération. Michael a une petite amie, Jan, et Alphie ne va pas tarder à en trouver une. Je suis réconcilié avec Alberta et je vis avec elle à Brooklyn.

Malachy est le roi des boute-en-train de New York et aucune fête ne peut débuter sans lui. S'il n'apparaît point, ça s'agite et ça se plaint : Où est Malachy ? Où est votre frère ? Puis, dès qu'il déboule à grands cris, les voilà contents. Il chante, boit, tend son verre pour être resservi, chante à nouveau et file à la fête suivante.

Maman adore ce genre de vie, son côté excitant. Elle adore prendre un grand whisky à l'eau avec glace chez Malachy, le bar, et être présentée comme la mère de Malachy. Ses yeux pétillent, ses joues se colorent, et elle éblouit le monde d'un éclat de fausses dents. Elle suit Malachy dans les fêtes, ce qu'elle appelle les bonnes bamboches, elle se plaît à briller dans son rôle de mère et s'efforce d'accompagner les chansons de Malachy jusqu'à ce qu'un essoufflement la prenne, premier signe d'emphysème. Après toutes les années passées assise près du feu à Limerick à se demander d'où allait venir la prochaine miche de pain, la voilà qui se donne du bon temps et, à tout prendre, n'est-ce pas un pays épatant ? Ah, peut-être bien qu'elle restera un peu plus longtemps ! Pardi, à quoi bon retourner à Limerick au milieu de l'hiver sans rien à faire que s'asseoir là près du feu à chauffer ses pauvres tibias ? Elle s'en retournera quand le temps se réchauffera, peut-être à Pâques, et Alphie peut trouver un boulot ici pour subvenir à leurs besoins.

Malachy est amené à lui dire que si elle souhaite rester à New York, même pour une courte période, ce ne sera pas possible chez lui dans son petit appartement avec Linda et le bébé de quatre mois.

Elle m'appelle chez Alberta et me dit : Pour être blessée, je le suis. Quatre fils à New York, et pas un endroit où reposer ma tête.

Mais nous avons tous de petits appartements, Maman. Il n'y a pas de place.

Ma foi, on pourrait se demander ce que vous tous fabriquez avec l'argent que vous gagnez. Vous auriez dû me prévenir avant de m'arracher à mon coin du feu douillet.

Personne ne t'en a arrachée. N'as-tu pas dit sans cesse que tu voulais venir pour Noël et Malachy n'a-t-il pas payé ton voyage ?

Je suis venue parce que je voulais voir mon premier petit-enfant et, ne t'en fais pas, je rembourserai Malachy quand bien même je devrais me mettre sur mes deux genoux et briquer des sols. Si j'avais su comment j'allais être traitée ici, je serais restée à Limerick avec une chouette oie rien que pour moi et un toit au-dessus de ma tête.

Alberta me souffle d'inviter Maman et Alphie à dîner samedi soir. Il y a un silence à l'autre bout du fil, puis un reniflement.

Ma foi, je ne sais pas ce que je ferai samedi soir. Malachy a parlé d'une fête.

Très bien. Nous t'avons invitée à dîner mais, si tu veux encore aller à une fête avec Malachy, fais-le.

Tu n'as pas besoin de prendre la mouche comme ça. Le trajet est affreusement long jusqu'à Brooklyn. Je le sais parce que j'y habitais.

Il y en a pour moins d'une demi-heure.

Elle chuchote quelque chose à Alphie, qui prend le combiné. Francis ? On viendra.

Quand j'ouvre la porte, elle fait entrer sa froideur avec le froid de janvier. Elle enregistre l'existence d'Alberta d'un hochement de tête et demande si j'ai une allumette pour sa cigarette. Alberta lui propose une cigarette mais elle dit non, elle a les siennes, et puis, de toute façon, ces cigarettes américaines n'ont quasiment aucune saveur. Alberta lui propose de boire quelque chose et elle prendra un whisky à l'eau avec glace. Alphie dit qu'il prendra une bière et Maman dit : Oh, tu t'y mets, c'est ça ?

Je lui dis que ce n'est jamais qu'une bière.

Ma foi, c'est ainsi que ça commence. Juste une bière et ensuite que je te vocifère et que je te chante et que je te réveille l'enfant.

Il n'y a pas d'enfant ici.

Il y en a un chez Malachy, qui n'empêche ni de vociférer ni de chanter, crois-moi.

Alberta nous appelle à table, thon à la casserole et salade verte. Maman prend son temps pour venir. Elle a sa cigarette à finir, et puis, de toute façon, il n'y a rien qui presse, non ?

Alberta dit que c'est chouette de manger à la casserole quand c'est bien chaud.

Maman dit qu'elle a horreur de la nourriture brûlante qui vous emporte le palais.

Je lui lance : Pour l'amour de Dieu, tu finis ta cigarette et tu viens à table !

Elle arrive avec son air offensé. Elle tire sa chaise et repousse la salade. Elle n'aime pas la laitue de ce pays. J'essaie de rester maître de moi. Je lui demande quelle est donc la différence entre la laitue de ce pays et la laitue d'Irlande. Elle répond qu'il y a une grande différence, la laitue de ce pays est insipide.

Alberta dit : Oh, peu importe. De toute façon, tout le monde n'aime pas la laitue.

Maman contemple son assiette, puis, d'un coup de fourchette, écarte nouilles et thon pour traquer les petits pois. Elle dit qu'elle adore les petits pois bien que ces pois-là ne soient pas aussi bons que ceux de Limerick. Alberta lui demande si elle en voudrait encore.

Non, merci.

Après quoi elle pique dans les nouilles à la recherche de morceaux de thon.

Je lui demande : Tu n'aimes donc pas les nouilles ?

Pardon ?

Les nouilles. Tu ne les aimes pas ?

J'ignore de quoi elles sont faites mais je n'en raffole pas.

Je voudrais me pencher et lui dire bien en face qu'elle se comporte comme une sauvage, qu'Alberta s'est donné beaucoup de mal pour imaginer un plat susceptible de lui plaire et maintenant tout ce qu'elle trouve à faire est de lever son nez dédaigneux comme si elle venait de subir un affront, et si elle n'est pas contente elle peut enfiler son fichu manteau et retourner à Manhattan à la fête qu'elle est en train de louper et jamais plus je ne l'ennuierai avec une invitation à dîner.

Je voudrais dire tout cela mais Alberta est conciliante. Oh, allons, tout va bien ! Peut-être Maman est-elle fatiguée par l'émotion d'être venue à New York et ça va tous nous détendre si nous prenons une chouette tasse de thé et une bonne tranche de gâteau.

Pour le gâteau, Maman dit : Non, merci, elle ne pourrait avaler un autre morceau, mais, en revanche, elle voudrait bien une tasse de thé, du moins jusqu'au moment où, voyant surnager le sachet fatidique, elle nous déclare que ce n'est absolument pas ce qu'elle appelle une tasse de thé.

Je lui dis que c'est ce qu'on a et que c'est ce qu'elle va prendre, m'abstenant à grand-peine d'ajouter que je lui balancerais volontiers le sachet entre les deux yeux.

Elle a dit non au gâteau mais voilà qu'elle l'enfourne, l'avale sans mastiquer, puis ramasse les miettes dans son assiette et les gobe, la femme qui ne voulait pas de gâteau.

Elle reluque la tasse de thé. Ma foi, si c'est le seul thé que vous ayez, je suppose que je vais devoir le boire. Elle hausse le sachet avec sa cuillère, le presse jusqu'à ce que l'eau brunisse, puis désire savoir pourquoi se trouve un citron dans sa soucoupe.

Alberta dit que certaines personnes aiment le citron avec leur thé.

Maman déclare qu'elle n'a jamais entendu chose pareille, que c'est proprement dégoûtant.

Alberta fait disparaître le citron et Maman dit qu'elle aimerait du lait et du sucre, si ça ne gêne pas. Elle demande une allumette pour sa cigarette et fume tout en buvant seulement la moitié du thé pour montrer le peu de cas qu'elle en fait.

Alberta demande si elle et Alphie aimeraient aller voir un film dans le quartier mais Maman dit non, ils doivent s'en retourner à Manhattan et il est trop tard.

Alberta dit qu'il n'est pas si tard et Maman dit qu'il est assez tard.

Je raccompagne à pied ma mère et Alphie dans Henry Street, vers la station de métro de Borough Hall. C'est une nuit claire de janvier et toute la rue est encore illuminée des guirlandes de Noël qui brillent et clignotent aux fenêtres. Alphie parle de l'élégance des maisons et remercie pour le dîner. Maman dit qu'elle se demande pourquoi les gens ne peuvent mettre le dîner dans un bol et vous le donner sans assiette dessous. Elle pense que les gens font ça pour se donner de grands airs.

Le métro arrive et j'échange une poignée de main avec Alphie. Je me penche pour embrasser ma mère et lui tendre un billet de vingt dollars mais elle détourne le visage, monte en voiture, s'assied de façon à me tourner le dos, et je m'éloigne, l'argent de retour dans ma poche.

44

Pendant huit ans, j'ai pris le Staten Island Ferry. Je prenais d'abord le train RR de Brooklyn à la station de Whitehall Street à Manhattan, puis je marchais jusqu'à la gare maritime, je glissais mes cinq cents dans la fente du tourniquet, j'achetais beignet et café, noir et sans sucre, et j'attendais sur un banc avec un journal rempli des catastrophes de la veille.

Mr Jones enseignait la musique au lycée McKee, encore que, à le voir sur le ferry, on aurait pu le croire professeur d'université ou à la tête d'un cabinet d'avocats. On aurait pu croire ça de lui même si c'était alors un homme de couleur qu'on allait appeler un Noir puis, des années plus tard, un Afro-Américain. Il portait chaque jour un costume trois pièces différent et un chapeau assorti. Il portait des chemises avec col simple ou maintenu avec des épingles à cravate en or. Sa montre et ses bagues étaient elles aussi en or, et de bon goût. Les vieux cireurs italiens l'appréciaient pour la bonne affaire et les généreux pourboires quotidiens, et ses chaussures étaient éblouissantes quand ils en avaient fini avec lui. Chaque matin il lisait le *Times*, le tenant avec des doigts dépassant de petites mitaines de cuir qui couvraient ses mains de sous le poignet jusqu'au-delà des premières phalanges. Il souriait quand il me racontait les concerts et les opéras auxquels il avait assisté la veille au soir, ou ses voyages d'été en Europe, essentiellement Milan et Salzbourg. Il posait sa main sur mon bras et me disait que je ne devais pas mourir avant d'être allé à la Scala. Par un beau matin, un collègue a plaisamment avancé que les gamins de McKee devaient être impressionnés par sa mise, toute cette élégance, vous savez, et Mr Jones a répondu : Je m'habille pour ce que je suis. Le collègue a secoué la tête et Mr Jones s'est replongé dans son *Times*. Ce même jour, sur le ferry du retour, le collègue m'a expliqué que Mr Jones ne se voyait pas du tout comme un homme de couleur, qu'il interpellait les gamins noirs pour les prier d'arrêter de faire la bamboula dans le couloir. Les gamins noirs ne savaient pas comment réagir avec Mr Jones, désarçonnés par tant d'élégance. Ils savaient que, quels que soient leurs goûts musicaux, Mr Jones serait là-haut sur l'estrade à discourir sur Mozart, à passer sa musique sur l'électrophone, à moins qu'il descende en interpréter des extraits au piano, puis, quand venait la fête de Noël, il avait ses garçons et filles fin prêts à monter sur scène pour chanter comme des anges.

Chaque matin sur le ferry, passant devant la statue de la Liberté et Ellis Island, je songeais à l'arrivée de ma mère et à celle de mon père dans ce pays. Lors de leur entrée dans le port, étaient-ils en proie à la même agitation que moi en ce premier et radieux matin d'octobre ? Mes collègues de McKee ou des professeurs d'autres lycées de Staten Island étaient également sur le ferry, à regarder vers la statue et l'îlot. Sans doute songeaient-ils eux aussi à leurs parents et grands-parents arrivant en cet endroit et, peut-être, aux centaines de gens qui avaient été renvoyés. Sans doute étaient-ils attristés comme moi de voir Ellis Island à l'abandon et s'effritant, et ce ferry échoué sur le flanc en eau basse, le ferry qui transportait les immigrants d'Ellis Island à l'île de Manhattan, et, s'ils regardaient avec assez d'intensité, ils voyaient des fantômes avides de toucher cette terre.

Maman avait emménagé avec Alphie dans un appartement du West Side. Puis Alphie est parti faire sa vie dans le Bronx et Maman est allée habiter Brooklyn, sur Flatbush Avenue, au niveau de Grand Army Plaza. Son immeuble était vétuste mais elle se sentait les coudées franches d'avoir un endroit à elle, sans comptes à rendre à quiconque. Elle pouvait aller à pied dans toutes les salles de bingo qu'elle voulait et son sort la contentait tout à fait, merci bien.

À l'époque de mes débuts au lycée McKee, je me suis inscrit à des cours du Brooklyn College en vue d'obtenir une maîtrise d'anglais. J'ai commencé par les cours d'été, puis, durant l'année scolaire, j'ai suivi les cours de l'après-midi et du soir. Je prenais le ferry, de Staten Island à Manhattan, et j'allais à pied à la station Bowling Green prendre le métro qui m'emmenait au terminus de la ligne de Flatbush, près du Brooklyn College. Sur le ferry et dans le métro je pouvais préparer mes cours ou corriger les copies de mes élèves.

Je leur avais dit que je voulais un travail propre, soigné, lisible, mais ils me donnaient ce qu'ils avaient gribouillé hâtivement dans le bus et le métro, pendant les heures d'atelier quand le professeur ne regardait pas, ou à la cafétéria. Les copies étaient constellées de taches de café, de Coca, de crème glacée, de ketchup, de glaires, avec une touche de volupté quand les filles y avaient tamponné leurs lèvres. Une telle série de copies m'irritait au point qu'une fois sur le ferry je les jetais par-dessus bord et les observais avec satisfaction s'abîmer dans les eaux pour créer des sargasses d'analphabétisme.

Quand ils s'inquiétaient de leurs devoirs, je leur répondais qu'ils étaient si mauvais que si je les avais rendus, ils auraient tous eu zéro, et est-ce qu'ils auraient préféré cela à rien du tout ?

Ils ne savaient pas trop et, à bien y penser, moi non plus. Zéro ou rien du tout ? Nous en avons discuté pendant tout un cours et décidé que rien du tout valait mieux que zéro sur son bulletin car on ne pouvait diviser rien du tout par quoi que ce soit alors qu'on pouvait diviser zéro si on recourait à l'algèbre ou à quelque chose de ce genre car un zéro est quelque chose et rien du tout n'est rien du tout et nul ne pouvait trouver à y redire. De même, si vos parents voient un zéro sur votre bulletin, eh bien, ça les énervera, enfin, ceux que ça intéresse, alors que s'ils ne voient rien ils ne savent que penser et mieux vaut avoir un père et une mère ne sachant que penser qu'un père et une mère regardant un zéro puis vous collant une baffe derrière la tête.

Après mes cours au Brooklyn College, je descendais parfois du métro à Bergen Street pour rendre visite à ma mère. Si elle savait que je venais, elle faisait du pain à la levure chimique si chaud et délicieux qu'il fondait dans la bouche aussi vite que le beurre dont elle l'avait tartiné. Elle faisait le thé dans une théière et ne pouvait s'empêcher de grimacer à l'idée des sachets de thé. Je lui disais que le thé en sachet n'était jamais qu'une chose pratique pour les gens occupés et elle répliquait que personne n'était occupé au point de ne pas prendre le temps de faire une bonne tasse de vrai thé et si on était tellement occupé on ne méritait pas une bonne tasse de vrai thé car qu'en était-il en fin de compte ? Avions-nous été mis en ce monde pour être occupés ou pour bavarder autour d'une chouette tasse de thé ?

Mon frère Michael a épousé Donna, une Californienne, au domicile de Malachy, dans son appartement de la 93e Rue Ouest. Maman avait acheté une robe neuve pour l'occasion, mais on devinait qu'elle n'approuvait guère la tournure de l'événement. Ainsi son bien-aimé Michael se mariait, et pas un prêtre à l'horizon, rien qu'un ministre protestant dans le salon qui, avec son col et sa cravate, aurait pu passer pour un épicier ou un policier en dehors de ses heures de service. Malachy avait loué deux douzaines de chaises pliantes, et au moment de prendre place j'ai remarqué l'absence de Maman. Elle était dans la cuisine en train de fumer une cigarette. Je lui ai dit que la cérémonie allait commencer et elle m'a répondu qu'elle avait sa cigarette à finir. Maman, pour l'amour de Dieu, ton fils va se marier. Elle a dit que c'était son problème à lui, elle avait sa sèche à finir, et, quand je lui ai dit qu'elle faisait lanterner tout le monde, son visage s'est contracté, son nez a pointé en l'air, elle a écrasé son mégot dans le cendrier et a pris son temps pour aller au salon. Juste avant d'y entrer, elle m'a chuchoté qu'elle devait aller à la salle de bains et je lui ai sifflé qu'elle allait prendre son foutu mal en patience. Elle s'est assise sur sa chaise et a regardé fixement au-dessus de la tête du ministre protestant. Peu importait ce qui était dit, peu importait quelle douceur ou tendresse s'exprimait alors, elle n'a pas voulu y participer, elle n'a pas voulu rendre les armes, et quand la mariée et le marié ont été embrassés et étreints Maman est demeurée assise, son sac à main sur les genoux, le regard fixé droit devant afin que le monde sache qu'elle ne voyait rien, mais alors rien du tout, et surtout pas le spectacle de son bien-aimé Michael tombant dans les griffes des protestants et de leurs ministres.

Un jour que je prenais le thé avec Maman dans son appartement de Flatbush Avenue, elle a dit que c'était somme toute assez étrange qu'elle soit de retour dans cette partie du monde après toutes ces années, un endroit où elle avait eu cinq enfants, quoique trois avaient dû mourir, la petite fille ici même à Brooklyn, et les jumeaux en Irlande. Peut-être était-ce trop pour elle de songer à cette petite fille, morte à vingt et un jours, non loin de là. Elle savait qu'en montant Flatbush Avenue jusqu'à la jonction avec Atlantic Avenue, on pouvait encore voir les bars où mon père avait fait le fou, dépensant ses salaires, oubliant ses enfants. Non, elle n'avait pas envie de parler de ça non plus. Si je la questionnais quand même sur sa période passée à Brooklyn, elle émettait à grand-peine quelques bribes puis se taisait. À quoi bon ? Le passé est le passé et il est dangereux de revenir en arrière.

Elle a dû en faire, des cauchemars, seule dans cet appartement.

45

Stanley passe plus de temps que quiconque dans la cafétéria des professeurs. Dès qu'il m'aperçoit, il vient s'asseoir à ma table, boit du café, fume des cigarettes et débite des monologues sur tout et n'importe quoi.

Il a la charge de cinq classes, comme la plupart des professeurs, mais les élèves désertent fréquemment ses séances d'orthophonie à cause de la honte qu'il y a à bégayer et à essayer de se faire comprendre avec un palais fendu. Stanley leur adresse des discours inspirants mais il a beau leur dire qu'ils sont aussi bons que n'importe qui, ils ne le croient pas. Certains sont dans ma classe d'anglais et ils écrivent des rédactions disant que ça va bien pour Mr Garber de parler, c'est un chic type et tout et tout, mais il ne sait pas ce que c'est de s'avancer vers une fille pour lui demander de danser quand on ne peut pas se sortir le premier mot de la bouche. Oh, ouais, ça va bien pour Mr Garber d'aider à les débarrasser de leur bégaiement en chantant avec eux, mais à quoi ça sert quand vous allez au bal ?

Au cours de l'été 1961, Alberta a voulu qu'on se marie à la Grace Episcopal Church de Brooklyn Heights. J'ai refusé. Je lui ai dit que j'aimerais mieux me marier à City Hall que dans quelque pâle imitation de la seule et sainte Église catholique, apostolique et romaine. Les épiscopaliens m'irritaient. Pourquoi ne pouvaient-ils arrêter cette foutue absurdité ? Ils faisaient les malins avec leurs statues, leurs croix, leur eau bénite, et même la confession, dès lors que n'appelaient-ils Rome pour dire qu'ils voulaient revenir ?

Alberta a dit : Très bien, très bien, et nous voilà partis pour la mairie, à Manhattan. Ce n'était pas obligatoire, mais nous avions comme témoins Brian McPhillips et sa femme Joyce. Notre union civile a été retardée en raison d'une querelle du couple qui nous précédait. Elle à lui : Tu vas m'épouser avec ce parapluie vert accroché au bras ? Il a répondu que c'était son parapluie à lui et qu'il n'allait pas le laisser là dans ce bureau pour qu'on le lui vole. Elle a hoché la tête dans notre direction et lui a dit : Ces gens ne vont pas te le voler, ton foutu parapluie vert, excusez le langage le jour de mon mariage. Il a dit qu'il n'accusait personne de rien mais, bon sang, il avait casqué bonbon pour ce parapluie acheté à un type de Chambers Street qui les piquait et il n'allait plus s'en séparer pour personne. Elle lui a dit : Eh bien, tiens, épouse donc ton pébroc, puis, ramassant son sac, elle s'est dirigée vers la sortie. Il lui a lancé que c'était fini si elle partait maintenant et là, faisant volte-face vers nous quatre, et la femme derrière le bureau, et le fonctionnaire sortant de la petite salle des mariages, elle s'est exclamée : Fini ? De quoi tu causes, bonhomme ? On est à la colle depuis trois ans et tu me sors que c'est fini ? Tu me sors pas que c'est fini ! Je te le dis et te le redis, ce parapluie ne sera pas présent à mon mariage et, si tu insistes, il y a une certaine personne en Caroline du Sud, une certaine ex-femme, qui aimerait avoir de tes nouvelles et je serais ravie de lui en donner si tu vois ce que je veux dire, une certaine personne en quête de pension alimentaire sans oublier un petit quelque chose pour l'enfant. Alors, tu choisis, Byron, moi dans cette petite pièce avec le rond-de-cuir et sans parapluie ou toi de retour en Caroline du Sud planté avec ton parapluie devant un juge en train de te dire : Allonge, Byron, soutiens ta femme et ton enfant.

Le fonctionnaire à la porte de la salle des mariages a demandé s'ils étaient prêts. Byron m'a demandé si c'était moi qui me mariais aujourd'hui et, si oui, est-ce que ça ne m'ennuierait pas de lui garder son parapluie car il voyait bien que j'étais comme lui, n'allant nulle part ailleurs que dans cette petite pièce. La fin de la route, mec, la fin de la route. Je lui ai souhaité bonne chance, il a secoué la tête et a fait : Bon Dieu, pourquoi on se laisse tous mener comme ça ?

Quelques minutes plus tard, ils sont revenus pour signer les papiers, la mariée souriante, Byron lugubre. Encore bonne chance, leur avons-nous souhaité avant de suivre le fonctionnaire dans la pièce. Il a souri et a dit : Chommes-nous touch là ?

Brian m'a adressé un haussement de sourcils.

Le fonctionnaire a poursuivi : Est-che que vous promettez d'aimer, d'honorer, de chérir ? Et j'ai tout fait pour m'empêcher de rire. Comment survivre à ce mariage conduit par un homme au chuintement si marqué ? Il allait falloir une diversion pour que je me contrôle. Voilà. Le parapluie accroché au bras. Oh, bon Dieu, je n'allais plus me tenir. J'étais pris entre le chuintement et le parapluie et tout ça sans pouvoir rire. Alberta m'aurait tué si j'avais ri à notre mariage. Vous pouviez toujours sangloter de joie mais vous n'aviez jamais le droit de rire et voilà que j'étais à la merci de cet homme chuintant : Promettez chechi et chela, premier homme marié à New York avec un parapluie vert accroché au bras, pensée solennelle qui m'a finalement empêché d'éclater de rire, et la cérémonie a été finie, la bague au doigt d'Alberta, la mariée et le marié s'embrassant et recevant les félicitations de Brian et de Joyce jusqu'au moment où la porte s'est ouverte sur Byron. T'as mon parapluie, mec ? T'as fait ça pour moi ? Tu l'as gardé comme ça ? On va prendre un verre ? Fêter ça ?

Alberta m'a fait discrètement non de la tête.

J'ai dit à Byron que j'étais désolé. Nous allions voir des amis qui nous avaient préparé une fête.

T'es veinard d'avoir des potes, mec. Selma et mézigue on va se taper un sandouiche et aller au cinoche. Moi je veux bien. Tant qu'on est au cinoche elle l'ouvre pas, ha ha ha. Merci d'avoir fait gaffe à mon parapluie.

Sitôt Byron et Selma partis, j'ai dû me tenir à un mur tellement je riais. Alberta a voulu garder un peu de dignité en la circonstance mais elle a renoncé en voyant que Brian et Joyce se marraient aussi. J'ai essayé de leur expliquer comment la pensée du parapluie vert m'avait empêché de rire du chuintement mais plus je tentais de parler et moins j'en étais capable et on s'est retrouvés à se tenir les uns aux autres dans l'ascenseur puis à s'essuyer les yeux dehors, face au soleil d'août.

Une petite trotte nous a menés chez Diamond Dan O'Rourke où nous devions prendre un verre et manger un morceau avec des amis, Frank Schwake et sa femme, Jean, et Jim Collins et sa nouvelle femme, Sheila Malone. Devait suivre une fête au fin fond du Queens, donnée par Brian et Joyce qui allaient nous y emmener, Alberta et moi, dans leur Volkswagen.

Schwake m'a offert un verre. Collins l'a imité, puis Brian. Le tenancier y est allé de sa tournée et je lui ai offert un verre et laissé un gros pourboire. Il s'est marré et a déclaré que je devrais me marier tous les jours. J'ai offert un verre à Schwake, un à Collins, un à Brian, et chacun a tenu à me rendre la pareille. Joyce a chuchoté dans l'oreille de Brian et j'ai compris qu'elle s'inquiétait du rythme des tournées. Alberta m'a dit de lever le pied. Elle comprenait bien que c'était le jour de mon mariage mais il était tôt, et puis je devrais avoir un peu de respect pour elle et pour les invités à la réception prévue ensuite. Je lui ai fait remarquer que nous étions mariés depuis à peine cinq minutes et qu'elle était déjà à me dire ce qu'il fallait que je fasse. Bien sûr que j'avais du respect pour elle et les invités. C'était tout ce que j'avais jamais eu, du respect, et justement j'en avais marre, oui, marre d'en avoir. Je lui ai conseillé de ne pas insister et la tension est devenue telle que Collins et Brian sont intervenus. Brian a dit que c'était à lui de faire, que c'était à ça que servaient les témoins. Collins a dit qu'il me connaissait depuis plus longtemps que Brian mais Brian a coupé : Contrevérité flagrante. Je suis allé à l'université avec lui. Collins a dit qu'il ignorait ce fait. McCourt, comment ça se fait que tu ne m'aies jamais dit que tu avais été à l'université avec McPhillips ? J'ai répondu que je n'avais jamais éprouvé la nécessité de clamer avec qui j'étais allé à l'université, ce qui, pour une raison indéterminée, a fait marrer tout le monde, moi compris. Le tenancier a déclaré que c'était chouette de voir des gens heureux le jour de leur mariage et on a ri de plus belle en se rappelant le chuintement, c'était trop drôle, et le parapluie vert, ha ha, et Alberta me disant d'avoir du respect pour elle et les invités, ha ha ha. Bien sûr que j'avais du respect pour elle le jour de notre mariage, jusqu'au moment où, étant allé aux toilettes et m'y étant rappelé comment elle m'avait délaissé pour un autre homme, je me suis apprêté à sortir pour lui faire une scène quand j'ai glissé sur le sol visqueux des toilettes de chez Diamond Dan O'Rourke et me suis cogné la tête si fort contre l'urinoir que la douleur m'a fait oublier ma disgrâce passée. Alberta a voulu savoir pourquoi le dos de ma veste était tout mouillé, et quand je lui ai dit qu'il y avait une fuite dans les toilettes pour hommes elle ne m'a pas cru. Tu es tombé, c'est ça ? Non, je ne suis pas tombé, il y avait une fuite. Elle a refusé de me croire, m'a dit que je buvais trop et ça m'a tellement irrité que j'envisageais de me barrer et de me mettre à la colle avec une ballerine dans un loft de Greenwich Village quand Brian m'a dit : Oh, allez, ne fais pas le con, Alberta aussi s'est mariée aujourd'hui.

Avant d'aller dans le Queens, nous devions passer prendre un gâteau de mariage chez Schrafft, sur la 57e Rue Ouest. Joyce a déclaré qu'elle allait conduire car Brian et moi avions un peu forcé sur les toasts chez Diamond Dan tandis qu'Alberta et elle se réservaient pour la réception du soir. Elle a pilé en face de chez Schrafft et a dit non quand Brian a proposé d'aller chercher le gâteau, mais il a insisté et s'est lancé dans la circulation. Joyce a secoué la tête en disant qu'il allait se faire tuer. Alberta m'a dit d'aller aider Brian mais Joyce a de nouveau secoué la tête, disant cette fois que ça ne ferait qu'aggraver les choses. Brian est sorti de chez Schrafft en tenant une grosse boîte à gâteau contre sa poitrine et s'est relancé dans le flot des voitures, les esquivant jusqu'à la ligne médiane, quand l'effleurement d'un taxi lui a fait lâcher la boîte. Oh, bon Dieu, a soufflé Joyce en laissant tomber son front contre le volant, et je me suis alors entendu dire que j'allais aider mon témoin, Brian. Non, non, a fait Alberta, c'est moi qui vais y aller. Je lui ai dit que c'était à un homme de faire ça, qu'il n'était pas question qu'elle risque sa vie avec ces taxis roulant comme des dingues sur la 57e, et je suis allé aider Brian qui, accroupi, protégeait comme

315

il le pouvait le reste du gâteau des bagnoles filant à droite comme à gauche de lui. Je me suis agenouillé à son côté, j'ai saisi la boîte et déchiré un rabat avec lequel nous avons pelleté le gros du gâteau. Les figurines représentant les mariés avaient triste mine mais nous les avons débarbouillées puis replacées dans le gâteau, non pas au sommet car nous ne savions plus où celui-ci se trouvait, mais quelque part au milieu, non sans les enfoncer pour plus de sûreté. De la voiture, Joyce et Alberta hurlaient après nous, comme quoi nous avions intérêt à dégager la chaussée avant que n'arrive la police ou que nous ne nous fassions tuer, sans compter qu'elles en avaient marre d'attendre, autrement dit : Pouvait-on se magner un peu ? Dès notre retour dans la voiture, Joyce a vivement prié Brian de passer le gâteau à Alberta par souci de sécurité mais, pris d'un entêtement intempestif, celui-ci a dit non, après tout le malheur qu'il avait traversé, il allait le tenir jusqu'à notre arrivée chez eux, ce qu'il a fait nonobstant les traînées de crème et autres guirlandes jaunes et vertes constellant son costume avec une remarquable concentration sur l'entrejambe.

Les femmes nous ont traités avec froideur le reste du trajet, se parlant exclusivement l'une à l'autre et se livrant à force commentaires sur les Irlandais, comme quoi on ne pouvait leur confier une tâche aussi simple que la traversée d'une rue avec un gâteau de mariage, comme quoi ils ne pouvaient se contenter d'un ou deux verres jusqu'à la réception, oh, non, il leur fallait jacter et s'offrir des tournées jusqu'à se mettre dans un état tel que vous auriez renoncé à les envoyer chercher un litre de lait à l'épicerie.

Regardez-le ! a fait Joyce, et, voyant Brian somnoler, le menton sur la poitrine, moi-même me suis permis de piquer un peu du nez pendant que les femmes poursuivaient leurs lamentations sur les Irlandais en général, avec une certaine insistance sur ce jour en particulier, Alberta disant : On m'avait bien dit que les Irlandais sont très bien pour les sorties mais qu'il faut se garder d'en épouser un. J'aurais volontiers défendu ma race en lui disant que ses Yankees d'ancêtres n'avaient pas de quoi être fiers vu leur façon de traiter les Irlandais avec ces pancartes qui partout disaient : Ici on n'embauche pas d'Irlandais, sauf que j'éprouvais le contrecoup d'avoir été marié par un homme chuintant avec au bras le parapluie vert de Byron sans parler de la lourde responsabilité que j'avais dû supporter chez Diamond Dan O'Rourke en ma double qualité de marié et d'amphitryon. Si je n'avais été accablé de fatigue, j'aurais rappelé à Alberta comment ses ancêtres pendaient des femmes par-ci par-là pour faits de sorcellerie, qu'ils n'étaient qu'une bande d'esprits mal tournés, roulant les yeux de consternation et d'horreur à la moindre allusion d'ordre sexuel, mais godant entre les cuisses à l'écoute de pucelles puritaines et hystériques qui déposaient au tribunal que le Diable leur était apparu sous diverses formes, les avait lutinées dans les bois et les avait rendues si dévouées à Lui qu'elles en avaient jeté leur bonnet par-dessus les moulins. J'aurais enseigné à Alberta que les Irlandais n'avaient jamais eu pareil comportement. Dans toute l'histoire de l'Irlande, seule une sorcière avait été pendue, qui était probablement anglaise et le méritait sans doute. Enfin, histoire de bien lui river son clou, je lui aurais appris que la première sorcière à avoir été pendue en Nouvelle-Angleterre était irlandaise, et qu'on lui avait fait ça parce qu'elle n'avait de cesse de réciter ses prières en latin.

Au lieu de dire tout ça, je me suis endormi, jusqu'au moment où Alberta m'a secoué pour m'annoncer que nous étions arrivés. Joyce a tenu à ce que Brian lui confie le gâteau. Elle n'avait pas envie qu'il s'étale dans l'escalier et l'écrase complètement car elle avait encore espoir de le restaurer et de lui donner une apparence acceptable afin que les invités puissent chanter : Que la mariée coupe le gâteau !

Les invités sont arrivés, ont mangé, bu, dansé, et tous les couples, mariés ou non, se sont chamaillés. Frank Schwake a refusé d'adresser le moindre mot à sa femme, Jean. Jim Collins s'est querellé dans un coin avec la sienne, Sheila. Il y avait encore un froid entre Alberta et moi ainsi qu'entre Brian et Joyce. D'autres couples étaient affectés et il y avait des îlots de tension dans tout l'appartement. La soirée aurait été irrémédiablement gâchée si nous n'avions dû tous nous unir contre un danger extérieur.

Un ami d'Alberta, un Allemand prénommé Dietrich, était parti dans sa Volkswagen afin de renouveler le stock de bière. S'en revenant, il a eu maille à partir avec le propriétaire d'une Buick qu'il avait heurté en reculant inopinément. On m'a avisé du problème et j'ai jugé que ma qualité de marié m'intimait de le résoudre. L'homme à la Buick, un géant, était occupé à marteler le visage de l'ami d'Alberta. À l'instant où je tentais de m'interposer, il a lâché son grand direct. Son poing a frôlé ma nuque, s'est écrasé sur l'œil de Dietrich, et nous sommes tous tombés par terre. Nous avons lutté un moment, sans nous distinguer particulièrement, jusqu'au moment où Schwake, Collins et McPhillips sont parvenus à nous séparer, l'Allemand et moi, de l'homme à la Buick qui menaçait tout à fait sérieusement de désolidariser de son tronc la tête du malheureux Dietrich. Une fois que nous avons traîné celui-ci dans l'appartement, je me suis rendu compte que mon pantalon était déchiré à un genou, qui saignait d'abondance, puis je me suis aperçu que les phalanges de ma main droite avaient été complètement écorchées par le ciment.

Alberta s'est mise à pleurer, me disant que je gâchais toute la soirée.

Touché au vif, je lui ai lancé que j'avais juste voulu calmer les esprits et que ce n'était pas ma faute si un babouin m'avait assommé là-dehors. Non seulement ça, j'avais aidé son ami allemand et elle aurait dû m'en être reconnaissante.

La dispute aurait continué si Joyce n'avait fait irruption en appelant tout le monde à la table pour qu'on découpe le gâteau. Au moment où elle l'a découvert, Brian a éclaté de rire, l'a embrassée puis félicitée de son immense génie d'artiste, car on n'aurait jamais cru que ce gâteau avait été ramassé dans la rue peu de temps auparavant. Les figurines se sont révélées intactes, à cela près que la tête du petit marié a vacillé puis est tombée, ce qui m'a fait dire à Joyce : Bien embarrassé le marié qui porte une tête. Tout le monde a chanté : Que la mariée coupe le gâteau ! Que le marié coupe le gâteau ! Et Alberta a paru rassérénée même si nous n'avons pu couper en tranches nettes le gâteau et avons dû le servir par morceaux informes.

Joyce a dit qu'elle allait faire du café et Alberta a dit que ce serait chouette mais Brian, lui, a déclaré que nous devions porter encore un toast aux nouveaux mariés et j'en ai été d'accord et Alberta est devenue si furieuse qu'elle a arraché l'alliance de son doigt et l'a jetée par la fenêtre avant de se rappeler subitement qu'il s'agissait de l'alliance de sa grand-mère, datant du début du siècle, et maintenant elle était passée par la fenêtre, Dieu savait où dans le Queens, et qu'allait-elle faire, c'était tout ma faute, et quelle erreur n'avait-elle pas commise en se mariant avec moi ? Brian a déclaré qu'on allait devoir retrouver cette alliance. Nous ne disposions pas de lampe torche mais nous avons pu éclairer la nuit avec des allumettes et des briquets, et nous avons sillonné la pelouse sous la fenêtre de Brian jusqu'au moment où Dietrich a crié qu'il avait l'alliance, se faisant du même coup pardonner par tous d'avoir tout déclenché par son altercation avec le costaud à la Buick. Alberta n'a point voulu remettre l'alliance à son doigt. Elle allait la garder dans son sac à main jusqu'à ce qu'elle soit sûre de ce mariage. Elle et moi avons pris un taxi avec Jim Collins et Sheila. Ils allaient nous déposer chez nous à Brooklyn puis continuer vers Manhattan. Sheila ne parlait pas à Jim et Alberta ne me parlait pas mais, quand le chauffeur a tourné dans State Street, je l'ai empoignée et lui ai dit : Je m'en vais consommer ce mariage cette nuit.

Elle a dit : Oh, consommer, mon cul ! et j'ai dit : Ça ira.

Le taxi s'est arrêté et je me suis extrait de la banquette arrière que j'avais partagée avec Sheila et Alberta. Jim a quitté la place près du chauffeur pour me rejoindre sur le trottoir. Il voulait juste dire bonne nuit puis repartir avec Sheila, mais Alberta a claqué la portière et le taxi a filé.

Dieu Tout-Puissant ! s'est écrié Collins. C'est ta foutue nuit de noces, McCourt ! Où est ta femme ? Et la mienne ?

Nous avons grimpé les marches jusqu'à mon appartement, avons trouvé un pack de six Schlitz dans le réfrigérateur, nous nous sommes assis dans le canapé, lui et moi, et avons regardé des Indiens télévisés tomber sous les balles de John Wayne.

46

Au cours de l'été 1963, Maman a appelé pour dire qu'elle avait reçu une lettre de mon père. Il prétendait être un homme neuf, n'avoir pas bu une goutte en trois ans et travailler à présent comme cuisinier dans un monastère.

Je l'ai dit à ma mère : si mon père était cuisinier dans un monastère, les moines devaient observer un jeûne permanent.

Elle n'a pas ri, ce qui disait son trouble. Elle m'a lu le passage de la lettre où il annonçait son arrivée sur le *Queen Mary*, avec un billet de retour pour dans trois semaines, et déclarait attendre avec impatience le jour où nous serions à nouveau tous ensemble, elle et lui allant faire couche commune puis tombe commune car il le savait, et elle le savait, nul homme ne peut délier ce que Dieu a uni.

Elle semblait incertaine. Que devait-elle faire ? Malachy lui avait déjà dit : Pourquoi pas ? Elle voulait savoir ce que j'en pensais. Je lui ai renvoyé la question. Qu'est-ce que *toi* tu en penses ? C'était tout de même l'homme qui lui avait fait mener une vie d'enfer à New York et Limerick, et voilà qu'il voulait faire voile pour être à son côté, trouver un havre de sûreté dans Brooklyn.

Je ne sais pas quoi faire, a-t-elle répondu.

Elle ne savait que faire car elle se sentait seule dans cet appartement lugubre de Flatbush Avenue, et elle illustrait désormais ce dicton irlandais : Discorde vaut mieux que solitude. Elle pouvait accepter le retour de cet homme, ou alors, à cinquante-cinq ans, affronter seule les années à venir. Je lui dis que j'allais la retrouver devant un café chez Junior.

Elle y était avant moi, tirant malaisément sur une forte cigarette américaine. Non, elle n'avait pas envie de thé. Les Américains pouvaient envoyer un homme dans l'espace mais ils étaient incapables de faire une bonne tasse de vrai thé, alors elle allait prendre un café et un peu de ce chouette gâteau au fromage. Elle a fumé la cigarette à petites bouffées, a bu le café à petites gorgées, puis a soufflé : Que Dieu me damne si je sais quoi faire. Elle a dit que toute la famille se désagrégeait avec Malachy séparé de sa femme, Linda, et des deux petits, Michael parti en Californie avec sa femme, Donna, et leur enfant, Alphie évanoui dans le Bronx. Elle a ajouté qu'elle pouvait se faire une chouette vie à Brooklyn avec le bingo et les quelques réunions de l'Association des dames de Limerick à Manhattan, dès lors pourquoi devrait-elle laisser l'homme de Belfast chambouler cette vie ?

J'ai bu mon café et mangé mon strudel, sachant qu'elle n'admettrait jamais qu'elle se sentait seule, encore qu'elle se disait peut-être : Ah, pardi, si ce n'était la boisson, il ne serait pas difficile à vivre, pas du tout, du tout.

Je lui ai dit ce que je pensais. Ma foi, a-t-elle fait, il pourrait me tenir compagnie s'il ne buvait pas, si c'était un homme neuf. Nous pourrions nous promener dans Prospect Park et il pourrait me retrouver après le bingo.

Très bien. Dis-lui de venir pour les trois semaines, et on verra bien si c'est un homme neuf.

Sur le trajet de retour à son appartement, elle s'est souvent arrêtée pour presser sa main contre sa poitrine. C'est mon cœur qui s'emballe, oui, décidément.

Ce doit être les cigarettes.

Oh, ça, je ne sais pas.

Alors ce doit être la nervosité causée par cette lettre.

Oh, ça, je ne sais pas. Vraiment je ne sais pas.

Une fois à sa porte, j'ai embrassé sa joue froide et l'ai regardée qui montait l'escalier en soufflant. Mon père lui avait fait prendre encore quelques années.

Quand Maman et Malachy sont allés accueillir l'homme neuf sur le quai, il est arrivé tellement ivre qu'il a eu besoin d'aide pour débarquer. Le commissaire du bord leur a expliqué qu'il avait bu à s'en rendre dingue et qu'il avait fallu l'enfermer.

J'étais au loin ce jour-là et, dès mon retour, j'ai pris le métro pour aller le voir dans l'appartement de Maman mais il était parti avec Malachy à une réunion des Alcooliques Anonymes. Nous avons bu du thé et attendu. Elle a redit : Que Dieu me damne si je sais quoi faire. C'était toujours le même ivrogne extravagant et toutes ces déclarations comme quoi il était un homme neuf n'étaient que des mensonges, et elle était bien contente qu'il ait un billet de retour pour dans trois semaines. Mais une lueur sombre habitait ses yeux, qui me révélait qu'elle avait espéré la reformation d'une famille normale, son homme à son côté et ses fils et petits-enfants venant la voir de tout New York.

Ils sont revenus de la réunion, Malachy avec sa large carrure et sa

321

barbe rousse, sobre à la suite de certains problèmes, mon père vieilli et comme rapetissé. Malachy a pris du thé. Mon père a fait : *Och*, non, puis s'est étendu sur le canapé, les mains croisées sous la tête. Malachy a laissé son thé pour se tenir devant lui et le sermonner. Tu dois admettre que tu es un alcoolique. C'est la première étape.

Papa a secoué la tête.

Pourquoi secoues-tu la tête ? Tu es un alcoolique et tu dois l'admettre.

Och, non. Je ne suis pas un alcoolique comme ces pauvres gens qui étaient à la réunion. Je ne bois pas du kérosène.

Malachy a levé les bras au ciel et est retourné finir son thé. On ne savait que se dire en présence de cet homme sur le canapé, ce mari, ce père. J'avais mes souvenirs de lui, les matins près du feu, à Limerick, ses histoires et ses chansons, sa propreté, sa simplicité et son sens de l'ordre, la façon dont il nous aidait pour nos exercices, son insistance sur l'obéissance et l'attention à nos devoirs religieux, tout cela anéanti par la folie s'emparant de lui les jours de paie quand il dilapidait l'argent dans les pubs en offrant des pintes à chaque profiteur tandis que ma mère se morfondait près du feu, sachant que le lendemain elle aurait à tendre la main pour demander la charité.

J'ai compris au cours des jours suivants que si la voix du sang existait j'allais dériver du côté paternel de la famille. À Limerick, les proches de ma mère avaient souvent dit que j'avais le drôle de genre de mon père et une nette empreinte du Nord dans ma personnalité. Sans doute avaient-ils raison car chaque fois que j'allais à Belfast je m'y sentais chez moi.

La veille au soir de son départ, il a demandé si nous aimerions faire une promenade à pied. Maman et Malachy ont dit non, ils étaient fatigués. Ils avaient passé avec lui plus de temps que moi et devaient être lassés de ses entourloupes. J'ai dit oui parce que c'était mon père et que j'étais un homme de trente-trois ans qui avait l'impression d'en avoir neuf.

Il a mis sa casquette et nous avons monté Flatbush Avenue. *Och*, a-t-il fait, c'est une bien chaude soirée.

En effet.

Bien chaude, vraiment. On risquerait de se déshydrater par une soirée pareille.

Devant nous, la gare du Long Island Railroad, entourée de bars pour les voyageurs assoiffés. Je lui ai demandé s'il se souvenait des bars.

Och, pourquoi est-ce que je devrais me souvenir d'endroits pareils ?

Parce que tu y buvais et qu'on t'y cherchait.

Och, ma foi, j'ai peut-être bien travaillé dans un ou deux quand les temps étaient durs, histoire de rapporter à la maison du pain et de la viande pour les mioches que vous étiez alors.

Il a fait encore une remarque sur la chaleur de la nuit, ajoutant que ça ne nous ferait sûrement aucun mal de nous rafraîchir dans un de ces endroits.

Je croyais que tu ne buvais pas.

C'est exact. J'ai mis les pouces.

Ma foi, et sur le bateau ? Tu as dû être soutenu pour débarquer.

Och, c'était le mal de mer. On va aller ici prendre la fraîcheur.

Devant nos bières, il m'a dit que ma mère était une chouette femme et que je devrais être bon à son égard, que Malachy était un chouette gaillard, encore qu'on peinait à le reconnaître avec cette barbe rousse – et d'où venait-elle au fait ? – qu'il avait été navré d'apprendre que j'avais épousé une protestante, encore qu'il n'était pas trop tard pour qu'elle se convertisse, cette gentille fille, qu'il avait été heureux d'apprendre que j'étais professeur comme toutes ses sœurs dans le Nord, et y aurait-il quelque mal à ce qu'on prenne une autre bière ?

Non, il n'y aurait aucun mal à cela, et il en a été de même pour les bières que nous avons pris dans divers lieux de Flatbush Avenue, et de retour devant l'immeuble de ma mère je l'ai laissé à la porte car je n'avais pas envie de voir les expressions réprobatrices de Maman et de Malachy qui m'auraient accusé de détourner mon père du droit chemin ou de m'en laisser détourner par lui. Il a voulu pousser la goguette vers Grand Army Plaza, mais un sentiment de culpabilité m'a fait dire non. Il était censé partir le lendemain sur le *Queen Mary* même si, comme il me l'a confié, il espérait que ma mère dise : Ah, reste. On va bien sûrement trouver un moyen de s'entendre.

J'ai dit que ce serait formidable, et il a dit que nous serions à nouveau tous ensemble et que les choses iraient mieux car il était un homme neuf. Nous avons échangé une poignée de main et je suis parti.

Le lendemain matin, Maman a appelé pour dire : Il est devenu complètement fou, ah ça oui.

Qu'est-ce qu'il a fait ?

Tu l'as ramené à la maison soûl comme une grive.

Il n'était pas soûl. Il a juste bu quelques bières.

Il a bu plus que ça et moi j'étais toute seule ici car Malachy était rentré à Manhattan. Une bouteille de whisky qu'il a bu, ton père, qu'il avait apportée du bateau, et j'ai dû appeler les flics et il est parti avec armes et bagages pour s'en aller aujourd'hui sur le *Queen Mary* car j'ai appelé Cunard et ils m'ont dit que, oh oui, ils l'avaient à bord et ils allaient le surveiller de près pour prévenir les accès d'extravagance qu'il avait déjà à l'aller.

Qu'est-ce qu'il a fait ?

Elle n'a pas voulu me le dire et point n'était besoin car c'était facile à deviner. Il avait probablement essayé d'aller au lit avec elle et ça n'entrait pas dans le rêve qu'elle avait. Elle a insinué, d'abord vaguement puis avec insistance, que si je n'étais pas allé passer des heures avec lui dans les tavernes il aurait eu un bon comportement et ne serait pas en ce moment au large des côtes sur le *Queen Mary*. Je lui ai dit que son ivrognerie n'était pas de mon fait, mais elle ne m'a pas lâché comme ça. Hier soir a fait déborder le vase, dit-elle, et tu as poussé à la roue.

47

Pour les professeurs, le vendredi est un jour faste. Vous quittez le lycée avec une serviette remplie de copies à corriger, de livres à lire. Ce week-end, vous allez sûrement venir à bout de tous ces paquets de copies à noter. Vous n'avez pas envie d'imiter Miss Mudd, les laisser s'empiler dans les armoires pour que, dans quelques décennies, un jeune professeur s'en empare afin d'occuper ses classes. Vous allez les emporter à la maison, vous servir un verre de vin, empiler Duke Ellington, Sonny Rollins et Hector Berlioz sur l'électrophone et tenter de lire cent cinquante rédactions. Vous savez que certains élèves sont indifférents à ce que vous faites de leur travail du moment que vous leur donnez une note suffisante pour leur permettre de passer et de se colleter avec la vraie vie dans leurs ateliers ou boutiques. D'autres s'imaginent écrivains et veulent qu'on leur rende leurs devoirs corrigés et bien notés. Les Roméo de la classe apprécieraient que vous lisiez et commentiez leurs devoirs à voix haute afin de pouvoir se chauffer aux regards admiratifs des filles. Les indifférents s'intéressent parfois aux mêmes filles et des menaces verbales passent de pupitre en pupitre car les indifférents sont faibles en expression écrite. Si un garçon est bon écrivain, vous devez prendre garde à ne pas le louer excessivement vu le risque d'accident dans les escaliers. Les indifférents détestent les élèves modèles.

Vous comptez aller droit à la maison avec votre serviette mais alors vous découvrez que, pour l'enseignant, vendredi après-midi est synonyme de bière et de récréation. Il arrive qu'un professeur s'aventure à dire qu'il doit retrouver sa femme à la maison, jusqu'au moment où il voit Bob Bogard planté près de la pointeuse à nous rappeler les choses premières, que le Meurot Bar est à quelques foulées d'ici, juste à côté en vérité, et quel mal y aurait-il à prendre une bière, juste une ? Bob est célibataire et, en tant que tel, peu à même de comprendre le danger encouru par un homme susceptible d'aller au-delà de l'unique bière, à savoir affronter le courroux d'une épouse ayant préparé un beau poisson du vendredi et maintenant assise dans la cuisine en train d'observer la sauce qui se fige.

On est au Meurot Bar et on commande nos bières. On échange des potins de profs. Dès qu'il est question d'une collègue bien fichue, ou même de lycéennes nubiles, on roule les yeux. Ah, qu'est-ce qu'on ne ferait pas si on était des lycéens de maintenant ! Le langage se durcit dès qu'on parle de garçons chahuteurs. Un mot de plus de ce foutu gamin et il va supplier d'être réorienté. Nous faisons front dans notre hostilité à l'autorité, tous ces gens qui émergent de leurs bureaux pour nous surveiller et nous dire que faire et comment le faire, les mêmes passent aussi peu de temps que possible dans la salle de classe et ne savent pas distinguer leur cul de leur coude en matière d'enseignement.

Un jeune professeur peut débarquer, tout juste diplômé de l'université, fraîchement licencié. Le ronron des mandarins et les bavardages des cafétérias universitaires résonnent encore dans ses oreilles, et s'il veut discuter de Camus, de Sartre et de la primauté de l'existence sur l'essence ou vice versa il sera réduit à soliloquer avec son reflet dans le miroir du Meurot.

Aucun de nous n'a suivi la grande voie américaine, l'école primaire, le lycée, l'université, puis, à vingt-deux ans, l'enseignement. Bob Bogard a fait la guerre en Allemagne et en a probablement ramené une blessure. Il ne vous en parlera pas. Claude Campbell a servi dans la Navy, est diplômé de l'université du Tennessee, a publié un roman à vingt-sept ans, enseigne l'anglais, a eu six enfants avec sa deuxième femme, a décroché un doctorat au Brooklyn College avec une thèse, *Tendances idéationnelles dans le roman américain*, bricole tout dans sa maison, électricité, plomberie, charpente. Je le regarde et songe aux vers de Goldsmith[1] sur le maître d'école de village : *Et partout on s'étonnait / De ce qu'une seule petite tête pût contenir tout ce qu'il savait*. Et Claude n'a même pas atteint l'âge du Christ lors de sa crucifixion, trente-trois ans.

Quand Stanley Garber déboule pour boire un Coca, il nous raconte qu'il a souvent l'impression d'avoir fait fausse route en ne se lançant pas dans l'enseignement universitaire où on se fait son gentil bonhomme de chemin en pensant qu'on chie des choux à la crème et en souffrant si on doit enseigner plus de trois heures par semaine. Il dit qu'il aurait pu torcher un mémoire à la con sur la fricative bilabiale dans les œuvres médianes de Thomas Chatterton qui mourut à dix-sept ans car c'est ce genre de truc bidon qui a cours dans les universités

---

1. Oliver Goldsmith, écrivain anglais né en Irlande (1728-1774), auteur du *Vicaire de Wakefield*. *(N.d.T.)*

tandis que le bas de casse, nous autres, tient la ligne de front avec des gamins qui ne sortent pas la tête de leur entrecuisse et des directeurs se contentant de garder la leur dans leur cul.

Cela va barder à Brooklyn ce soir. Je suis supposé dîner avec Alberta dans un restaurant arabe, le Proche-Orient, apportez votre propre vin, mais il est six heures, bientôt sept, et si j'appelle maintenant elle va se plaindre d'attendre depuis déjà des heures, me sortir que je ne suis qu'un pochetron irlandais comme mon père et qu'elle se fiche pas mal que je reste à Staten Island le reste de ma vie, adieu.

Je m'abstiens donc d'appeler. C'est préférable. Inutile d'avoir deux engueulades, l'une maintenant au téléphone, l'autre quand je rentrerai à la maison. Il est plus simple de rester dans le bar où il y a de l'ambiance et d'importantes discussions.

Nous tombons d'accord sur le fait que les professeurs sont pris entre trois feux, les parents, les gamins, les directeurs, et qu'il faut soit être diplomate soit leur dire à tous de vous baiser le cul. L'enseignement est l'unique métier où on doit réagir à une sonnerie tous les trois quarts d'heure et s'apprêter au combat. Très bien, la classe, asseyez-vous. Oui, toi, assieds-toi. Ouvrez vos cahiers, tout à fait, vos cahiers, est-ce que je parle une langue étrangère, gamin ? Ne pas te traiter de gamin ? C'est bon, je ne te traiterai pas de gamin. Allez, on s'assied. Les bulletins ne sont pas loin et je peux facilement vous expédier à l'aide sociale. Très bien, faites venir votre père, faites venir votre mère, faites venir votre foutue tribu au complet. Pas de stylo, Pete ? C'est bon, voici un stylo. Adieu, stylo. Non, Phyllis, tu ne peux pas avoir le passe. Il m'est égal que tu aies cent fois tes règles, Phyllis, car en réalité tu ne veux que retrouver Eddie et disparaître au sous-sol où ton avenir pourra être déterminé par un doux baisser de culotte et une vive poussée du membre impatient d'Eddie, début d'une petite aventure de neuf mois qui se terminera par toi couinant à Eddie qu'il ferait bien de t'épouser, lui avec le canon de fusil braqué vers sa région frontale inférieure et ses rêves partis en fumée. C'est ainsi que je te sauve, Phyllis, toi et Eddie, et, non, tu n'as pas à me remercier.

Le long du comptoir se disent des choses qu'on n'entendra jamais dans la salle de classe, à moins qu'un prof ne perde entièrement la boule. Vous savez qu'il est hors de question de refuser le passe des toilettes à une Phyllis menstruée de peur d'être traîné devant la plus haute cour du pays où les robes noires, uniquement des hommes, vous feront écorcher vif pour avoir outragé Phyllis et les futures mères de l'Amérique.

Le long du comptoir se disent des choses sur certains professeurs compétents et nous tombons d'accord sur le fait que nous ne les aimons pas, eux et la façon dont leurs cours sont tellement organisés qu'ils fredonnent d'une sonnerie à l'autre. Dans ces classes sont choisis des responsables chargés d'aider au bon déroulement du cours, pour chaque activité, chaque partie de la leçon. Il y a le responsable qui va immédiatement inscrire au tableau le numéro et le titre de la leçon du jour, *Leçon n° 32, Stratégies d'Approche du Participe Ballant.* Les professeurs compétents sont réputés pour leurs stratégies, le nouveau mot faisant fureur au ministère de l'Éducation.

Le professeur compétent a des règles en ce qui concerne la prise de notes et l'organisation du cahier, et des responsables chargés des cahiers arpentent la salle de classe pour vérifier la bonne tenue de ceux-ci, le haut de la page comprenant nom de l'élève, matière principale, intitulé du cours et date avec le mois en toutes lettres, et non en chiffres, afin que l'élève s'accoutume à écrire en toutes lettres car il est trop de gens en ce monde où nous vivons, dans les affaires et autres, qui sont trop paresseux pour écrire les mois en toutes lettres. Il y a des marges à respecter et aucun gribouillis n'est toléré. Si le cahier ne satisfait pas au règlement, le responsable portera un blâme sur le livret de l'élève, et à la remise des bulletins il y aura de la souffrance et point d'indulgence.

Les responsables des devoirs à la maison ramassent et rendent les copies, les responsables chargés de l'assiduité ont la main sur les petites fiches dans le registre des présences et ils ramassent les mots d'excuse pour absences et retards. Manquer de soumettre des excuses écrites mène à d'autres souffrances que ne vient soulager aucune indulgence.

Certains élèves sont connus pour leur habileté à rédiger des mots d'excuse de parents et de médecins, ce qu'ils font en échange de faveurs dans la cafétéria ou dans les fins fonds du sous-sol.

Les responsables qui emportent au sous-sol les brosses pour en ôter la couche de craie doivent promettre au préalable qu'ils ne se chargent pas de cette importante besogne pour cloper en douce ou batifoler avec le garçon ou la fille de leur choix. Le proviseur se plaint déjà de trop de remue-ménage au sous-sol, et il aimerait savoir ce qu'il peut bien s'y passer.

Il y a des responsables qui distribuent les livres et récupèrent les reçus, des responsables qui tendent le passe des toilettes et la feuille d'entrée et de sortie, des responsables qui mettent tout en ordre alphabétique dans la classe, des responsables qui transportent la corbeille à papier dans les travées pour lutter contre la saleté, des responsables qui décorent la salle, lui conférant une atmosphère si gaie et accueillante que le proviseur la montre à des visiteurs du Japon et du Lichtenstein.

Le professeur compétent est le responsable des responsables, encore qu'il puisse bien alléger sa charge de responsable en nommant des responsables devant répondre des autres responsables, à moins qu'il ne dispose déjà de responsables modérateurs qui doivent tenter d'éteindre les conflits entre responsables s'accusant mutuellement d'empiéter sur leur domaine respectif. Le modérateur occupe la fonction la plus périlleuse de toutes, étant donné ce qui peut arriver dans les escaliers ou dans la rue.

Un élève pris à tenter de corrompre un responsable est immédiatement signalé au proviseur, lequel portera sur le bulletin du fautif une observation qui noircira sa réputation. Les autres élèves sont ainsi avertis qu'une tache semblable peut constituer une entrave à une carrière, que ce soit dans la tôlerie, la plomberie, la mécanique automobile ou autre.

Stanley Garber dit en reniflant qu'avec toutes ces compétences qui se donnent libre cours, il reste peu de temps pour l'instruction, mais qu'est-ce que ça peut foutre, les élèves sont à leurs places, bien sages et complètement responsabilisés, et ça plaît au professeur, au directeur de département, au proviseur et à ses adjoints, au recteur, au ministère de l'Éducation, au maire, au gouverneur, au président et à Dieu en personne.

Ainsi parle Stanley.

Si un professeur d'université fait un cours sur *La Foire aux vanités* [1] ou sur quoi que ce soit d'autre, ses étudiants sont tout ouïe, le cahier ouvert et le stylo suspendu. S'ils détestent le roman, ils n'oseront se plaindre de crainte de voir baisser leurs notes.

Quand j'ai distribué *La Foire aux vanités* à ma classe de première du lycée d'enseignement professionnel et technique McKee, des gémissements ont empli la salle. Pourquoi est-ce qu'on doit lire ce bouquin stupide ? Je leur ai expliqué que ça parlait de deux jeunes femmes, Becky et Amelia, et de leurs aventures avec les hommes, mais mes élèves ont dit que c'était écrit dans ce vieil anglais, vous savez, et qui donc pouvait lire ça ? Eh bien, quatre filles, qui ont dit que c'était beau et qu'on devrait en faire un film. Les garçons ont fait semblant de bâiller et m'ont dit que les professeurs d'anglais étaient tous les mêmes. Ils tenaient absolument à vous faire lire ces vieilleries, et en quoi ça vous aidait quand vous deviez réparer une voiture ou un climatiseur en panne, hein ?

Je pouvais les menacer d'un échec en fin d'année. S'ils refusaient de lire ce livre, ils seraient recalés, n'auraient pas leur diplôme, et

---

1. Roman de l'écrivain anglais William Thackeray (1811-1863). *[N.d.T.]*

chacun savait que les filles ne voulaient pas sortir avec quelqu'un n'ayant pas son brevet d'études secondaires.

Durant trois semaines, nous avons piétiné dans *La Foire aux vanités*. Chaque jour, j'essayais de les motiver et de les encourager, de les amener à débattre de ce que c'était de se frayer un chemin dans le monde quand on était une jeune femme du XIXe siècle, mais ça leur était égal. L'un d'eux a inscrit au tableau : Que Crève Becky Sharp.

Puis, comme l'imposait le programme, nous avons dû nous pencher sur *La Lettre écarlate*[1]. Voilà qui serait plus facile. J'allais évoquer la chasse aux sorcières en Nouvelle-Angleterre, les accusations, l'hystérie, les pendaisons. J'allais parler de l'Allemagne des années trente, raconter comment toute une nation avait subi un lavage de cerveau.

Il n'en irait pas ainsi avec mes élèves. Eux ne se feraient jamais laver le cerveau. Non monsieur, jamais ce genre de chose ne se passerait ici. Jamais on ne nous ferait marcher comme ça.

Je leur ai entonné : *Les Winston ont bon goût comme...* et ils ont complété la phrase.

J'ai chantonné : *Ma bière est Rheingold la bière dry...* et ils ont complété le slogan.

J'ai à nouveau chantonné : *Vous vous demandez où est passé le jaune quand...* et ils ont fini le couplet.

Je leur ai demandé s'ils en connaissaient d'autres et il y a eu une éruption de slogans radiophoniques et télévisuels, preuve du pouvoir de la publicité. Quand je leur ai dit qu'ils s'étaient bel et bien fait laver le cerveau, ils se sont indignés. Oh, non, ils ne s'étaient pas fait laver le cerveau. Ils pouvaient penser par eux-mêmes, et personne n'allait leur dire ce qu'ils devaient faire. Ils ont nié qu'ils se voyaient imposer quelle cigarette fumer, quelle bière boire, quelle pâte dentifrice employer, même s'ils ont reconnu que, une fois dans le supermarché, on achète la marque qu'on a en tête. Non, on n'achèterait jamais une cigarette de marque *Navet*.

Ouais, ils avaient entendu parler du sénateur McCarthy et de tout ça, mais ils étaient trop jeunes et leurs père et mère disaient que c'était un fortiche pour ce qui était de se débarrasser des communistes.

Jour après jour, j'ai bataillé afin d'établir des rapprochements entre Hitler, McCarthy et la chasse aux sorcières en Nouvelle-Angleterre, en vue de les amadouer pour *La Lettre écarlate*. Il y a eu des appels de parents indignés. Quel est ce type qui cause du sénateur McCarthy à nos gosses ? Dites-lui d'arrêter son cirque. Le sénateur McCarthy était un mec bien, qui s'était battu pour son pays. Joe le flingueur. S'est débarrassé des communistes.

---

1. Roman de l'écrivain américain Nathaniel Hawthorne (1804-1864). *[N.d.T.]*

Mr Sorola a dit qu'il ne souhaitait pas intervenir, mais serais-je assez aimable de l'éclairer sur un point : enseignais-je l'anglais ou enseignais-je l'histoire ? Je lui ai raconté mes problèmes pour faire lire quoi que ce soit aux gamins. Il a déclaré que je ne devais pas les écouter. Dites-leur simplement ceci : Vous allez lire *La Lettre écarlate* que vous le vouliez ou non car ici on est au lycée et c'est ce qu'on y fait, et voilà, et si ça ne te plaît pas, gamin, tu seras recalé.

Ils se sont plaints quand j'ai distribué le livre. Voilà que ça recommence avec les vieilleries. On pensait que vous étiez un chic type, Mr McCourt. On pensait que vous étiez différent.

Je leur ai dit que ce livre était sur une jeune femme de Boston qui s'était mise dans le pétrin en ayant un bébé avec un homme qui n'était pas son mari, homme dont je ne pouvais cependant révéler l'identité sous peine de leur gâcher l'intrigue. Ils ont dit qu'ils se moquaient bien de qui était le père. Un garçon a déclaré que, de toute façon, on ne savait jamais qui était son père car un ami à lui avait découvert que son père n'était pas du tout son père, que son vrai père avait été tué en Corée, mais bon, le prétendu père était celui avec lequel il avait grandi, un mec sympa, alors qui pouvait en avoir quelque chose à foutre de cette femme de Boston ?

La majorité des élèves ont approuvé cette sortie, encore qu'ils n'auraient pas voulu se réveiller un matin pour apprendre tout à trac que leur père n'était pas leur vrai père. Certains auraient bien aimé avoir un autre père, le leur étant tellement méchant qu'il les faisait aller à l'école pour lire des bouquins stupides.

Mais ce n'est pas ce que raconte *La Lettre écarlate* ! me suis-je récrié.

Allez, Mr McCourt, est-ce qu'on doit vraiment parler de ces vieilleries ? Ce mec, Hawthorne, il ne sait même pas écrire de façon qu'on comprenne alors que vous êtes toujours à nous dire : Écrivez simple, écrivez simple. Pourquoi est-ce qu'on ne peut pas lire le *Daily News* ? En voilà qui sont bons écrivains. Ils écrivent simple.

À cet instant je me suis souvenu que j'étais fauché et c'est ce qui a conduit à *L'Attrape-Cœur*[1], aux *Cinq Grandes Pièces de Shakespeare*, et a amené un grand changement dans ma carrière d'enseignant. J'avais quarante-huit cents pour le ferry et le métro, point d'argent pour déjeuner, pas même pour une tasse de café sur le ferry, et soudain j'ai lâché à la classe : Si vous avez envie de lire un bon livre sans grands mots ni longues phrases et entièrement sur un garçon de votre âge qui en veut au monde entier, je vous le trouverai mais vous devrez l'acheter, un dollar vingt-cinq pour chacun, que vous pourrez payer petit à petit

---

1. Roman de l'écrivain américain Jerome David Salinger, paru en 1951. *(N.d.T.)*

à partir de maintenant, alors si vous avez cinq cents ou dix, ou plus, faites passer s'il vous plaît et je vais inscrire votre nom et le montant sur un papier et je commanderai les livres aujourd'hui même à la Coleman Book Company de Yonkers, et comment mes élèves se seraient-ils doutés que j'allais ainsi avoir une pleine poche de monnaie pour un déjeuner au Meurot Bar tout à côté, peut-être même accompagné d'une bière, puisque, de crainte de les choquer, je ne le leur ai jamais raconté ?

La petite monnaie a afflué et, quand je suis allé appeler le comptoir de librairie, j'ai économisé dix cents en utilisant le téléphone du proviseur adjoint car c'était une pratique illicite de faire acheter des bouquins aux élèves quand la réserve de livres débordait d'exemplaires de *Silas Marner* et de *Géants dans la terre*.

L'Attrape-Cœur est arrivé deux jours plus tard et j'en ai donné un à chacun, qu'il l'ait payé ou non. Certains élèves n'ont jamais proposé un cent, d'autres ont donné moins que leur part, mais l'argent collecté m'a permis de tenir jusqu'au jour de paie et d'ainsi être en mesure de régler le comptoir de librairie.

J'avais à peine fini de distribuer les livres quand un élève a découvert le mot *saloperie* dans la première page, ce qui a fait taire la classe. C'était là un mot qu'on n'aurait jamais trouvé dans aucun livre de la réserve. Les filles ont couvert leur bouche pour mieux pouffer et les garçons ont gloussé au vu des pages choquantes. La sonnerie n'a occasionné nulle galopade vers la porte. J'ai dû les prier de partir, une autre classe attendait.

La classe entrante a été intriguée par la classe sortante. Pourquoi donc avaient-ils tous les yeux collés à ce bouquin, et s'il était si bien que ça pourquoi ne pouvaient-ils le lire ? Je leur ai rappelé qu'ils étaient des grands, en terminale, et que c'était une classe de première qui sortait. Ouais, mais pourquoi ne pouvaient-ils lire ce petit livre au lieu de ces *Grandes Espérances* ? Je leur ai répondu qu'ils le pouvaient mais à condition de l'acheter, et ils ont affirmé qu'ils paieraient n'importe quel prix pour ne pas lire *Les Grandes Espérances*, n'importe quel prix.

Le lendemain, Mr Sorola est venu dans la classe avec son adjointe, Miss Seested. Ils sont allés d'un pupitre à l'autre, raflant les exemplaires de *L'Attrape-Cœur* et les faisant tomber dans deux sacs à provisions. Si le livre n'était pas sur le pupitre, ils demandaient à l'élève de le sortir de son cartable. Ils ont compté les livres dans les sacs à provisions, comparé leur nombre à celui des présents, puis menacé de gros ennuis les quatre élèves qui n'avaient pas donné le leur. Levez la main, les quatre qui ont encore le livre. Aucune main ne s'est levée et, sur le chemin de la sortie, Mr Sorola m'a avisé de venir le voir dans son bureau juste après le cours, pas une minute plus tard.

Des ennuis, Mr McCourt ?

Mr McCourt, c'est le seul bouquin que j'aie jamais lu, et voilà que cet homme me l'a pris !

Ils se sont plaints de la perte de leur livre et m'ont dit que si j'avais des ennuis ils se mettraient en grève et ça donnerait une leçon au lycée. Et que je te file un coup de coude et que je te fais un clin d'œil tout en sachant que je savais que cette histoire de grève n'était jamais qu'un autre prétexte pour sécher les cours et qu'ils ne se souciaient guère de moi.

Assis derrière son bureau, la cigarette au bec, Mr Sorola lisait *L'Attrape-Cœur*. Il m'a laissé attendre le temps de tourner la page, a secoué la tête, a posé le livre.

Mr McCourt, ce livre n'est pas au programme.

Je sais, Mr Sorola.

Vous savez que j'ai eu des appels de dix-sept parents et savez-vous pourquoi ?

Ils n'aimaient pas le livre ?

Tout juste, Mr McCourt. Il s'y trouve une scène où le gosse est dans une chambre d'hôtel avec une prostituée.

Oui, mais il ne se passe rien.

Ce n'est pas l'avis des parents. Vous allez me dire que ce gosse était dans cette chambre pour faire des vocalises ? Les parents ne veulent pas que leurs gamins lisent ce genre de saletés.

Il m'a enjoint de prendre garde, ajoutant que je compromettais toute appréciation positive sur le rapport annuel, et nous ne voudrions pas ça, le voudrions-nous ? Il allait devoir insérer une note dans mon dossier comme trace de notre entretien. S'il n'y avait plus d'incidents dans un futur proche, la note serait ôtée.

Mr McCourt, qu'est-ce qu'on va lire maintenant ?

La Lettre écarlate. Nous en avons des tonnes dans la réserve.

Les visages se sont allongés. Ouah, bon Dieu, non ! Tous ceux des autres classes nous ont dit que c'était encore une de ces vieilleries.

Très bien, ai-je dit plaisamment. Nous lirons donc Shakespeare.

Les visages se sont encore allongés, la salle a résonné de gémissements et de sifflets. Mr McCourt, ma sœur est allée à l'université pendant une année, et elle a laissé tomber parce qu'elle n'arrivait pas à lire Shakespeare alors qu'elle parle italien et tout et tout.

Je l'ai répété : Shakespeare. Une vague d'effroi a parcouru la salle et moi-même me suis senti comme attiré au bord d'une falaise par une pesante interrogation dans ma tête : Comment peux-tu aller de Salinger à Shakespeare ?

Doctoral, j'ai déclaré à la classe : C'est Shakespeare ou *La Lettre écarlate*, les rois et les amants ou une femme ayant un bébé à Boston. Si nous lisons Shakespeare, nous jouerons les pièces. Si nous lisons *La Lettre écarlate*, nous resterons assis à débattre du sens profond et je vous ferai passer le contrôle costaud qu'ils gardent dans le bureau du département.

Oh, non, pas le sens profond ! Les profs d'anglais sont toujours à nous bassiner avec le sens profond !

Très bien. C'est donc Shakespeare, pas de sens profond et pas de contrôle sauf si vous y tenez. Bien. Écrivez votre nom sur cette feuille, le montant que vous versez, et nous commanderons le livre.

Ils ont fait passer leur petite monnaie. Ils ont gémi en feuilletant le livre, *Cinq Grandes Pièces de Shakespeare*. Mec, je peux pas le lire, ce vieil anglais.

J'aurais aimé parvenir à dominer mes classes comme les autres professeurs, leur imposer l'anglais classique et la littérature américaine. J'ai failli. J'ai flanché, j'ai pris la voie facile avec *L'Attrape-Cœur*, puis, une fois celui-ci confisqué, j'ai louvoyé et dansé des pointes jusqu'à Shakespeare. Nous allions lire les pièces, nous en donner à cœur joie, et pourquoi pas ? N'était-il pas le meilleur ?

N'empêche, mes élèves ont continué de se lamenter jusqu'au moment où l'un d'eux s'est exclamé : Ben merde alors ! Excusez le langage, Mr McCourt, mais il y a un mec qui est là à dire : *Amis, Romains, concitoyens, prêtez-moi vos oreilles !*

Où ça ? Où ça ? La classe a voulu savoir le numéro de la page, et bientôt, dans toute la salle, des garçons ont déclamé la tirade de Marc Antoine avec force rires et mouvements de bras.

Un autre a découvert le monologue de Hamlet, *Être ou ne pas être*, et la salle s'est peuplée de Hamlets en pleine divagation.

Les filles ont alors levé la main. Mr McCourt, les garçons ont toutes ces grandes tirades et il n'y a rien pour nous.

Voyons, les filles, voyons, il y a Juliette, Lady Macbeth, Ophélie, Gertrude.

Nous avons passé deux jours à choisir de beaux morceaux des cinq pièces, *Roméo et Juliette*, *Jules César*, *Macbeth*, *Hamlet*, *Henry IV*, première partie.

Mes élèves ont mené le jeu et, faute d'alternative, j'ai suivi. Des remarques ont fusé dans les couloirs, jusque dans la cafétéria des élèves.

Eh, c'est quoi, ça ?

C'est un bouquin, mec.

Ah, ouais ? Et quel bouquin ?

Shakespeare. On lit Shakespeare.

Shakespeare ? Arrête tes conneries, mec, vous lisez pas Shakespeare.

Quand les filles ont désiré jouer *Roméo et Juliette*, les garçons ont poussé des bâillements et fait les complaisants. Un truc romantique bien gnangnan, à coup sûr, jusqu'à la scène du duel où Mercutio meurt avec classe, dépeignant sa blessure au monde :

Elle n'est pas aussi profonde qu'un puits, ni aussi large qu'une porte d'église / Mais elle suffit, elle servira.

Être ou ne pas être était le passage que chacun apprenait par cœur, mais quand ils le récitaient il fallait leur rappeler qu'il s'agissait d'une méditation sur le suicide et non d'un appel aux armes.

Ah ouais ?

Ouais.

Les filles ont voulu savoir pourquoi tout le monde daubait sur Ophélie, surtout Laërte, Polonius et Hamlet. Pourquoi est-ce qu'elle ne ripostait pas ? Elles avaient des sœurs comme ça, mariées à des salauds de fils de pute, excusez le langage, et on n'aurait pas pu croire ce qu'elles enduraient.

Une main s'est levée. Pourquoi Ophélie s'est pas barrée en Amérique ?

Une autre main. Parce qu'il n'y avait pas d'Amérique en ce temps-là. Il fallait encore la découvrir.

De quoi tu causes, là ? Il y a toujours eu une Amérique. Où que tu crois qu'ils vivaient, les Indiens ?

Je leur ai signalé que ce point méritait d'être éclairci, et les mains antagonistes sont convenues d'aller à la bibliothèque et de rapporter la conclusion le jour suivant.

Une main : Il y avait une Amérique au temps de Shakespeare et elle aurait pu y aller.

L'autre main : Il y avait une Amérique au temps de Shakespeare mais pas d'Amérique au temps d'Ophélie et elle n'aurait pas pu y aller. Si elle y était allée au temps de Shakespeare, il n'y avait rien que des Indiens et Ophélie n'aurait pas été à l'aise dans un tipi, le mot qu'ils avaient pour dire leurs maisons.

Nous sommes passés à *Henry IV*, première partie, et tous les garçons ont voulu être Hal, Hotspur [1], Falstaff. Les filles se sont à nouveau

---

1. Respectivement Henry, prince de Galles, et Henry Percy. *(N.d.T.)*

plaintes qu'il n'y avait rien pour elles à part Juliette, Ophélie, Lady Macbeth et la reine Gertrude, et voyez un peu ce qui leur est arrivé. Shakespeare n'aimait-il pas les femmes ? Fallait-il qu'il tue toute personne portant jupe ?

Les garçons ont dit que c'était comme ça et les filles ont répliqué qu'elles étaient désolées que nous n'ayons pas lu *La Lettre écarlate* car l'une d'entre elles l'avait fait et elle avait raconté aux autres comment Hester Prynne avait eu son beau bébé, Pearl, et que le père était un connard ayant connu une mort misérable, et que Hester avait pris sa revanche sur tout Boston, et n'était-ce pas vachement mieux que la malheureuse Ophélie flottant au fil du courant, complètement barge, parlant toute seule et jetant des fleurs alentour, n'était-ce pas mieux ?

Mr Sorola est venu m'observer avec la nouvelle directrice du département, Mrs Popp. Ils ont souri, ne se sont pas plaints que ces œuvres de Shakespeare ne soient pas au programme, et pourtant, le trimestre suivant, Mrs Popp m'a retiré cette classe, à son profit. J'ai fait appel de cette décision, et le recteur m'a donné audience. J'ai déclaré que c'était ma classe, j'avais commencé à leur faire lire Shakespeare, j'entendais continuer durant le trimestre suivant. Le recteur m'a désavoué au motif que mon registre des présences était taché et entaché d'incohérence.

Mes élèves shakespeariens ont été probablement chanceux d'avoir la tête du département comme professeur. Elle était sûrement plus organisée que moi, et mieux à même de découvrir des sens profonds.

48

Paddy Clancy habitait tout à côté de chez moi à Brooklyn Heights. Il a appelé pour demander si ça me dirait d'aller à l'inauguration d'un nouveau bar dans le Village, le Lion's Head.

Bien sûr que ça me disait, au point que je suis resté jusqu'à la fermeture du bar, quatre heures du matin, et que je ne suis pas allé travailler le lendemain. Le tenancier, Al Koblin, a cru un moment que j'étais l'un de ces chanteurs, les Clancy Brothers, et ne m'a pas fait payer mes verres jusqu'au moment où il a découvert que je n'étais que Frank McCourt, professeur. Mais ensuite, même si j'ai dû payer mes verres, cela m'a été égal car le Lion's Head est devenu mon chez-moi loin de chez moi, un endroit où je me suis senti à l'aise comme ça ne m'était jamais arrivé dans les bars d'Uptown.

Des journalistes du *Village Voice* ont afflué des bureaux voisins et ils ont attiré des journalistes de partout. Le mur face au comptoir a bientôt été décoré de cadres abritant sous verre les jaquettes de livres d'écrivains habitués du lieu.

C'était le mur que je convoitais, le mur qui me hantait et me faisait rêver qu'un beau jour je lèverais les yeux pour voir la jaquette d'un livre de moi. D'une extrémité à l'autre du bar, des écrivains, des poètes, des journalistes, des auteurs dramatiques parlaient de leur travail, de leur vie, de leurs reportages, de leurs voyages. Hommes et femmes prenaient un verre en attendant des voitures qui les emmèneraient à des avions qui les emmèneraient au Vietnam, à Belfast, au Nicaragua. Des livres nouveaux sortaient, ceux de Pete Hamill, de Joe Flaherty, de Joel Oppenheimer, de Dennis Smith, et leurs jaquettes allaient au mur, tandis que je traînais mes guêtres à la périphérie des talents reconnus, ceux qui connaissaient la magie de l'imprimé. Au Lion's Head, vous deviez avoir fait vos preuves noir sur blanc ou bien vous taire. Il n'y avait pas de place ici pour les professeurs et je continuais de regarder le mur, envieux.

Maman avait emménagé dans un petit appartement en face de chez Malachy, dans l'Upper West Side de Manhattan. Maintenant elle pouvait voir à loisir Malachy, sa nouvelle femme, Diana, leurs fils, Conor et Cormac, mon frère Alphie, sa femme, Lynn, et leur fille, Allison.

Elle aurait pu nous rendre visite à tous, aussi souvent qu'elle l'aurait voulu, et, quand je lui demandais pourquoi elle n'en faisait rien, elle prenait un ton sec pour me lancer : Je n'ai pas envie d'être redevable à quiconque. Cela m'irritait toujours quand, l'appelant pour savoir ce qu'elle faisait, elle répondait : Rien. Si je suggérais qu'elle sorte un peu et aille dans un centre de quartier ou dans un club de personnes âgées, elle faisait : *Arrah*, pour l'amour de Jésus, vas-tu me laisser tranquille ? Chaque fois qu'Alberta l'invitait à dîner, elle ne manquait jamais d'être en retard, se lamentant du long trajet de son appartement de Manhattan jusque chez nous, à Brooklyn. Un soir, j'ai eu envie de lui dire que ce n'était pas du tout la peine de venir si c'était un tel dérangement pour elle, sans compter qu'un dîner était bien la dernière chose dont elle avait besoin tant elle devenait grosse, mais j'ai tenu ma langue afin qu'il n'y ait pas de malaise à table. Ce soir-là, à la différence du premier dîner qu'elle avait pris chez nous, quand elle avait dédaigné les nouilles, elle a dévoré tout ce qui se trouvait devant elle, quoique, quand on a proposé de la resservir, elle a pris un air pincé, a dit : Non, merci, comme si elle avait eu un appétit de papillon, puis a ramassé les miettes sur la table. Quand je lui ai fait observer qu'elle n'avait pas besoin de ramasser les miettes, qu'il y avait encore à manger à la cuisine, elle m'a dit de la laisser tranquille, que je commençais à devenir sacrément enquiquineur. Et quand j'ai ajouté qu'elle aurait été mieux inspirée de rester en Irlande, elle s'est rebiffée : Mieux inspirée ! Par exemple ! Qu'est-ce que tu veux dire par là ?

Eh bien, tu ne serais pas au lit la moitié de la journée, l'oreille collée contre la radio, à écouter toutes leurs émissions à moitié ineptes.

J'écoute Malachy à la radio, et où est le mal ?

Tu écoutes n'importe quoi. Tu ne fais rien.

Son visage a blêmi, son nez a pointé, elle a fait mine de ramasser des miettes qui n'étaient plus là, et ses yeux sont devenus troubles. Alors, aiguillonné par un sentiment de culpabilité, je l'ai invitée à rester pour la nuit afin qu'elle n'ait pas à faire le long trajet en métro jusqu'à Manhattan.

Non, merci, j'aime mieux être dans mon propre lit, si cela ne te fait rien.

Oh, tu crains les draps, c'est ça, toutes ces maladies des étrangers qui pourraient traîner à la laverie automatique ?

Et elle : J'ai bien l'impression que c'est l'alcool qui parle à présent. Où est mon manteau ?

Alberta a tâché d'atténuer la tension en renouvelant l'invitation à rester pour la nuit. Nous avions des draps neufs et Maman n'avait pas à se tracasser.

Ce n'est pas du tout une question de draps. Je veux simplement rentrer chez moi. Puis, me voyant enfiler mon manteau, elle a ajouté : Je n'ai pas besoin qu'on me raccompagne au métro. Je peux tout à fait trouver mon chemin.

Tu ne vas pas marcher toute seule dans ces rues.

Je marche tout le temps toute seule dans les rues.

S'ensuivit une longue marche silencieuse de Court Street au métro Borough Hall. J'ai eu envie de lui dire quelque chose. J'ai eu envie de passer outre mon irritation et ma colère pour lui poser cette simple question : Comment ça va, Maman ?

Je n'ai pas pu.

Une fois à la station, elle a dit que ce n'était pas la peine que je paie pour passer le tourniquet. Elle n'aurait aucun problème sur le quai. Il y avait des gens là-bas et elle serait en sûreté. Elle avait l'habitude.

Je suis pourtant allé avec elle en pensant que nous nous dirions peut-être quelque chose, mais quand le métro est arrivé je l'ai laissée partir, sans même tenter de l'embrasser, et l'ai regardée se diriger vers une place d'un pas mal assuré tandis que la rame quittait la station.

En revenant, à l'intersection de Court Street et d'Atlantic Avenue, je me suis rappelé quelque chose qu'elle m'avait dit des mois auparavant, comme nous nous trouvions attablés dans l'attente du repas de Thanksgiving : N'est-ce pas remarquable, la façon dont tournent les choses dans la vie des gens ?

Que veux-tu dire ?

Ma foi, j'étais dans mon appartement et je me sentais bien seule, alors j'ai décidé de me bouger un peu et je suis allée m'asseoir sur un de ces bancs qu'il y a dans cet îlot de verdure au milieu de Broadway, et puis cette femme est arrivée, une de ces femmes portant des sacs à provisions, une sans-logis, toute déguenillée et malpropre, et elle s'est mise à fouiller la poubelle, en a sorti un journal, s'est assise à côté de moi, a lu un moment puis m'a demandé si elle pouvait m'emprunter mes lunettes car sa vue ne lui permettait de lire que les titres et j'ai remarqué son accent irlandais dès qu'elle a parlé et je lui ai demandé d'où elle venait et elle m'a répondu du Donegal, bien longtemps de ça, et n'était-ce pas formidable d'être assis sur un banc au milieu de Broadway avec des gens attentifs qui vous demandent d'où vous venez ? Elle a demandé si je n'avais pas deux ou trois pièces en trop pour la soupe et je lui ai répondu qu'au lieu de ça elle pouvait venir avec moi aux Magasins Réunis et on allait faire des courses et se préparer un bon repas. Oh, elle ne pouvait pas faire ça, a-t-elle dit, mais je lui ai répondu que c'était ce que j'allais faire de toute façon. Elle n'a pas voulu entrer dans le magasin. Elle a dit qu'on n'y voulait pas des comme elle. J'ai acheté du pain et du beurre et des tranches de lard et des œufs, et quand nous sommes arrivées à la maison je lui ai dit qu'elle pouvait entrer et prendre une bonne douche, et elle en a été ravie, et tout allait bien, encore que je ne voyais pas trop quoi faire pour ses vêtements ou les sacs qu'elle transportait. Nous avons dîné et regardé la télévision jusqu'au moment où, la voyant tomber de sommeil sur moi, je lui ai dit d'aller s'étendre là-bas sur le lit, mais elle n'a pas voulu. Dieu sait que le lit est assez grand pour quatre mais non, elle s'est allongée par terre avec un sac à provisions en guise d'oreiller et, quand je me suis réveillée le lendemain matin, elle était partie et je l'ai bien regrettée depuis.

Je sais que ce n'est pas le vin du dîner qui m'a fait me jeter contre le mur en un accès de remords. C'est la pensée de ma mère souffrant tellement de solitude qu'elle devait s'asseoir sur un banc public, d'une telle solitude qu'elle regrettait la compagnie d'une femme portant des sacs à provisions, d'une sans-logis. Même durant les mauvais jours à Limerick elle avait toujours le cœur sur la main, sa porte était toujours ouverte, et pourquoi ne pouvais-je être ainsi avec elle ?

49

Enseigner neuf heures par semaine au New York Technical College de Brooklyn a été plus facile que vingt-quatre heures hebdomadaires au lycée d'enseignement professionnel et technique McKee. Les classes étaient moins nombreuses, les étudiants plus âgés, et il n'y avait aucun des problèmes qu'un professeur de lycée doit se coltiner, le passe des toilettes, le gémissement quant aux devoirs imposés, la masse de paperasses créée par des bureaucrates n'ayant rien à faire que créer d'autres formulaires. Je pouvais pallier la réduction de mon salaire en donnant des cours du soir au lycée Washington Irving ou en effectuant des remplacements au lycée de Seward Park et au lycée Stuyvesant.

Le directeur du département d'anglais du centre universitaire m'a demandé si j'aimerais enseigner une classe de paraprofessionnels. J'ai dit oui, même si je n'avais aucune idée de ce qu'était un paraprofessionnel.

Je l'ai appris dès le premier cours. Je me suis trouvé face à trente-six femmes, la plupart afro-américaines, avec une pincée d'Hispano-Américaines, âgées de vingt à soixante ans, assistantes dans le primaire, et maintenant à l'université avec l'aide du gouvernement. Elles comptaient obtenir un diplôme d'études universitaires en deux ans puis, peut-être, poursuivre leur cursus afin de devenir un jour des professeurs pleinement qualifiés.

Il y a eu peu de temps pour enseigner ce soir-là. Après que j'eus demandé aux femmes de rédiger un précis de leur vie pour le prochain cours, elles ont rassemblé leurs livres et sont sorties en file, intimidées, encore peu sûres d'elles, des autres, de moi. J'avais la peau la plus blanche de la salle.

L'atmosphère a été identique lors du cours suivant, jusqu'au moment où une femme s'est effondrée en sanglots, collant son front au pupitre. J'ai demandé quel était le problème. Elle a dressé la tête, découvrant un visage ruisselant de larmes.

J'ai perdu mes livres.

Oh, ma foi, ai-je dit, on vous en donnera d'autres. Il vous suffit d'aller au département d'anglais et de leur expliquer ce qui s'est passé.

Vous voulez dire que je ne serai pas virable de l'établissement ?

Non, vous ne serez pas virable, pardon, virée de l'établissement.

J'ai eu envie de lui tapoter la tête, mais je ne savais comment tapoter la tête d'une femme entre deux âges qui avait perdu ses livres. Elle a souri, nous avons tous souri. Nous pouvions commencer. Je leur ai demandé leur notice autobiographique et leur ai dit que j'allais en lire certaines à voix haute, sans toutefois négliger de changer les noms.

Les notices avaient quelque chose d'empesé, d'embarrassé. Tout en lisant, j'ai corrigé au tableau certaines des fautes d'orthographe les plus communes, j'ai proposé des changements de structure, j'ai pointé des erreurs de syntaxe. Tout cela a été ennuyeux, aride, jusqu'à ce que je suggère à ces dames d'écrire simplement et clairement. Pour leur prochaine rédaction, elles pourraient écrire sur tout ce qui leur plairait. Elles ont paru surprises. Tout ce qui leur plairait ? Mais nous n'avons rien sur quoi écrire. Nous n'avons pas d'aventures.

Elles n'avaient rien sur quoi écrire, rien si ce n'étaient les tensions émaillant leurs vies, les émeutes d'été éclatant autour d'elles, les assassinats, les maris qui disparaissaient si souvent, les enfants détruits par les drogues, leur propre train-train, ménage, boulots divers, école, élever les enfants.

Elles adoraient les tours étranges que jouaient les mots. Durant une discussion sur la délinquance juvénile, Mrs Williams s'est mise à chanter : Y a pas un petit loup à moi qui va faire son loulou.

Loulou ?

Ouais, vous savez bien. Loulou. Elle a tenu en l'air un journal dont la manchette hurlait : Un loulou abat sa maman.

Oh, ai-je fait, et Mrs Williams de poursuivre : Ces loulous, vous savez, qui courent partout en butant des gens. Les tuant, je veux dire. Eh bien, si un petit loup à moi rentre en faisant son loulou, c'est dehors avec un coup de pied vous savez où.

La benjamine de la classe, Nicole, a jeté une pierre dans mon jardin. Elle était assise dans un coin du fond, sans jamais parler, jusqu'au moment où j'ai demandé aux femmes si elles aimeraient écrire à propos de leur mère. C'est là qu'elle a levé la main. Et qu'en est-il de la vôtre, Mr McCourt ?

Les questions ont jailli comme des balles. Est-elle en vie ? Combien d'enfants a-t-elle eus ? Où est votre père ? A-t-elle eu tous ces enfants avec un seul homme ? Où vit-elle ? Avec qui vit-elle ? Elle vit donc seule ? Votre mère vit seule et elle a quatre fils ? Comment ça se fait ?

Elles ont sourcillé. Elles ont désapprouvé. Avec quatre fils, elle ne devrait pas vivre seule, la malheureuse dame. Les gens devraient s'occuper de leur mère, mais que savent les hommes ? Vous ne pourrez jamais expliquer à un homme ce que c'est d'être une mère, et s'il n'y avait les mères l'Amérique partirait à vau-l'eau.

En avril de cette année-là, Martin Luther King a été tué et les écoles ont été fermées pendant une semaine. Lors du cours suivant, j'ai eu envie de demander pardon pour ma race. Au lieu de ça, j'ai demandé les rédactions que je leur avais dit de faire. Mrs Williams s'est indignée. Écoutez, Mr McCourt, quand on essaie d'incendier votre maison, vous ne restez pas assis à écrire des *disseurtions*.

En juin, Bobby Kennedy a été tué. Mes trente-six dames se sont demandé quelle mouche avait piqué le monde, mais elles sont tombées d'accord qu'il fallait tenir le coup, que l'éducation était la seule route menant à la raison. Quand elles parlaient de leurs enfants, leurs visages s'illuminaient et je n'avais plus ma place dans leurs discours. J'étais assis à mon bureau pendant qu'elles se disaient que, maintenant qu'elles-mêmes étaient à l'université, elles tenaient leurs gamins à l'œil afin de s'assurer que les devoirs étaient faits.

Lors du dernier soir de cours, toujours en juin, l'examen final a eu lieu. J'ai observé ces têtes brunes penchées sur les feuilles, les mères de deux cent douze enfants, et j'ai compris une chose : Peu importait ce qu'elles allaient écrire ou ne pas écrire sur ces feuilles, aucune n'allait échouer.

Elles ont fini. La dernière copie avait été rendue, mais aucune ne s'en allait. J'ai demandé si elles avaient un autre cours dans cette salle. Mrs Williams s'est levée et a toussé. Ah, Mr McCourt, je dois le dire, enfin, nous devons le dire, c'était merveilleux de venir à l'université et d'apprendre tant de choses en anglais et autre, alors voilà, nous vous avons apporté ce petit quelque chose en espérant qu'il vous plaira et tout et tout.

Elle s'est rassise en sanglotant, et je me suis dit : Cette classe commence et finit dans les larmes.

Le cadeau fut passé de table en table, un flacon de lotion après-rasage dans une jolie boîte rouge et noire. J'ai senti la chose, j'ai manqué tomber raide, puis après l'avoir respirée avec intensité, j'ai dit aux dames que je garderais le flacon pour toujours, en souvenir d'elles, de cette classe, de leurs loulous.

Après ce cours, au lieu de rentrer à la maison, j'ai pris le métro jusqu'à Manhattan, 96ᵉ Rue Ouest, et j'ai appelé ma mère d'un téléphone de rue.

Aimerais-tu venir manger un bout ?

Je ne sais pas. Où es-tu ?

À quelques blocs de là.

Pourquoi ?

C'est juste que je me trouvais dans le quartier.

Pour venir voir Malachy ?

Non. Pour venir te voir, toi.

Moi ? Pourquoi est-ce que tu viendrais me voir ?

Pour l'amour de Dieu, tu es ma mère et je voulais simplement t'inviter à venir manger un bout. Qu'est-ce qui te ferait plaisir ?

Il y a eu de l'indécision dans sa voix. Ma foi, j'aime bien ces crevettes géantes qu'ils ont dans les restaurants chinois.

Très bien. On va se taper de ces crevettes géantes.

Mais je ne sais pas si je suis d'attaque pour elles, là, juste maintenant. Je crois que j'aimerais mieux aller chez les Grecs pour une salade.

Très bien. Je te vois là-bas.

Elle est arrivée essoufflée dans le restaurant et, quand j'ai embrassé sa joue, j'ai pu goûter le sel de sa sueur. Elle a dit qu'elle devait rester assise tranquille un instant avant de pouvoir songer à manger, qu'elle serait morte à l'heure qu'il était si elle n'avait renoncé aux cigarettes.

Elle a commandé la salade à la feta et, quand je lui ai demandé si elle aimait ça, elle a répondu qu'elle adorait ça, qu'elle pourrait ne manger que ça.

Aimes-tu ce fromage ?

Quel fromage ?

Le fromage de chèvre.

Quel fromage de chèvre ?

Le truc blanc. La feta. C'est du fromage de chèvre.

Ce n'en est pas.

Si.

Ma foi, si j'avais su que c'était du fromage de chèvre, je n'y aurais jamais touché car j'ai été attaquée une fois par une chèvre dans la campagne de Limerick et je ne mangerais jamais quelque chose qui m'a attaquée.

C'est une bonne chose, lui ai-je dit, que tu n'aies jamais été attaquée par une crevette géante.

50

En 1971, ma fille Maggie est née à l'Unity Hospital de Brooklyn, dans le quartier de Bedford-Stuyvesant. Cela n'allait pas être un problème de ramener le bon nourrisson à la maison puisqu'il semblait être le seul blanc de la maternité.

Alberta désirait un accouchement naturel selon la méthode Lamaze, mais les médecins et les infirmières de l'Unity Hospital n'avaient guère de patience pour les petites-bourgeoises et leurs excentricités. N'ayant pas de temps à perdre avec cette femme et ses exercices de respiration, ils l'ont assommée au moyen d'un anesthésiant dans le but de hâter la naissance. Au lieu de ça, le rythme s'en est trouvé tellement ralenti que l'impatient médecin a recouru au forceps pour arracher Maggie à la matrice de sa mère, et j'ai eu grande envie de le cogner pour la façon dont il lui avait aplati les tempes.

L'infirmière a emmené l'enfant dans un coin pour la nettoyer et la laver, puis elle a bien voulu que je vienne voir ma fille avec son visage rouge, tout étonné, et ses pieds noirs.

La plante de ses pieds était noire.

Dieu, quelle marque de naissance avez-vous donc infligée à mon enfant ? Je n'ai rien osé dire à l'infirmière, qui était noire et aurait pu se vexer de mon peu d'attirance pour les pieds noirs de ma fille. J'ai eu une vision de mon enfant : une jeune femme se prélassant sur une plage, ravissante dans son maillot de bain, mais obligée de porter des chaussettes pour dissimuler cette anomalie.

L'infirmière a demandé si le bébé allait être allaité. Non. Alberta avait dit qu'elle n'en aurait pas le temps une fois qu'elle aurait repris le travail, et le médecin a fait quelque chose pour tarir son lait. Ils ont demandé comment s'appelait l'enfant, et même si Alberta avait joué avec l'idée de la prénommer Michaela, comme elle était encore complètement hébétée sous l'effet de l'anesthésiant, j'ai répondu à l'infirmière : Margaret Ann, en mémoire de mes deux grands-mères et de ma sœur qui était morte à vingt et un jours dans ce même Brooklyn.

Alberta a été ramenée dans sa chambre en fauteuil roulant et j'ai appelé Malachy pour lui annoncer la bonne nouvelle, qu'une enfant était née mais affligée de pieds noirs. Il a ri dans mon oreille et m'a déclaré que j'étais un âne, que l'infirmière avait probablement pris des empreintes des pieds au lieu d'empreintes digitales. Il m'a donné rendez-vous au Lion's Head, où chacun m'a offert un verre, et j'ai terminé fin soûl, au point que Malachy a dû me raccompagner chez moi dans un taxi, ce qui m'a rendu si malade que j'ai vomi tout le long de Broadway tandis que le chauffeur gueulait que ça me coûterait vingt-cinq dollars pour le nettoyage du véhicule, exigence déraisonnable qui l'a privé de tout pourboire, si bien qu'il a menacé d'appeler les flics, et Malachy de riposter : Qu'est-ce que vous allez leur dire ? Que vous êtes un chauffeur zigzagant, allant d'un côté à l'autre de Broadway et rendant tout le monde malade, c'est ça que vous allez leur dire ? Ce qui a énervé le chauffeur au point qu'il a voulu descendre se colleter avec Malachy, se ravisant cependant quand mon frère, sans cesser de me soutenir, s'est tourné pour montrer sa carrure, son impressionnante barbe rousse, et demander poliment au chauffeur s'il avait encore quelques commentaires à faire avant de rencontrer son créateur. Le chauffeur a proféré des obscénités sur nous et les Irlandais en général, puis, brûlant un feu rouge, il a filé, son bras gauche à la portière, son majeur pointé roide dans l'air.

Malachy m'a acheté de l'aspirine et des vitamines en me disant que j'allais être droit comme la pluie le matin venu, et je me suis demandé ce que ça signifiait, droit comme la pluie, avant que cette question ne soit chassée de ma tête par l'image de Maggie avec ses tempes aplaties au forceps, et j'ai soudain eu envie de sauter du lit pour traquer ce foutu médecin qui avait empêché ma fille de naître à son propre rythme, mais mes jambes n'ont rien voulu savoir et je suis tombé de fatigue.

Malachy avait dit vrai. Je n'ai éprouvé aucune gueule de bois, seulement du ravissement de savoir qu'une petite enfant de Brooklyn portait mon nom et que j'allais passer une vie à la regarder grandir. Quand j'ai appelé Alberta, comme j'avais du mal à parler pour cause de sanglots dans la gorge, elle a ri et a cité ma mère : Tu as la vessie bien près de l'œil.

Cette même année, Alberta et moi avons acheté la maison de grès brun où nous avions été locataires. Si nous avons pu faire cette acquisition, c'est seulement parce que nos amis Bobby et Mary Ann Baron nous ont avancé de l'argent et parce que Virgil Frank est mort en nous léguant huit mille dollars.

Du temps où nous habitions au 30 Clinton Street dans Brooklyn Heights, Virgil vivait deux étages au-dessous de nous. À soixante-dix ans passés, il avait une belle tignasse blanche peignée en arrière, un nez fort, toutes ses dents et bien peu de chair sur les os. Je lui rendais régulièrement visite car une heure en sa compagnie valait mieux que voir un film, regarder la télévision et lire la plupart des livres.

Son appartement se composait d'une pièce avec un coin cuisine et une salle de bains. Il avait un lit de camp contre le mur et, plus loin, un bureau et une fenêtre avec climatiseur. Face au lit se trouvait une bibliothèque remplie de livres sur les fleurs, les arbres et, surtout, les oiseaux, qu'il se promettait d'examiner de près un jour, sitôt qu'il aurait acheté une paire de jumelles. Il faut faire attention quand on achète des jumelles car vous entrez dans un magasin, c'est bien joli, mais comment les essayer ? Les vendeurs vont vous dire : Oh, elles sont parfaites, elles sont solides, bon, d'accord, mais comment le savoir ? C'est qu'ils ne vont pas vous laisser emporter les jumelles dehors pour regarder Fulton Street de long en large, des fois que vous fileriez avec, ce qui est idiot si on y réfléchit. Comment diable allez-vous piquer un cent mètres à soixante-dix balais ? En attendant, il aurait bien aimé observer des oiseaux par sa fenêtre, mais la seule vue qu'on avait de cet appartement était celle de pigeons forniquant sur le haut de son climatiseur, ce qui avait le don de le mettre en rogne.

Pour les observer, il les observait, ah ça ouais, il les avait à l'œil, il tapait sur le rebord de fenêtre avec une tapette et leur lançait : Tirez-vous d'ici, foutus pigeons ! Il me disait : Ce ne sont que des rats pourvus d'ailes, ils ne font que bouffer et forniquer et puis, quand ils en ont fini de forniquer, ils lâchent une fiente sur le climatiseur, une fiente après l'autre, comme cette saloperie que les zoziaux, je veux dire les oiseaux, bon Dieu, voilà que je me remets à jacter avec l'accent de Brooklyn, ce qui n'est pas recommandé quand on vend des distributeurs d'eau réfrigérée, comme cette saloperie, disais-je, que les oiseaux d'Amérique du Sud balancent partout, même que les montagnes en sont couvertes, qu'est-ce donc déjà ? Le guano, ouais, qui est recommandé pour tout ce qui pousse mais pas pour les climatiseurs.

À côté des livres sur la vie au grand air, il avait la *Somme théologique* de saint Thomas d'Aquin, en trois volumes, et, le jour où j'en ai ouvert un, il m'a dit : Je ne savais pas que vous aimiez ce genre de truc. Vous ne préféreriez pas les oiseaux ? Je lui ai répondu qu'on pouvait toujours trouver des livres sur les oiseaux mais que sa *Somme* était rare, et il a dit que c'était comme si elle était à moi, sauf que je devrais attendre qu'il meure. Mais ne vous en faites pas, Frank, je la mettrai sur mon testament.

Il a également promis de me léguer sa collection de cravates, qui m'éblouissait chaque fois qu'il ouvrait son armoire, les cravates les plus criardes, les plus colorées que j'avais jamais vues.

Elles vous plaisent, hein ? Certaines de ces cravates datent carrément des années vingt et après ça va jusqu'aux années trente et quarante. Les hommes savaient s'habiller à ces époques-là. Ils ne se baladaient pas sur la pointe des pieds comme l'homme d'aujourd'hui, en costume de flanelle gris qu'effraie un peu de couleur. Je l'ai toujours dit : Ne jamais lésiner sur la cravate et le chapeau, pardi, c'est qu'il faut avoir belle allure quand on vend des distributeurs d'eau réfrigérée, ce que j'ai fait quarante-cinq ans durant. J'entrais dans un bureau et je m'exclamais : Que vois-je ? Qu'entends-je ? Vous me dites que vous buvez encore de l'eau du robinet dans ces vieilles tasses et ces vieux verres ? Êtes-vous conscient du péril que vous faites courir à votre santé ?

Et Virgil s'est placé entre lit et bibliothèque, se balançant tel un prédicateur et débitant son boniment de vendeur de distributeurs d'eau réfrigérée.

Oui, monsieur, je vends des distributeurs d'eau réfrigérée et je m'en vais vous dire qu'il y a cinq choses que vous pouvez faire avec l'eau. Vous pouvez la filtrer, vous pouvez la polluer, vous pouvez la chauffer, vous pouvez la réfrigérer et, ha ha, vous pouvez la vendre. Vous savez, et je n'ai donc pas à vous le dire, monsieur le directeur du personnel, que vous pouvez la boire et que vous pouvez nager dedans, encore qu'il n'y ait pas beaucoup de demande pour l'eau de natation de la part de l'employé de bureau américain moyen. Je m'en vais vous dire que ma compagnie a effectué une étude sur les employés de bureau buvant de notre eau et sur les employés de bureau ne buvant pas de notre eau et, vous avez raison, vous avez raison, monsieur le directeur du personnel, les gens qui boivent de notre eau sont en meilleure santé et plus productifs. Notre eau éloigne la grippe et facilite la digestion. Nous ne disons pas, non, nous ne le disons pas, monsieur le directeur du personnel, que notre eau est seule responsable de la grande productivité et de la prospérité de l'Amérique, mais nous disons, études à l'appui, que les employés de bureau ne consommant pas notre eau se traînent, sont languissants et se demandent pourquoi. Un exemplaire de notre étude sera à votre disposition dès que vous aurez signé notre contrat annuel. Sans supplément de prix, nous passerons en revue votre équipe et vous donnerons une estimation de la consommation d'eau. Je suis heureux de constater que vous n'avez pas l'air conditionné car cela signifie que vous aurez besoin d'eau en sus pour votre fine équipe. Et nous savons, monsieur le directeur du personnel, que nos distributeurs d'eau réfrigérée rapprochent les gens. Les problèmes se règlent autour d'un gobelet d'eau. Les yeux se rencontrent. Les idylles fleurissent. Tout le monde est heureux, tout le monde est pressé de venir travailler chaque jour. Productivité accrue. Nous ne recevons pas de plaintes. Signez juste ici. Un exemplaire pour vous, un exemplaire pour moi, et nous voilà en affaires.

Un coup à la porte l'a interrompu.

Qui est-ce ?

Une voix faible, chevrotante. C'est Harry, Virgil.

Impossible de te causer maintenant, Harry. J'ai le docteur ici et je suis tout nu pour un examen.

Très bien, Virgil. Je repasserai plus tard.

Demain, Harry, demain.

D'accord, Virgil.

Il m'a expliqué que c'était Harry Ball, quatre-vingt-cinq ans, si vieux qu'on n'arrivait pas à entendre sa voix derrière une corde à linge, qui le faisait tourner chèvre avec ses problèmes de stationnement. Il s'est trouvé cette grosse voiture, une Hudson comme ils n'en font pas plus, est-ce correct, pas plus ou plus tout court ? Vous êtes professeur d'anglais. Moi pas savoir. Jamais été au-delà de la cinquième. Me suis barré de l'orphelinat des Sœurs de Saint-Joseph même si je leur laisse de l'argent sur mon testament. Bref, Harry s'est trouvé cette voiture et il ne va jamais nulle part avec. Il dit qu'un jour il la conduira jusqu'en Floride pour voir sa sœur, mais il n'ira nulle part car cette bagnole est si vieille qu'elle ne traverserait pas le pont de Brooklyn, mais bon, toujours est-il que cette foutue Hudson est toute sa vie. Il n'arrête pas de la déplacer d'un côté de la rue à l'autre. Des fois, il emporte le petit pliant de plage en aluminium et se pose près de sa voiture en guettant si une place ne se libérerait pas pour le lendemain. Ou alors il marche dans le quartier à la recherche d'une place, et s'il en trouve une il s'agite à se donner une crise cardiaque et cavale à sa voiture pour la conduire jusqu'à la nouvelle place, qui est maintenant prise, ainsi que celle qu'il avait le moment d'avant, et le voilà à faire le tour sans plus de place, en maudissant le gouvernement. Un jour que j'étais monté avec lui, il a manqué écraser un rabbin et deux vieilles dames et je lui ai fait : Bon Dieu, Harry, laisse-moi descendre, et il n'a pas voulu, mais j'ai sauté au premier feu rouge et le voilà à gueuler que c'était moi le type qui avait mis les loupiotes pour que les Japs arrivent à trouver Pearl Harbor jusqu'à ce que je lui sorte qu'il était un enfoiré d'abruti qui ne savait pas que Pearl Harbor avait été bombardée en plein jour, et il est resté là à me contredire avec le feu qui passait au vert et les gens qui klaxonnaient et gueulaient : Eh, mon pote, qui c'est qui en a à foutre de Pearl Harbor ? Tu vas la bouger, ta foutue Hudson ? Il pourrait remiser cette voiture dans un garage pour quatre-vingt-cinq sacs par mois mais c'est plus qu'il ne paie pour le loyer et on n'a pas encore vu le jour où Harry Ball dilapidera un cent. Moi-même suis frugal, je l'admets, mais lui ferait passer Scrooge[1] pour un dépensier. Est-ce le bon mot, dépensier ? Je me suis barré de l'orphelinat en cinquième.

Virgil m'a demandé de l'accompagner chez un grossiste de Court Street afin d'y trouver un sablier pour le téléphone qu'il venait de se faire installer.

Un sablier ?

Ouais, un genre de truc en verre avec du sable qui s'écoule pendant trois minutes et c'est comme ça que j'aime mon œuf et quand je me servirai du téléphone je saurai quand les trois minutes seront écoulées car c'est par tranche de trois qu'ils vous font casquer, ces salopards de la compagnie du téléphone. J'aurai le sablier sur mon bureau et je raccrocherai au dernier grain de sable.

Une fois dans Court Street, je lui ai demandé si ça lui dirait de se taper une bière et un sandwich au Blarney Rose. Il n'allait jamais dans les bars et il a été choqué du prix de la bière et du whisky. Quatre-vingt-dix cents pour un dé à coudre de whisky. Jamais.

Je l'ai accompagné chez un marchand d'alcools où il a commandé des caisses de whisky irlandais, disant au vendeur que son ami Frank aimait ça, et des caisses de vin, de vodka et de bourbon, car lui-même aimait ça. Puis il a déclaré au vendeur qu'il ne paierait pas les saloperies de taxes sur son achat. C'est une grosse commande que je vous passe et, par-dessus le marché, vous voudriez que je soutienne le foutu gouvernement ? Non monsieur. Payez les taxes vous-même.

L'homme a été d'accord et a dit qu'il livrerait lui-même les vingt-cinq caisses.

Virgil m'a appelé le lendemain. Sa voix était faible, ce qui ne l'a pas empêché de me dire : J'ai le sablier en route, alors il faut que je parle vite. Est-ce que vous pouvez descendre ? J'aurais besoin d'un petit coup de main. La porte est ouverte.

Il était en peignoir, assis dans son fauteuil. Je n'ai pas fermé l'œil de la nuit. Impossible d'aller au lit.

Il n'avait pu aller se coucher car le marchand d'alcools avait empilé les vingt-cinq caisses autour de son lit, à une hauteur telle que Virgil n'avait pu l'escalader. Il a dit qu'il avait été amené à goûter un peu de whisky irlandais, ainsi que du vin, ce qui n'avait guère aidé quand était venue l'heure de la grimpette. Il a ajouté qu'il aurait bien pris une soupe, quelque chose dans l'estomac pour s'empêcher d'être malade. Quand j'ai ouvert une boîte de soupe et l'ai versée dans une

1. Ebenezer Scrooge personnifie l'avarice dans *Chant de Noël* de Charles Dickens. *(N.d.T.)*

casserole avec une quantité d'eau égale, il m'a demandé si j'avais lu les instructions sur la boîte.

Non.

Ma foi, comment savez-vous ce qu'il faut faire ?

Question de bon sens, Virgil.

Bon sens, mon cul.

Il avait la gueule de bois chagrine. Écoutez-moi, Frank McCourt. Savez-vous pourquoi vous ne réussirez jamais ?

Pourquoi ?

Vous ne suivez jamais les instructions sur l'emballage, contrairement à moi. Voilà pourquoi j'ai de l'argent en banque et que vous n'avez pas même un pot pour pisser. J'ai toujours suivi les instructions de l'emballage.

On a frappé à la porte. Qu'est-ce que c'est ? Qu'est-ce que c'est ? a demandé Virgil.

C'est moi, Voigel. Pete.

Pete qui ? Pete qui ? Je ne vois pas à travers la porte.

Pete Buglioso. J'ai quelque chose pour vous, Voigel.

Ne prenez pas votre accent de Brooklyn avec moi, Pete. Mon nom est Virgil, pas Voigel. C'était un poète, Pete. Vous devriez le savoir, vous qui êtes italien.

Je ne connais rien à tout ça, Voigel. J'ai quelque chose pour vous, Voigel.

Je n'ai besoin de rien, Pete. Repassez l'an prochain.

Mais, Voigel, ce que j'ai va vous plaire. Et ne vous coûtera que deux ou trois dollars.

C'est quoi ?

Je ne peux pas vous le dire à travers la porte, Voigel.

Virgil s'est soulevé du fauteuil et s'est dirigé d'un pas mal assuré vers son bureau où se trouvait le sablier. Très bien, Pete, très bien. Vous pouvez venir ici trois minutes. Je lance mon sablier.

Il m'a dit d'ouvrir la porte puis a répété à Pete que le sablier était à l'œuvre. Des grains de sable étaient déjà tombés, mais Pete avait encore trois minutes. Alors, parlez, Pete, parlez et que ça saute.

Très bien, Voigel, très bien, mais comment est-ce que je pourrais bien parler quand c'est vous qui parlez ? Vous parlez plus que n'importe qui.

Vous perdez votre temps, Pete. Vous vous égarez. Regardez le sablier. Regardez-moi ce sable. Les sables du temps, Pete, les sables du temps.

Qu'est-ce que vous fabriquez avec toutes ces caisses, Voigel ? Vous avez dévalisé un camion ou quoi ?

Le sablier, Pete, le sablier.

Très bien, Voigel, j'ai donc là – arrêtez de regarder le foutu sablier, Voigel, et écoutez-moi donc –, j'ai donc là des carnets d'ordonnances d'un cabinet médical de Clinton Street.

Des carnets d'ordonnances ! Vous avez encore dévalisé ces toubibs, Pete.

Je ne les ai pas dévalisés. Je connais une secrétaire médicale. Elle m'a à la bonne.

Elle doit être sourde, aveugle et muette. Je n'ai pas besoin de carnets d'ordonnances.

Allez, Voigel. On ne sait jamais. Vous pourriez avoir une maladie, une vilaine gueule de bois, et vous auriez besoin de quelque chose.

Foutaises, Pete. Votre temps est terminé. J'ai à faire.

Mais, Voigel...

Dehors, Pete, dehors. Je ne contrôle pas ce sablier une fois qu'il est en route et je n'ai pas besoin de carnets d'ordonnances.

Il a mis Pete à la porte et a gueulé après lui : Vous pourriez me faire mettre en taule et vous-même allez y atterrir à vouloir fourguer comme ça des carnets d'ordonnances volés !

Il est retombé dans son fauteuil et a dit qu'il allait essayer la soupe, même si je n'avais pas suivi les instructions sur la boîte. Il lui fallait ça pour se remettre l'estomac en place, mais s'il ne l'aimait pas il prendrait un peu de vin et ça ferait l'affaire. Il a goûté la soupe et a dit que, ouais, c'était correct, et il allait se la taper, et aussi du vin. Quand j'ai débouché la bouteille, il a poussé les hauts cris, comme quoi je ne devais pas verser le vin tout de suite, je devais le laisser respirer, oui, le vin, ne savais-je pas ça et sinon comment pouvais-je enseigner à l'école ? Il a siroté son vin et s'est souvenu qu'il devait appeler la compagnie de climatisation au sujet de ses problèmes avec les pigeons. Je lui ai dit de rester dans son fauteuil et lui ai tendu le téléphone, ainsi que le numéro de la compagnie, mais il a voulu aussi le sablier, afin de pouvoir les aviser qu'ils avaient trois minutes pour lui fournir l'information dont il avait besoin.

Allô, vous m'écoutez ? J'ai le sablier en route et vous avez trois minutes pour m'expliquer comment je peux empêcher ces foutus pigeons, excusez le langage, mademoiselle, comment je peux empêcher ces pigeons de faire l'amour sur la partie extérieure de mon climatiseur. Ils me font tourner chèvre avec leurs cui-cui à longueur de journée et leurs cacas partout sur ma fenêtre. Vous ne pouvez pas me dire ça maintenant ? Vous devez vérifier ? Qu'est-ce que vous devez vérifier ? Des pigeons forniquent sur mon climatiseur et vous devez vérifier ! Désolé, le sable a fini sa course et les trois minutes sont écoulées. Au revoir.

Il m'a retendu le téléphone. Et je m'en vais vous apprendre autre chose, a-t-il dit. C'est ce foutu Harry Ball qui est responsable de toute cette chierie de pigeons sur mon climatiseur. Il se pose sur son foutu pliant de plage en aluminium quand il guette une place de stationnement et il nourrit tous les pigeons de Borough Hall. Je lui ai dit un jour d'arrêter ça, que ce n'étaient que des rats pourvus d'ailes, et il s'est mis dans une telle rogne qu'il ne m'a plus parlé durant des semaines, ce qui m'a parfaitement convenu. Ces vieux types nourrissent des pigeons parce qu'ils n'ont pas plus de femmes — ou est-ce plus de femmes tout court ? Sais pas. Je me suis barré de l'orphelinat mais je ne nourris pas les pigeons.

Un soir il a frappé à notre porte et, quand j'ai ouvert, il était dans son peignoir râpé, tenant une liasse de papiers, et ivre. C'était son testament et il désirait m'en lire une partie. Non, il n'avait pas envie d'un café. Cela le tuait mais il allait prendre une bière.

Bon, voyez, vous m'avez tiré d'embarras, et Alberta m'a souvent invité à dîner, et personne n'invite jamais de vieux types à dîner, alors je m'en vais vous laisser quatre mille dollars, plus quatre mille pour Alberta, et dans la foulée je vous laisse mon Thomas d'Aquin et mes cravates. Voilà ce que ça dit dans le testament : À Frank McCourt je laisse ma collection de cravates qu'il a admirées et qui ne sont rien moins que sombres.

Quand nous avons emménagé dans Warren Street, nous avons perdu contact quelque temps avec Virgil, encore que je le voulais comme parrain au baptême de Maggie. Au lieu de ça, j'ai reçu l'appel d'un notaire m'avisant du décès de Virgil Frank et des termes de son testament dans la partie nous concernant. Cependant, a dit le notaire, il a changé d'avis pour la *Somme théologique* et les cravates, et vous ne recevez donc que l'argent. Acceptez-vous ?

Bien sûr, oui, mais pourquoi a-t-il fait cette modification ?

Il a entendu dire que vous êtes allé faire un séjour en Irlande et ça l'a agacé que vous participiez à la fuite de l'or.

Que voulez-vous dire ?

Selon les termes du testament de Mr Frank, le président Johnson a déclaré il y a quelques années que les Américains voyageant à l'étranger épuisaient l'or du pays et affaiblissaient l'économie, ce pour quoi vous n'aurez ni les cravates qui ne sont rien moins que sombres ni les trois volumes de D'Aquin. C'est clair ?

Oh, tout à fait.

Maintenant que nous avions assez pour un premier versement, nous avons écumé le quartier à la recherche d'une maison. Notre propriétaire, Hortensia Odones, en a entendu parler et, un jour, elle a grimpé l'escalier de secours derrière la maison et m'a fait sursauter en se montrant à la fenêtre de la cuisine avec sa grande perruque frisée.

Frankie, Frankie, ouvrez la fenêtre ! Il fait froid là-dehors ! Faites-moi entrer.

J'ai tendu le bras pour l'aider mais elle a crié : Attention à mes cheveux ! Attention à mes cheveux ! Et il m'a fallu accomplir la lourde tâche de lui faire passer la fenêtre de la cuisine tandis qu'elle agrippait sa perruque des deux mains.

Hou ! là, là ! Dites, Frankie, est-ce que vous auriez du rhum ?

Non, Hortensia, seulement du vin ou du whisky irlandais.

Donnez-moi un whisky, Frankie. J'ai le cul gelé.

Tenez, Hortensia. Dites-moi, pourquoi n'avoir pas pris l'escalier principal ?

Parce qu'il fait tout noir là en bas, voilà pourquoi, et je ne peux pas me permettre de laisser les lumières allumées nuit et jour alors que dans l'escalier de secours je vois bien jour et nuit.

Ah.

Et qu'est-ce que j'entends dire ? Que vous et Alberta cherchez une maison ? Et pourquoi vous n'achetez pas celle-ci ?

Combien ?

Cinquante mille.

Cinquante mille ?

C'est ça. Est-ce trop ?

Oh, non. C'est très bien.

Le jour de la signature de l'acte, nous avons bu du rhum avec elle, et elle nous a raconté combien elle était triste de quitter cette maison après toutes les années qu'elle y avait passées, non pas avec son mari, Odones, mais avec son compagnon, Louis Weber, connu pour avoir la main sur les loteries clandestines du quartier, et qui, quoique portoricain, ne craignait personne, pas même la Cosa Nostra qui avait tenté de prendre la relève jusqu'au jour où Louis était entré dans la maison du Don, plus bas dans Carroll Gardens, pour lui lancer, excusez le langage : C'est quoi, cette merde ? Et le Don avait admiré Louis pour ses couilles et avait dit à ses sbires de faire marche arrière, de ne pas embêter Louis, et vous le savez, Frankie, personne ne fait le malin avec les Italiens de Carroll Gardens. Vous ne voyez pas de gens de couleur ou de Portos là-bas, non monsieur, ou alors c'est qu'ils ne font que passer.

La Maffia avait peut-être reculé devant Louis mais Hortensia disait qu'on ne pouvait s'y fier, et chaque fois qu'elle et Louis allaient faire un tour en voiture, ils roulaient avec deux flingues entre eux, celui de Louis et le sien, et il lui avait dit que si quelqu'un venait faire du vilain et le mettre hors service, elle devait prendre le volant et le braquer vers le trottoir de façon à heurter un piéton plutôt qu'une voiture car ainsi les gens de la compagnie d'assurances devraient prendre les choses en main, et s'ils ne le faisaient pas ou cherchaient des poux à Hortensia il lui laissait les numéros de téléphone de quelques mecs, des Portos, parce que la foutue Maffia n'avait pas le monopole des jeux en ville, et ces mecs-là s'occuperaient des gens de la compagnie d'assurances, ces salopards voraces, excusez le langage, Alberta, et est-ce qu'il resterait du rhum, Frankie ?

Pauvre Louis, a-t-elle poursuivi, la commission Kefauver lui a fait bien des misères mais il est mort dans son lit et je ne suis plus jamais allée me balader en voiture mais il m'a laissé un flingue en bas, voulez-vous voir mon flingue, Frankie, non ? Ma foi, je l'ai et le premier qui entre dans mon appartement sans invitation s'en prend une, Frankie, juste entre les deux yeux, bing bang, fini pour lui.

Les voisins ont souri, hoché la tête et nous ont dit que nous avions acheté une mine d'or, que chacun savait que Louis avait enterré de l'argent dans le sous-sol de notre nouvelle maison où Hortensia habitait encore, ou alors c'était au-dessus de nos têtes, dans le faux plafond du salon. Il nous suffisait de démonter ce plafond, et nous aurions des billets de cent dollars jusqu'aux aisselles.

Quand Hortensia a déménagé, nous avons creusé le sous-sol pour installer un nouveau tuyau de vidange. Point d'argent enterré. Nous avons démonté les faux plafonds, découvert les briques et les poutres. Nous avons sondé les murs au marteau et quelqu'un nous a suggéré de consulter une voyante.

Nous avons trouvé une poupée ancienne avec des mèches de vrais cheveux, pas d'yeux, pas de bras, une jambe. Nous l'avons gardée pour notre Maggie de deux ans, qui l'a appelée La Bête et l'a préférée à toutes ses autres poupées.

Hortensia a emménagé dans un petit appartement en rez-de-chaussée dans Court Street, et elle y est restée jusqu'à sa mort ou à son retour à Porto Rico. J'ai souvent regretté de ne pas avoir passé plus de temps avec elle autour d'une bouteille de rhum, ou, mieux encore, de ne pas lui avoir présenté Virgil Frank car alors nous aurions pu boire du rhum et du whisky irlandais et parler de Louis Weber et de la fuite de l'or et des façons de réduire les factures de téléphone avec un sablier.

51

C'est l'année 1969 et je suis le professeur remplaçant de Joe Curran, qui est en congé quelques semaines pour cause d'ivrognerie. Ses élèves demandent si je connais le grec et semblent déçus que tel ne soit pas le cas. C'est que Mr Curran, lui, s'asseyait à son bureau pour lire ou réciter de mémoire de longs passages de *L'Odyssée*, ouais, en grec, et chaque jour il rappelait à ses élèves qu'il était diplômé de la Boston Latin School et du Boston College, ajoutant que tout homme ignorant son grec ou son latin ne pouvait se considérer comme instruit, ne pourrait jamais poser au gentleman. Oui, oui, c'est peut-être le lycée Stuyvesant, disait Mr Curran, et vous êtes peut-être les gosses les plus brillants d'ici aux contreforts des Rocheuses, avec la tête farcie de science et de mathématiques, mais tout ce qu'il vous faut dans cette vie c'est votre Homère, votre Sophocle, votre Platon, votre Aristote, et votre Aristophane pour les moments plus légers, et votre Virgile pour la part d'ombre, et votre Horace pour échapper à ici-bas, et votre Juvénal quand vous en avez vraiment plein le cul du monde. La grandeur, les garçons, la grandeur que fut la Grèce, et la gloire que fut Rome !

Ce n'étaient pas les Grecs ou les Romains que ses élèves appréciaient, c'étaient les quarante minutes durant lesquelles Joe psalmodiait ou déclamait, quand ils pouvaient rêvasser, faire des devoirs pour d'autres cours, griffonner distraitement, grignoter des sandwichs faits maison, graver leurs initiales sur les pupitres qui avaient peut-être été ceux de James Cagney, de Thelonious Monk ou de certains futurs lauréats du prix Nobel. Ou bien ils pouvaient rêver des neuf jeunes filles qui venaient juste d'être admises, une première dans l'histoire du lycée. Les neuf vierges et vestales, comme les appelait Joe Curran, provoquant ainsi des plaintes de parents quant au caractère inopportun de ses propos suggestifs.

Oh, inopportun, mon cul, disait Joe. Pourquoi ne peuvent-ils parler un anglais simple ? Pourquoi ne peuvent-ils utiliser un mot aussi simple que malvenu ?

Ses élèves disaient : Ouais, n'est-ce pas quelque chose de voir les filles dans le couloir, neuf filles, près de trois mille garçons, et qu'en est-il de ceux, cinquante pour cent quand même, qui ne veulent pas des filles, qu'en est-il ? Ne faut-il pas qu'ils soient morts sous la ceinture ?

Et puis on pouvait s'interroger sur Mr Curran lui-même, quand il passait à l'anglais pour parler de *L'Iliade* et de l'amitié entre Achille et Patrocle, parce qu'il était intarissable sur ces deux vieux Grecs, et comment Achille en voulait tellement à Hector d'avoir tué Patrocle qu'il avait lui-même tué Hector et traîné son corps derrière son char pour montrer le pouvoir de son amour à l'égard de son ami mort, l'amour qui n'ose dire son nom.

Mais, les garçons, ah, les garçons, est-il un plus doux moment dans toute la littérature que ce moment où Hector ôte son casque afin d'apaiser les craintes de son enfant ? Ah, si seulement tous nos pères ôtaient leur casque ! Et quand Joe pleurait à gros sanglots dans son mouchoir gris et employait des expressions comme *plein le cul*, vous saviez qu'il avait quitté l'établissement à l'heure du déjeuner pour s'en jeter un au Gashouse Bar du coin de la rue. Il y avait des jours où il s'en revenait tellement excité des pensées qui lui étaient venues sur le tabouret du comptoir qu'il tenait absolument à remercier Dieu de l'avoir mené à l'enseignement, où il avait le loisir d'oublier un moment les Grecs pour chanter les louanges du grand Alexander Pope et de son *Ode à la solitude*.

> Heureux l'homme dont les souhaits et les soins
> Se bornent à quelques arpents paternels
> Content de respirer son air natal
> Sur son propre sol.

Et souvenez-vous, garçons et filles, y a-t-il une fille ici ? levez la main si vous êtes une fille, pas de filles ? ainsi donc souvenez-vous, les garçons, que Pope était redevable à Horace, lequel était redevable à Homère, lequel était redevable à Dieu sait qui. Promettez-vous sur la tête de votre mère de vous souvenir de cela ? Si vous vous souvenez de la dette de Pope envers Horace, vous saurez que nul ne jaillit tout armé de la tête de son père. Vous en souviendrez-vous ?

Nous nous en souviendrons, Mr Curran.

Que vais-je dire aux élèves de Joe qui se plaignent d'avoir à lire *L'Odyssée* et toutes ces vieilleries ? Qui se soucie de ce qui est arrivé dans la Grèce antique ou à Troie, avec des hommes mourant un peu partout pour cette gourde d'Hélène ? Qui s'en soucie ? Les garçons de la classe déclarent qu'on ne les attraperait pas à se battre jusqu'à la mort pour une fille qui ne voudrait pas d'eux. Ouais, ils pouvaient comprendre *Roméo et Juliette*, car il y a un paquet de familles qui deviennent complètement bouchées dès que vous sortez avec quelqu'un d'une autre religion, et ils pouvaient aussi comprendre *West Side Story*, les gangs, tout ça, mais ils ne pourraient jamais croire que des hommes adultes quittent leur chez-eux comme Ulysse avait quitté Pénélope et Télémaque et était parti au loin combattre pour cette stupide poule qui n'en savait pas assez pour trouver l'entrée. Ils reconnaissent qu'Ulysse était cool vu comment il a tenté de couper à l'armée, en faisant le dingue et tout et tout, et ils aiment bien la façon dont Achille l'a berné, car Achille est de loin moins futé qu'Ulysse, mais bon, pareil, ils n'arrivent pas à croire qu'il soit resté éloigné une vingtaine d'années à combattre et à faire le zouave tout en s'imaginant que Pénélope, eh ouais, toujours pareil, elle allait rester tout le temps comme ça, à filer sa toile et envoyer les soupirants sur les roses. Les filles de la classe disent qu'elles arrivent à y croire, oui, elles arrivent vraiment à croire que les femmes peuvent être fidèles pour toujours car c'est ainsi que sont les femmes, et une fille dit à la classe ce qu'elle a lu dans un poème de Byron, que chez l'homme l'amour est, de sa vie, une chose à part, alors qu'il fait de la femme toute l'existence. Les garçons huent cette sortie, mais les filles l'applaudissent et leur disent ce qu'affirment tous les livres de psychologie, que les garçons de leur âge sont arriérés de trois ans en ce qui concerne le développement mental, même que ce doit être plus de six ans pour certains dans cette classe et qu'ils devraient donc la boucler. Les garçons essaient d'être sarcastiques, ils haussent leurs sourcils et se disent : Oh, la di da, sens-moi comme je suis développé, mais les filles se regardent, haussent les épaules, agitent leur chevelure et prennent un ton hautain pour me demander s'il serait possible de revenir à la leçon.

La leçon ? De quoi est-ce qu'elles parlent ? Quelle leçon ? Je n'ai souvenir que de l'habituelle pleurnicherie lycéenne, pourquoi doit-on lire ceci et pourquoi doit-on lire cela, et de mon irritation, de ma réaction muette, parce que vous devez le lire, bon sang, puisque ça fait partie du programme et que je vous dis de le lire, moi qui suis le professeur, et, si vous n'arrêtez pas de pleurnicher et de vous plaindre, vous allez avoir sur votre bulletin une note d'anglais à côté de laquelle un zéro paraîtra un cadeau des dieux, et je suis planté ici à vous écouter et à vous regarder, les privilégiés, les élus, les choyés, avec rien d'autre à faire que d'aller au lycée, traîner, étudier un tout petit peu, entrer à l'université, vous lancer dans une combine lucrative, arriver bien enrobés à la quarantaine, toujours à pleurnicher, toujours à vous plaindre, alors que des millions de gens dans le monde donneraient les doigts de leurs mains et de leurs pieds pour être à votre place, chouettement habillés, bien nourris, tenant le monde par les couilles.

Voilà ce que j'aimerais dire et ne dirai jamais car je pourrais être accusé de tenir un langage inopportun et ça me ferait piquer une crise à la Joe Curran. Non. Je ne peux parler ainsi car je dois trouver mon chemin dans cet établissement, bien éloigné du lycée d'enseignement professionnel et technique McKee.

Au printemps 1972, le directeur du département d'anglais, Roger Goodman, m'a proposé un poste de titulaire au lycée Stuyvesant. J'allais avoir cinq classes à moi et une mission de surveillance, qui m'amènerait une fois de plus à maintenir l'ordre dans la cafétéria des élèves, m'assurant que personne ne fasse tomber par terre des emballages de crème glacée ou des morceaux de hot-dog bien qu'ici garçons et filles aient le droit de s'asseoir ensemble et que le flirt tue les appétits.

J'allais avoir une petite classe particulière, composée des neuf premières filles, en terminale et prêtes pour le diplôme. Les filles sont gentilles. Elles m'apportent des choses, café, bagels, journaux. Elles sont critiques. Elles déclarent que je devrais arranger mes cheveux, me laisser pousser les pattes, on est en 1972 et je dois suivre le mouvement, être décontract', et m'occuper de mes vêtements. Elles trouvent que je m'habille comme un vieillard, et que, même si j'ai deux ou trois cheveux gris, je n'ai pas besoin d'avoir l'air si vieux. Elles disent que j'ai l'air tendu et l'une d'elles vient me masser le cou et les épaules. Relaxez-vous, dit-elle, relaxez-vous, on est inoffensives, et elles rient comme rient les femmes quand elles partagent un secret qui, vous le croyez, vous concerne.

J'allais avoir cinq classes par jour cinq jours par semaine, ce qui me demanderait de mémoriser les noms de cent soixante-quinze élèves, plus les noms d'une classe particulière complète l'an prochain, soit trente-cinq autres, et j'allais devoir être spécialement vigilant avec les élèves chinois et coréens, toujours prompts à lancer, sarcastiques : Ce n'est pas grave si vous ne connaissez pas nos noms, Mr McCourt, on se ressemble tous. Et parfois de poursuivre, rigolards : Ouais, et vous aussi, les Blancs, vous vous ressemblez tous.

Je savais tout cela par mon expérience de professeur remplaçant, mais à présent me voilà à observer mes élèves, des élèves bien à moi, qui affluent dans ma salle en ce premier jour de février 1972, fête de sainte Brigid, et je vous adresse une prière, Brigid, car ce sont là des gamins que je vais voir cinq jours par semaine cinq mois durant, et je ne sais si je serai à la hauteur. Le monde et les temps changent, et c'est facile de voir que ces gamins de Stuyvesant sont à des années-lumière de ceux à qui j'ai eu affaire lors de mes débuts à McKee. Depuis cette époque, nous avons connu des guerres et des assassinats, ceux des deux Kennedy, de Martin Luther King, de Medgar Evers. À McKee, les garçons avaient les cheveux courts ou en banane, et ramenés sur la nuque en queue de canard avec de la gomina. Les filles portaient corsage et jupe, et la permanente donnait à leur chevelure l'apparence rigide d'un casque. Les garçons de Stuyvesant arborent des cheveux si longs que les quolibets fusent dans la rue : Tout juste si on les distingue des filles, ha ha. Ils portent des chemises aux motifs délavés à l'eau de Javel, des jeans et des sandales qui font qu'on ne devinerait jamais qu'ils sont des familles les plus aisées de tout New York. Les filles de Stuyvesant laissent flotter leur chevelure, et leur poitrine, rendant les garçons fous de désir, et elles déchirent leur jean au genou pour obtenir cette chouette touche de pauvreté, parce que, toujours pareil, elles en ont jusque-là de tout ce truc bourgeois à la noix.

Oh, ouais, ils sont plus décontract' que les gamins de McKee parce qu'ils tiennent le bon bout. D'ici huit mois ils essaimeront dans les universités de tout le pays, Yale, Stanford, MIT, Williams, Harvard, altesses de la terre, et, en attendant, ils se placent à leur guise dans ma classe, ils bavardent, m'ignorent, tournent le dos à celui qui n'est qu'un autre professeur en travers de leur chemin vers le diplôme et le monde réel. Certains ont le regard fixe qui dit : Qui est ce type ? Ils s'affalent, se vautrent, contemplent la fenêtre ou un point au-dessus de ma tête. Maintenant il faut que j'obtienne leur attention, et c'est ce que je dis : Excusez-moi, puis-je obtenir votre attention ? Quelques-uns arrêtent de parler et se tournent vers moi. D'autres paraissent offensés de l'interruption et se détournent à nouveau.

Mes trois classes de terminale gémissent d'avoir à transporter chaque jour ce fardeau qu'est leur manuel, une anthologie de la littérature anglaise. Celles de première se plaignent du poids de leur anthologie de la littérature américaine. Les livres sont somptueux, richement illustrés, conçus pour favoriser l'émulation, la motivation, l'illumination, le divertissement, et ils sont chers. J'explique à mes élèves que le transport de manuels les fortifie au-dessus de la ceinture et qu'il est à espérer que le contenu de ceux-ci atteindra les régions supérieures de leur esprit.

Ils m'adressent des regards noirs. Qui est ce type ?

Il existe des manuels pédagogiques, détaillés et exhaustifs au point que je n'ai jamais à penser par moi-même. Ils regorgent de questionnaires, de tests, de sujets d'examen, assez pour maintenir mes élèves dans une tension nerveuse constante. Il y a des centaines de questions à choix multiples, de questions vrai-faux, d'exercices où il faut compléter la phrase, relier chaque terme de la colonne A au terme approprié de la colonne B, de questions péremptoires où il est demandé à l'élève d'expliquer pourquoi Hamlet était méchant avec sa mère, ce que Keats entendait par capacité négative, où Melville voulait-il en venir dans son chapitre sur la blancheur de la baleine.

Je suis fin prêt, jeunes gens et jeunes filles, à parcourir d'un bon pas les chapitres allant de Hawthorne à Hemingway, de *Beowulf* à Virginia Woolf. Ce soir il vous faut lire les pages imposées. Demain nous en débattrons. Il y aura peut-être un questionnaire. Mais bon, aussi bien, il n'y en aura peut-être pas. Enfin, n'allez pas parier là-dessus. Seul le professeur le sait vraiment. Mardi il y aura un test. Dans trois mardis d'ici il y aura un contrôle, du genre costaud, et, oui, il comptera. Il sera même déterminant pour l'appréciation générale qui sera inscrite sur votre bulletin. Vous avez aussi des tests en physique et en calcul ? Navré de vos problèmes. C'est ici le cours de langue anglaise, la reine du programme.

Et vous l'ignorez, jeunes gens et jeunes filles, mais je suis armé de mes manuels pédagogiques sur les littératures américaine et anglaise. Je les ai ici, bien à l'abri dans ma serviette, avec les questions qui vont vous faire gratter vos petites têtes, ronger vos crayons, redouter la réception du bulletin, et, je le suppose, me haïr car je suis celui qui peut compromettre vos grands projets d'entrée dans l'Ivy League. Je suis celui qui nettoyait furtivement les salons du Biltmore pour vos père et mère.

On est ici à Stuyvesant, et n'est-ce pas le meilleur lycée de la ville, et même du pays, comme d'aucuns disent ? Vous avez demandé à y être. Vous auriez pu aller à vos lycées de quartier, où vous auriez été rois et reines, *numero uno*, crack de votre classe. Ici vous n'êtes qu'un dans la foule, vous battant pour obtenir les notes qui consolideront la précieuse moyenne qui vous fera accéder à l'Ivy League. N'est-ce pas là votre divinité suprême, la moyenne ? Dans les sous-sols de Stuyvesant, on devrait construire un sanctuaire avec un autel. Et puis, sur cet autel, on devrait ériger un grand néon rouge, un 90 qui clignoterait à pleins tubes, le nombre initial et sacré que vous désespérez d'obtenir en chaque matière, et vous devriez aller y faire vos prières et vos vénérations. Oh, Dieu, envoyez-moi des A et des quatre-vingt-dix.

Mr McCourt, comment ça se fait que vous m'ayez filé que quatre-vingt-treize sur mon bulletin ?

J'ai été gentil.

Mais j'ai fait tout le boulot, j'ai rendu les devoirs que vous m'avez donnés.

Vous étiez en retard pour deux devoirs. Deux points de moins pour chaque.

Mais, Mr McCourt, pourquoi deux points ?

C'est cela. C'est votre note.

Oh, allez, Mr McCourt, pourquoi tant de vacherie ?

C'est tout ce qu'il me reste.

J'ai suivi les manuels pédagogiques. J'ai bombardé mes classes de questions préfabriquées. Je les ai frappées de questionnaires et de tests-surprises et je les ai anéanties avec l'artillerie lourde des sujets soigneusement concoctés et fourbis par les universitaires qui compilent les manuels destinés à l'enseignement secondaire.

Mes élèves ont résisté, triché, m'ont détesté, et je les ai détestés de me détester. J'ai appris les combines pour tricher. Oh, le coup d'œil désinvolte aux feuilles des élèves alentour. Oh, la petite toux discrète en code morse adressée à votre copine et son sourire suave quand elle discerne la réponse dans l'embarras du choix multiple. Si elle est placée derrière vous, vous appliquez votre main au-dessus de votre nuque puis tendez les doigts, trois fois cinq doigts pour la question quinze, un index grattant la tempe droite pour la réponse A et les autres doigts correspondant aux autres réponses. La salle est animée de toux et de contorsions diverses, et quand je surprends les tricheurs je leur siffle aux oreilles qu'ils feraient mieux d'arrêter leur cirque sinon leur copie partira en lambeaux dans la corbeille à papier et leur vie s'en trouvera ruinée. Je suis le seigneur de la classe, un homme qui, lui, ne tricherait jamais, au grand jamais, oh non, pas même si on projetait les réponses en lettres vertes sur le côté éclairé de la pleine lune.

Chaque jour me voit enseigner avec les tripes nouées, lorgnant de derrière mon bureau le front des élèves, jouant au professeur avec la craie, la brosse, le stylo rouge, les manuels pédagogiques, le pouvoir dont m'investissent les questionnaires, les tests, les contrôles. Je vais convoquer votre père, je vais convoquer votre mère, je vais vous signaler au gouverneur, je vais mettre à mal votre moyenne, mon gamin, au point que vous aurez de la chance d'être admis dans un centre universitaire de premier cycle du Mississippi, autant de recours à la menace et à la coercition.

Un élève de terminale, Jonathan, se tape le front sur son pupitre en gémissant : Pourquoi ? Pourquoi ? Pourquoi devons-nous subir toute cette merde ? On va à l'école depuis le jardin d'enfants, treize ans, et pourquoi doit-on connaître la couleur des souliers que Mrs Dalloway portait à sa foutue réception, et qu'est-ce qu'on peut bien faire de Shakespeare troublant les cieux sourds de ses cris stériles, et puis d'abord c'est quoi un cri stérile, et quand est-ce que les cieux sont devenus sourds ?

La salle résonne de grondements de rébellion et je suis paralysé. Ouais, ouais, font-ils à Jonathan, qui interrompt son cognement de tête pour demander : Mr McCourt, est-ce que vous vous farcissiez ce genre de trucs au lycée ? Et les autres de reprendre, Ouais, ouais, et moi de ne savoir que répondre. Dois-je leur dire la vérité, à savoir que je n'ai jamais mis le pied dans un lycée avant d'y enseigner, ou dois-je leur servir un baratin sur une éducation à la dure chez les Frères Chrétiens de Limerick ?

Je suis sauvé, ou condamné, par un autre élève qui lance : Mr McCourt, ma cousine est allée au lycée McKee de Staten Island et elle dit que vous leur avez raconté que vous n'étiez jamais allé au lycée et on dit que vous étiez un prof super parce que vous racontiez des histoires et discutiez avec les élèves sans jamais les embêter avec tous ces tests.

La classe est tout sourire. Le professeur est démasqué. Le professeur n'est même pas allé au lycée, jamais, et regardez ce qu'il nous fait, il nous rend dingues avec des tests et des questionnaires. Me voilà étiqueté à vie : Le professeur qui n'est jamais allé au lycée.

Dites, Mr McCourt, je croyais qu'il fallait avoir une licence pour enseigner en ville.

Il le faut.

Il ne faut pas avoir un diplôme d'université ?

Il le faut.

Il ne faut pas être breveté d'études secondaires ?

Vous voulez dire avoir un brevet d'études secondaires, un brevet de, un brevet de.

Ouais, ouais. D'accord. Il ne faut pas avoir un brevet d'études secondaires pour entrer à l'université ?

Je suppose qu'il le faut.

Le procureur en herbe cuisine le prof, emporte la partie, et la nouvelle se propage à mes autres classes. Ouah, Mr McCourt, vous n'êtes jamais allé au lycée et vous enseignez à Stuyvesant ? Tranquille, le mec.

Et dans la corbeille je laisse choir mes manuels pédagogiques, mes questionnaires, mes tests, mes sujets d'examen, mon masque de prof-qui-sait-tout.

Je me retrouve tout nu à la case départ, sans vraiment savoir par où commencer.

Pendant les années soixante et la première moitié des années soixante-dix, les élèves portaient des badges et des bandeaux réclamant

363

l'égalité des droits pour les femmes, les Noirs, les Indiens et toutes les minorités opprimées, un terme à la guerre du Vietnam, le sauvetage des grandes forêts et de l'ensemble de la planète. Les Noirs et les Blancs aux cheveux frisés lançaient la coiffure afro, tandis que la tunique africaine et la chemise aux motifs délavés constituaient deux pièces maîtresses de la tenue en vogue. Les étudiants d'université boycottaient les classes, tenaient des cours parallèles, déclenchaient partout des émeutes, refusaient les obligations militaires, s'enfuyaient au Canada ou en Scandinavie. Les lycéens arrivaient en cours la tête emplie des images de guerre vues aux informations télévisées, hommes déchiquetés dans des rizières, ballets d'hélicoptères, combattants nord-vietnamiens chassés de leurs tunnels à la dynamite, les mains derrière la tête, heureux de ne pas se refaire dynamiter dans l'instant, images de colère dans le pays, défilés, manifestations, non, nous n'irons pas, sit-in, cours parallèles, étudiants tombant sous les balles de la garde nationale, Noirs se protégeant des attaques des chiens de Bull Connor, *Burn baby burn – Black is beautiful – Ne vous fiez à personne de plus de trente ans – J'ai fait un rêve*, et, à la fin de tout cela : *Votre président n'est pas un escroc*.

Dans les rues et le métro, j'ai rencontré d'anciens élèves du lycée McKee qui m'ont donné des nouvelles des garçons allés au Vietnam, partis en héros et maintenant de retour au bercail dans des sacs de toile plastifiée. Bob Bogard m'a appelé pour m'informer de l'enterrement d'un garçon qui avait été notre élève, mais je n'y suis pas allé car je savais qu'à Staten Island on serait fier de ce sacrifice sanglant. Les garçons de Staten Island allaient remplir un nombre de sacs qui dépasserait l'imagination de ceux de Stuyvesant. Les mécaniciens et plombiers devaient combattre tandis que les étudiants d'université agitaient des poings rageurs, forniquaient dans les champs de Woodstock et faisaient leurs sit-in.

Dans ma classe, je n'ai pas porté de badge, ni n'ai pris parti. Il y avait suffisamment de délire tout autour de nous, et puis, pour moi, enseigner à cinq classes d'affilée ressemblait déjà assez à la traversée d'un champ de mines.

Mr McCourt, pourquoi est-ce que nos cours ne peuvent pas faire sens ?

Faire sens par rapport à quoi ?

Bon, vous savez, regardez ce qui se passe dans le monde. Regardez ce qui arrive.

Il se passe toujours quelque chose et on pourrait faire un sit-in dans cette classe pendant quatre ans à tiquer devant les titres des journaux et à divaguer.

Mr McCourt, vous ne vous souciez donc pas des bébés vietnamiens brûlés au napalm ?

Si, et je me soucie des bébés coréens et chinois, de ceux d'Auschwitz et d'Arménie, et aussi des bébés empalés sur les lances des soldats de Cromwell en Irlande. J'ai raconté à mes élèves ce que j'avais appris au New York Technical College de Brooklyn, quand j'enseignais à mi-temps à ma classe composée de vingt-trois femmes, pour la plupart originaires des Îles, et de cinq hommes. Parmi ces derniers s'en trouvait un de cinquante-cinq ans s'efforçant d'obtenir un diplôme d'université dans le but de retourner à Porto Rico et de passer le reste de sa vie à aider des enfants. Il y avait aussi un jeune Grec, qui étudiait l'anglais avec comme objectif un doctorat en littérature de la Renaissance anglaise. La classe comptait également trois jeunes Afro-Américains, et quand l'un d'eux, Ray, s'était plaint d'avoir été importuné par la police sur un quai de métro parce qu'il était noir, les femmes des Îles s'étaient emportées contre lui. Elles lui avaient dit que, s'il était resté chez lui à étudier, il n'aurait pas eu de problème, et ce n'était pas un de leurs gosses à elles qui serait rentré à la maison avec un baratin pareil. Parce qu'elles lui auraient cassé la tête. Ray s'était tenu coi. C'est qu'on ne répond pas aux femmes des Îles.

Denise, qui approchait alors la trentaine, arrivait souvent en retard au cours et j'ai menacé de la saquer jusqu'au jour où elle a écrit une ébauche d'autobiographie que je lui ai demandé de lire devant la classe.

Oh, non, elle ne pourrait pas faire ça. Elle aurait honte qu'on sache qu'elle avait deux enfants dont le père l'avait abandonnée pour retourner à Montserrat sans jamais lui envoyer un cent. Non, cela ne la dérangerait pas que je lise la rédaction à la classe si je ne disais pas qui l'avait écrite.

Elle avait décrit un jour de sa vie. Elle se levait tôt pour faire sa gymnastique avec les vidéos de Jane Fonda tout en remerciant Jésus de lui avoir offert un autre jour. Puis elle prenait une douche, faisait lever ses enfants, un de huit ans, un de six, et les amenait à l'école, après quoi elle se précipitait à ses cours d'université. L'après-midi elle allait droit à son boulot dans une banque tout en bas de Brooklyn puis, de là, à la maison de sa mère qui était déjà allée chercher les enfants à l'école, sa mère sans qui Denise se trouvait désemparée, surtout quand celle-ci a eu cette terrible maladie qui fait que vos doigts se nouent et que Denise ne savait pas épeler. Après avoir ramené les enfants à la maison, les avoir mis au lit et préparé leurs vêtements pour le lendemain matin, Denise priait à côté de son lit, levait les yeux vers le crucifix, remerciait une fois encore Jésus de cet autre merveilleux jour, puis elle essayait de s'endormir avec Son image souffrante dans ses rêves.

Les femmes des Îles avaient trouvé que c'était une histoire merveilleuse. Elles s'étaient regardées en se demandant laquelle d'entre elles l'avait écrite, et, quand Ray avait déclaré ne pas croire en Jésus, elles lui avaient dit de la fermer, que savait-il en traînant sur les quais du métro ? Elles travaillaient, prenaient soin de leur famille, suivaient des cours, et c'était un merveilleux pays où on pouvait faire ce qu'on voulait même si vous étiez noir comme la nuit, et, si ça ne lui plaisait pas, il pouvait retourner en Afrique, à supposer qu'il puisse la trouver sans être harcelé par la police.

J'ai dit aux femmes qu'elles étaient héroïques. J'ai dit à l'homme de Porto Rico qu'il était un héros et j'ai dit à Ray que lui aussi pouvait devenir un héros, s'il grandissait. Elles m'ont adressé des regards perplexes. Elles ne me croyaient pas et on pouvait deviner ce qui leur passait par la tête, qu'elles faisaient seulement ce qu'elles avaient à faire, acquérir une éducation, et pourquoi ce professeur déclarait-il donc qu'elles étaient héroïques ?

Mes élèves de Stuyvesant n'ont pas été convaincus. Pourquoi est-ce que je leur racontais des histoires de femmes des Îles, de Portoricains et de Grecs alors que le monde allait à sa perte ?

Parce que les femmes des Îles croient en l'éducation. Vous pouvez manifester et agiter les poings, brûler vos ordres d'incorporation et bloquer la circulation avec vos corps, mais que savez-vous finalement ? Pour ces dames, seule une chose fait sens, l'éducation. C'est tout ce qu'elles savent. C'est tout ce que je sais. C'est tout ce que j'ai besoin de savoir.

Il n'empêche, ténèbres et confusion régnaient dans ma tête et il me fallait comprendre ce que je faisais dans cette salle de classe sous peine d'avoir à partir. Si je devais tenir tête à ces cinq classes, je ne pouvais laisser les jours se fondre dans la routine de la grammaire, de l'orthographe, du vocabulaire, de la recherche du sens profond de la poésie, des extraits d'œuvres littéraires débités pour les questionnaires à choix multiple qui s'ensuivraient afin que les universités soient pourvues de la fine fleur des lycéens. Il m'allait falloir commencer à vraiment apprécier l'acte d'enseigner, et la seule façon d'y parvenir était de repartir de zéro, enseigner ce que j'aimais, et au diable le programme.

L'année de la naissance de Maggie, j'ai raconté à Alberta une chose que disait ma mère, qu'un enfant acquiert sa vision à six semaines, et que, si c'était vrai, nous devrions l'emmener en Irlande afin que sa première image soit celle des cieux changeants d'Irlande, d'une averse passagère avec les rayons du soleil perçant à travers.

Paddy et Mary Clancy nous ont invités à séjourner dans leur ferme de Carrick-on-Suir, mais les journaux disaient que Belfast était en flammes, une ville de cauchemar, et un sentiment d'anxiété m'a poussé à aller voir mon père. Je suis monté dans le Nord avec Paddy Clancy et Kevin Sullivan, et, dès le soir de notre arrivée, nous avons arpenté les rues du Belfast catholique. Les femmes étaient dehors, tapant sur le pavé avec des couvercles de poubelles, prévenant leurs hommes de l'approche des patrouilles de l'armée. Elles nous ont considérés avec méfiance jusqu'au moment où elles ont reconnu Paddy, des célèbres Clancy Brothers, et nous sommes passés sans encombre.

Le lendemain, Paddy et Kevin sont restés à l'hôtel tandis que je suis passé chez mon oncle Gerard afin qu'il m'accompagne chez mon père à Andersonstown. Quand mon père a ouvert sa porte, il a adressé un hochement de tête à Gerard et m'a regardé sans me voir. Voici ton fils, a dit l'oncle.

Est-ce le petit Malachy ? a demandé mon père.

Non. Je suis ton fils Frank.

L'oncle Gerard a dit : C'est bien triste quand votre propre père ne vous reconnaît pas.

Mon propre père a dit : Entrez. Asseyez-vous. Prendrez-vous une tasse de thé ?

Il a proposé le thé mais n'a esquissé aucun geste pour le faire dans sa petite cuisine jusqu'au moment où une voisine est venue s'en charger. Vois ça, a chuchoté Oncle Gerard. Il ne lève jamais un doigt. Il n'en a pas besoin vu la façon dont ces dames d'Andersonstown se mettent en quatre pour lui. Elles le tentent chaque jour avec de la soupe et des gâteries.

Mon père a fumé sa pipe mais n'a pas touché son mug de thé. Il était occupé à demander des nouvelles de ma mère et de mes trois frères. *Och*, il y a ton frère Alphie qui est venu me voir. Un garçon silencieux, ton frère Alphie. *Och, aye*. Un garçon silencieux. Et vous êtes tous bien en Amérique ? Vous accomplissez vos devoirs religieux ? *Och*, vous devez être bons envers votre mère et accomplir vos devoirs religieux.

J'ai eu envie d'éclater de rire. Jésus, cet homme prêcherait-il ? J'ai eu envie de demander : Papa, n'as-tu pas de mémoire ?

Non, pas la peine. Mieux valait laisser mon père à ses démons, encore qu'à le voir si tranquille avec sa pipe et son mug de thé on sentait bien que les démons ne franchiraient point son seuil. Oncle Gerard a dit qu'on devait partir avant que tombe la nuit sur Belfast et je me suis demandé comment il fallait dire adieu à mon père. Lui serrer la main ? Lui donner l'accolade ?

Je lui ai serré la main car nous avions toujours fait comme ça sauf un jour où, comme je me trouvais à l'hôpital avec la typhoïde, il m'avait embrassé le front. Puis il a lâché ma main, m'a rappelé une fois encore d'être un bon garçon, d'obéir à ma mère et de me souvenir de la vertu du rosaire quotidien.

Une fois de retour chez mon oncle, je lui ai dit que j'aimerais marcher dans le quartier protestant, autour de Shankill Road. Il a secoué la tête. Un homme silencieux. Pourquoi pas ? ai-je demandé.

Parce qu'ils sauront.

Qu'est-ce qu'ils sauront ?

Ils sauront que tu es catholique.

Comment le sauront-ils ?

Och, ils sauront.

Sa femme a opiné, ajoutant : Ils ont le coup.

Voulez-vous dire que vous pourriez repérer un protestant s'il descendait cette rue ?

Nous pourrions.

Comment ?

Et mon oncle a souri. *Och*, des années de pratique.

Nous prenions une autre tasse de thé quand une fusillade a retenti dans Leeson Street. Une femme a hurlé, et quand je suis allé à la fenêtre Oncle Gerard a dit : *Och*, ôte donc ta tête de la fenêtre. Un seul petit mouvement et les soldats sont si nerveux qu'ils l'arroseront.

La femme a hurlé de nouveau et, n'y tenant plus, je suis allé ouvrir la porte. Elle avait un enfant dans ses bras, un autre agrippé à sa jupe, et se faisait refouler par un soldat au fusil pointé vers le bas. Elle le suppliait de la laisser traverser Leeson Street pour retrouver ses autres enfants. Je me suis dit que j'allais l'aider en portant la petite agrippée à elle mais, comme je me penchais pour la prendre, la femme a vivement contourné le soldat et a réussi à traverser la rue. Le soldat m'a fait face et a appuyé le canon de son fusil contre mon front. Rentre-toi, Paddy, ou je te fais sauter ta putain de tête.

Mon oncle et sa femme, Lottie, ont dit que je m'étais conduit comme un imbécile et que ça n'aidait personne, ajoutant qu'on pouvait être catholique ou protestant il y avait une manière de procéder à Belfast que ne comprendraient jamais les étrangers.

Malgré cela, en regagnant l'hôtel dans un taxi catholique, j'ai rêvé que je pourrais facilement écumer Belfast avec un lance-flammes vengeur. Je le braquerais sur ce salopard à béret rouge et le réduirais en cendres. Je revaudrais aux Angliches les huit cents ans de tyrannie. Oh, par Jésus, je paierais de ma personne avec une mitrailleuse de calibre cinquante. Ah, oui, tout à fait, et je m'apprêtais à entonner *Roddy McCorley va à son trépas sur le pont de Toome en ce jour-là* quand, me souvenant que c'était la chanson de mon père, j'ai jugé préférable d'aller prendre tranquillement une pinte avec Paddy et Kevin au bar de notre hôtel de Belfast, et puis, avant de me coucher, d'appeler Alberta afin qu'elle tende le combiné à Maggie et que je puisse emporter le gazouillis de ma fille dans mes rêves.

Maman a pris l'avion pour séjourner quelque temps avec nous dans l'appartement que nous avions loué à Dublin. Un jour qu'Alberta devait faire des courses dans Grafton Street, Maman et moi l'avons laissée pour pousser jusqu'à St. Stephen's Green Park avec Maggie dans son landau. Nous nous sommes assis au bord de l'eau et avons jeté des miettes aux canards et aux moineaux. Maman a dit que c'était bien agréable d'être dans cet endroit de Dublin à la toute fin du mois d'août, à sentir venir l'automne avec ces bonnes vieilles feuilles qui se baladaient devant vous et la lumière qui changeait sur le lac. Nous avons regardé les enfants se bagarrer dans l'herbe et Maman a dit que ce serait bien agréable de rester ici quelques années et de voir Maggie grandir avec un accent irlandais, non qu'elle eût quelque chose contre l'accent américain, mais n'était-ce pas un pur plaisir d'écouter ces enfants ? Et elle aurait bien vu Maggie grandir et jouer dans cette même herbe.

À l'instant où j'ai dit que, oui, ce serait bien agréable, un frisson m'a parcouru et elle a dit que quelqu'un foulait ma tombe[1]. Nous avons observé les enfants qui jouaient, puis regardé la lumière sur le lac, et elle a dit : Tu n'as pas envie de retourner, n'est-ce pas ?

Retourner où ?

À New York.

Comment tu le sais ?

Je n'ai pas besoin de soulever le couvercle pour savoir ce qu'il y a dans la marmite.

Le portier du Shelbourne Hotel a dit que ça ne l'ennuierait pas du tout de garder un œil sur le landau de Maggie contre la rampe d'escalier le temps que nous prenions un rafraîchissement dans le salon, un sherry pour Maman, une pinte pour moi, un biberon de lait pour Maggie dans le giron de Maman. Deux femmes assises à la table voisine ont dit que Maggie était un amour, mais alors un amour vrai de vrai,

---

1. En anglais, « Quelqu'un marche sur ta tombe » signifie « Tu frissonnes » ou « Cela te donne un frisson ». *(N.d.T.)*

oh, magnifique, et n'était-ce pas le portrait craché de Maman elle-même ? Ah, non, a protesté Maman, je ne suis que la grand-mère !

Les femmes buvaient du sherry comme ma mère, mais les trois hommes en leur compagnie sirotaient des pintes, et à voir leurs casquettes de tweed, leurs visages rouges et leurs larges mains non moins rouges on devinait qu'il s'agissait de fermiers. L'un d'eux, coiffé d'une casquette vert foncé, a interpellé plaisamment ma mère : La petiote est peut-être fort mignonne, ma chère dame, mais vous-même vous défendez assez bien de votre personne !

Maman a ri et lui a renvoyé la balle : Ah, sûrement, mais vous n'êtes pas mal non plus !

De Dieu, ma chère dame, seriez-vous un rien plus âgée que je m'enfuirais avec vous !

Ma foi, dit Maman, seriez-vous un rien plus jeune que je n'irais pas contre !

Tous les gens du salon se sont esclaffés, Maman a jeté sa tête en arrière, a ri aux éclats, et la brillance de ses yeux a laissé transparaître qu'elle ne s'était jamais autant amusée. Elle a ri jusqu'au moment où Maggie a pleurniché, ce qui lui a fait dire que l'enfant devait être changée et que nous devions partir. L'homme à la casquette vert foncé y est allé d'une supplication : Aïe donc, ne partez pas, ma chère dame. Votre avenir est avec moi. Je suis un veuf aisé qui a de la bonne terre à lui.

L'argent n'est pas tout, a répondu Maman.

Mais j'ai aussi un tracteur, ma chère dame. On pourrait se balader ensemble, et qu'en dites-vous ?

J'en dis que ça me remue, a répondu Maman, mais je suis encore une femme mariée, et, le jour où je mettrai la voilette de veuve, vous serez le premier informé.

Fièrement parlé, ma chère dame. J'habite la troisième maison sur la gauche quand vous arrivez en Irlande par la côte sud-ouest, un grandiose endroit qu'on appelle le Kerry.

J'en ai entendu parler, a dit Maman. C'est réputé pour les moutons.

Et pour de puissants béliers, ma chère dame, puissants.

Vous n'êtes jamais à court de repartie, n'est-ce pas ?

Venez en Kerry avec moi, ma chère dame, et nous foulerons les collines bouche cousue.

Alberta était déjà à l'appartement, préparant du ragoût d'agneau, et, quand Kevin Sullivan a déboulé avec Ben Kiely, l'écrivain, il y en a eu assez pour chacun et nous avons bu du vin et chanté car il n'est pas une chanson au monde que Ben ne connaisse pas. Maman a conté l'épisode du Shelbourne Hotel. Seigneur Dieu, cet homme savait y faire, et s'il n'avait pas fallu changer Maggie je serais en route pour le Kerry.

Maman atteignit la soixantaine au cours des années soixante-dix. L'emphysème résultant d'années de tabagisme lui causait un essoufflement tel qu'elle appréhendait désormais de sortir, et plus elle restait confinée dans l'appartement plus elle prenait de l'embonpoint. Elle est venue encore quelque temps à Brooklyn, s'occuper de Maggie le weekend, mais il n'en a plus été question le jour où elle a été dans l'incapacité de gravir les escaliers du métro. C'est alors que je l'ai accusée de ne pas désirer voir sa petite-fille.

Je désire la voir mais c'est devenu difficile pour moi de me déplacer.

Pourquoi ne perds-tu pas du poids ?

C'est difficile pour une femme âgée de perdre du poids, et puis, de toute façon, pourquoi est-ce que je le devrais ?

Ne veux-tu pas avoir un genre de vie où tu ne serais pas assise dans ton appartement à regarder par la fenêtre toute la journée ?

J'ai vécu ma vie, n'est-ce pas, et pourquoi donc, en fin de compte ? Je veux simplement qu'on me laisse tranquille.

Elle a eu des crises de suffocation, et quand elle est allée voir Michael à San Francisco celui-ci a dû l'emmener d'urgence à l'hôpital. Nous lui avons dit qu'elle nous gâchait la vie avec sa manie d'être immanquablement malade durant les vacances, Noël, le nouvel an, Pâques. Elle a haussé les épaules, elle a ri et dit : Pitié de vous autres.

Peu importait sa santé, peu importait son essoufflement, elle a continué de monter à la salle de bingo sur Broadway jusqu'au soir où elle a fait une chute et s'est brisé la hanche. Après l'opération, elle a été envoyée en maison de repos dans le nord de l'État, puis elle a séjourné avec moi dans une villégiature d'été de Breezy Point, à l'extrémité de la péninsule de Rockaway. Chaque matin elle dormait tard et, une fois réveillée, elle restait avachie sur le bord du lit, à regarder par la fenêtre, vers un mur. Après quelque temps, elle s'est traînée dans la cuisine pour prendre le petit déjeuner et, quand je lui ai fait sèchement remarquer qu'elle mangeait trop de pain beurré, qu'elle aurait bientôt la taille d'une maison, elle a pris le même ton pour me répondre : Vas-tu me laisser tranquille, pour l'amour de Jésus ? Le pain beurré est mon seul réconfort.

52

Quand Henry Wozniak dirigeait l'atelier d'écriture et enseignait la littérature anglaise et américaine, il portait chaque jour une chemise, une cravate et un blouson de sport. Il chapeautait *Caliper*, la revue littéraire du lycée Stuyvesant, prodiguait ses conseils à la General Organization des élèves, et jouait un rôle très actif dans l'United Federation of Teachers, le syndicat des enseignants.

Il a changé. Le jour de la rentrée de septembre 1973, il est arrivé plein pot dans la 15ᵉ Rue sur une Harley-Davidson, qu'il a garée juste devant le lycée. Les élèves ont fait : *Hi*, Mr Wozniak ! même s'ils ont eu peine à le reconnaître avec son crâne rasé, sa boucle d'oreille, son blouson de cuir noir, sa chemise noire sans col, son jean usé, porté si serré que son large ceinturon à grosse boucle était superflu, le trousseau de clefs qui pendait de ce ceinturon, ses bottes de cuir noir à talons hauts.

Il a retourné leur *Hi !* aux élèves mais ne s'est pas attardé et ne leur a pas souri comme quand ça ne l'ennuyait pas qu'ils l'appellent le Woz. Voilà qu'il était réservé avec eux, comme avec les professeurs à la pointeuse. Il a dit à Roger Goodman, directeur du département d'anglais, qu'il voulait des classes d'anglais ordinaires, qu'il s'occuperait même volontiers d'élèves de première et deuxième année pour les faire bûcher dur en grammaire, orthographe et vocabulaire. Il a déclaré au proviseur qu'il renonçait à toute activité ne relevant pas de l'enseignement.

C'est grâce à Henry que m'est échu l'atelier d'écriture. Vous pouvez le faire, a dit Roger Goodman avant de m'offrir une bière et un hamburger au Gashouse Bar du coin de la rue pour me donner des forces. Vous en êtes capable, a-t-il ajouté. Après tout, n'avais-je pas écrit de petites choses pour le *Village Voice* entre autres journaux, et ne comptais-je pas persévérer dans cette voie ?

Fort bien, Roger, mais qu'est-ce diable qu'un atelier d'écriture et comment dirige-t-on ça ?

Demandez à Henry, a répondu Roger, il l'a fait avant vous.

Je suis allé trouver Henry à la bibliothèque et lui ai demandé comment on dirigeait un atelier d'écriture.

Disneyland, a-t-il répondu.

Pardon ?

Allez faire un tour à Disneyland. Comme tout professeur le devrait.

Pourquoi ?

C'est une expérience enrichissante. En attendant, mettez-vous en tête une petite comptine et faites-en votre mantra.

> Petite BoPeep a égaré ses moutons,
> Et ne peut dire où ils sont ;
> Laissez-les en paix, et ils rentreront chez eux,
> À la maison en remuant la queue.

C'est tout ce que j'ai obtenu de Henry et, à part un *Hi !* lancé dans les couloirs, nous n'avons plus jamais échangé un autre mot.

J'inscris mon nom au tableau en me rappelant la remarque de Mr Sorola, comme quoi l'enseignement consiste pour moitié en procédure, et, s'il en est ainsi, comment devrais-je procéder ? Ce cours étant facultatif, les élèves sont ici parce qu'ils l'ont demandé, aussi ne devrait-il pas y avoir de pleurnicheries si je leur propose d'écrire quelque chose.

Il me faut respirer un bon coup. J'inscris au tableau : *Bûchers funéraires*, et je dis : deux cents mots, au boulot.

Hein ? Des bûchers funéraires ? Qu'est-ce que vous voulez écrire là-dessus ? Et puis c'est quoi, d'abord, un bûcher funéraire ?

Vous savez ce que veut dire *funéraire*, n'est-ce pas ? Vous savez ce qu'est un bûcher. Vous avez vu des images de femmes en Inde montant sur le bûcher funéraire de leur mari, n'est-ce pas ? Cette coutume a pour nom *satī*, un nouveau mot à votre vocabulaire.

Une fille s'exclame : C'est dégoûtant ! C'est vraiment dégoûtant !

Quoi donc ?

Ces femmes qui se tuent juste parce que leur mari est mort. C'est vraiment odieux.

Telle est leur croyance. Peut-être cela montre-t-il leur amour ?

Comment ça pourrait montrer leur amour quand l'homme est mort ? Ces femmes n'ont-elles donc aucun amour-propre ?

Bien sûr que si, et elles le montrent en commettant le satī.

Mr Wozniak ne nous aurait jamais dit d'écrire sur un truc pareil.

Mr Wozniak n'étant pas là, vous allez écrire vos deux cents mots.

Ils écrivent, tendent leurs griffonnages, et je me rends compte que je suis parti sur le mauvais pied, encore qu'il soit bon de savoir que, si jamais je veux un débat enfiévré en classe, il y a toujours le satī.

Le samedi matin, ma fille, Maggie, regarde les dessins animés à la télévision en compagnie de son amie Claire Ficarra, qui habite plus bas dans la rue. Elles gloussent, hurlent, s'agrippent l'une à l'autre, bondissent en tous sens tandis que je lis le journal dans la cuisine en persiflant à mi-voix. Entre leurs babillages et le bruit de la télévision, je capte les fragments d'une mythologie du samedi matin cent pour cent américaine, des noms répétés chaque semaine, Bip Bip, Woody Woodpecker, Donald, la famille Partridge, Bugs Bunny, la bande à Brady, Heckel et Jeckel. Cette idée de mythologie dissipe mon humeur persifleuse et je prends mon café pour me joindre aux filles devant le téléviseur.

Oh, Papa, tu vas regarder avec nous ?

Tout à fait.

Ouah, Maggie ! fait Claire. Il est cool ton papa !

Si je suis allé les rejoindre, c'est qu'elles m'ont aidé à accoupler violemment deux personnages disparates, Bugs Bunny et Ulysse.

Maggie a dit : Qu'est-ce qu'il est méchant avec Elmer Fudd, Bugs Bunny ! et Claire a dit : Ouais, Bugs est chouette et marrant et malin, mais pourquoi il est si méchant avec Elmer ?

Quand j'ai retrouvé mes classes le lundi matin, j'ai annoncé ma grande découverte, les traits communs chez Bugs Bunny et Ulysse, à savoir qu'ils étaient tortueux, romantiques, ingénieux, charmeurs, qu'Ulysse avait été le premier insoumis tandis que rien n'indiquait que Bugs ait jamais servi son pays ou apporté quoi que ce soit à qui que ce soit, excepté la zizanie, la différence majeure entre eux étant que Bugs se contentait de semer partout la zizanie alors qu'Ulysse avait un objectif, rentrer chez lui retrouver Pénélope et Télémaque.

Qu'est-ce qui m'a alors incité à leur poser l'anodine question qui devait causer un tel émoi dans la classe : Quand vous étiez enfant, qu'est-ce que vous regardiez le samedi matin ?

Ça a été un geyser : Mickey, Flotsam et Jetsam, Tom et Jerry, Mighty Mouse, Crusader Rabbit, chiens, chats, souris, singes, oiseaux, fourmis, géants.

Arrêtez. Arrêtez.

J'ai jeté des morceaux de craie. Hep, vous et vous et vous, allez au tableau. Inscrivez les titres de ces dessins animés et de ces émissions.

Classez-les par catégories. C'est ce sur quoi les érudits se pencheront dans mille ans. C'est votre mythologie. Bugs Bunny. Donald.

Les listes ont couvert tout le tableau et le flot n'était pas encore tari. Elles auraient pu couvrir le sol, le plafond, se poursuivre dans le couloir, trente-cinq élèves dans chaque classe déterrant les détritus d'innombrables émissions du samedi matin. J'ai donné de la voix pour couvrir le vacarme : Ces émissions avaient-elles des mélodies récurrentes, des airs qui revenaient ?

Autre geyser, cette fois de chansons, de fredonnements, de musique d'ambiance, de réminiscences de scènes et épisodes favoris. Ils auraient pu chanter, et déclamer, et mimer, bien après la sonnerie et fort avant dans la nuit. À ma demande, ils ont copié les listes du tableau sur leurs cahiers, et cela sans demander pourquoi, sans se plaindre. Ils se sont dit, et m'ont dit, qu'ils ne pouvaient croire avoir tant regardé la télévision dans leur vie. Des heures et des heures. *Ouah !* Combien d'heures ? leur ai-je demandé. Des jours, des mois, ont-ils répondu. Des années, aussi bien. *Ouah ! Ouah !* À l'âge de seize ans, vous aviez probablement passé trois ans de votre vie devant un poste de télé.

53

Avant la naissance de Maggie, je rêvais d'être un Papa Kodak. Armé d'un appareil photo, j'allais composer un album des moments importants, Maggie voyant le jour, Maggie lors de sa première journée au jardin d'enfants, Maggie diplômée du jardin d'enfants, de l'école primaire, du lycée et, par-dessus tout, de l'université.

L'université ne serait pas un de ces immenses bâtiments urbains et tentaculaires, NYU, Fordham, Columbia. Non, ma ravissante fille passerait quatre ans dans l'une de ces exquises universités de la Nouvelle-Angleterre, si distinguées que l'Ivy League y passe pour vulgaire. Ma fille serait blonde et bronzée, flânant sur la pelouse avec un garçon épiscopalien, vedette de hockey sur gazon, rejeton d'une famille de mandarins de Boston. Il s'appellerait Doug. Il aurait des yeux d'un bleu intense, des épaules carrées, un regard franc, direct. Il me donnerait du monsieur et m'écraserait la main de sa manière virile et probe. Maggie et lui se marieraient dans la bonne et solide église épiscopalienne du campus, couverts de confettis sous une arcade de crosses de hockey, sport d'élection d'une classe de gens supérieure.

Et je m'y trouverais, fier Papa Kodak, attendant mon premier petit-enfant, moitié catholique irlandais, moitié épiscopalo-mandarin de Boston. Il y aurait un baptême et une réception en plein air, et je mitraillerais avec mon Kodak les tentes blanches, les femmes en chapeau, chacun portant des couleurs pastel, Maggie avec l'enfant, le confort, la classe, la sécurité.

Tels étaient mes rêves quand je lui donnais son biberon, lui changeais les couches, la baignais dans l'évier de la cuisine, la tapotais pour lui faire faire ses rots de bébé. Les trois premières années, je l'installais dans un petit couffin et nous allions nous promener à bicyclette dans Brooklyn Heights. Quand elle a commencé à marcher, je l'ai emmenée au terrain de jeux où, la laissant découvrir le sable et les autres enfants, je me suis mis à épier les conversations des mères autour de moi. Elles parlaient des gosses, des maris, de leur hâte à reprendre leur carrière dans le monde réel. Puis, baissant la voix, elles chuchotaient à propos de liaisons et je me demandais si je ne devais pas changer de place. Non. Elles étaient déjà soupçonneuses à mon égard. Qui était ce type assis au milieu des mères par un matin d'été quand les hommes, les vrais, étaient au travail ?

Elles ne savaient pas que j'étais issu des basses classes, usant de ma fille et de ma femme pour me couler dans leur monde. Elles se souciaient de ce qui précédait le jardin d'enfants, la garderie, et j'apprenais qu'il fallait tenir les gosses occupés. Quelques instants à faire les fous dans le bac à sable, bon, d'accord, mais le jeu devait être réellement structuré et supervisé. C'était bien simple, il n'y avait jamais assez de structure. Si un enfant était agressif, il fallait se faire du souci. Silencieux ? Même chose. Il ne fallait voir là que comportement antisocial. Les enfants devaient apprendre à s'adapter, sans quoi...

Je souhaitais envoyer Maggie à la communale, ou alors, pourquoi pas, à l'école catholique du bas de la rue, mais Alberta a jeté son dévolu sur un vénérable édifice couvert de lierre, jadis une école pour jeunes filles épiscopaliennes, et je n'ai pas eu le cran de livrer combat. Ce serait sûrement plus respectable et nous allions rencontrer une classe de gens supérieure.

Eh bien, nous avons été servis. Il y avait des agents de change, des investisseurs, des ingénieurs, des héritiers de vieilles fortunes, des professeurs d'université, des obstétriciens. Il y a eu des réceptions où on me demandait ce que je faisais, et quand je répondais que j'étais simple professeur on se détournait. Peu importait que nous ayons fait un emprunt pour une maison de grès brun de Cobble Hill, que nous ayons emboîté le pas à d'autres couples en voie d'embourgeoisement, exposant nos briques, nos poutres, nous-mêmes.

C'en était trop pour moi. Je ne savais pas comment être un mari, un père, un propriétaire de maison avec deux locataires, un membre attitré de la classe moyenne. Je ne savais comment procéder, comment m'habiller, comment deviser du marché financier pendant les réceptions, comment jouer au squash ou au golf, comment donner une mâle poignée de main et regarder mon homme droit dans les yeux en lançant un : Enchanté de faire votre connaissance, monsieur.

Alberta disait vouloir de belles choses et je ne savais jamais ce qu'elle entendait par là. Ou bien ça m'était égal. Elle désirait faire les antiquaires d'Atlantic Avenue et je désirais bavarder avec Sam Colton dans sa librairie de Montague Street ou prendre une bière au Blarney Rose avec Yonk Kling. Alberta parlait tables début XVIIIe, buffets Régence, brocs de toilette Victoria, et je n'en avais rien à péter. Ses amis parlaient de bon goût et me tombaient dessus quand je définissais le bon goût comme l'ultime pétillement d'une imagination éventée. L'air était épaissi de bon goût et je me sentais suffoquer.

Le mariage s'était mué en une querelle ininterrompue, au milieu de laquelle Maggie se trouvait piégée. Chaque jour, après l'école, elle devait suivre la routine qu'avait transmise une grand-mère yankee de Rhode Island. Change-toi, bois ton lait, mange tes biscuits, fais tes devoirs car tu ne sortiras pas de la maison tant que ce ne sera pas fait. C'est ce que tu es supposée faire. C'est ce que ta mère faisait. Ensuite, tu pourras jouer avec Claire jusqu'à l'heure du dîner, que tu devras prendre avec des parents qui ne se tiennent bien qu'en raison de ta présence.

Les matins rachetaient les soirées. Lorsque Maggie a su marcher, puis parler, elle a pris l'habitude de venir à la cuisine encore toute rêveuse, pour raconter distraitement des histoires, par exemple celle d'un vol au-dessus du quartier avec Claire et d'un atterrissage dans la rue, juste là-dehors. En avril, elle regardait le magnolia qui fleurissait devant la fenêtre de la cuisine, et elle voulait savoir pourquoi nous ne pouvions avoir cette couleur pour toujours. Pourquoi les feuilles vertes chassaient-elles ce rose ravissant ? Je lui répondais que toutes les couleurs devaient avoir leur jour en ce monde, et cette explication semblait la satisfaire.

Les matins avec Maggie étaient aussi dorés ou roses ou verts que les matins que j'avais eus avec mon père à Limerick. Jusqu'à son départ, je l'avais eu à moi. Jusqu'à ce que tout se délite, j'ai eu Maggie.

Les jours de semaine, je l'accompagnais à l'école puis je prenais le métro pour aller faire cours au lycée Stuyvesant. Mes élèves adolescents livraient bataille aux hormones ou se débattaient dans maints problèmes, différends familiaux, divorces, conflits pour garde d'enfant, ennuis d'argent, problèmes de drogue, perte de la foi. Je me sentais peiné pour eux et leurs parents. J'avais la petite fille parfaite et jamais je n'aurais leurs problèmes.

Eh bien, je les ai eus, ainsi que Maggie. Le mariage périclitait. Les Irlandais catholiques ayant grandi dans des taudis n'ont rien en commun avec les chouettes filles de la Nouvelle-Angleterre qui ont eu des petits rideaux aux fenêtres de leur chambre à coucher, qui se sont gantées de blanc jusqu'aux coudes et se sont rendues aux bals du lycée avec de chouettes garçons, qui ont étudié les bonnes manières avec des religieuses françaises leur disant : Jeunes filles, votre vertu est comme un vase qu'on a fait tomber. Vous pouvez recoller les morceaux mais la fêlure sera toujours là. Les Irlandais catholiques ayant grandi dans des taudis se rappelaient peut-être ce que disaient leurs pères : Quand le ventre est bien garni, tout est poésie.

Les vieux Irlandais me l'avaient dit, et ma mère m'en avait averti :

Collez à vos semblables. Marie-toi parmi les tiens. Le diable que tu connais est préférable au diable que tu ne connais pas.

Quand Maggie a eu cinq ans, j'ai quitté la maison et suis allé vivre chez un ami. Cela n'a pas duré. Je voulais mes matins avec ma fille. Je voulais m'asseoir par terre devant le feu, lui raconter des histoires, écouter *Sergeant Pepper's Lonely Hearts Club Band*. Car enfin, après toutes ces années, j'allais quand même bien pouvoir sauver ce mariage, porter une cravate, accompagner Maggie aux fêtes d'anniversaire dans Brooklyn Heights, charmer les épouses, jouer au squash, feindre un quelconque intérêt pour les antiquités.

J'accompagnais Maggie à l'école. Je portais son cartable, elle berçait sa mallette-repas Barbie. Elle allait sur ses huit ans quand elle m'a annoncé : Écoute, Papa, je veux aller à l'école avec mes copines. C'était bien sûr, elle se détachait, s'émancipait, se préservait. Elle devait se douter que sa famille se désintégrait, que son père s'en irait bientôt pour toujours comme son père à lui l'avait fait longtemps auparavant, et je suis parti pour de bon une semaine avant son huitième anniversaire.

54

Quand je regarde les jaquettes de livres encadrées sur le mur au Lion's Head, je souffre d'envie. Serai-je jamais là-haut ? Les écrivains voyagent dans tout le pays, signent des livres, participent à des débats télévisés. Il y a partout des réceptions, avec des femmes, et ça drague ferme. Les gens écoutent. Personne n'écoute les professeurs. Ils font pitié avec leurs tristes salaires.

Mais il y a quand même de sacrées journées dans la salle 205 du lycée Stuyvesant, lorsqu'une discussion sur un poème ouvre la porte à une éclatante lumière blanche, et que chacun comprend le poème et comprend la compréhension. Puis, quand la lumière s'estompe, on échange des sourires comme des voyageurs rendus à leur point de départ.

Mes élèves ne le savent pas, mais cette salle de classe constitue mon refuge, parfois ma force, le théâtre où peut enfin se déployer mon enfance contrariée. Nous nous plongeons dans les éditions annotées de *Ma mère l'Oye* et d'*Alice au pays des merveilles*, et quand mes élèves apportent les lectures de leur première jeunesse une vague de joie parcourt la salle. Toi aussi, tu as lu ce livre ? *Ouah !*

Dans toute salle de classe, un *Ouah !* signifie qu'il se passe quelque chose.

On ne parle pas de questionnaires ou de tests, et s'il faut assigner des notes pour complaire aux bureaucrates eh bien les élèves sont capables de s'autoévaluer. On sait ce qui se passe dans *Le Petit Chaperon rouge*, que si vous ne suivez pas le chemin que votre mère vous a dit de suivre, vous allez tomber sur ce grand méchant loup et il va y avoir du grabuge, mon gars, du grabuge, et d'ailleurs, toujours pareil, comment ça se fait que tout le monde se plaigne de la violence à la télévision et que personne ne dise un mot de la méchanceté du père et de la belle-mère dans *Hansel et Gretel*, comment ça se fait ?

Du fond de la salle, le cri de colère d'un garçon : Les pères sont de tels connards !

Puis un cours entier est consacré à une discussion animée sur Humpty Dumpty.

> *Humpty Dumpty était assis sur le mur,*
> *Humpty Dumpty s'est cassé la figure ;*
> *Tous les chevaux du roi*
> *Et tous les soldats du roi*
> *N'ont pu recoller Humpty comme il se doit*[1].

Et moi de demander : Que se passe-t-il dans cette comptine ? Les mains se lèvent. Eh bien, voilà, il y a que cet œuf tombe du mur, et si on étudie la biologie ou la physique on sait qu'on ne peut jamais recoller un œuf. Et puis, voilà, je veux dire, ça tombe sous le sens.

Qui dit qu'il s'agit d'un œuf ?

Bien sûr qu'il s'agit d'un œuf. Tout le monde sait ça.

Où est-il dit qu'il s'agit d'un œuf ?

Ils réfléchissent. Ils scrutent le texte en quête d'un œuf, de tout ce qui pourrait le signaler, de tout ce qui pourrait y ressembler. Ils ne veulent pas en démordre.

D'autres mains levées, d'autres affirmations indignées : oui, c'est bien un œuf. Ils connaissent cette comptine depuis toujours et ça n'a jamais fait le moindre doute que Humpty Dumpty était un œuf. Ils étaient bien fixés dans cette idée d'œuf, et pourquoi les professeurs doivent-ils se ramener et tout bousiller avec leurs analyses ?

Je ne bousille rien. Je veux juste savoir où vous avez pris cette idée voulant que Humpty soit un œuf.

Mais, Mr McCourt, c'est dans toutes les illustrations et celui, qui que ce soit, qui a illustré en premier le poème, eh bien, il devait connaître le type qui l'a écrit, sinon il n'en aurait jamais fait un œuf.

Très bien. Si vous vous contentez de l'idée de l'œuf, nous allons en rester là, mais je sais que les futurs juristes de cette classe n'accepteront jamais de voir un œuf là où il n'y en a pas trace.

Tant que ne plane aucune menace de notes, ils sont à l'aise avec tout ce qui a trait à l'enfance, aussi, quand je leur suggère d'écrire leur propre livre pour enfants, je ne rencontre ni plainte ni résistance.

Oh, ouais, ouais, quelle bonne idée !

Ils doivent écrire leur livre, l'illustrer, le relier, faire œuvre originale. Une fois qu'ils ont fini, j'emporte leurs travaux dans une école primaire plus bas dans la rue, vers la Première Avenue, afin qu'ils y soient lus puis évalués par de vrais critiques, ceux qui lisent ce genre de choses, à savoir les cours moyens, première et seconde années.

---

1. *De l'autre côté du miroir*, de Lewis Carroll, chapitre VI. *(N.d.T.)*

Oh, ouais, ouais, les petits, ça va être mignon !

Par une journée glaciale de janvier, les petits sont amenés à Stuyvesant par leur institutrice. Oh, bon Dieu, regardez-les ! Qu'ils sont trognons ! Regardez leurs petits manteaux et leurs serre-tête et leurs moufles et leurs bottines colorées et leurs petites tronches gelées. Ah, que c'est mignon !

Les livres sont disposés sur une longue table, des livres de toutes dimensions et formes, et la salle flamboie de couleurs. Mes élèves s'assoient puis se lèvent, cédant leurs places à leurs petits critiques qui s'installent, leurs jambes ballant loin au-dessus du sol. Un par un ils viennent à la table pour prendre le livre qu'ils ont lu et le commenter. J'ai déjà prévenu mes élèves que ces petits enfants sont de piètres menteurs, qui, pour l'instant, ne connaissent qu'une chose : la vérité. Ils lisent à partir de notes rédigées avec l'aide de leur institutrice.

Le livre que j'ai lu est *Petey et l'Araignée de l'espace*. Ce livre est bien à part le début, le milieu et la fin.

L'auteur, un échalas de première année, contemple le plafond avec un sourire jaune. Sa copine lui serre le bras.

Autre critique. Le livre que j'ai lu s'appelait *Tout là-bas*, et je ne l'ai pas aimé parce que les gens ne devraient pas écrire sur la guerre avec des gens qui se tirent dessus en plein visage et font leur commission dans leur pantalon parce qu'ils ont peur. Les gens ne devraient pas écrire sur des choses comme ça quand ils peuvent écrire sur des choses chouettes comme les fleurs et les crêpes.

Le petit critique obtient de ses camarades un tonnerre d'applaudissements, et des auteurs de Stuyvesant un silence de mort. L'auteur de *Tout là-bas* fixe un regard noir au-dessus de la tête de son critique.

L'institutrice a demandé à ses élèves de répondre à la question suivante : Est-ce que vous achèteriez ce livre pour vous ou pour quelqu'un d'autre ?

Non, je n'achèterais pas ce livre, ni pour moi ni pour personne. J'ai déjà ce livre. Il a été écrit par le docteur Seuss.

Les camarades du critique éclatent de rire et l'institutrice leur fait : Chut ! mais ils ne peuvent s'arrêter, et le plagiaire, assis sur un rebord de fenêtre, rougit et ne sait plus où poser les yeux. C'est un mauvais garçon, il a mal agi, il a fourni matière à sarcasme aux petits, mais j'aimerais bien le réconforter car je connais la raison de cette triste initiative, je sais qu'il n'était guère disposé à créer un livre pour enfants étant donné que ses parents se sont séparés pendant les vacances de Noël, qu'il est pris dans l'âpreté d'un conflit pour garde d'enfant, qu'il est tiraillé entre sa mère et son père, qu'il a fortement envie de filer en Israël retrouver son grand-père, que tout cela a fait qu'il n'a pu accomplir son devoir d'anglais qu'en agrafant ensemble quelques pages sur lesquelles il a copié une histoire du docteur Seuss puis collé des silhouettes en guise d'illustrations, qu'il en est sûrement au nadir de sa vie, et comment assumer pareille humiliation une fois démasqué par ce futé de cours moyen qui est en train de pavoiser en rigolant tout ce qu'il sait ? Mon élève m'adresse un regard à travers la salle et je lui réponds en secouant la tête, dans l'espoir qu'il comprendra que j'ai compris. Je sens que je devrais aller à lui, passer mon bras autour de son épaule, le réconforter, mais je m'en empêche car je ne veux pas que les cours moyens ou mes élèves de première pensent que j'encourage le plagiat. Pour l'instant, je dois maintenir un haut niveau moral et le laisser souffrir.

Les petits enfilent leurs vêtements d'hiver et s'en vont, laissant ma classe bien silencieuse. Un auteur de Stuyvesant ayant essuyé une critique négative dit qu'il espère que ces foutus mômes se perdront dans la neige. Un autre échalas de première année, Alex Newman, dit qu'il se sent bien car son livre a reçu des compliments, mais bon, ce que ces mômes ont fait à deux ou trois auteurs était ignoble. Il déclare que certains de ces mômes sont des assassins et, un peu partout dans la salle, on approuve.

Mais les voilà radoucis pour le cours de littérature américaine de l'année de première, prêts au délire de *Sinners in the Hands of an Angry God*. Nous déclamons Vachel Lindsay et Robert Service et T. S. Eliot, qui sont valables pour les deux côtés de l'Atlantique [1]. Nous racontons des blagues car chaque blague est comme un récit court, avec une fusée et une explosion. Nous revenons en enfance avec des jeux et des comptines qu'on disait dans les rues, *Miss Lucy* et *Ring-around-a-rosy*, et des éducateurs en visite se demandent ce qu'il se passe dans cette classe.

Et dites-moi, Mr McCourt, en quoi cela prépare-t-il nos enfants à l'université et aux exigences de la société ?

---

1. Les écrivains cités étant respectivement américain, canadien et anglais. *(N.d.T.)*

Sur la table près du lit, dans l'appartement de ma mère, il y avait des fioles remplies de pilules, de comprimés, de gélules, des sirops, prenez ceci pour cela et cela pour ceci trois fois par jour quand ce n'est pas quatre mais pas quand vous conduisez ou manœuvrez des engins lourds, à prendre avant, pendant et après les repas, évitez l'alcool et autres excitants et veillez à ne pas mélanger vos médicaments, ce que faisait Maman, confondant les pilules contre l'emphysème avec les pilules contre la douleur occasionnée par sa nouvelle hanche et les pilules qui l'aidaient à s'endormir ou à se réveiller et la cortisone qui la bouffissait et lui donnait du poil au menton, ce qui déclenchait en elle la hantise d'avoir à s'absenter quelque temps de son domicile sans son petit rasoir en plastique bleu, au risque de voir lui pousser toutes sortes de poils et de connaître la honte de sa vie, ah ça oui, la honte de sa vie.

La mairie lui avait procuré une femme qui prenait soin d'elle, la lavait, lui préparait à manger, l'emmenait en promenade si elle en était capable. Quand elle n'en était pas capable, elle regardait la télévision et la femme faisait de même, encore que celle-ci devait rapporter plus tard que Maman passait beaucoup de son temps les yeux fixés sur une tache du mur ou vers la fenêtre, se déridant seulement lorsque son petit-fils, Conor, venait la voir et qu'ils bavardaient, lui suspendu aux barreaux de fer qui protégeaient ses fenêtres.

La femme envoyée par la mairie alignait les flacons de pilules et enjoignait à Maman de les prendre dans un certain ordre durant la nuit, mais Maman oubliait, tombait dans une telle torpeur que personne ne savait ce qu'elle avait bien pu faire, et l'ambulance devait venir pour l'emmener au Lenox Hill Hospital où elle était maintenant bien connue.

La dernière fois qu'elle y était, je l'ai appelée du lycée pour lui demander comment elle allait.

Ah, je ne sais pas.

Tu ne sais pas ? Que veux-tu dire par là ?

J'en ai marre. Ils sont tout le temps à m'enfiler des choses et à me retirer des choses.

Puis elle a chuchoté : Si tu viens me voir, ferais-tu quelque chose pour moi ?

Bien sûr. De quoi s'agit-il ?

Tu n'en parleras à personne.

Bien sûr. De quoi s'agit-il ?

M'apporteras-tu un rasoir en plastique bleu ?

Un rasoir en plastique ? Pourquoi ?

T'occupe. Est-ce que tu ne pourrais pas simplement l'apporter et arrêter de poser des questions ?

Sa voix s'est étranglée dans un sanglot.

Très bien, je vais l'apporter. Allô ?

Elle avait peine à parler à cause du sanglot. Et quand tu viendras, donne le rasoir à l'infirmière et n'entre pas avant qu'elle te le dise.

L'infirmière a pris le rasoir et a fait le nécessaire pour cacher Maman aux regards du monde. À sa sortie, elle a chuchoté : Elle se rase. C'est la cortisone. Elle est gênée.

Très bien, a fait Maman, tu peux entrer maintenant et ne me pose aucune question même si tu n'as pas fait comme je t'avais dit.

Comment ça ?

Je t'avais demandé un rasoir en plastique bleu et tu m'en as apporté un blanc.

Quelle différence ?

Il y a une grande différence, mais tu ne comprendrais pas. Je n'en dirai pas plus là-dessus.

Tu as l'air bien.

Je ne suis pas bien. J'en ai marre, je te l'ai dit. Je veux juste mourir.

Oh, arrête ça. Tu seras sortie pour Noël. Tu vas danser.

Je ne danserai pas. Écoute, il y a des femmes qui cavalent dans tout ce pays et se font avorter à droite à gauche tandis que je ne peux même pas mourir.

Mais, pour l'amour de Dieu, quel est le rapport entre toi et des femmes se faisant avorter ?

Elle était au bord des larmes. Me voilà alitée, entre la vie et la mort, et tu me tourmentes avec de la théologie.

Mon frère Michael est entré dans la chambre, arrivé tout droit de San Francisco. Il s'est affairé autour du lit. Il l'a embrassée, lui a massé les épaules, les pieds. Cela va te détendre.

Je suis détendue. Si j'étais plus détendue que ça, je serais morte, et ne serait-ce pas un soulagement ?

Michael a tourné son regard vers elle, vers moi, vers la chambre, et ses yeux se sont emplis de larmes. Maman lui a dit qu'il devrait retourner à San Francisco retrouver sa femme et ses enfants.

Je repars demain.

Ma foi, ce n'était vraiment pas la peine, tout ce voyage, non ?

Il fallait que je te voie.

Elle s'est laissé gagner par le sommeil et nous sommes allés dans un bar de Lexington Avenue prendre quelques verres avec Alphie et le fils de Malachy, Malachy Jr. Nous n'avons pas parlé de Maman. Nous avons écouté Malachy Jr, qui avait vingt ans et ne savait que faire de sa vie. Je l'ai avisé que, sa mère étant juive, il pouvait aller en Israël et s'engager dans l'armée. Il a objecté qu'il n'était pas juif mais j'ai soutenu le contraire, et qu'il avait le droit au retour. J'ai ajouté que s'il allait au consulat d'Israël et déclarait vouloir s'engager dans l'armée israélienne, cela pouvait leur faire une bonne publicité. Imagine, Malachy McCourt Jr, un nom pareil, s'engageant dans l'armée israélienne. Il ferait la une de tous les journaux de New York.

Il a dit non, il n'avait pas envie de se faire cribler les fesses par ces cinglés d'Arabes. D'après Michael, il ne serait pas envoyé là-haut sur les lignes de front, il serait placé à l'arrière, où on pourrait l'employer à des fins de propagande, et toutes ces exotiques Israéliennes se jetteraient à sa tête.

Il a dit non à nouveau et je lui ai lancé que c'était perdre son temps que de lui offrir des verres alors qu'il ne voulait pas faire un truc aussi simple que s'engager dans l'armée israélienne et se tailler une belle carrière, ajoutant que si moi j'avais eu une mère juive j'aurais filé à Jérusalem dans la minute qui suivait.

Ce soir-là, je suis retourné dans la chambre de Maman. Un homme se tenait au pied de son lit. Chauve, barbe grise et costume gris trois-pièces. Il a fait tinter la monnaie dans sa poche de pantalon et a dit à ma mère : Vous savez, Mrs McCourt, qu'on a tout à fait le droit d'être en colère quand on est malade et que vous-même avez le droit d'exprimer cette colère.

Il s'est tourné vers moi. Je suis son psychiatre.

Je ne suis pas en colère, a dit Maman. Je veux juste mourir et vous me refusez ça.

Elle s'est tournée vers moi. Lui diras-tu de s'en aller ?

Allez-vous-en, docteur.

Excusez-moi, mais je suis le médecin de madame...

Allez-vous-en.

Il est parti et Maman s'est plainte d'être tourmentée par des prêtres et des psychiatres. Même si elle était une pécheresse, elle avait fait pénitence une bonne centaine de fois, elle était née en faisant pénitence. Je meurs d'envie d'avoir quelque chose dans la bouche, a-t-elle dit, quelque chose de piquant comme de la limonade.

Je lui ai apporté un citron en plastique rempli d'un jus concentré que j'ai versé dans un verre avec un peu d'eau. Elle y a goûté. Je t'ai demandé de la limonade et tu ne me donnes que de l'eau.

Non, c'est de la limonade.

La voilà de nouveau au bord des larmes. Une petite chose que je te demande, rien qu'une petite chose, et tu n'es pas capable de la faire pour moi. Et maintenant, serait-ce trop te demander de bouger mes pieds ? Ils sont restés comme ça toute la journée.

Je lui demanderais bien pourquoi elle ne bouge pas ses pieds toute seule, mais comme cela ne ferait qu'amener des larmes je m'exécute.

Et comme ça ?

Et comme ça, quoi ?

Tes pieds.

Qu'est-ce qu'ils ont, mes pieds ?

Je les ai bougés.

Ah oui ? Ma foi, je ne l'ai pas senti. Tu ne me donnes pas de limonade. Tu ne me bouges pas les pieds. Tu ne m'apportes pas un rasoir comme il faut, en plastique bleu. Oh, Dieu, à quoi bon avoir quatre fils si on ne peut même pas se faire bouger les pieds ?

Très bien. Regarde. Je bouge tes pieds.

Que je regarde ? Comment veux-tu que je regarde ? Cela m'est pénible de lever la tête de l'oreiller pour regarder mes pieds. As-tu fini de me tourmenter ?

Y a-t-il autre chose ?

C'est une fournaise, ici. Ouvrirais-tu la fenêtre ?

Mais il gèle dehors.

Voilà les larmes. Pas fichu de me donner de la limonade, pas fichu de...

Très bien, très bien. J'ouvre la fenêtre, faisant entrer une rafale d'air froid de la 77e Rue qui gèle la sueur de son visage. Ses yeux sont clos et il n'y a pas de goût de sel quand je l'embrasse.

Devrais-je rester un moment, voire toute la nuit ? Je ne pense pas que ça ennuierait les infirmières. Je pourrais pousser cette chaise, appuyer ma tête contre le mur et somnoler. Non. Je ferais aussi bien de rentrer. Demain, Maggie chante avec le chœur de la Plymouth Church et je n'ai pas envie qu'elle me voie tout avachi, avec les yeux rouges.

Durant le trajet de retour à Brooklyn, je sens que je devrais retourner à l'hôpital mais j'ai un ami qui fête ce soir l'inauguration de son bar, le Clark Street Station. Il y a de la musique et une joyeuse rumeur. Je reste au-dehors. Je suis incapable d'entrer.

Quand Malachy appelle à trois heures du matin, il n'a pas à prononcer les mots. Tout ce que je peux faire c'est préparer une tasse de thé comme Maman le faisait en des circonstances exceptionnelles et m'asseoir sur le lit dans le noir, un noir plus noir que la nuit la plus noire, sachant qu'on l'a maintenant transportée en un lieu plus froid, ce corps de chair grise qui nous a portés et mis au monde tous les sept. Je bois mon thé brûlant à petites gorgées pour me réconforter car viennent des sentiments auxquels je ne m'attendais pas. Je pensais que j'éprouverais le chagrin de l'homme adulte, la tristesse de haut vol, la sensation élégiaque seyant à l'événement. Je ne me doutais pas que je me sentirais comme un enfant dupé.

Je me redresse dans le lit, les genoux collés contre la poitrine, et voilà les larmes, qui, au lieu de monter à mes yeux, viennent battre comme les vagues d'une petite mer autour de mon cœur.

Pour une fois, Maman, ma vessie est bien loin de mon œil, et pourquoi donc ?

Me voilà regardant ma ravissante fille de dix ans, Maggie, dans sa robe blanche, chantant des hymnes protestants avec le chœur de l'église des Frères de Plymouth alors que je devrais être à la messe priant pour le repos de l'âme de ma mère, Angela McCourt, mère de sept enfants, croyante, pécheresse, encore que, à considérer ses soixante-treize années sur cette terre, il m'est impossible de croire que le Seigneur Tout-Puissant sur Son trône puisse ne serait-ce que songer la livrer aux flammes. Un Dieu semblable ne mériterait pas qu'on lui donne l'heure. Sa vie a suffisamment tenu lieu de purgatoire et elle est sûrement mieux où elle se trouve maintenant, auprès de ses trois enfants, Margaret, Oliver, Eugene.

Après le service, j'apprends à Maggie que sa grand-mère est morte et elle s'étonne que j'aie les yeux secs. Tu sais, Papa, c'est pas grave si tu pleures.

Mon frère Michael est reparti à San Francisco et je retrouve Malachy et Alphie pour le petit déjeuner sur la 72ᵉ Rue Ouest, près de chez Walter B. Cooke, entrepreneur de pompes funèbres. Voyant Malachy commander un plat copieux, Alphie lui lance : Je me demande comment tu peux manger autant alors que ta mère vient de mourir, et Malachy de relancer : Ne dois-je pas alimenter mon chagrin ?

Ensuite, aux pompes funèbres, nous retrouvons Diana et Lynn, épouses de Malachy et d'Alphie. Nous nous asseyons en demi-cercle autour du bureau du conseiller funéraire. Il porte une bague en or, une montre en or, une pince à cravate en or, des lunettes cerclées d'or. Il manie un stylo en or et nous gratifie d'un sourire de condoléances découvrant des dents en or. Il pose un grand registre sur le bureau et nous explique que la première bière est un article fort élégant, un peu moins de dix mille dollars, vraiment très bien. On ne s'attarde pas. On lui dit de continuer à tourner les pages jusqu'au dernier article, un cercueil pour moins de trois mille dollars. Malachy s'informe plus avant : Est-ce là votre prix plancher ?

Ma foi, monsieur, parlons-nous inhumation ou crémation ?

Crémation.

Avant qu'ils aillent plus loin, je tente d'égayer le moment en rapportant la conversation que j'ai eue avec Maman une semaine auparavant.

Que veux-tu que nous fassions de toi quand tu ne seras plus là ?

Oh, j'aimerais être ramenée à Limerick et être enterrée là-bas auprès de ma famille.

Maman, sais-tu combien cela coûte de transporter quelqu'un de ton gabarit ?

Ma foi, faites-moi une réduction.

Le conseiller funéraire ne trouve pas ça drôle. Il dit qu'on pourrait s'en sortir pour mille huit cents dollars, embaumement, présentation, crémation. Malachy demande pourquoi nous devons payer un cercueil qui va de toute façon être brûlé, et l'homme répond que telle est la loi.

Et pourquoi, s'entête Malachy, pourquoi ne peut-on pas juste la mettre dans un sac poubelle Hefty et la laisser dehors pour le ramassage ?

Nous rions tous aux éclats et l'homme nous demande de l'excuser un instant.

Alphie s'y met aussi : Voilà ce que j'appelle une vie d'extrême-onctuosité ! Et l'homme revient, étonné de nous voir encore hilares.

C'est arrangé. Le corps de ma mère sera laissé une journée dans son cercueil afin que les enfants puissent voir et dire adieu à une défunte grand-mère. L'homme demande si nous aimerions louer une limousine pour nous rendre à la crémation mais, Alphie excepté, personne n'est enclin à faire le voyage jusqu'à North Bergen, New Jersey, et lui-même finit par se raviser.

À Limerick, Maman avait une amie, Mary Patterson, qui, un jour, lui avait demandé : Tu sais quoi, Angela ?

Non, quoi donc, Mary ?

Je me suis souvent demandé de quoi j'aurais l'air une fois morte, et sais-tu ce que j'ai fait, Angela ?

Je ne le sais pas, Mary.

Je me suis mise sur mon trente et un, dans ma robe brune du tiers ordre de saint Francis, et sais-tu ce que j'ai fait ensuite, Angela ?

Je ne le sais pas, Mary.

Je me suis étendue avec un miroir au pied du lit, j'ai croisé mes mains avec les perles du chapelet autour, j'ai fermé les yeux, et sais-tu ce que j'ai fait ensuite, Angela ?

Je ne le sais pas, Mary.

J'ai ouvert un œil, me suis reluquée vite fait dans le miroir, et alors tu sais quoi, Angela ?

Je ne le sais pas, Mary.

J'avais vraiment l'air en paix.

Personne n'ira dire que ma mère paraît en paix dans son cercueil. Toute la misère de sa vie est dans le visage bouffi par les drogues de l'hôpital, et il y a des poils follets qui ont échappé à son rasoir en plastique.

Maggie s'agenouille à côté de moi, les yeux fixés sur sa grand-mère, premier cadavre qu'elle voit du haut de ses dix ans. Elle n'a aucun vocabulaire pour ça, aucune religion, aucune prière, et c'est là un autre motif de tristesse. Elle peut seulement regarder sa grand-mère et demander : Où est-ce qu'elle est maintenant, Papa ?

Si le paradis existe, Maggie, elle s'y trouve et en est reine.

Est-ce que le paradis existe, Papa ?

S'il n'existe pas, Maggie, les voies de Dieu me sont impénétrables.

Elle ne comprend pas ce que je bafouille et moi non plus car les larmes affluent et elle me le redit : C'est pas grave de pleurer, Papa.

Quand votre mère est morte, vous ne pouvez rester assis, le visage endeuillé, à vous remémorer ses vertus, à recevoir les condoléances des amis et voisins. Vous devez vous tenir devant le cercueil avec vos frères, Malachy et Alphie, et les fils de Malachy, Malachy Jr, Conor, Cormac, joindre vos bras et chanter les chansons que votre mère aimait, et celles qu'elle détestait, car c'est seulement ainsi que vous pouvez être sûr qu'elle est morte, et nous avons chanté :

> *Vous la regretterez quand elle s'en sera allée.*
> *L'amour d'une mère est une bénédiction*
> *Où que vous mènent vos pérégrinations.*
> *Veillez sur elle tant qu'elle est à votre côté,*
> *Vous la regretterez quand elle s'en sera allée.*

et :

> *Adieu, cher Johnny, quand tu seras loin parti,*
> *N'oublie pas ta chère vieille mère*
> *Loin de l'autre côté de la mer.*

Écris une lettre de temps à autre
Et envoie-lui tout ce que tu peux
Et n'oublie pas,
Où que te mènent tes pas,
Que tu es un Irlandais.

Les visiteurs échangent des regards et vous savez ce qu'ils pensent. Quelle est cette veillée où fils et petits-fils chantent et dansent devant la bière de la pauvre malheureuse ? N'ont-ils aucun respect pour leur mère ?

Nous l'embrassons, je place sur sa poitrine un shilling que je lui ai emprunté il y a longtemps, puis, une fois dans le long corridor menant à l'ascenseur, je me tourne, la regarde dans le cercueil, ma mère grise dans un cercueil bon marché, gris comme la mendicité.

En janvier 1985, mon frère Alphie a appelé pour dire qu'il avait reçu de tristes nouvelles de nos cousins de Belfast : notre père, Malachy McCourt, était mort tôt dans la matinée au Royal Victoria Hospital.

Je ne sais pourquoi Alphie a employé le mot *triste*. Cela ne décrivait pas mon sentiment, et j'ai songé à un vers d'Emily Dickinson : *Après la grande douleur vient un sentiment de pure convention.*

J'ai eu le sentiment de pure convention, mais nulle douleur.

Mon père et ma mère sont morts et je suis un orphelin.

Devenu adulte, mon frère Alphie était allé rendre visite à notre père par curiosité ou amour ou toute autre raison qui avait pu le pousser à voir un père qui nous avait abandonnés lorsque j'avais dix ans et que lui-même en avait à peine un. Maintenant Alphie disait qu'il allait prendre l'avion ce soir même pour assister à l'enterrement qui avait lieu le lendemain, et dans son intonation quelque chose demandait : Tu ne viens pas ?

C'était plus doux que : Tu viens ? Moins exigeant, car Alphie connaissait ses propres sentiments et les savait aussi mêlés que ceux de ses frères, Frank, Malachy, Michael.

Venir ? Pourquoi aurais-je dû m'envoler pour Belfast afin d'assister à l'enterrement d'un homme qui était parti travailler en Angleterre et avait bu ses salaires jusqu'au dernier penny ? Si ma mère avait été vivante, serait-elle allée à l'enterrement de celui qui l'avait réduite à la mendicité ?

Non, elle-même n'y serait pas allée, mais elle m'aurait demandé de m'y rendre. Elle aurait dit que ce qu'il nous avait fait n'importait pas, qu'il avait la faiblesse, la malédiction de la race, que ce n'était pas tous les jours qu'un père mourait et était enterré. Elle aurait ajouté qu'il n'était pas le pire au monde, et qui étions-nous pour juger, Dieu était là pour ça, puis, guidée par son âme charitable, elle aurait allumé un cierge et fait une prière.

Je me suis rendu à l'enterrement de mon père à Belfast dans l'espoir de découvrir pourquoi je me rendais à l'enterrement de mon père à Belfast.

Nous avons roulé dans l'agitation des rues de Belfast, véhicules blindés, patrouilles militaires, jeunes gens arrêtés, plaqués contre les murs, fouillés. Mes cousins ont dit que c'était tranquille à présent, mais il suffisait d'une bombe n'importe où, protestante ou catholique, et on se serait cru en pleine guerre mondiale. Personne ne se souvenait plus de ce que c'était que marcher normalement dans les rues. Si vous sortiez acheter une livre de beurre, vous pouviez revenir avec une jambe en moins ou ne pas revenir du tout. Une fois qu'ils avaient dit ça, mieux valait n'en plus parler. Un jour ou l'autre cela finirait et ils iraient tous gambader dehors pour la livre de beurre, voire pour le seul plaisir de gambader.

Mon cousin, Francis MacRory, nous a emmenés au Royal Victoria Hospital, pour voir notre père gisant dans son cercueil, et, pendant la montée vers la morgue, j'ai pris pleinement conscience que j'étais le fils aîné, l'éploré en chef, et que tous ces cousins m'observaient, des cousins dont j'avais à peine souvenance, d'autres qui m'étaient inconnus, des McCourt, des MacRory, des Fox. Trois des sœurs encore en vie de mon père étaient présentes, Maggie, Eva et sœur Comgall, qui s'appelait Moya avant de prendre le voile. Tante Vera, l'autre sœur, était trop souffrante pour venir d'Oxford.

Alphie et moi, le benjamin et l'aîné de cet homme dans le cercueil, nous sommes agenouillés sur le prie-Dieu. Nos tantes et les cousins ont bien regardé ces deux hommes qui avaient fait un long voyage vers un mystère et ils se sont sûrement demandé si chagrin il y avait.

Comment aurait-il pu y en avoir, avec mon père ratatiné là dans le cercueil, édenté, le visage affaissé et le corps dans un costume noir, saugrenu sur lui, avec un petit nœud papillon de soie blanche pour lequel il n'aurait eu que dédain ? Tout cela m'a donné la soudaine impression d'être en train de regarder une mouette, si bien que des spasmes de rire silencieux m'ont secoué avec une telle force que l'assemblée au complet, y compris Alphie, a sans doute cru que j'étais la proie d'un chagrin irrépressible.

Un cousin m'a touché l'épaule et j'ai voulu le remercier de son geste, mais si j'avais ôté les mains de mon visage j'aurais été pris d'un fou rire tel que j'aurais choqué tout le monde et me serais fait bannir du clan pour toujours. Alphie s'est signé et a rompu sa génuflexion. Je me suis ressaisi, ai séché mes larmes de rire, me suis signé et je me suis relevé pour faire face aux physionomies tristes qui emplissaient la petite morgue.

Au-dehors, dans la nuit de Belfast, des larmes ont accompagné les étreintes de mes tantes frêles et vieillissantes. Oh, Francis, Francis, Alphie, Alphie, il vous aimait, les garçons, ah oui, ah ça oui, il parlait de vous tout le temps.

Ah ça oui, vraiment, Tante Eva et Tante Maggie et Tante sœur Comgall, et il avait porté bien des toasts en notre honneur dans trois pays, ce n'était pas que nous voulions pleurnicher et geindre en un moment pareil, après tout c'était son enterrement, et, si j'avais été capable de me maîtriser en présence de mon père, cette mouette dans le cercueil, j'allais sûrement pouvoir garder un brin de dignité devant mes trois gentilles tantes et ma flopée de cousins.

Nous avons fait quelques pas, prêts à repartir, mais il m'a fallu retourner auprès de mon père, pour me satisfaire, pour lui expliquer que si je n'avais pas ri tout seul à propos de la mouette mon cœur aurait rompu sous l'amoncellement du passé, des images du jour où il nous avait laissés avec le grand espoir d'un prochain envoi d'argent d'Angleterre, des souvenirs de ma mère attendant près du feu l'argent qui n'allait jamais venir, puis devant aller mendier à la Société de Saint-Vincent-de-Paul, des voix de mes frères demandant s'ils pouvaient avoir encore une autre tranche de pain grillé. Tout cela fut ton fait, Papa, et même si nous en sommes sortis, nous, tes fils, tu as infligé une vie de malheur à notre mère.

J'ai seulement pu m'agenouiller à nouveau près de son cercueil et me remémorer les matins de Limerick lorsque le feu rougeoyait et qu'il parlait doucement de crainte d'éveiller ma mère et mes frères, me racontant les souffrances de l'Irlande et les hauts faits des Irlandais en Amérique, et ces matins se sont alors égrenés, telles des perles, en trois *Je vous salue, Marie*, là, près du cercueil.

Nous l'avons enterré le lendemain sur une colline surplombant Belfast. Le prêtre a prié et, au moment où il aspergeait le cercueil d'eau bénite, une fusillade a retenti quelque part dans la ville. Voilà qu'ils remettent ça, a dit quelqu'un.

Nous nous sommes réunis dans la maison de notre cousine, Theresa Fox, et de son mari, Phil. On a évoqué les événements du jour, la radio avait annoncé que trois hommes de l'IRA avaient été abattus en voulant forcer un barrage de l'armée britannique. Dans l'autre monde, mon père aurait l'escorte de ses rêves, trois hommes de l'IRA, et leur manière d'avoir pris congé ferait sûrement son envie.

Nous avons bu du thé, mangé des sandwichs, et Phil a sorti une bouteille de whisky pour lancer les histoires et les chansons, car il n'y a rien d'autre à faire le jour où vous enterrez vos morts.

En août 1985, l'année de la mort de mon père, nous avons apporté les cendres de ma mère dans son dernier lieu de repos, le cimetière de l'abbaye de Mungret, en dehors des murs de Limerick. Mon frère Malachy était là avec sa femme, Diana, et leur fils, Cormac. Ma fille de quatorze ans, Maggie, était là, au milieu de voisins que nous avions autrefois à Limerick et d'amis de New York. Nous avons plongé chacun notre tour nos doigts dans l'urne de fer-blanc du crématorium du New Jersey et nous avons répandu les cendres d'Angela sur les tombes des Sheehan, des Guilfoyle et des Griffin en regardant la brise semer sa blanche poussière sur la grisaille de leurs ossements et jusque dans le noir de la terre.

Nous avons dit un *Je vous salue, Marie* et cela n'a pas suffi. Nous nous étions éloignés de l'Église mais nous avons alors senti que, dans cette ancienne abbaye, les prières d'un prêtre auraient apporté réconfort et dignité, à elle comme à nous, requiem approprié pour une mère de sept enfants.

Nous avons déjeuné dans un pub sur la route de Ballinacurra, et à nous voir manger, et boire, et rire, jamais on ne se serait douté que nous venions d'éparpiller notre mère qui était jadis une sacrée danseuse au Wembley Hall, connue de tout un chacun pour sa façon de chanter une bonne chanson, ah, si seulement elle pouvait reprendre son souffle.

Remerciements

Aux amis et proches qui ont souri et m'ont dispensé diverses grâces : Nan Graham, Susan Moldow et Pat Eisemann chez Scribner ; Sarah Mosher, anciennement chez Scribner ; Molly Friedrich, Aaron Priest, Paul Cirone et Lucy Childs de l'agence littéraire Aaron Priest ; le regretté Tommy Butler, Mike Reardon et Nick Browne, grands prêtres du long comptoir du Lion's Head ; Paul Schiffman, poète et marin, qui servait à ce même comptoir mais préférait le roulis des mers ; Sheila McKenna, Dennis Duggan, Dennis Smith, Mary Breasted Smyth et Ted Smyth, Jack Deacy, Pete Hamill, Bill Flanagan, Marcia Rock, Peter Quinn, Brian Brown, Terry Moran, Isaiah Sheffer, Pat Mulligan, Brian Kelly, Mary Tierney, Gene Secunda, le regretté Paddy Clancy, le regretté Kevin Sullivan, tous amis du Lion's Head et du First Friday Club ; enfin, bien sûr, mes frères, Alphonsus, Michael, Malachy, et leurs épouses respectives : Lynn, Joan, Diana ; Robert et Cathy Frey, parents d'Ellen.

Mes remerciements, avec amour.

ALLISON Dorothy
Retour à Cayro

ANDERSON Scott
Triage

ANDRÍC Ivo
*Titanic et autres contes
juifs de Bosnie*
Le Pont sur la Drina
La Chronique de Travnik
Mara la courtisane

BENEDETTI Mario
La Trêve

BERENDT John
*Minuit dans le jardin du bien
et du mal*

BROOKNER Anita
Hôtel du Lac
La Vie, quelque part
Providence
Mésalliance
Dolly
États seconds

CUNNINGHAM Michael
La Maison du bout du monde
Les Heures
De chair et de sang

FEUCHTWANGER Lion
Le Diable en France
Le Juif Süss

FITZGERALD Francis Scott
Entre trois et quatre
Fleurs interdites
Fragments du paradis
Tendre est la nuit

FRY Stephen
Mensonges, mensonges

GEMMELL Nikki
Les Noces sauvages

GLENDINNING Victoria
Le Don de Charlotte

HARIG Ludwig
*Malheur à qui danse
hors de la ronde*
*Les Hortensias
de Mme von Roselius*

ISHIGURO Kazuo
Les Vestiges du jour

JAMES Henry
La Muse tragique

JERSILD P. C.
Un amour d'autrefois

KENNEDY William
L'Herbe de fer
Jack « Legs » Diamond
Billy Phelan
Le Livre de Quinn
Vieilles carcasses

LAMPO Hubert
Retour en Atlantide

MADDEN Deirdre
Rien n'est noir
Irlande, nuit froide

McCANN Colum
Les Saisons de la nuit
La Rivière de l'exil

McCOURT Frank
Les Cendres d'Angela

McFARLAND Dennis
L'École des aveugles

McGAHERN John
Journée d'adieu
La Caserne

McGARRY MORRIS Mary
Mélodie du temps ordinaire

 IMPRIMÉ AU CANADA